שלומית חייט, שרה ישראלי, הילה קובלינר / עברית מן ההתחלה

מוקדש לזכרו של יעקב (יפרח) יפתח ז"ל, מנהל ההוצאה לאור אקדמון, אשר פרוייקט לימוד עברית היה קרוב ללבו.

Dedicated to the memory of the late Academon's publishing manager, Yakov (Yfrah) Iftach, whose Hebrew learning project was close to his heart.

עברית מן ההתחלה

חלק א׳

שלומית חייט

שרה ישראלי

הילה קובלינר

אקדמון בע״מ

בית ההוצאה של האוניברסיטה העברית בירושלים

ירושלים תשס״ז

איורים: נועם נדב, יובל רוביצ'ק
עיצוב, ביצוע, סידור והדפסה: אקדמון בע"מ

הקדמה

הספר "עברית מן ההתחלה החדש" מיועד ללומדים באולפנים ברמת מתחילים: סטודנטים באוניברסיטאות, תלמידי תיכון וחטיבת הביניים ולומדים מבוגרים אחרים. לספר שני חלקים: חלק א' וחלק ב'.
הנחת היסוד שלנו היא כי כושר לשוני משמעו שליטה בלשון על כל מרכיביה: תבניות דקדוקיות, מבנים תחביריים, אוצר מילים ומבעים. הצגה הדרגתית של ארבעת הגורמים הללו והשילוב ביניהם יצרו את השלד לספר זה.

התבניות הדקדוקיות והמבנים התחביריים הם חוטי השתי בשלב הראשון של הלימוד והם מוגבלים במספרם. השליטה בהם מאפשרת שימוש במבעים רבים. הספר אינו עוסק בניתוח התבניות והמבנים מבחינה בלשנית, מכיוון שמטרתו היא לימוד השפה ולא ניתוח דקדוקה. המבנים הללו מפורקים אפוא, עד אותה יחידה גרעינית, בעלת משמעות השומרת על תקשורתיות כפי שהיא מודגמת בסיטואציות אמיתיות.

אוצר המילים הוא חוטי הערב הנרקמים בדקדוק ובתחביר. המילים נבחרו בשל שכיחותן בשפה ובשל היותן מילים בסיסיות בעברית. לעתים מופיעות מילים פחות שכיחות שלא תורגלו בהמשך. הן הובאו רק כדי שטקסט מסוים יהיה חי ונושם ויעורר עניין. בכל חלק יש כשמונה מאות מילים המופיעות במילונים בסוף כל שיעור ובמילון האלפביתי בסוף כל חלק בספר.
המבעים בספר הם על פי רוב ביטויים בעלי ניחוח תרבותי, המעוגנים במשלבים לשוניים מגוונים. לעתים הם נושאים אופי של סלנג. מבעים אלה מבטיחים לתלמיד נגיעה אמיתית בשפה. הוקדשה להם פינה מיוחדת - **אז יאללה ביי**, הקשורה לשיעור בתוכן, באוצר המילים או בעניין הלשוני הנלמד.

הקטעים בספר הם משלושה סוגים:
1. **שיחות** בנושאים תקשורתיים יומיומיים.
2. **קטעי קריאה** משוכתבים בהתאמה לנושאים הלשוניים הנלמדים.
בחרנו קטעי קריאה בעלי אופי אינטלקטואלי, מעוררי מחשבה בנושאי יהדות וישראל ובנושאים כלליים. דגש מיוחד הושם על פיתוח הבנת הנקרא, ואנו מציעים בספר תרגילים מגוונים לחיזוק מיומנות זו.
כדי לשכלל את יכולתו של הסטודנט ללמוד בכוחות עצמו מיסדנו בספר פינה נפרדת - שימוש במילון. אוצר המלים בפינה זו לא נכלל באוצר המילים הפעיל שהוקנה בשיעורים.
3. **פסוקים ופתגמים** מן המקורות, דברי **שירה, פזמונים וביטויים** ללא שכתוב.
השיקול לשיבוץ קטעים אלה היה התאמתם לאוצר המילים ולתוכן או למבנה הלשוני הנלמד. קטעים אלה הם בבחינת רשות, והמילים החדשות המופיעות בהם לא תורגלו ולא הוכנסו למילון. הם מנוקדים ומופיעים לרוב ברשת צבע.
ההתקדמות בתוכנית הלימודים אינה תלויה בהם, יחד עם זאת נהנינו לגלות ללומד את עושרם והוא, בעזרת ניחוש אמיץ, יכול להבינם, גם אם אוצר המילים שברשותו עדיין מצומצם.

העיקרון המנחה את התרגול בספר הוא מעבר הדרגתי מתרגילים סגורים עד תרגילים פתוחים. כלומר, מתרגילים שבהם על התלמידים להעתיק, לבחור, להתאים או לשבץ ועד לתרגילים שבהם התלמיד משחק, יוצר ומביע את דעתו. אין מקום בספר לכתיבת התשובות. כוונתנו היא שהתלמיד לא יכתוב בספר אלא בדף נפרד.

הספר פותח בשבע יחידות **האלף - בית**. נלמדות בהן אותיות הדפוס והכתב וכן אוצר מילים ומבנים בסיסיים.

אחרי היחידות ואחרי כל שישה שיעורים יש **פסק זמן**. בפרקים אלה יש חזרה על הנלמד וקטעים נוספים לקריאה.

הכתיב הנוהג בספר הוא הכתיב המלא חסר הניקוד לפי כללי האקדמיה ללשון העברית. במספר מילים חרגנו מכללים אלה כדי להקל על התלמידים את הקריאה.

יש בספר **תרגום** לאנגלית או לרוסית של ההוראות ושל ההערות הלשוניות המופיעות לעיתים בסוף השיעורים. בסוף הספר יש מילון עברי-אנגלי או עברי-רוסי. אנחנו מקוות להוציא מהדורות נוספות של הספר עם תרגום לשפות אחרות: ערבית, ספרדית, צרפתית וסינית.

נלוות לספר **קלטות שמע** שבהן הוקלטו כל השיחות, הקטעים והמבעים. כל קטע שהוקלט סומן ב- . בקרוב תצא מהדורה חדשה של **"מה נשמע"** - קטעים להאזנה ותרגילי חזרה לעבודה עצמית. כמו כן יצא **מדריך למורה**.

תודה לכל אלה שיצקו אתנו את יסודות הספר בבנייתו בגרסה הראשונה של **עברית מן ההתחלה**, ובמיוחד ל**פרופסור שושנה בלום - קולקה**.
ברצוננו להודות לכל מי שטרחו וסייעו בידינו בהוצאת ספר זה:
תודה מעומק הלב למאייר **נעם נדב**. איוריו הם מעשה אמנות והלימוד בעזרתם תענוג. תודה ל**יובל רוביצ'ק** שהצטרף למלאכת האיור.
תודה ל**תמר פריד** על התרגום לאנגלית ול**מרים שפר ז"ל** שסייעה בתרגום.
תודה ל**לירז פרנק** שצילמה צילומים רבים לחלק א. תודה ל**רוני בארי** שרשמה את תווי השירים.
תודה לצוות **האקדמון**, בעיקר ל**יעקב יפתח** ול**ויטה סטולבונסקי** ולמנכ"ל האקדמון, **עופר יצחייק**.

אנחנו מקוות שהספר יעודד את הלומדים לחגוג את תהליך רכישת העברית ולהצטרף לקהל אוהביה.

שלומית חייט
שרה ישראלי
הילה קובלינר

CONTENTS
תוכן עניינים

• פועל: בניין קל (פָּעַל), גזרת ע״ו, זמן הווה, יחיד, זכר ונקבה

Verb: basic stem - pa'al (פָּעַל) conjugation, weak verb type ע״ו, present tense, singular, masculine and feminine

Example: דוגמה: גָר, גָרה

• בניין קל (פָּעַל), גזרת השלמים, זמן הווה, יחיד, זכר ונקבה

basic stem - pa'al (פָּעַל) conjugation ,strong verb, present tense,singular, masculine and feminine

Example: דוגמה: לומד, לומדת

תחביר: • משפט שמני בחיווי ובשלילה (המשך)

Syntax: Declarative and negative nominal sentence (cont.) -

Example: דוגמות: זה (לא) לימון.

• משפט פעלי בחיווי בשלילה — Positive and negative verbal sentence

דוגמות: אני (לא) לומד. את (לא) לומדת "ידיש".

• מילות החיבור - וְ... - Waw consecutive

• כינויי רומז - זה, זאת, אלה - Demonstrative Pronouns

שונות: • שמות שׂפות - Names of languages — Miscellaneous:

Example: דוגמה: אנגלית

יחידה IV 59–42

עיצורים: ס, ע, צ, ץ, ק - ס, ע, צ, ץ, ק

תנועות: □ו, □ֻ - u□

צורות: • פועל: בניין קל (פָּעַל), גזרת השלמים, זמן הווה, רבים ורבות — Morphology:

Verb: basic stem - pa'al (פָּעַל) conjugation, strong verb, present tense,plural, masculine and feminine

Example: דוגמה: לומדים, לומדות

• בניין קל, גזרת ע״ו, זמן הווה, רבים ורבות

Basic stem, - pa'al (פָּעַל) conjugation, weak verb type ע״ו, present tense, plural, masculine and feminine.

Example: דוגמה: גרים, גרות

• בניין קל, גזרת ל״ה, זמן הווה

Basic stem - pa'al (פָּעַל) conjugation, weak verb type ל״ה, present tense

Example: דוגמה: רוֹצֶה, רוֹצָה, רוֹצים, רוֹצוֹת

תחביר: • מיליות היחס - בְּ... , עִם — Syntax: The Preposition particles -

• מילת השאלה - לאן? - Question word -

יחידה V 74-60

עיצורים: בּ, כּ, פּ - בּ, כּ, פּ

צורות: • פועל: בניין פִּיעֵל, גזרת השלמים, זמן הווה — Morphology:

Verb: pi'el (פִּיעֵל) conjugation, strong verb, present tense

דוגמה: מדבר, מדברת, מדברים, מדברות :Example

תחביר: • משפט שמני בחיווי ובשלילה (המשך) - יש / אין — Syntax:

Declarative and negative nominal sentence (cont.)

• משפט שמני (המשך) - Nominal sentence (cont.)

דוגמה: אני בישראל. :Example

• מיליות היחס - בְּ..., אֶל, ליד - Preposition particles

• מילית היחס - בְּ... + יידוע הַ... = בַּ ...

Preposition particle ...בְּ + definite article ...ה = ...בַּ

דוגמה: יש הרבה סטודנטים בַּכִּיתָּה. :Example

יחידה VI 88-75

עיצורים: ב, כ, ך, פ, ף - ב, כ, ך, פ, ף

צורות: • פועל: בניין קל (פָּעַל), גזרת ל״א, זמן הווה — Morphology:

Verb: basic stem - pa'al (פָּעַל) conjugation, weak verb type ל״א, present tense

דוגמה: קורא, קוראת, קוראים, קוראות :Example

תחביר: • מיליות היחס - לְ...، מ... - Preposition particles — Syntax:

+ יידוע הַ ... = מֵהַ ... , לַ ... = הַ ... the definite article +

דוגמה: אני הולך לַשיעור. אני בא מהאוניברסיטה.

• מילית הקישור - אֲבָל - The conjunction

• מילת השאלה - איפה? - Question word

יחידה VII 99-89

עיצורים: ג׳, ז׳, צ׳ - ג׳, ז׳, צ׳

צורות: • פועל: בניין קל (פָּעַל), גזרת ל״ע וגם גזרת פ״י, זמן הווה — Morphology:

Verb: basic stem - pa'al (פָּעַל) cojunction, guttural ל״ע and weak verb type פ״י, present tense

דוגמה: יוֹצֵא, יוֹצֵאת, יוצאים, יוצאות :Example

שונות: מה השעה? (I) — Miscellaneous:

צורות:	• שם התואר	Adjectives	Morphology:

דוגמות: Examples: טוב, טובה, טובים, טובות

גדול, גְדולה

יפֶה, יפָה, יפים, יפות

תחביר:	• התאמה בין שם עצם ושם תואר במין ובמספר	Syntax:

Agreement of noun and adjective in gender and number

דוגמות: תלמיד חדש, בחורה יפה, דירות ישנות, אורים טובים :Examples

• משפטי שאלה - איפה? איזו? איזה? :Interrogative sentences

סיכום לשוני:	סיומות השם בנקבה יחיד	Grammatical summary:

Suffixes of feminine singular nouns

שיעור 3 151–139

קטעים:	כמה זה עולה?	שיחות
	דירה בת"א ב-1950	קטע קריאה
	כל שבת	שיחה
	כל בוקר, כל ערב	קטעי קריאה
	כל ספר - 2 שקלים	שיחה
	באכסניה	שיחה
	סליחה	שיחה
	הכיסא הזה ...	שיחות
	מוזאון בנגב	קטע קריאה
	אז יאללה ביי!	

תחביר:	• התאמה בין שם עצם ושם תואר ביידוע	Syntax:

Agreement of noun and adjective in definiteness

דוגמות: הילד הקטן, הבית הלבן :Examples

• כל + שם עצם ביחיד - Singular noun + כל

דוגמה: Example: כל יום

Miscellaneous:

שונות:	• מספרים מונים בזכר: 10-1	Masculine cardinal numbers:

• מה השעה? (II)

שיעור 4 165–152

קטעים:

בחנות הספרים	שיחה
אני אוהב את ...	קטע קריאה
מניו-יורק לישראל ב"אל-על"	קטע קריאה
לכותל המערבי	שיחה
אהלן! מה חדש?	שיחה
עובד, עובד, עובד / עושה חיים	קטעי קריאה
בראשית ברא	מן המקורות
אז יאללהביי!	

תחביר:

- מילת היחס - אֶת - Syntax:: The preposition
  דוגמות: הוא קורא את השיר. :Examples
  אדם אוהב את חווה.
- התאמת שם תואר לצירוף שם עצם + מילת יחס
  Agreement of the adjective and the noun + preposition
  דוגמה: בבית הישן :Example

שונות: Miscellaneous:

- ימי השבוע Days of the week

סיכום לשוני: Grammatical summary:

צירופי שם עצם עם מילת יחס + שם תואר

The combinations of a noun with a pronoun + an adjective

שיעור 5 178–166

קטעים:

מה לקרוא? מה לאכול? מה ללבוש?	שיחות
אני רוצה ללמוד	שיחה
הגניזה בקהיר	קטע קריאה
משהו / מישהו	שיחה

צורות: Morphology:

- פועל: בניין קל (פָּעַל), גזרת השלמים, שם פועל
  Verb: basic stem - pa'al ,(פָּעַל) conjugation, strong verb, infinitive form

לִ□ְ□וֹ□	דוגמות:	ללמוד, לקרוא :Examples
לֶאֱ□וֹ□		לאכול
לַחֲ□וֹ□		לחשוב

לַעֲ□וֹ□ לַעֲבוֹד

לִ□ְ□וֹעַ לִשְׁמוֹעַ

תחביר: • צירוף שם פועל: רוצה + שם פועל Syntax:

Infinitive verb combination: רוצה + infinitive form

Example: דוגמה: דן רוצה ללמוד.

• תארי פועל - מהר, בשקט ... - Adverbs

שיעור 6 190–179

קטעים: לא רוצֶה לקום, לא רוצֶה לבוא, רוצים לשיר שיחות

למה, למה, למה? שיחות

הקיבוץ תמונות

קיבוץ הרדוף קטע קריאה

מתנדב בקיבוץ תרגיל פועל

שאלות במתמטיקה קטעי קריאה

אז יאללה ביי!

צורות: • פועל: בניין קל (פָּעַל), גזרת ע״ו, שם פועל Morphology:

Verb: basic stem - pa'al (פָּעַל) conjugation, weak verb type ע״ו, infinitive form

Example: דוגמה: לָ□וּ□ לָגוּר

לָ□ִי□ לָשִׁיר

לָבוֹא

תחביר: • משפטי סיבה - למה? כי Causal clauses Syntax:

שונות: • מספרים: 100-20 Miscellaneous:

• מה השעה? (III)

פסק זמן ב' 198–191

חזרה על שיעורים 1-6

קטעים: ארוחה טובה בבוקר קטע קריאה

קפה עם ספר תרגיל קלוז

שיעור 7 208–199

קטעים:		
	סרט וקפה	שיחה
	אני רואה בקפה	קטע קריאה
	הישראלי בסרטים ישראליים	קטע קריאה
	הוא לומד כל הזמן	שיחה
	אז יאללה ביי!	

צורות: • פועל: בניין קל (פָּעַל), גזרת ל״ה, שם פועל — Morphology:

Verb: basic stem - pa'al (פָּעַל) conjugation, weak verb type ל״ה, infinitive form

לִ□□וֹת — דוגמות: **לִשְׁתוֹת** Examples:

לַעֲ□וֹת — **לַעֲשׂוֹת**

תחביר: • **כל** + שם עצם מיודע ביחיד - **כל** + a definite singular noun — Syntax:

דוגמה: **כל היום** Example:

• משפטי מושא עם מילות שאלה - Object Clauses with questions words

דוגמה: **אני יודע מי אני.** Example:

שיעור 8 221–209

קטעים:		
	גלויה לדני	קטע קריאה
	למה גיון בא לישראל	תרגיל
	מלונות ים המלח	קטע קריאה
	אני אוהב ללכת	שיחה
	רני לא רוצה שום דבר	שיחה
	ברחוב שינקין בת״א / בקפה ירושלים	שיחות
	אנשים תל אביב	תרגיל קלוז
	אז יאללה ביי!	

צורות: • פועל: בניין קל, (פָּעַל), גזרת פ״י, שם פועל — Morphology:

Verb: basic stem - pa'al (פָּעַל) conjugation, weak verb type פ״י, infinitive form

לָ□□ֶת — דוגמות: **לָשֶׁבֶת** Examples:

לָ□□ַת — **לָדַעַת**

תחביר: • התאמה במשפט שמני במין ובמספר Syntax:

Gender and number agreement in nominal clause

דוגמה: *השיעור קשה.* Example:

הספרייה גדולה.

הספרים ישנים.

הכיתות קטנות.

• משפטי שלילה + *שום דבר* + Negative clauses

סיכום לשוני: דגמי משפטים שמניים - Nominal clause models Grammatical summary:

שיעור 9 231–222

קטעים:	באוטובוס מתל-אביב למודיעין	שיחה
	יום שישי בישראל	קטע קריאה
	ארוחה גדולה	תרגיל
	ומה את אוכלת?	שיחה
	אז יאללה ביי!	

צורות: • פועל: בניין פִּיעֵל, גזרת השלמים, שם פועל Morphology:

Verb: pi'el (פִּיעֵל) conjugation, strong verb, infinitive form

לְ◻ַ◻ֵּ◻ דוגמה: *לְדַבֵּר* Example:

שונות: • מספרים מונים בנקבה: *20-11* Feminine cardinal numbers: Miscellaneous:

• *מה השעה?* (IV)

• *בן כמה? / בת כמה?*

שיעור 10 243–232

קטעים:	ג'וגינג	קטע קריאה
	מסיבה	שיחה
	החיים בלי ספרים	קטע קריאה
	מי לא מכיר את איתן?	תרגיל

צורות: • פועל: בניין הִפְעִיל, גזרת השלמים, זמן הווה ושם פועל Morphology:

Verb: hif'il (הִפְעִיל) conjugation, strong verb, present tense and infinitive form

דוגמה: *מַאמִין, לְהַאֲמִין* Example:

תחביר: • כל + שם עצם מיודע ברבים כל + plural definite noun Syntax:

דוגמה: כל הילדים Example:

סיכום לשוני: כל + שם עצם כל + plural Grammatical summary:

שיעור 11 256–244

קטעים: בדואר — שיחות

מכתב, פקס או אִי-מֵייל? — קטע קריאה

אז יאללה ביי!

שרון — תרגיל

תחביר: • סמיכות לא מיודעת, יחיד ורבים Syntax:

Singular and plural indefinite construct state

דוגמה: צף תפוזים, צוגת תפוזים Example:

צבי תפוזים, צוגות תפוזים

שונות: • מספרים מונים בזכר: 20-11 Masculine cardinal numbers : Miscellaneous:

שיעור 12 267–257

קטעים: יש בעיה? זה לא נורא — שיחות

קצת על מאה שערים — קטע קריאה

אז יאללה ביי!

צורות: • פועל: בניין הִתְפַּעֵל, גזרת השלמים, זמן הווה ושם פועל Morphology:

Verb: hitpa'el (הִתְפַּעֵל) conjugation, strong verb, present tense and infinitive form

דוגמה: מתלבש, להתלבש Example:

תחביר: • סמיכות + שם תואר Construct state + adjective Syntax:

דוגמה: חבר כנסת חשוב, חברת כנסת חשובה Example:

חברי כנסת חשובים, חברי כנסת חשובות

פסק זמן ג' 271–268

חזרה על שיעורים 7-12

קטעים: זושא בנביאים

שיעור 13 284–272

קטעים:

בוקר טוב	שיחה
מן העיתון	כותרות עיתונאיות
גלויה מטבריה	קטע קריאה
רוקי רוק	קטע קריאה
הכינרת	שירי עם
יהודי אתיופיה	קטע קריאה
אישה טובה	סיפור עם
פירות וירקות	שיחה
בקפטריה	שיחה
שכונה טובה	קטע קריאה
ריח הלחם / יורם טהר לב	שיר

צורות: Morphology:

- פועל: בניין קל (פָּעַל), גזרת ע״ו, זמן עבר

  Verb: basic stem - pa'al (פָּעַל) conjugation , weak verb type ע״ו, past tense

  דוגמה: Example: ***גרתי***

תחביר: Syntax:

- יידוע הסמיכות Definiteness of the construct state

  דוגמה: Example: ***חבר הכנסת, חברת הכנסת***

- סמיכות מיודעת כנושא במשפט שמני

  Definite construct state as the subject of nominal clause

  דוגמה: Example: ***עוגת הגבינה נהדרת.***

שונות: Miscellaneous:

- מספרים סודרים Ordinal numbers

שיעור 14 297–285

קטעים:

מסיבה	שיחה
משחק - טלפון שבור	קטע קריאה
חתונה יהודית	קטע קריאה
מנהגי חתונה יהודיים	קטע קריאה
הזמנות לחתונה	הזמנות
רועה ורועה / מ. שלם	שיר

שיעור 17 326–318

קטעים: בספרייה — קטע קריאה
פגישה בים המלח — שיחה
מגילות ים המלח — קטע קריאה`
מגילת הנחושת — תרגיל קלוז
אז יאללה ביי! - ילדים אומרים

צורות: • פועל: בניין קל (פָּעַל), גזרת השלמים, זמן עבר — Morphology:
Verb: basic stem- pa'al (פָּעַל) conjugation, strong verb, past tense

דוגמה: **כתבתי** :Example

שיעור 18 337–327

קטעים: חֵן — קטע קריאה
אז יאללה ביי!
יעקב אבינו — קטע קריאה
משפחת "בסדר" — קטע קריאה
הכבישים האלה — סיפור חסידי
קצת סטטיסטיקה על משפחות בישראל — קטע קריאה

צורות: • נטיית מילת היחס - של — Morphology: Conjugation of the preposition

דוגמה: שלי :Example

פסק זמן ד 345–338

חזרה על שיעורים 13-18

קטעים: משפחה גדולה, משפחה קטנה — שיחה
טלכרט ופלאפון — שיחה
בית השעונים — קטע קריאה
שלושה ימי הולדת — תרגיל קלוז
אימא של ג'וני חושבת ואומרת — קטע קריאה

שיעור 19 356-346

קטעים:

שְׁכֵנוּת	שיחה
שכנים	שיחה
הגן הבּוֹטָנִי	קטע קריאה
חיים קשים	קטע קריאה
גן החיות בירושלים	מודעות
אז יאללה ביי!	

תחביר: • צריך + שם עצם — noun + צריך — Syntax

דוגמה: הוא צריך אהבה. — Example:

• צריך + שם פועל — infinitive form + צריך

דוגמה: הוא צריך ללמוד. — Example:

שונות: • קודם - אחר כך — Miscellaneous:

שיעור 20 367-357

קטעים:

חדשות מהעיתון	כותרות
הספר החדש של א. גִימֶל	ריאיון
הוריתי לה באצבע / א. גלבוע	שיר
הֶרְצֵל	קטע קריאה
אתה אוהב אותי?	שיחה
פִּרְסוֹמוֹת	קטע קריאה
עולם של פרסומות	ריאיון
אז יאללה ביי!	

צורות: • נטיית מילת היחס - את — Morphology: The conjugation of the preposition

דוגמה: אותי — Example:

תחביר: • משפטי מושא - דיבור עקיף — Syntax: indirect speech- Object clauses

דוגמה: הוא אמר שהוא בא. — Example:

	הַפִּיל	קטע קריאה	
	שער האריות	תרגיל קלוז	

צורות: • פועל: בניין קל (פָּעַל), גזרת ל״י, זמן עבר — Morphology:

Verb: basic stem - pa'al (פָּעַל) conjugation, weak verb type ל״י, past tense

דוגמה: ***קניתי*** :Example

שונות: • מאה עד אלף (מספרים בזכר ובנקבה) ***100 - 1000*** — Miscellaneous:

שיעור 24 413–401

קטעים:	״עיר קטנה ואנשים בה מְעַט״	תרגיל קלוז
	היהודים בספרד	קטע קריאה
	בַּמִּשְׁטָרָה	שיחה
	מי זה היה?	חידות
	אז יאללה ביי!	
	מה קרה לרונית?	שיחה
	רונית חולה	שיחה
	הרמב״ם - רבנו משה בן מימון	קטע קריאה
	אז יאללה ביי!	

תחביר: • משפטים שמניים בעבר (המשך) Past tense nominal sentences (cont.) — Syntax:

א. עבר של ***יש*** / ***אין*** - דוגמה: ***פעם היה פה בית ספר.*** :Example

ב. עבר של ***יש ל...*** / ***אין ל...*** - דוגמה: ***היה לי ספר.*** :Example

פסק זמן ה' 420–414

חזרה על שיעורים 24-19

קטעים:	הכסף (לא) עונה על הכול	קטע קריאה
	למה?	שיחה
	השאלות הגדולות של הילדים הקטנים	תרגיל קלוז
	זקנה / חיה שנהב	שיר
	חבל ש... / מזל ש... / טוב ש...	פתקים
	איזה מזל? / חגית בנזימן	שיר

שיעור 25 431-421

קטעים:

מה עושה ישראלי בלונדון	קטע קריאה
הר כַּרְכּוֹם - הר סיני?	קטע קריאה
מכתב לעיתון	מכתב
הילדה הכי יפה בגן / יהונתן גפן	שיר
יְרִיחוֹ	תרגיל קלוז
אז יאללה ביי!	שירי ילדים

צורות: • בניין פִּיעֵל, גזרת השלמים, זמן עבר — Morphology:

Verb: pi'el (פִּיעֵל) conjugation, strong verb, past tense

דוגמה: **דיברתי** :Example

שונות: • ערך ההפלגה: **הכי** :Superlative — Miscellaneous:

דוגמה: **הוא הכי גבוה בכיתה.** :Example

שיעור 26 444-432

קטעים:

נוּדְנִיק באוטובוס	שיחה
שבת בבוקר / תרצה אתר	שיר
עץ התמר	קטע קריאה
החיים הם לא סרט וידאו	תרגיל קלוז
הצריך הזה / יהונתן גפן	שיר
שאלות של תיירים	קטע קריאה
צריך לשמור על הכינרת	קטע קריאה
משחק המלכה - דַּמְקָה	סיפור חסידי
ד״ר למוסר / יונה וולך	שיר
אז יאללה ביי!	

תחביר: • צירופים סתמיים עם שם פועל — Syntax: Impersonal phrases with infinitive forms

(אי) אפשר / אסור / מותר / (לא) צריך / קל / נעים / קשה / טוב / ... + שם פועל

דוגמה: **אסור לעשן.** :Example

- משפטי מושא (המשך) Object clauses (cont.)

דוגמה: אני רוצה לדעת אם מותר לעשן. :Example

שיעור 27 456-445

קטעים:

כדאי לבוא?	שיחה
שַׁפַּעַת	קטע קריאה
מי זה?	קטע קריאה
אז יאללה ביי!	
מחשבים בשנות האלפיים	שיחה
מֶחְקָר על דת וּמָסוֹרֶת בישראל	קטעי קריאה
עם מי?	שיחה

צורות: Morphology:

- פועל: בניין הִפְעִיל, גזרת השלמים, זמן עבר

Verb: hif'il (הִפְעִיל) conjugation, strong verb, past tense

דוגמה: הרגשתי :Example

- נטיית מילת היחס - עם The conjugation of the preposition

דוגמה : איתי :Example

תחביר: Syntax:

- צירופים סתמיים עם שם פועל (המשך)

(לא) כדאי + שם פועל Impersonal phrases with infinitive forms (cont)

דוגמה: כדאי להקשיב. :Example

שיעור 28 470-457

קטעים:

סוף הוא אולי גם התחלה	קטע קריאה
אני מאמין! - שנת 2000	קטע קריאה
חנה סנש	קטע קריאה
הליכה לקיסריה / חנה סנש	שיר
המחזה - חנה סנש	שיחה
הזוג מצידן	סיפור חסידי - תרגיל קלוז
אז יאללה ביי!	

צורות: • פועל: בניין הִתְפַּעֵל, גזרת השלמים, זמן עבר — Morphology:

Verb: hitpa'el (הִתְפַּעֵל) conjugation, strong verb, past tense

דוגמה: Example: **התרחצתי**

סיכום לשוני: צירופים עם שם פועל - Grammatical summary: phrases with infinitive forms

פסק זמן ו׳ 479–471

חזרה

קטעים:		
	העברית	קטע קריאה
	מארץ ישראל "הישנה והטובה"	תרגיל קלוז
	איך שפה משפיעה על ילדים?	קטע קריאה
	מילים יש מיש או מילים יש מאין	קטע קריאה
	מן העיתון	כותרות
	מַרְכּוֹל / לדַסְקֵס	שיחות
	חוֹלֵם בִּסְפָרַדִית / אהוד מנור	שיר

The Hebrew Alpha-Bet

אותיות האלף־בית

תעתיק פונטי PHONETIC TRANSCRIPT	שמות האותיות THE NAMES OF THE LETTERS		האותיות THE LETTERS	
			cursive כתב	print דפוס
'(ʔ)	alef	אָלֶף	א	א
b ,v	bet, vet	בֵּית, בֵית	ב	ב
g	gimel	גִימֶל	ג	ג
d	dalet	דָלֶת	ד	ד
h	he	הֵא	ה	ה
v	vav	וָו	ו	ו
z	zayin	זַיִן	ז	ז
ḥ	ḥet	חֵית	ח	ח
ṭ	ṭet	טֵית	ט	ט
y	yod	יוֹד	י	י
k, k̄	kaf ,k̄af	כַּף, כַף	כ, ך	כ, ך
l	lamed	לָמֶד	ל	ל
m	mem	מֵם	מ, ם	מ, ם
n	nun	נוּן	נ, ן	נ, ן
s	samek̄	סָמֶךְ	ס	ס
' (c)	ayin	עַיִן	ע	ע
p ,f	pe ,fe	פֵּא, פֵא	פ, ף	פ, ף
ts	tsadi	צָדִי	צ, ץ	צ, ץ
q	qof	קוֹף	ק	ק
r	resh	רֵישׁ	ר	ר
sh	shin	שִׁין	שׁ	שׁ
s	sin	שִׂין	שׂ	שׂ
t	tav	תָיו	ת	ת
ǧ			ג׳	ג׳
ž			ז׳	ז׳
ch			צ׳	צ׳

THE VOWELS התנועות		
תעתיק פונטי phonetic transcript	שמות התנועות names of vowels	התנועות
a	קָמַץ, פַּתָח, חֲטַף פַּתָח	□ָ, □ַ, □ֲ
e	צֵירֶה, סֶגוֹל, חֲטָף סֶגוֹל, שְׁוָוא נָע	□ֵ, □ֶ, □ֱ, □ְ
ei	צֵירֶה מָלֵא, סֶגוֹל מָלֵא	□ֵי, □ֶי
i	חִירִיק חָסֵר, חִירִיק מָלֵא	□ִ, □ִי
o	חוֹלָם חָסֵר, חוֹלָם מָלֵא, קָמַץ קָטָן, חֲטַף קָמַץ	□ֹ, □וֹ, □ָ, □ֳ
u	קוּבּוּץ, שׁוּרוּק	□ֻ, □וּ
∅	שְׁוָוא נָח	□ְ

מפת ישראל

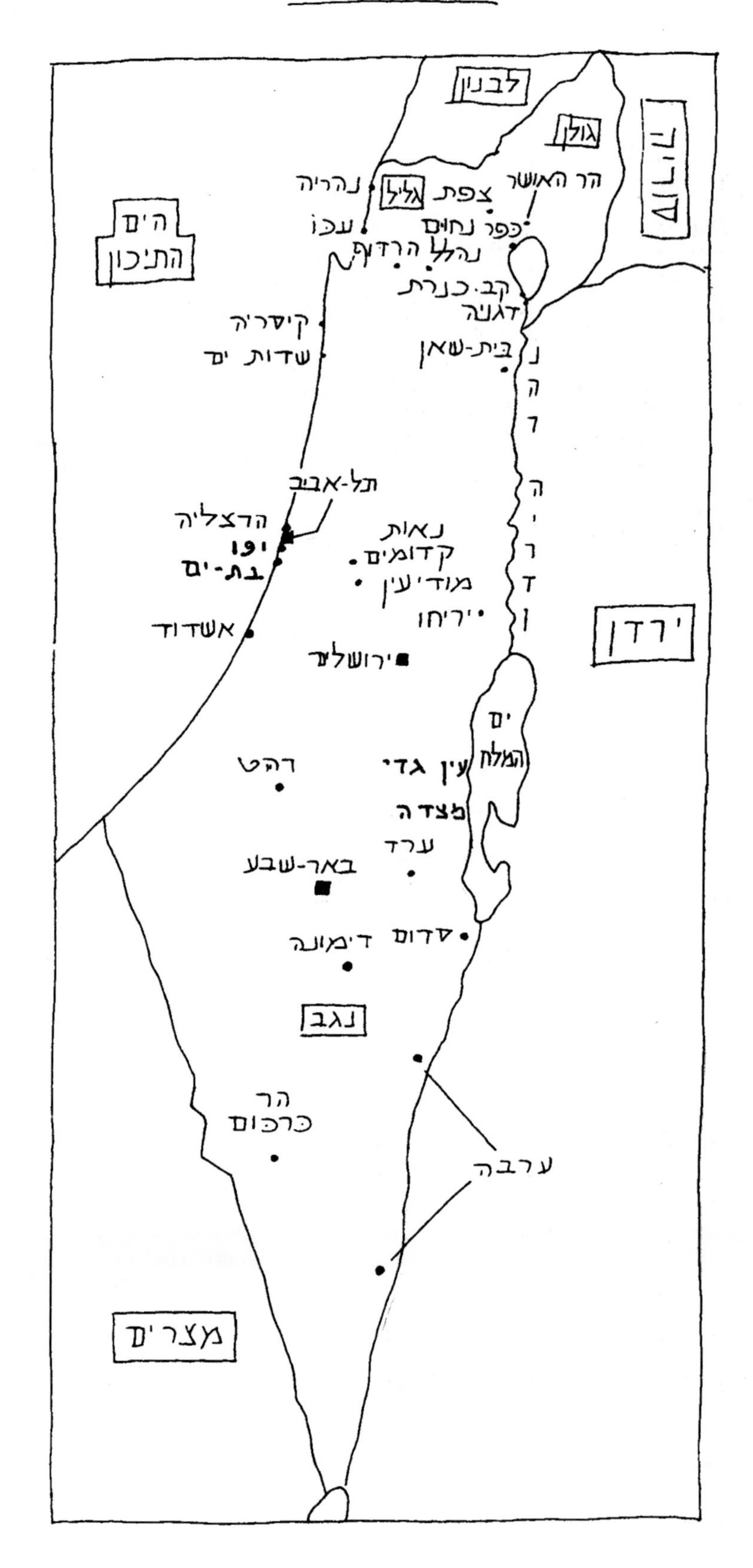

לבנון
גולן
הר האושר
צפת
גליל
נהריה
עכו
כפר נחום
הים התיכון
קב. כנרת
דגניה
קיסריה
שדות ים
בית-שאן
נהר הירדן
תל-אביב
הרצליה
יפו
בת-ים
נאות קדומים
מודיעין
יריחו
אשדוד
ירושלים
ירדן
ים המלח
עין גדי
רהט
מצדה
ערד
באר-שבע
סדום
דימונה
נגב
הר כרכום
ערבה
מצרים

יחידה 1 האלף בית

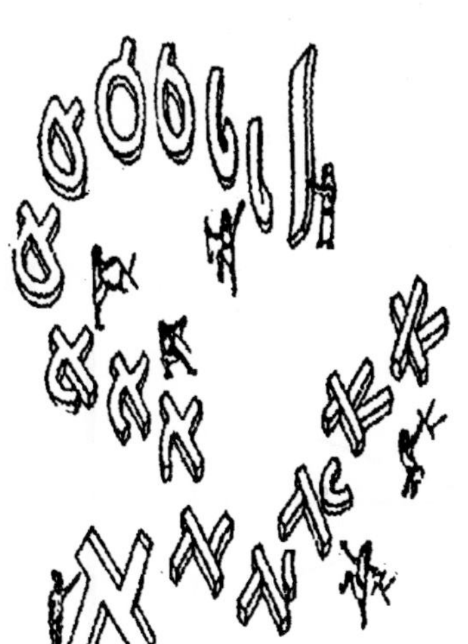

א' מהפיניקית ועד הלטינית (עדה ירדני, הרפתקאות)

1) ◀ עיצורים Consonants

א	-	א	-	'
ה	-	ה	-	h
י	-	'	-	y
מ	-	מ	-	ם - ם - m
נ	-	נ	-	ן - ן - n
ת	-	ת	-	t

◀ תנועות Vowels

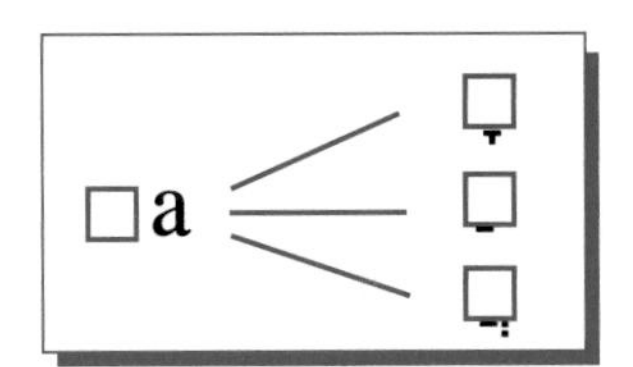

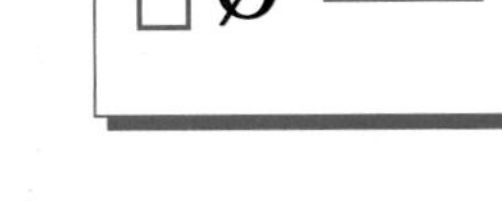

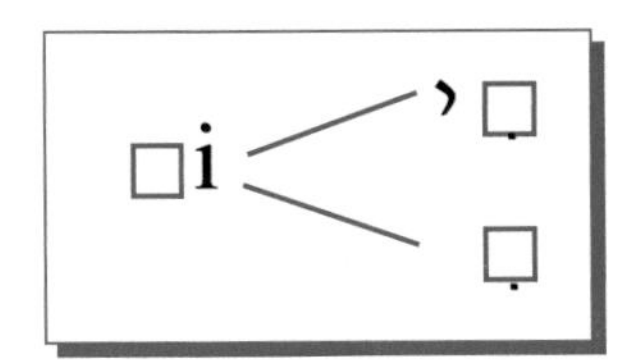

הסימן □ מייצג עיצור.

The symbol □ represents a consonant.

◀ מילים Vocabulary

אִימָא	אימא	'ima
אֲנִי	אני	'ani
אַתְּ	את	'at
אַתָּה	אתה	'ata
הַיי!	היי!	hay
הִיא	היא	hi

יַיִן	יין	yayin
יָם	ים	yam
מַה?	מה?	ma
מִי?	מי?	mi
מַיִם	מים	mayim
מַתָּנָה	מתנה	matana

I.

(yod)	y	=	י	(alef)	’	=	א
(mem)	m	=	מ	(he)	h	=	ה
(tav)	t	=	ת	(nun)	n	=	נ

II.

□ a — □ָ / □ַ / □ֲ

1.

א) נָ • תָ • מָ • אָ • יָ • הָ • תַ • אַ • מַ • יַ • הַ • נַ •

ב) מַתָּנָה (2

יָהּ!

אָהּ!

יַנַּאי (3

III.

א	ה	י	מ	נ	ת
ℵ	ה	'	ꟼ	ן	ת

.2

א, א, א

ה, ה, ה

ו, ו, ו

מ, מ, מ

נ, נ, נ

ת, ת, ת

אתה

מה?

(4

.IV

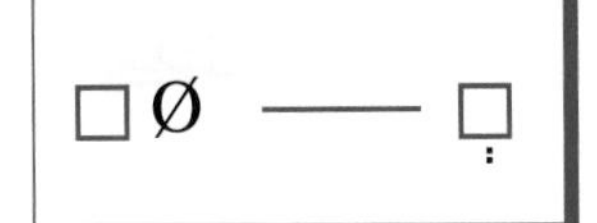

(5

.3

ְ • מְ • נְ • תְ •

.4

נ. f.	ז. m.
אַתְּ	אַתָּה

אַתְּ, את
הַיי! הי!
אַי! אי!

.5 **קראו את השמות וכתבו אותם.**

Read the names and write them.

♀ מַיָה, אָנָה, אַיָה, אַנְיָה

איה,

♂ מַתְיָא, יַנַאי, מַתַנְיָה

.6 **כתבו לפחות 5 משפטים עם השמות מתרגיל 5.**

Write at least 5 sentences with the names from exercise 5.

דוגמה: את איה. אתה מתניה.

את... אתה...

.V

(6

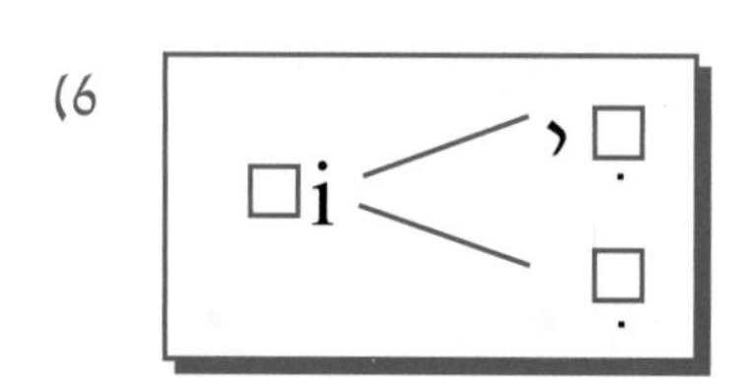

.7

א) תִ • תִי • מִי • מִ • נִי • נִ • הִי • הִ • יִי • יִ • אִי • אִ •

תי, תי

ב) אֲנִי, אני
אִימָא, אימא
הִיא, היא
מִי? מי?

ז. m.	ז. / נ. m. / f.	נ. f.
	אֲנִי	
אַתָּה		אַתְּ
		הִיא

.8 **קראו את השיחה וכתבו אותה.** Read the dialogue and write it.

מי את?

אִיָה: מי את?
תָמִי: אני תמי.
אִיָה: מי אתה?
מָתִי: אני מתי. מי את?
אִיָה: מי, אני? אני?? מי אני???

.9 

מי אני?

- מי אני? אני מִינָה.
- מי אני? אני מתי.
- מי אני? אני אֲנָיָה.

- מה אני? אני אימא.

.10 אמרו מונולוגים לפי הציורים. היעזרו בתרגיל 9.

Say monologues according to the illustrations. Use exercise 9 as your guideline.

.VI

ם	=	m	(mem sofit)
ן	=	n	(nun sofit)

.11

א) אַן • מַן • תִים • מִין • אִין • תֵם • מָם • תַן • הִין • נִים •

ב) נָתָן
יָם

תל אביב 2000

.12

13. כתבו את ההשלמה המתאימה.

Complete the following sentences using the correct word.

1) ______________ נתן.
(אני / היא / אניה)

2) ______________ את?
(ים / מתנה / מי)

3) אתה ______________.
(תמי / ינאי / יין)

4) ______________ אימא.
(אתה / מים / את)

אל יאללה, ביי!

בחרו מי אומר את ביטויי הסלנג וכתבו אותם ליד הציור המתאים.

Match the following slang expressions with the illustrated characters, and write them beside the illustrations.

יָהּ! מִינִי! היא אִין. • אימא, מָמִי, מָמִי! • אַי יַי יַי!

Summary of Topics / האוצר הלשוני

א. אוצר המילים — Vocabulary

שמות עצם
Nouns

אִימָא (נ.), אִימָהוֹת	mother
יַיִן (ז.), יֵינוֹת	wine
יָם (ז.)	sea
מַיִם (ז. ר.)	water
מַתָּנָה (נ.)	gift / present

שמות גוף
Personal Pronouns

אֲנִי (ז.,נ.)	I
אַתְּ (נ.)	you
אַתָּה (ז.)	you
הִיא (נ.)	she

מילות שאלה
Question words

מָה?	what?
מִי?	who?

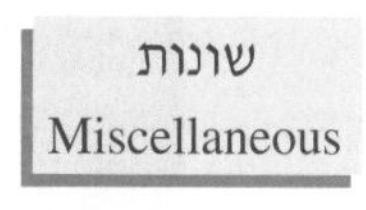

הַיי!	Hi!

ב. הנושאים הלשוניים — Grammatical topics

תחביר: משפט שמני בחיווי ובשאלה

Syntax: Declarative and interrogative nominal sentence

Examples: דוגמה: אני ... . . מי אתה?

Question words - מילות השאלה - מה? מי?

ג. הערות לשוניות — Grammatical notes

1) אופן הגיית העיצורים והתנועות מוצג בסימנים גרפיים ובאותיות לועזיות על פי התעתיק הפונטי הרשמי של I.P.A.

The manner of pronuciation of consonants and vowels is represented by graphic symbols and Latin letters, according to the official IPA (International Phonetics Association) transcription.

2) במילים רבות האות **ה** בסוף מילה איננה נהגית. **ה** שאיננה נהגית נקראת הא שותקת.
The letter **ה** is not pronounced at the end of many words. It is called a silent he.

3) האות **א** איננה נהגית כאשר היא חסרת תנועה, באמצע מילה או בסוף מילה. **א** שאיננה נהגית נקראת אלף שותקת.

The letter **א** is not pronouced when it has no vowel, in the middle of a word or at the end of it.

4) משפטי שאלה שהתשובה עליהם היא **כן** או **לא** שונים ממשפטי חיווי רק באינטונציה.
דוגמה: **אתה ינאי.** - משפט חיווי. **אתה ינאי?** - משפט שאלה.

Interrogative sentences with **Yes** or **No** answers differ from declarative sentences only in their intonation. Example: **אתה ינאי.** - declarative sentence.
אתה ינאי? - interrogative sentence.

5) ◻ְ מציין בעברית שווא. יש שני סוגים של שווא בעברית: שווא נח ושווא נע. ביחידה זו אנו לומדים שווא נח בלבד, שהוא חסר תנועה, וסימנו Ø בתעתיק הפונטי.

In Hebrew the symbol ◻ְ indicates a shwa. There are two kinds of shwa: shwa mobile and shwa quiescent. In this unit we will only be learning about shwa quiescent, which does not have a vowel sound and is given the phonetic symbol of Ø.

◄ השווא הנח קיים באמצע מילה ובסופה. בדרך כלל בסוף מילה הוא לא מסומן.

Shwa quiescent appears in the middle and in the end of words. Usually it is not visually indicated at the end of a word.

6) האות **י** משמשת הן כסימן לעיצור (y) והן כסימן לתנועה (i).

The letter **י** is used to indicate both the consonant (y) and the vowel (i).

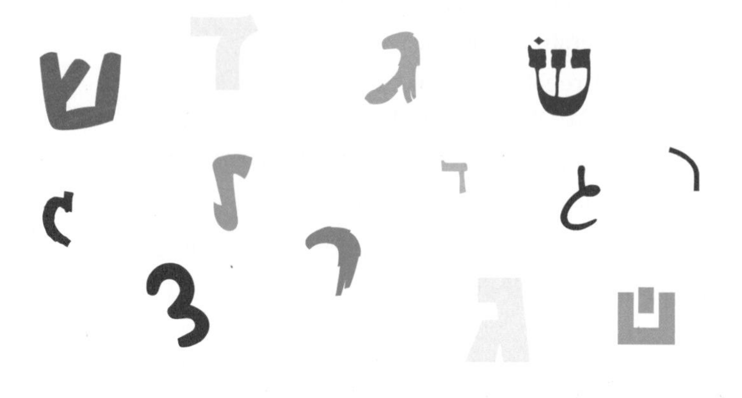

◄ עיצורים Consonants

g	ג	ג
d	ד	ד
l	ל	ל
r	ר	ר
sh	שׁ	ש
s	שׂ	שׂ

◄ תנועות Vowels

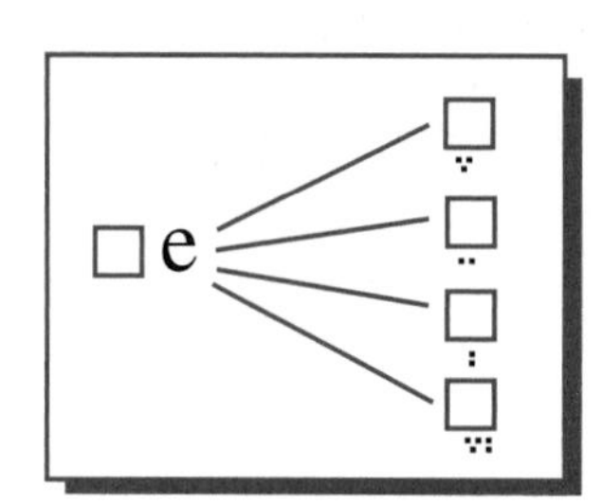

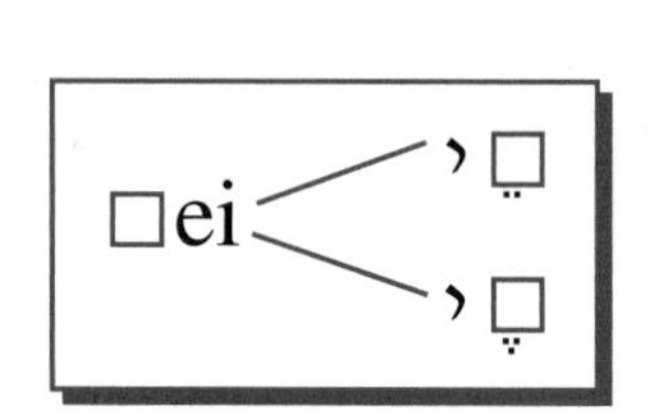

◄ מילים Vocabulary

אִישׁ, אִשָּׁה	איש, אישה	'ish, 'isha	מֵאַיִן	מאין	me'ayin
גְּלִידָה	גלידה	glida	מַרְגָּרִינָה	מרגרינה	margarina
גַּם	גם	gam	שִׁיר	שיר	shir
דֶּגֶל	דגל	degel	שֶׁל	של	shel
הַ... / הָ...	ה... / ה...	ha...	שָׁם	שם	sham
הִינֵּה	הינה	hine	שֶׁמֶשׁ	שמש	shemesh
הַר	הר	har	תֵּה	תה	te
יֶלֶד, יַלְדָּה	ילד, ילדה	yeled, yalda	תַּלְמִיד	תלמיד	talmid
מִ... / מֵ...	מ... / מ...	mi... / me...	תַּלְמִידָה	תלמידה	talmida

I.

ג	=	g	(gimel)
ד	=	d	(dalet)
ל	=	l	(lamed)
ר	=	r	(resh)
ש	=	sh	(shin)
שׂ	=	s	(sin)

.1

א) רָ • שַׁ • דַ • גִי • שַׂ • רִ • לָ • שִׁי • רִי • שָׁ • שִׂ •

לִ • שְׂ • גַ • גָ • שְׁ • שִׂי • לְ • דִ • לַ • לִי • דִי •

ב) תַלְמִיד, תַלְמִידָה

אִישׁ, אִשָּׁה

שָׁם

גַּם

שָׂרָה

שָׂרִי

2. קראו שם מטור 1 ואמרו שם חורז מִטּוּר 2.

Read a name in column 1 and say the matching rhyming name from column 2.

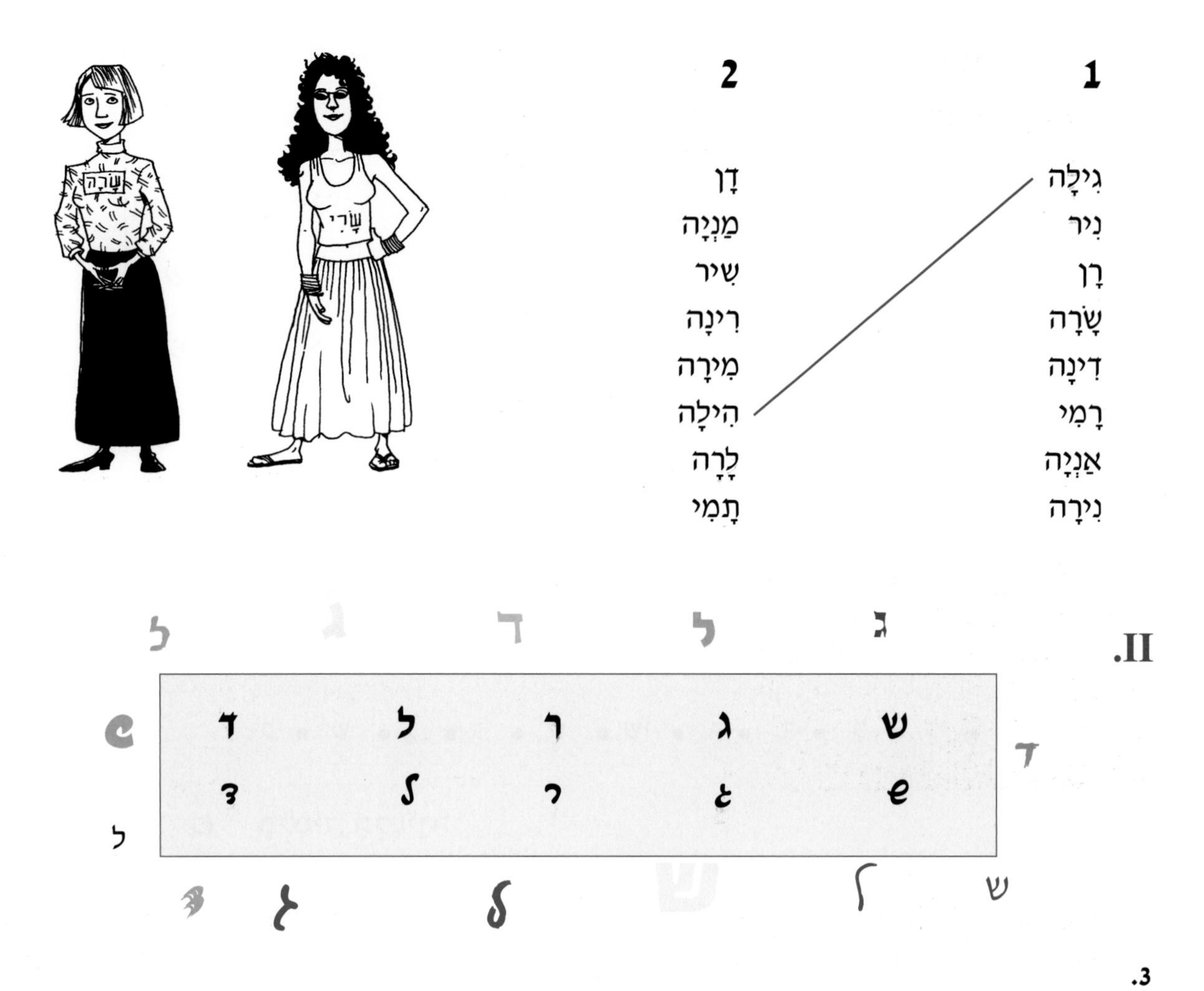

1	2
גִילָה	דָן
נִיר	מַנְיָה
רָן	שִׁיר
שָׂרָה	רִינָה
דִינָה	מִירָה
רָמִי	הִילָה
אֲנָיָה	לָרָה
נִירָה	תָמִי

II.

ש	ג	ר	ל	ד
ש	ג	ר	ל	ד

3.

ג, ג, ג — מרגרינה

ד, ד, ד — דג

ל, ל, ל — גמל

ר, ר, ר — הר

ש, ש, ש — שיר

4. **קראו את השמות של התלמידים והתלמידות וכתבו אותם בשתי רשימות.**

Read the names of the male and female students, and write them in two separate lists.

אַיָּה	נָתָן	נִיר	רָן
מִינָה	גִילָה	~~תָּמִי~~	שָׂרִי
דָן	יַנַּאי	אָנָה	~~גִיל~~
מַאיָה	דִינָה	רָמִי	אַנְיָה

דוגמה:

תלמיד	תלמידה
גיל	תמי

ז. m.	נ. f.
תַּלְמִיד	**תַּלְמִידָה**
☐ Ø	☐ָה

הסימן ☐ מייצג מילה.
הסימן Ø מייצג אפס.

The symbol ☐ represents a word.
The symbol Ø represents zero (o).

קראו את השמות של התלמידים ושל התלמידות וכתבו אותם בשתי רשימות.

Read the names of the male and female students, and write them in two separate lists.

גָד תָּמִיר	תָּמָר דַיָּין	דָנָה גִילַת
רָן יְמִינִי	רָם שִׁירָן	גַל שָׂרִיד
שָׂרִית מַאנִי	גַלְיָה שָׁרִיר	אִירִית דַהָאן
מִינָה רָשִׁיד	דָנִי גַת	גִיל תָּמָרִי

.III

1)

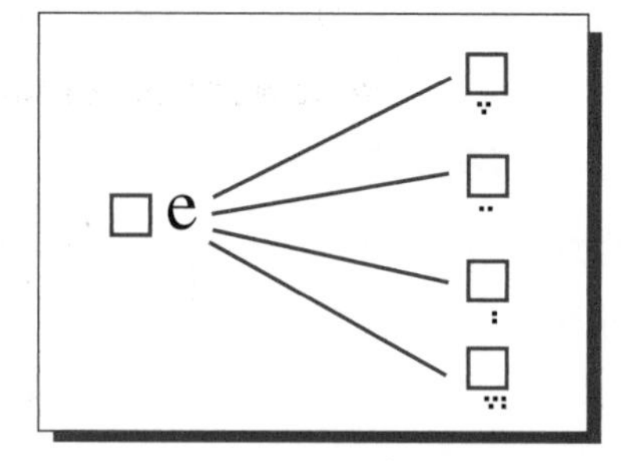

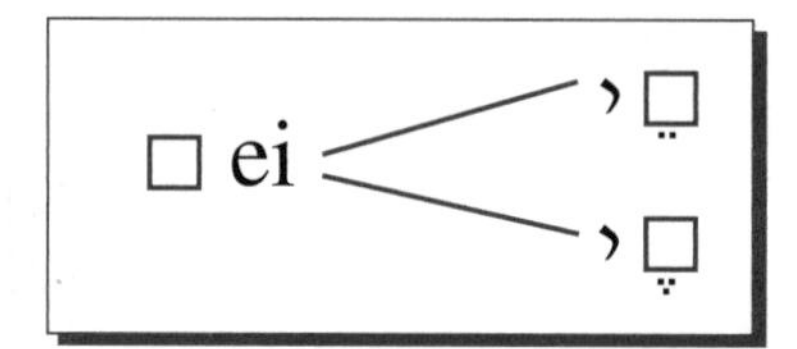

.5 א)

דֵ • תֵי • לֵ • יֶ • שֵׂ •

ד, ש,

ב) יֶלֶד, ילד
הִינֵה, הינה
גְלִידָה, גלידה
תֵה, תה
דֶגֶל, דגל
יִשְׂרָאֵל, ישראל

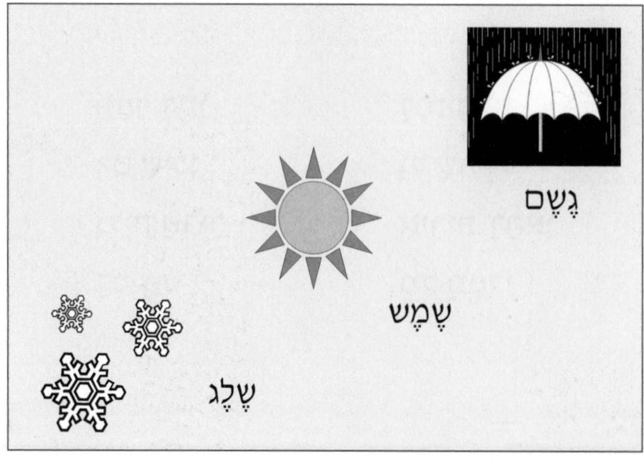

6. א) אני מישראל.
אתה מאירלנד.

מִ... / מֵ... (2

ב) **אמרו משפטים.** Say sentences.

Holland | את מ...

New York | מתניה מ...

Scotland | מתי מ...

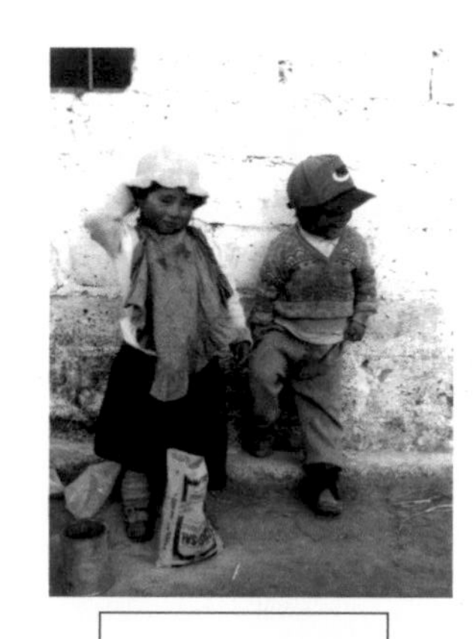

Mexico | אני מ...
אתה מ...

Peru | אתה מ...

Haiti | את מ...

America | אני מ...

Finland | אני מ...

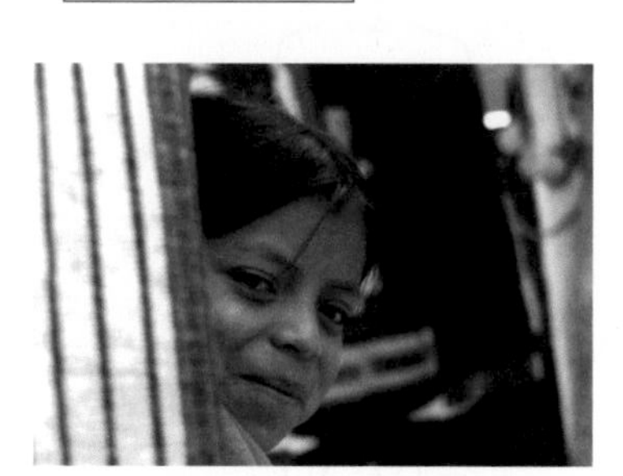

Argentina | את מ...

.7

אמרו מה הדודה אומרת: אָה, מְ...!

Say what the aunt is saying: !...אָה, מְ

.8

מֵאַיִן? מ...

מאין היא?

היא מהים.

הֵי!

גל:	הֵי!
שירה:	הי! מאין אתה?
גל:	אני מישראל. מאין את?
שירה:	אני מגֶרְמַנְיָה.
גל:	מאין היא?
שירה:	היא מדנִיָה.

? מאין גל? מאין שירה?

.9 א) **הַיי!**

גל:	הַיי! מים? יין?
תמי:	מאין היין?
גל:	מישראל.
תמי:	מאין המים?
גל:	המים? גם מישראל.

? מאין היין?

הַ...

(3

ב) **קראו, אמרו משפטים וכתבו אותם.**

Read the sentences, say them, and write them.

מאין היין?

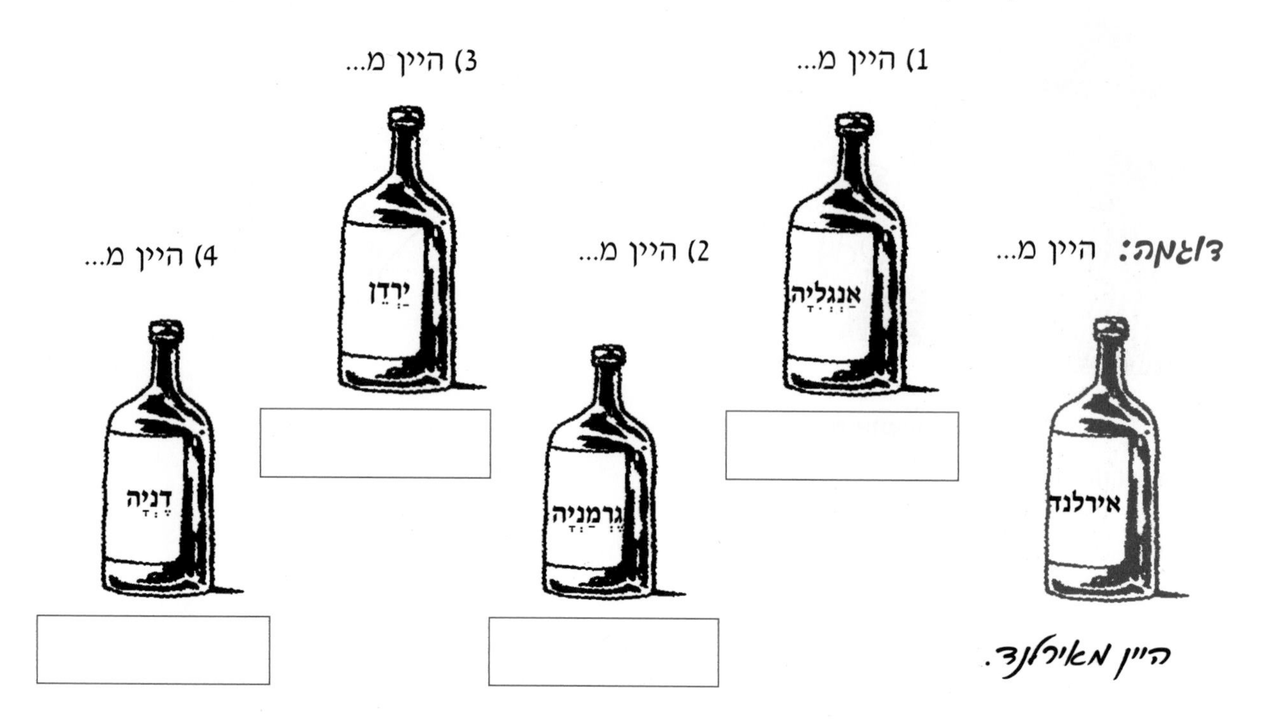

ג) **שאלו זה את זה על: תֵה, מרגרינה, גלידה, מים, וענו.**

Ask each other questions about תֵה, מרגרינה, גלידה, מים and answer them.

דוגמה:
- מאין התה?
- התה מאנגליה.

10. גִילָה!

שֶׁל

רמי: הינה גילה.
גיל: היא תלמידה?
רמי: היא תלמידה של אֵלי דַיָין.
גיל: היא גם האישה של אֵלי דַיָין.
רמי: אהה...

מי האישה של אֵלי דַיָין?

מן המקורות 

לְזֹאת֙ יִקָּרֵ֣א אִשָּׁ֔ה כִּ֥י מֵאִ֖ישׁ לֻֽקֳחָה־זֹּֽאת׃ (בראשית ב 23)

Match the dialogues to the illustrations.

11. התאימו את השיחות לאיורים.

מאין!

א) רם: הַיי, מאין את?
מינה: אני מִגֶּרְמַנְיָה. אני תלמידה.

ב) רם: הַיי, מאין אתה?
דניאל: אני מֵאִירְלַנְד. אני הילד של אימא.

ג) רם: הַיי, מאין את?
יִשְׂרְאֵלָה: אני מִיִשְׂרָאֵל. אני ישראלה יִשְׂרְאֵלִי.

ד) רם: הַיי, מאין את?
הַשֶּׁמֶשׁ: אני השמש של ישׂראל.

ה) רם: מאין היא?
דליה: היא מהים.

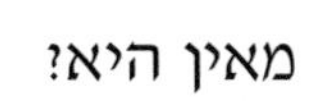

12. כתבו את הזכר או את הנקבה.

Write the male or female forms as required.

נ. f.	ז. / נ. m. / f.	ז. m.
ילדה		ילד
		אתה
תלמידה		
		איש
	אני	

13. קראו את השמות בטור 1 ומצאו את שם החיבה בטור 2.

Read the names in column 1 and find their corresponding nicknames in column 2.

2	1
שָׂרִי	מתניה
רמי	ישׂראל
דני	שׂרה
אֱלִי	דניאל
מָתִי	רם
לֵאָהלֶה	תמר
מֶנַש	גַל
תָמִי	מִרְיָם
גלי	לֵאָה
מירי	מְנַשֶׁה

14. אמרו מה בתמונה. Say what you see in the picture.

דגל, ים, הר, שמש, איש, אישה, תלמיד, תלמידה, יין, גלידה, מים

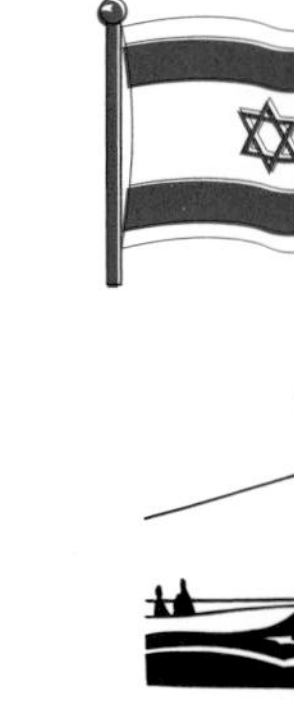

15. א) בחרו שם מדינה מהרשימה, הצביעו על הדגל שלה ואמרו: *הינה הדגל של...*

Choose a name of a country from the list, point at its flag and say: *הינה הדגל של...*

הינה הדגל של... יַרְדֵּן • אַנְגְלִיָּה • ~~תֵּימָן~~ • גֶּרְמַנְיָה • יִשְׂרָאֵל • דֶּנְיָה • אִירְלַנְד •

תימן

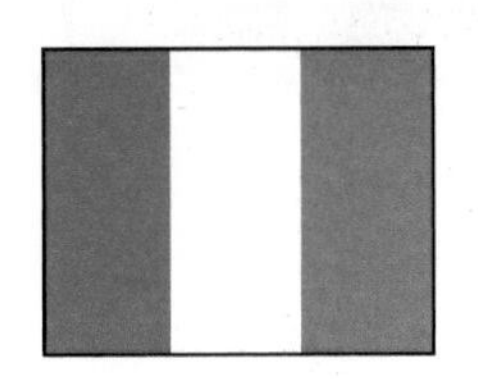

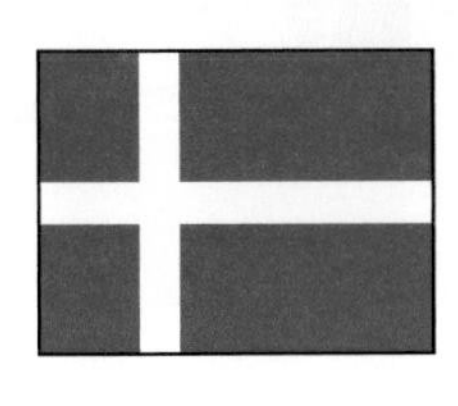

ב) ציירו ואמרו: Draw and say.

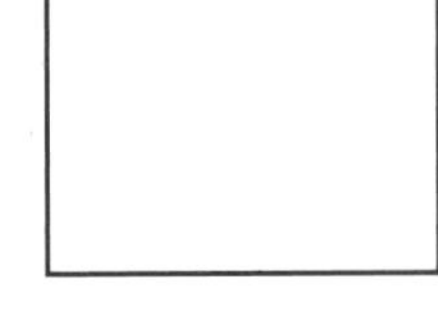

הינה הדגל של...

16. כתבו את אותיות הכתב שאתם יודעים.

Write the cursive letters you have learnt.

אָלֶף- ☐ , בֵּית, גִימֶל- ☐ , דָלֶת- ☐ , הֵא- ☐ , וָו, זַיִן, חֵית, טֵית, יוֹד, כָּף,

לָמֶד- ☐ , מֵם- ☐ , נוּן- ☐ , סָמֶךְ, עַיִן, פֵּא, צָדִי, קוֹף, רֵישׁ- ☐ , שִׁין- ☐ ,

תָּיו- ☐

אל יאללה, ביי!

Summary of Topics האוצר הלשוני

א. אוצר המילים Vocabulary

שמות עצם
Nouns

man	אִישׁ (ז.), אֲנָשִׁים
woman / wife	אִשָּׁה (נ.), נָשִׁים
ice-cream	גְּלִידָה (נ.)
flag	דֶּגֶל (ז.), דְּגָלִים
mountain	הַר (ז.)
boy	יֶלֶד (ז.), יְלָדִים
girl	יַלְדָּה (נ.), יְלָדוֹת
song / poem	שִׁיר (ז.)
sun	שֶׁמֶשׁ (נ.)
student	תַּלְמִיד (ז.), תַּלְמִידָה (נ.)

מיליות
Particles

the	הַ...
from	מִ... / מֵ...
of/belonging to	שֶׁל

מילות שאלה
Question words

Where from?	מֵאַיִן?

שמות מקומות
Names of places

מדינות
Countries

Ireland	אִירְלַנְד
England	אַנְגְלִיָה
Germany	גֶּרְמַנְיָה
Denmark	דֶּנְיָה
Jordan	יַרְדֵּן
Israel	יִשְׂרָאֵל
Yemen	תֵּימָן

ערים
Cities

Nethania	נְתַנְיָה

שונות
Miscellaneous

also	גַּם
there ("There is Ruth"...)	הִנֵּה
there ("Go over there"...)	שָׁם

מילים לועזיות
Foreign words

margarine	מַרְגָּרִינָה (נ.)
tea	תֵּה (ז. ר. 0)

Grammatical topics

ב. הנושאים הלשוניים

Morphology: Singular noun - masculine and feminine שם עצם - יחיד, זכר ונקבה צורות:

Example: דוגמה: תלמיד, תלמידה

Grammatical notes

ג. הערות לשוניות

1) ְ☐ שווא נע נהגה בעברית ישראלית מודרנית באחד משני אופנים -

In contemporary Israeli Hebrew ְ☐ mobile shwa is pronounced in one of two ways -

א) כאפס תנועה: גְלידה - with a zero vowel: glida

ב) כתנועת e קצרה: נְתניה - with a short e vowel: Nethania

2) מילית היחס מ... מנוקדת בדרך כלל בחיריק - מִ... ודגש באות שאחריה, למשל: מִתֵּימן.

The preposition particle מ is usually given a chirik vowel sign מִ and the following letter is stressed (Dagesh).

For example: מִתֵּימן

לפני אותיות גרוניות (א, ה, ח, ע, ר) היא מנוקדת בצירה - מֵ..., למשל: מֵאנגליה.

When it proceeds the guttural consonants - א, ה, ח, ע, ר it is given a tsere vowel sign

For example: מֵאנגליה.

3) מטעמי פישוט מוצג ביחידה זו רק הניקוד הנפוץ ביותר של הא היידוע - הַ.

In order to simplify the subject of the definite article, only its most common vocalization is presented here הַ.

◄ עיצורים Consonants

ו	ו	v
ז	ז	z
ח	ח	ḥ
ט	ט	ṭ

◄ תנועות Vowels

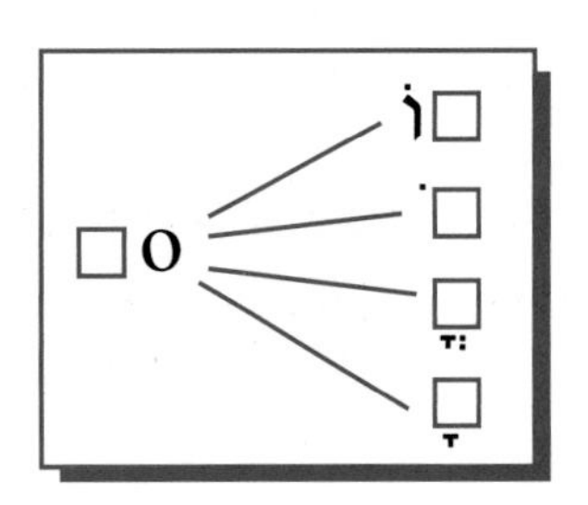

◄ מילים Vocabulary

אוֹ	או	’o
אֵלֶּה	אלה	’ele
אַתֶּם	אתם	’atem
אַתֶּן	אתן	’aten
אַנְגְּלִית	אנגלית	’anglit
גָּר	גר	gar
גֶּרְמָנִית	גרמנית	germanit
הֵם	הם	hem
הֵן	הן	hen
וְ...	ו...	ve...
וִידֵאוֹ	וידאו	vide’o
זֹאת	זאת	zot
זֶה	זה	ze
זוֹאוֹלוֹגְיָה	זואולוגיה	zo’ologia
חַלָּה	חלה	ḥala
טֶלֶוִיזְיָה	טלוויזיה	ṭelevizia
יִידִישׁ	יידיש	yidish
לֹא	לא	lo
לְהִתְרָאוֹת	להתראות	lehitra’ot
לוֹמֵד	לומד	lomed
לֶחֶם	לחם	leḥem
לִימוֹן	לימון	limon
מוֹרֶה, מוֹרָה	מורה, מורה	more, mora
מָיוֹנֶז	מיונז	mayonez
מֶלַח	מלח	melaḥ
מֶנְטָה	מנטה	menṭa
רַדְיוֹ	רדיו	radio
רוֹמָנִית	רומנית	romanit
שָׁלוֹם	שלום	shalom
שָׁר	שר	shar
תּוֹדָה	תודה	toda

I.

(ḥet)	ḥ	=	ח	(vav)	v	=	ו
(ṭet)	ṭ	=	ט	(zayin)	z	=	ז

.1

א) טַ • טִי • טֶ • וִי • חִי • חֶ • זַ • חָ • וַ • טָ • וְ •

חֲ • טֵ • זִי • זְ • וָ • חֱ • זֶ • וֵי • זָ • חַ • טִ • זֵי •

ב) מֶלַח  מֶנְטָה  טֶלֶוִויזְיָה 

1) 

2. **השלימו בעזרת הרשימה את השמות החסרים בהזמנות לחתונה.**

Use the following names to complete the wedding invitations.

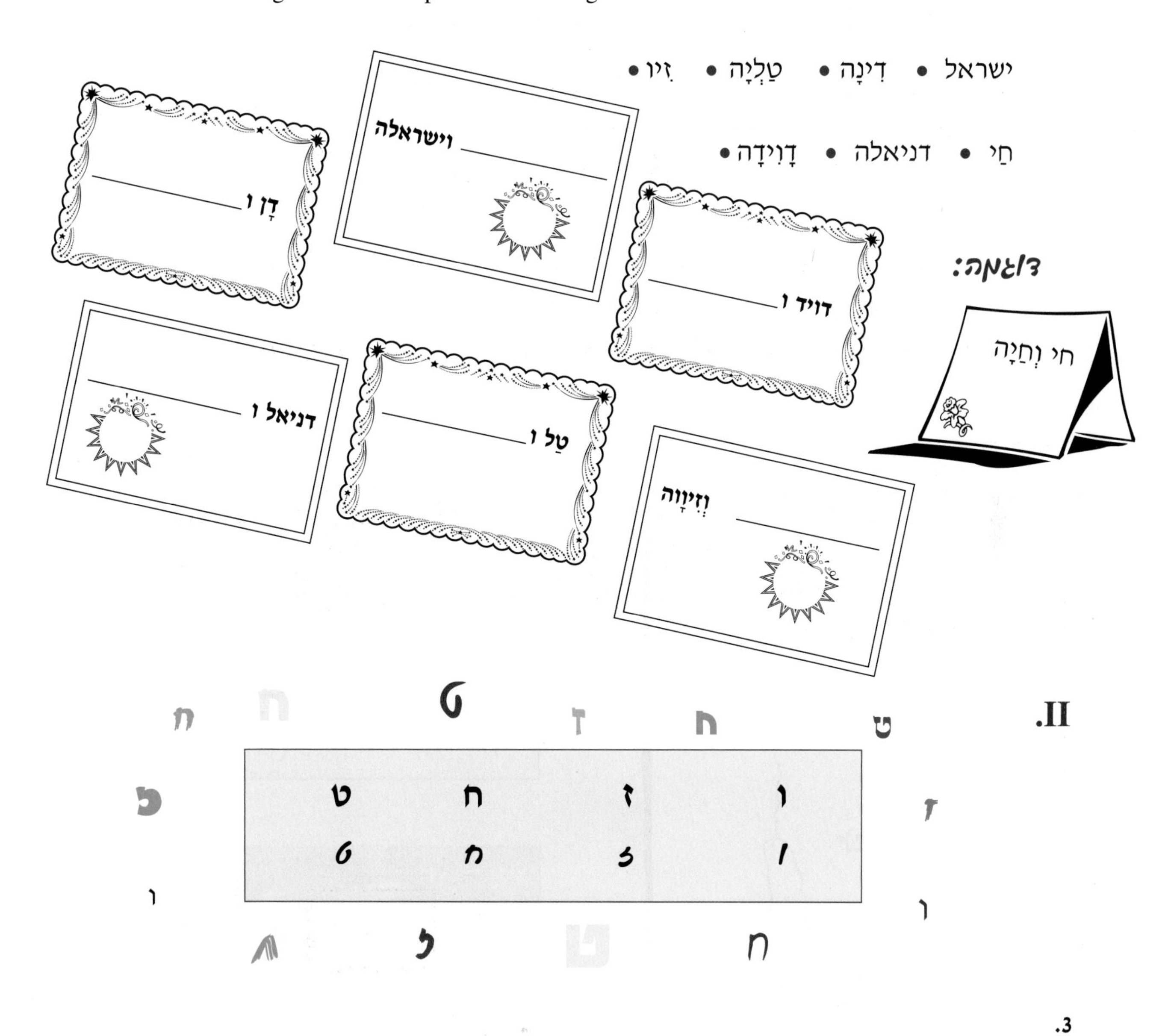

3.

הסתכלו במפה וכתבו את שמות המקומות. היעזרו במספרים.

1) הַר הַזֵּיתִים
2) הַר גְּרִיזִים
3) הַר הַמִּשְׁחָה
4) הֶהָרִים שֶׁל אֵילַת
5) הֶהָרִים שֶׁל הַגָּלִיל
6) נַחַל חֲדֵרָה
7) נַחַל הַתַּנִּינִים
8) נַחַל שְׂנִיר
9) נַחַל דָּוִיד
10) נַחַל זָוִויתָן

Look at the map, write the names of the places on the map using the numbers by each name on the list.

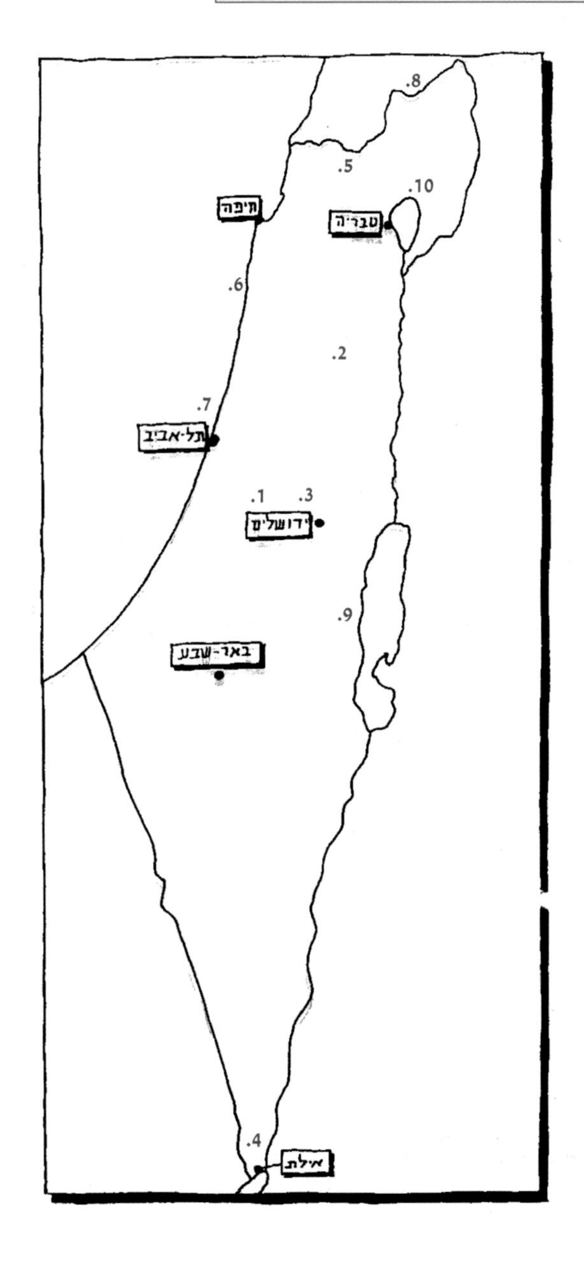

לֶחֶם

מן המקורות

"הַמּוֹצִיא לֶחֶם מִן הָאָרֶץ"

(מן הסידור)

מרק שאגאל *ברכה על הלחם*

.III

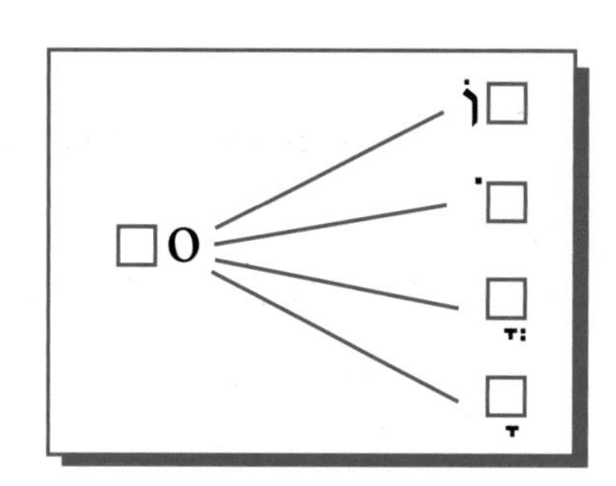

4. א) אוֹ • גוֹ • נ̇ • דוֹ • חוֹ • א̇ • טוֹ • יוֹ • רוֹ • ח̇ • שוֹ •

ל̇ • תוֹ • מ̇ • ג̇ • לוֹ • נוֹ • הוֹ • מוֹ • ר̇ • זוֹ •

אוֹ, גוֹ,

ב) לֹא, לא

לִימוֹן, לימון

מָיוֹנֵז, מיונז

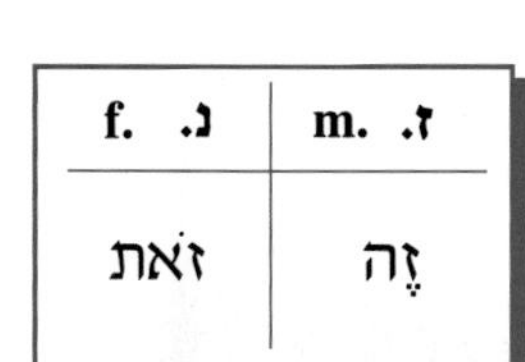

מוֹרֶה, מורה

שלום!
להתראות

תודה!

ז. m.	נ. f.
זֶה	זאת

5. **הוסיפו שמות עצם.** Add nouns.

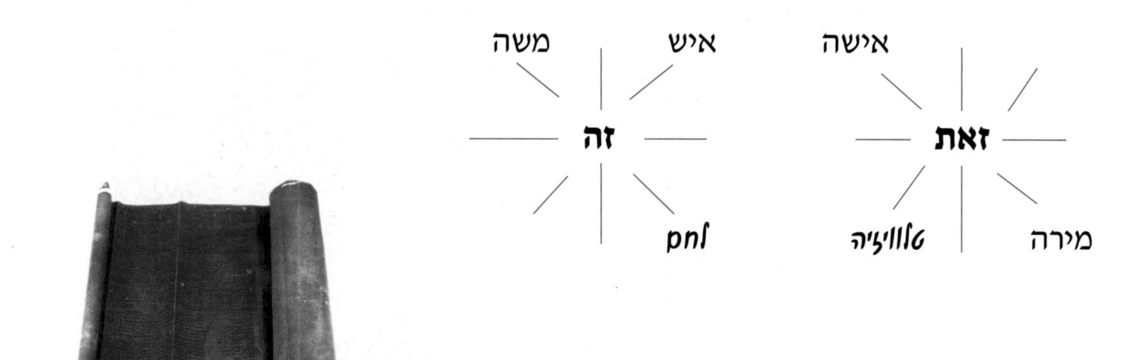

מן המקורות

וְזֹאת הַתּוֹרָה אֲשֶׁר־שָׂם מֹשֶׁה (דברים ד 44)

6. זה מורֶה?

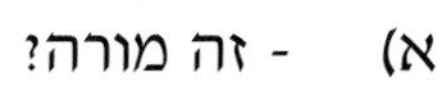

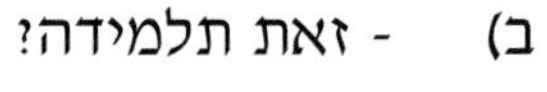
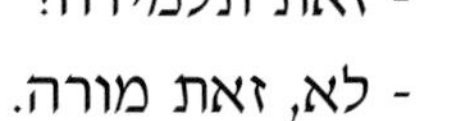

א) - זה מורה?
- לא, זה לא מורה. זה תלמיד.

ב) - זאת תלמידה?
- לא, זאת מורה.

ג) - זה טלי?
- זאת טליה.

ד) - זה הדגל של ישראל?
- לא, זה הדגל של ירדן.

7.

מה זה?
זה...
זאת...

א) מה זה? - זה וידאו.
- זאת טלוויזיה.

ב) - מה זה, מים?
- לא, זה יין

ג) - מה זה, לחם?
- לא, זה לא לחם. זאת חלה.

8.

מי זה?
זה...
מי זאת?
זאת...

א) - מי זה? - זה דויד.

ב) - מי זאת? - זאת המונליזה.

השלימו את המשפטים כמו בדוגמה. Complete the sentences as shown in the example.

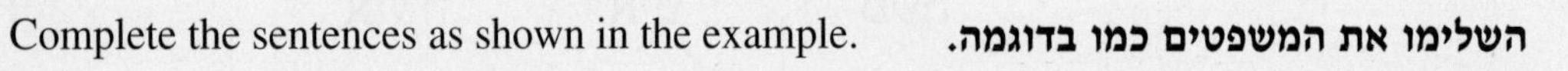

מָלון • מָיוֹנֶז • מוֹרֶה • דִינָר • מַנְגוֹ • רַדְיוֹ • חַלָה •

דוגמה: לא, זה לא דולר, זה דינר.

1) לא, זאת לא טחינה, זה...
2) לא, זה לא תלמיד, זה...
3) לא, זה לא וידאו, זה...
4) לא, זה לא לחם, זאת...
5) לא, זה לא לימון, זה...
6) לא, זאת לא וילה, זה...

.9

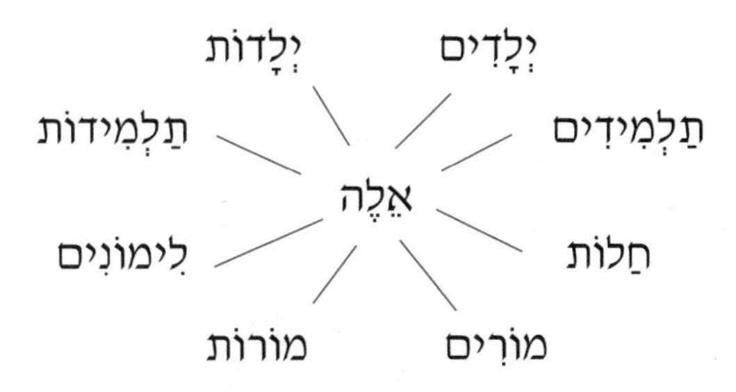

	ז. m.	נ. f.
י. s.	תלמיד	תלמידה
ר. pl.	**תַּלְמִידִים** **___ ים**	**תַּלְמִידוֹת** **___ ות**

	ז. m.	ז. / נ. m. / f.	נ. f.
י. s.	זה		זאת
ר. pl.		**אֵלֶה**	

.10 **מי אלה?**

א) **מי אלה?** - מֹשֶׁה ואַהֲרֹן.

ב) **יְלָדִים**

- מי אלה? אלה הילדים של שׁוֹשַׁנָּה?
- לא, זה הילד של הִילָה, ואלה הילדות של זיו.

.11 **השלימו - זה, זאת או אלה** - Complete the sentence with the appropriate demonstrative pronoun

דוגמה: *זה* רדיו. *זאת* טלוויזיה. *אלה* התלמידים של נתן.

1) __________ המוֹרָה של רמי.
2) __________ גלידה.
3) __________ לימונים.
4) __________ לחם, ו__________ חלה.
5) __________ תלמידה.
6) __________ מלח.
7) __________ חלות.
8) __________ וידאו.
9) __________ הילדות של ישראלה.

.12 א) מה זה? אלה לימונים.

אלה חלות.

ב) כתבו את השאלה - מי זה? מי זאת? מי אלה? או מה זה? והשלימו את התשובה.

Write the question **?מה זה** or **?מי אלה ?מי זאת ?מי זה** and write the correct answer.

דוגמה: ◄ מי אלה?

◄ אלה תלמידים.

◄ מי זאת?

◄

◄

◄

◄

◄

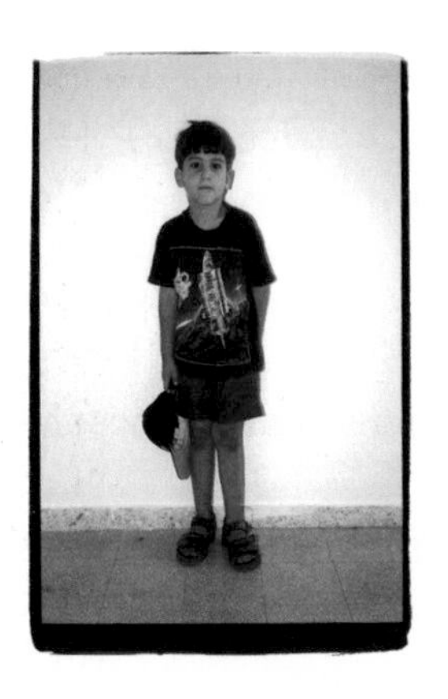

◄ מי זה?

◄

◄

◄

◄

◄

◄

◄

13. כתבו את היחיד או את הרבים. Write the singular or plural form.

י. s.	ר. pl.
תלמיד	______
______	מורות
תלמידה	______
______	טלוויזיות
מורה	______
______	ילדים
ילדה	______
______	חלות
לימון	______

14. מי אתם?

א)

	ז. m.	ז. / נ. m. / f.	נ. f.
י. s.	אתה	אני	את היא
ר. pl.	**אַתֶּם** **הֵם**		**אַתֶּן** **הֵן**

ב) המחיזו שיחות דומות; החליפו את כינויי הגוף, את שמות האנשים והמדינות.
Role play: Create similar dialogues; change the personal pronouns, names of the people and countries.

15. מי גר שם?

א) מי גָר שָׁם?
שׂרה גרה שם?
גם הָגָר גָרָה שם?

2)

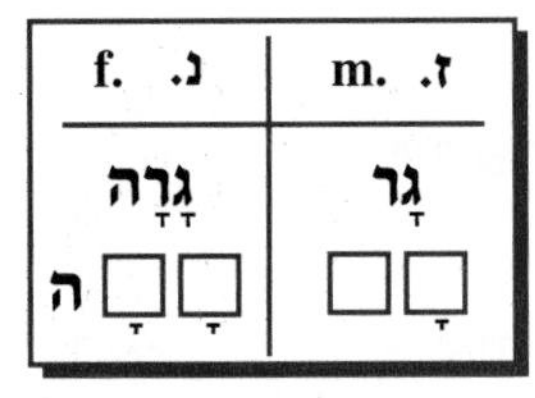

נ. f.	ז. m.
גָרָה	גָר
◌ָ◌ָה	◌ָ◌

ב) **טניה שָׁרָה**

זיו: הַי טניה!

טל: **ששש**ששש! היא שרה!

זיו: מה היא שרה?

טל: לַלַלַלַלַלַ...

16. א) בחרו את הפועל המתאים וקראו את המשפטים.

Choose the correct verb and read the sentences.

דוגמה: זיווה שרה שיר.

1) חנה ________ שם. ● גר / שרה

2) טל ________ לַ לַ לַ לַ... ● גרה / גר

3) זיו ________ שם. ● גר / שר

● גר / שרה

ב) בחרו את צורת הפועל הנכונה וקראו את המשפטים.

Choose the correct form of the verb and read the sentences.

גר / גרה **או** שר / שרה

אתה גָר, היא ______, את ______, אני ______, אתה ______, היא ______, את ______.

אתה שר, היא ______, את ______, אני ______, אתה ______, היא ______, את ______.

17. א) לומד, לומדת

ז. m.	נ. f.
לומֵד	**לומֶדֶת**
□ו□ֵ□	□ו□ֶ□ֶת

דינה לומֶדֶת תורה.

רחל לא לומֶדֶת.

דני לומֵד זואולוגיה.

דויד לא לומֵד.

ב) בחרו לומד / לומדת וקראו את המשפטים.

Choose the correct form of the verb and read the sentences.

דוגמה: דויד - *דויד לומד.*

נתן ______. הוא ______. הילה ______. אני ______. היא ______.

אתה ______. ישראלה ______. את ______. רמי ______.

18. אמרו משפטים רבים כרצונכם. כתבו שמונה משפטים.

Say as many sentences as you can. Write eight sentences.

מי		**מה?**
אדם		אנגלית
אהרן		תוֹרָה
טליה	לומד	יידיש
מֹשֶה	לא לומד	זואולוגְיָה
שוֹשָנָה	לא לומדת	רוֹמָנִית
אתה	לומדת	גֶרְמָנִית
אני		שירים

דוגמה: משה לומד תורה.

19. א)

שלום שלום!

אהרן: שלום.

דויד: שלום. *אתה אהרן לוי?*

אהרן: לא, *אני אהרן גונן.*

דויד: אתה לומד זואולוגיה?

אהרן: לא, אני לומד יידיש. ואתה?

דויד: אני מורה. אתה מישראל?

אהרן: לא, אני מאנגליה, מלונדון. גם אתה מאנגליה?

דויד: לא, אני מטורונטו.

אהרן: להתראות.

דויד: שלום שלום, להתראות.

1) מאין דויד? 3) אהרן ודויד מורים?

2) מאין אהרן? 4) מה לומד אהרן?

ב) המחיזו שיחה דומה בין שושנה לדינה.

Role play: create a similar dialogue between **שושנה** and **דינה.**

.20 אמרו לפי הציורים מה אדם לומד ומה חוה לומדת.

According to the illustrations: say what **אדם** is learning and what **חוה** is learning.

דוגמה: חוה לומדת אנגלית.

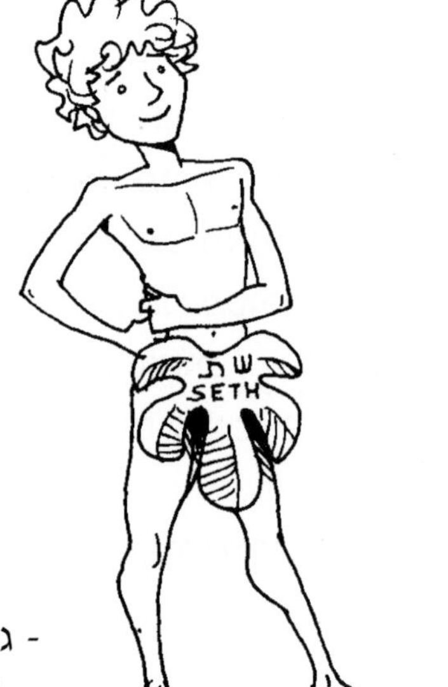

- גם שֵׁת לומד?
- לא, הוא לא לומד.

אז יאללה, ביי!

19. כתבו את אותיות הכתב שאתם יודעים.

Write the cursive letters you have learnt.

אָלֶף- ____, בֵּית, גִימֶל- ____, דָלֶת- ____, הֵא- ____, וָו- ____, זַיִן- ____,

חֵית- ____, טֵית- ____, יוֹד- ____, כָּף, לָמֶד- ____, מֵם- ____, נוּן, סָמֶךְ, עַיִן, פֵּא,

צָדִי, קוֹף, רֵישׁ- ____, שִׁין- ____, תָיו- ____

Summary of Topics

האוצר הלשוני

א. אוצר המילים Vocabulary

פעלים / Verbs

גָר	live
לוֹמֵד	learn
שָר	sing

מיליות / Particles

אוֹ	or
...וְ	and

שמות עצם / Nouns

אַנְגְלִית (נ. ר. 0)	English (lang.)
גֶרְמָנִית (נ. ר. 0)	German (lang.)
חַלָה (נ.)	challah bread
יִידִיש (נ. ר. 0)	Yiddish (lang.)
לֶחֶם (ז.)	bread
לִימוֹן (ז.)	lemon
מוֹרֶה (ז.), מוֹרָה (נ.)	teacher
מֶלַח (ז. ר. 0)	salt
רוֹמָנִית (נ. ר. 0)	Romanian (lang.)

כינויי גוף / Personal Pronouns

אַתֶם (ז. ר.)	you
אַתֶן (נ. ר.)	you
הֵם (ז. ר.)	they
הֵן (נ. ר.)	they

שמות מקומות / Names of places

אחרים / Others

הַגוֹלָן	the Golan
יַם הַמֶלַח	the Dead Sea

ערים / Cities

דִימוֹנָה	Dimona
טוֹרוֹנְטוֹ	Toronto
יְרִיחוֹ	Jericho
לוֹנְדוֹן	London

כינויי רומז / Demonstrative Pronouns

זֶה (ז.)	this
זֹאת (נ.)	this
אֵלֶה (ז. נ. ר.)	these

מילים לועזיות / Foreign words

וִידֵאוֹ (ז. ר. 0)	video
זוֹאוֹלוֹגְיָה (נ. ר. 0)	zoology
טֶלֶוִויזְיָה (נ.)	television
מָיוֹנֶז (ז. ר. 0)	mayonnaise
מֶנְטָה (נ. ר. 0)	mint
רַדְיוֹ (ז. ר. 0)	radio

שונות / Miscellaneous

לֹא	no
לְהִתְרָאוֹת! מ״ק	See you / Au revoir
שָלוֹם מ״ק	hello / goodbuy
תוֹדָה מ״ק	Thank you

ב. הנושאים הלשוניים

Grammatical topics

צורות: שם עצם, רבים ורבות -

Morphology: Plural nouns: masculine and feminine

דוגמה: תלמידים, תלמידות Example:

פועל: בניין קל (פָּעַל), גזרת ע״ו, זמן הווה, יחיד, זכר ונקבה -

Verb: basic stem - pa'al (פָּעַל) conjugation, weak verb type ע״ו, present tense, singular, masculine and feminine.

דוגמה: גר, גרה Example:

בניין קל (פָּעַל), גזרת השלמים, זמן הווה, יחיד, זכר ונקבה -

basic stem - pa'al (פָּעַל) conjugation ,strong verb, present tense, singular, masculine and feminine

דוגמה: לומד, לומדת Example:

תחביר: משפט שמני בחיווי ובשלילה (המשך) -

Syntax: Declarative and negative nominal sentence (cont.)

דוגמה: זה (לא) לימון. Example:

משפט פעלי בחיווי ובשלילה - Positive and negative verbal sentence

דוגמה: אני (לא) לומד. את (לא) לומדת ״ידיש״.

מילית החיבור - וְ... - Waw consecutive

כינויי רומז - זה, זאת, אלה - Demonstrative Pronouns

שונות: שמות שפות - Names of languages

Miscellaneous:

דוגמה: אנגלית Example:

ג. הערות לשוניות

Grammatical notes

1) מטעמי פישוט מוצג כאן רק הניקוד הנפוץ ביותר של וו החיבור - וְ... .

To simplify the subject of Waw consecutive, only its most common vocalization is presented in this unit.

2) אחרי מילת השאלה - **מי**, הפועל בדרך כלל ביחיד, גם אם התשובה היא בנקבה או ברבים.

Following the question word - **מי** , the verb will usually be masculine and singular even if the answer is feminine or plural.

דוגמה: מי גר פה? שרה גרה פה. Example:

◄ עיצורים Consonants

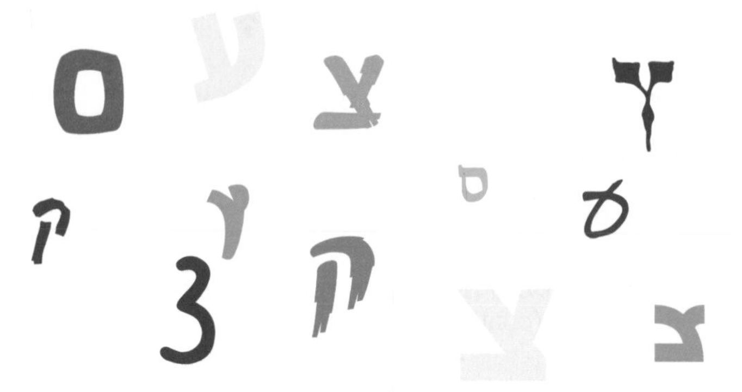

ס	ס		s
ע	ע		‘
צ	צ, ץ	ץ	ts
ק	ק		q

◄ תנועות Vowels

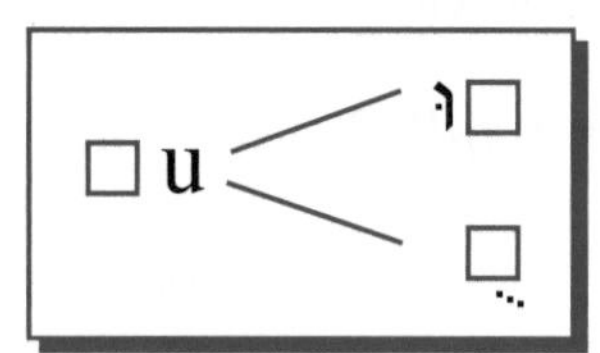

◄ מילים Vocabulary

אוֹ קֵיי	או קיי	’o qey
אוּלַי	אולי	’ulay
אֶלֶקְטְרוֹנִיקָה	אלקטרוניקה	’eleqtronika
אֲנַחְנוּ	אנחנו	’anaḥnu
אֶרֶץ	ארץ	’erets
הוּא	הוא	hu
לְ...	ל...	le...
לְאָן?	לאן?	le’an
מַה נִשְׁמַע?	מה נשמע?	Ma nishma
מִיץ	מיץ	mits
מְצוּיָּן	מצוין	metsuyan
מִסְעָדָה	מסעדה	mis‘ada
מָתֵמָטִיקָה	מתמטיקה	matemaṭiqa
נָעִים מְאוֹד	נעים מאוד	na‘im me’od
סְטוּדֶנְט	סטודנט	sṭudenṭ
סְטוּדֶנְטִית	סטודנטית	sṭudenṭiṭ
סָלָט	סלט	salaṭ
סְלִיחָה	סליחה	sliḥa
סֶרֶט	סרט	sereṭ
עוּגָה	עוגה	‘uga
עוֹשֶׂה	עושה	‘ose
עוֹשֶׂה חַיִּים	עושה חיים	‘ose ḥayim
עִיר	עיר	‘ir
עִם	עם	‘im

קוֹמוּנִיקַצְיָה	קומוניקציה	qomuniqatsia	רוּסִית	רוסית	rusit
קוֹנְצֶרְט	קונצרט	qontsertׅ	רוֹצֶה	רוצה	rotse
קוֹקָה קוֹלָה	קוקה קולה	qoqa qola	רַק	רק	raq
קְיוֹסְק	קיוסק	qyosq	רַק רֶגַע	רק רגע	raq rega
קְצָת	קצת	qtsat	שׁוֹקוֹלָד	שוקולד	shoqolad
רֶגַע	רגע	rega	שׁוֹטֶה	שוטה	shote

.I

ס	=	s	(samek̄)
ע	=	‘	(‘ayin)
צ	=	ts	(tsadi)
ץ	=	ts	(tsadi sofit)
ק	=	q	(qof)

.1

א) סוֹ • עִי • צָ • קַ • עֱ • צִי • עֶ • קִ • סֵ • צַ • סִי • קוֹ • צֵ •

עוֹ • קִי • עָ • סִ • צוֹ • ץ • סָ • קֶ • סְ •

ב) יִצְחָק
יָעֵל
יוֹסִי

ג)

האות **ע** איננה נהגית, כשלפניה יש תנועה **a** והיא חסרת תנועה.

The letter **ע** is not pronounced and does not receive any vowel sign when it is preceded by an **a** vowel.

דוגמה: מה נשמע? :Example

רק רגע

.2 קראו ואמרו: אֶרֶץ אוֹ עִיר.

א) אִרְלַנְד • אַנְגְלִיָה • גֶרְמַנְיָה • דִימוֹנָה • דֶנְיָה • טוֹקְיוֹ • טוֹרוֹנְטוֹ • יַרְדֵן • יְרִיחוֹ •

יִשְׂרָאֵל • לוֹנְדוֹן • מִצְרַיִם • מֶקְסִיקוֹ • נְתַנְיָה • סִין • עִירַק • קֶנְיָה • תֵימָן •

דוגמה: מצרים זאת ארץ.
יריחו זאת עיר.

.3 ציון, אתה רוצה מיץ לימון?

- ציון, אתה רוצֶה מיץ לימון?
- לא, אני רוצה קולה עם לימון, תודה.

- ציונה, את רוצָה סלט?
- לא, תודה. אני רוצה שוקולד.

- יצחק, אתה רוצה קצת גלידה?
- אוֹ קיי, תודה.

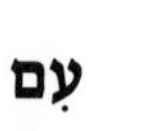
עִם

ז. m.	נ. f.
רוֹצֶה	רוֹצָה
□וֹ□ֶה	□וֹ□ָה

יחידה IV

עברית מן ההתחלה

4. א) אמרו כרצונכם שאלות מן המילים בטורים אלה.

Create questions by matching the corresponding words in the two columns.

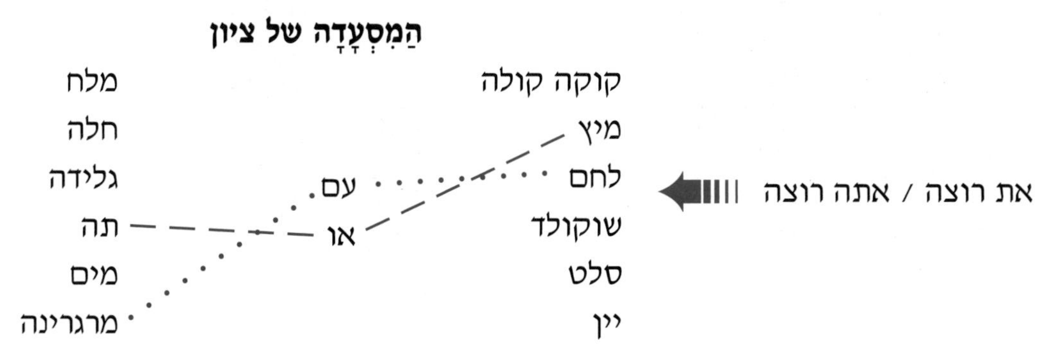

דוגמה: את רוצה מיץ או תה? - אתה רוצה לחם עם מרגרינה?

ג) שאלו זה את זה וענו.

Ask each other questions and answer them.

- מה אתה רוצה?
- מה את שותה?
- מה את רוצה?
- מה אתה שותה?

5. א) סמנו בעיגול מה לא שייך.

Circle the unrelated word.

דוגמה: נעים מאוד / תודה / (קצת) / סליחה

1) טלוויזיה / רדיו / וידאו / שוקולד
2) יידיש / עם / אנגלית / גרמנית
3) מה / רק / מאין / מי
4) מיץ / סלט / קולה / מים
5) יצחק / דויד / רגע / ציון
6) מסעדה / סוריה / ישראל / מצרים
7) רוצה / לומד / מתנה / שותה
8) אני / גם / אתה / היא
9) אלקטרוניקה / מתמטיקה / מרגרינה / זואולוגיה
10) חלה / לחם / זה / יין

II.

6. א)

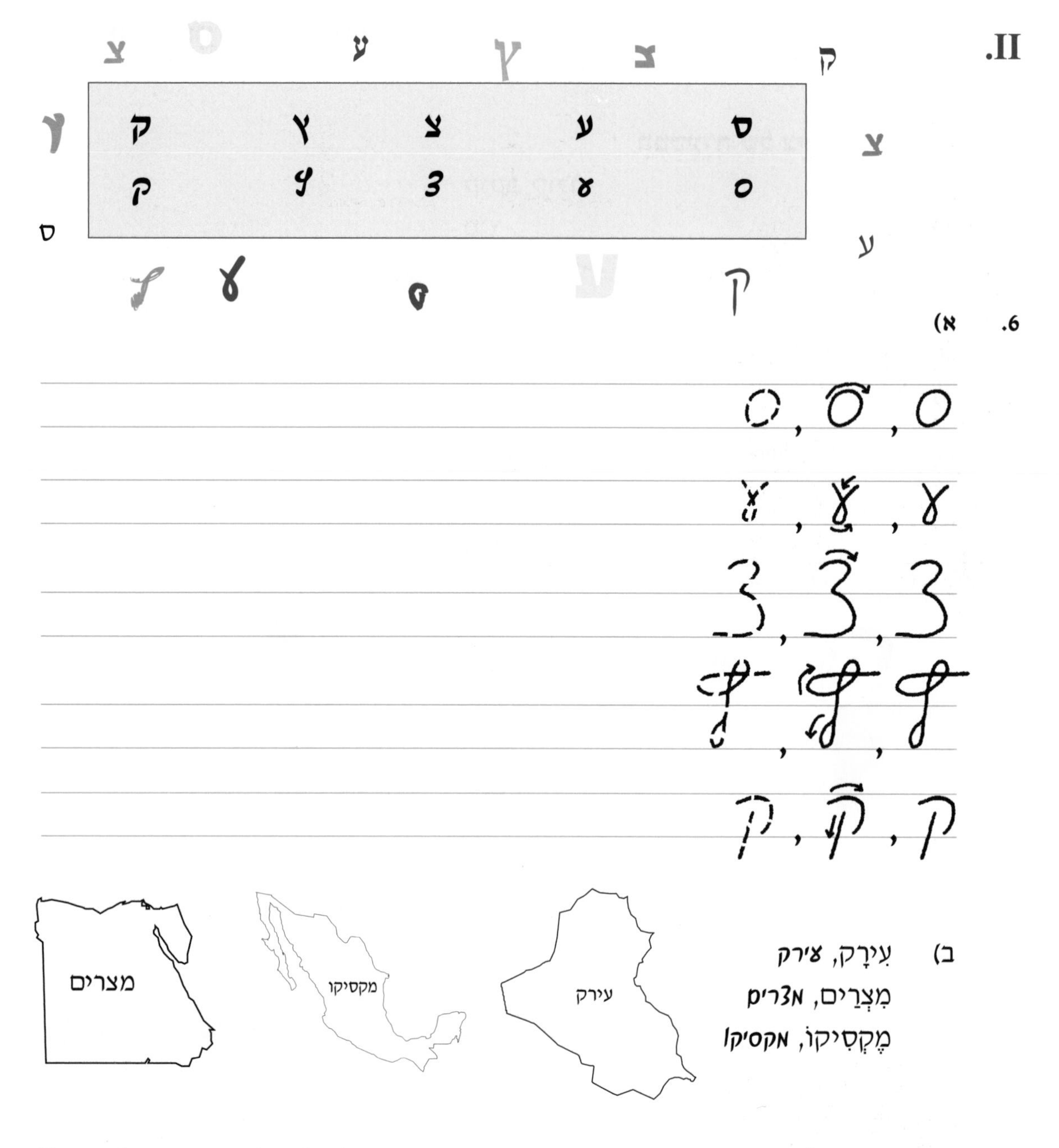

ב) עִירָק, צירק
מִצְרַיִם, מצרים
מֶקְסִיקוֹ, מקסיקו

7. **בחרו את הפועל המתאים וכתבו משפטים.** Choose the correct verb and write sentences.

~~שׁוֹתֶה~~, שׁוֹתָה, רוֹצֶה, רוֹצָה, לומד או לומדת.

דוגמה: יונתן *שותה* מיץ.

1) חוה ______________ רק סלט.
2) משה ______________ מתמטיקה.
3) דויד לא ______________ שוקולד.
4) ישראלה ______________ זואולוגיה.
5) יעל ______________ קוקה קולה.

8. א) לאן?

לְאָן?	לְ...	1)

 ולאן אתם?

ב) שאלו זה את זה וענו.

Ask each other questions and answer them.

- לאן אתה?
- ולאן את?

- לדיסנילנד?
- לסיני?
- לסרט?
- או ל...

9. שבצו את הביטויים בשיחות. Create dialogues using the following words and phrases.

סליחה • תודה • ~~נעים מאוד~~ • רק רגע • מה נשמע • להתראות • שלום

א) - שלום.

- ______________ .

- אני רמי, *נעים מאוד.*

- נעים מאוד, אני יוסי.

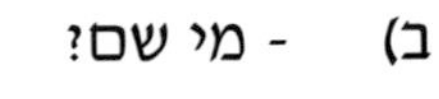

ב) - מי שם?

- אני.

- אה, ______________

ג) - הינה הסלט והקולה.

- ______________

ד) - הלו?

- רחל?

- הי, שלום צילה, ______________

- או קיי.

ה) - הלו, איציק?

- אני לא איציק.

- אוי, ______________

ו) - יעל, מה נשמע?

- או קיי, לאן?

- לטוקיו, ולאן את?

- לאילת.

- ______________

.III

.10

א) שוּ • גֻ • עוּ • רֻ • קוּ • הֻ • הוּ • יוּ • נֻ • זוּ • חֻ • טוּ •

אוּ • דֻ • ווּ • לֻ • מֻ • נוּ • סֻ • צוּ • תוּ •

ב) יְרוּשָׁלַיִם

עוּגָה

סְטוּדֶנְט

.11 א) **שמות הגוף** Personal pronouns

	ז. m.	ז. / נ. m. / f.	נ. f.
י. s.	אתה **הוא**	אני	את היא
ר. pl.	אתם הם	**אֲנַחְנוּ**	אתן הן

ב) כתבו את שמות הגוף וקראו את המשפטים.

Complete the sentences using the correct personal pronoun.

1) דני לומד. __________ לומד אנגלית.
2) זאת אישה. __________ מלונדון.
3) אני ויוסי מישראל. __________ מירושלים.
4) ציון וחנה מטורונטו. __________ תלמידים.
5) רינה ורחל ממקסיקו. __________ תלמידות.
6) - מה אתה שותה?
 - __________ שותה מיץ.
7) - רחל, מאין __________ ?
 - אני מאילת.
8) - אורי ויצחק, __________ סטודנטים?
 - לא, אנחנו מורים.
9) - יעל ורות, __________ רוצות מיץ או קוקה קולה?
 - תה, תודה.
10) - סליחה, מי __________?
 - אני אֱלִי דַיָין.

נ. f.	ז. m.	
גרה	גר	י. s.
גָרות □ָ□וֹת	**גָרִים** □ָ□ִים	ר. pl.

12. א) מי גר שם?

- מי גר שם?
- *צילה וגילה* גרות שם.
- ושם?
- אֲנַחְנוּ.

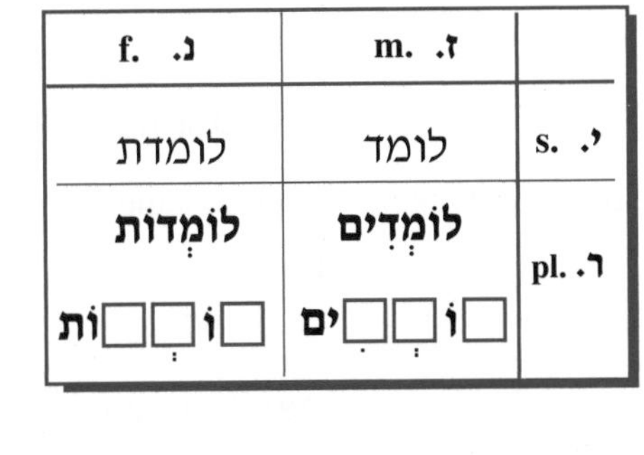

נ. f.	ז. m.	
לומדת	לומד	י. s.
לוֹמְדוֹת □וֹ□ְ□וֹת	**לוֹמְדִים** □וֹ□ְ□ִים	ר. pl.

ב) מה אתם לוֹמְדִים?

ציון: שלום יוסי, מה נשמע?
יוסי: או קיי, אנחנו לומדים.
ציון: מה אתם לומדים?
יוסי: אני לומד אלקטרוניקה,
וסַמִי לומד מתמטיקה.
ציון: גם דויד ויונתן לומדים מתמטיקה?
יוסי: לא, הם לומדים זואולוגיה.

מי לומד מה?

ג) **המחיזו שיחות דומות ל- 12 ב).**

Role-play: Create dialogues similar to the ones in (ב 12 using different names and words as shown below:

1) **במקום:** ציון, יוסי, סמי, דויד ויונתן Instead:
אמרו: סימה, רוּתִי, צילה, יעל ורחל Say:

2) **במקום:** אלקטרוניקה, מתמטיקה וזואולוגיה Instead:
אמרו: רוסית, גרמנית ויידיש. Say:

13. א) מה הם שרים?

ציון: שלום יוסי. מה נשמע?
יוסי: מְצוּיָּן, אנחנו שרים.
ציון: מה אתם שרים?
יוסי: שירים.
ציון: גם דויד ויונתן שרים?
יוסי: לא. הם לומדים.

ב) **המחיזו שיחה דומה.**

Role-play: Create dialogues, using different names.

במקום: ציון, יוסי, סמי, דויד ויונתן Instead:
אמרו: סימה, רוּתִי, צילה, יעל ורחל Say:

14. קראו בזוגות, שאלו זה את זה וענו כרצונכם.

Read the following exercise with a fellow student, ask each other questions and answer them.

הַמִסְעָדָה שֶׁל יָעֵל

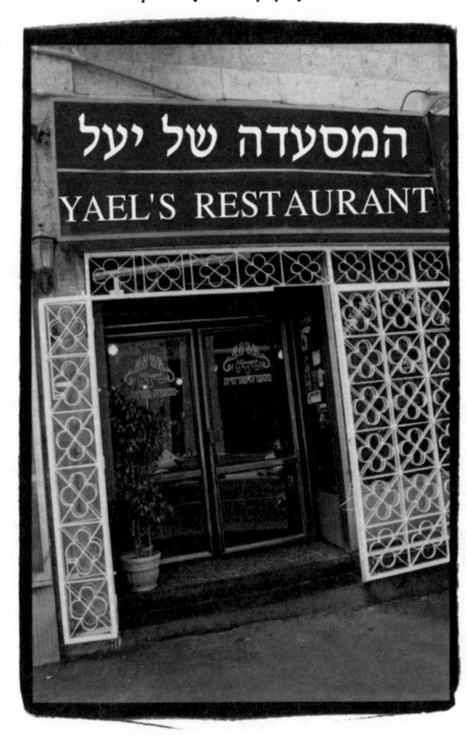

	ז. m.	נ. f.
י. s.	רוֹצֶה	רוֹצָה
ר. pl.	**רוֹצִים** □וֹ□ִים	**רוֹצוֹת** □וֹ□וֹת

- מה אתם / הם רוצים?
- מה אתן / הן רוצות?

- מה אתם / הם שותים?
- מה אתן / הן שותות?

דוגמות:

- מה אתם רוצים?
- שוקולד.

- מה הן שותות?
- קוקה קולה.

.15 התאימו את המשפטים לאיורים.

Match the sentences with the illustrations.

א) מה אתן עושות? - אנחנו שרות.

ב) מה אתם עושים? - אני לומד, והוא לא לומד.

ג) מה הם עושים? - הם שותים מיץ.

ד) מה הן עושות? - הן עושות חיים.

.16 א) השלימו את המשפטים בעזרת שם הגוף המתאים.

Complete the sentences with the following personal pronouns:

אנחנו, אתם, אתן, הם או הן

דוגמה: סמי וניר לומדים רוסית. **הם** לומדים עם יוסי ורמי.

1) רחל ויעל שותות יין. _________ שותות יין מישראל.

2) יוסי: ציון ותמי, _________ רוצים גלידה?

3) רחל: צילה וגילה, _________ שותות מיץ?

4) התלמידים והמורים שרים. _________ שרים שירים של ילדים.

5) - ילדים, אתם לומדים גרמנית? - לא _________ לומדים רוסית.

ב) כתבו וּ או וֹ Write:

- אורוגוואי • הונולולו • טוניס
- אוסלו • ניו יורק • ירושלים
- יוני • יולי • אוגוסט
- קילומטר • קילוגרם • קילוואט
- הוריקן • טורנדו • ציקלון
- מוזאון • תאטרון • מוזיקה
- גורילה • יגואר • קרוקודיל
- קרימינולוגיה • קומוניקציה • סוציולוגיה

17. עוגה וְקוֹמוּנִיקַצְיָה

רותי: הינה אורי.
יעל: מי זה אורי?
רותי: אורי מאילת.
יעל: הוא סטודנט?
רותי: לא, הוא לא סטודנט.
אורי: הי, שלום רותי, מה נשמע?
רותי: מצוין. זאת יעל.
אורי: נעים מאוד. מה אתן עושות?
רותי: אנחנו לומדות קומוניקציה. ואתה? מה אתה עושה, אורי?
אורי: אני שותה תה. אולי אתן רוצות תה עם עוגה?
יעל: או קיי.
רותי: לא, לא תודה. שלום.
יעל: אולי רק תה?
רותי: לא תה ולא עוגה. אני לומדת.
אורי: להתראות.

? מה אתם יודעים על: *אורי, רותי ויעל?* What do you know about:

דוגמה: *רותי לומדת קומוניקציה.* Example:

18. כתבו את הפעלים החסרים. Complete the missing verbs.

א)

ז. m.	נ. f.	ז. ר. m. pl.	נ. ר. f. pl.
אני, אתה, הוא	אני, את, היא	אנחנו, אתם, הם	אנחנו, אתן, הן
גר			
	שרה		

ב)

ז. m.	נ. f.	ז. ר. m. pl.	נ. ר. f. pl.
אני, אתה, הוא	אני, את, היא	אנחנו, אתם, הם	אנחנו, אתן, הן
	שוֹתָה		
		רוֹצִים	
			עוֹשׂוֹת

ג)

ז. m.	נ. f.	ז. ר. m. pl.	נ. ר. f. pl.
אני, אתה, הוא	אני, את, היא	אנחנו, אתם, הם	אנחנו, אתן, הן
		לומדים	

19. קראו וכתבו עוד 2 שלטים.

Read the signs and write two more signs.

אנחנו רוצים מים ושמים!

למה הוא קונה עוגות, ואנחנו רק לחם?!

"שלום שלום ואין שלום"!

אנחנו רוצים שלום!

דַי! אנחנו לא רוצות דִיקְטָטוּרָה!

אנחנו רוצות דמוקרטיה!

למה רק מסעדות ומלונות?!

◄ ____

◄ ____

אז יאללה, ביי!

16. כתבו את אותיות הכתב שאתם יודעים.

Write the cursive letters you have learnt.

אָלֶף- [ ] , בֵּית, גִּימֶל- [ ] , דָּלֶת- [ ] , הֵא- [ ] , וָו- [ ] , זַיִן- [ ] ,

חֵית- [ ] , טֵית- [ ] , יוֹד- [ ] , כָּף, לָמֶד- [ ] , מֵם- [ ] , נוּן- [ ] ,

סָמֶךְ- [ ] , עַיִן- [ ] , פֵּא, צָדִי- [ ] , קוֹף- [ ] , רֵישׁ- [ ] , שִׁין- [ ] ,

שִׂין- [ ] , תָּיו- [ ]

Summary of Topics

האוצר הלשוני

א. אוצר המילים — Vocabulary

פעלים — Verbs

עוֹשֶׂה	do / make
רוֹצֶה	want
שׁוֹתֶה	drink

מיליות — Particles

לְ...	to / for
עִם	with

שמות עצם — Nouns

אֶרֶץ (נ.), אֲרָצוֹת	country
מִיץ (ז.)	juice
מִסְעָדָה (נ.)	restaurant
עוּגָה (נ.)	cake
עִיר (נ.), עָרִים	city / town
סֶרֶט (ז.), סְרָטִים	movie
רֶגַע (ז.)	moment
רוּסִית (נ.)	Russian (lang.)

מילות שאלה — Question words

לְאָן?	where to?

כינויי גוף — Personal Pronouns

אֲנַחְנוּ (ז. נ. ר.)	we
הוּא (ז.)	he

שמות מקומות — Names of places

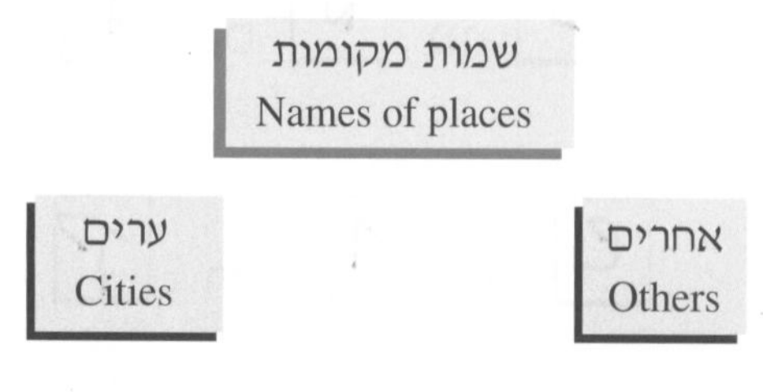

אחרים — Others

דִּיסְנִילֶנְד	Disneyland
סִינַי	Sinai

ערים — Cities

טוֹקְיוֹ	Tokyo
יְרוּשָׁלַיִם	Jerusalem

מילים לועזיות — Foreign words

אֶלֶקְטְרוֹנִיקָה (נ. ר. 0)	electronics
מָתֵמָטִיקָה (נ. ר. 0)	mathematics
סְטוּדֶנְט (ז.) סְטוּדֶנְטִית (נ.)	student
סָלָט (ז.)	salad
קוֹמוּנִיקַצְיָה (נ. ר. 0)	communication
קוֹנְצֶרְט (ז.)	concert
קוֹקָה קוֹלָה (נ. ר. 0)	Coca-Cola
קְיוֹסְק (ז.)	kiosk
שׁוֹקוֹלָד (ז.)	chocolate
אוֹ קֵיי	o.k.

שונות — Miscellaneous

אוּלַי	maybe
מַה נִשְׁמַע?	what's up?
מְצוּיָן ת״פ	wonderful / great
נָעִים מְאוֹד	pleasure to meet you
סְלִיחָה	excuse me / forgive me / sorry
לַעֲשׂוֹת חַיִּים	have fun
קְצָת	a little
רַק	only

מדינות — Countries

מִצְרַיִם	Egypt
מֶקְסִיקוֹ	Mexico
סִין	China
עִירָק	Iraq
קֶנְיָה	Kenya

ב. הנושאים הלשוניים
Grammatical topics

צורות: פועל: בניין קל (פָּעַל), גזרת השלמים, זמן הווה, רבים ורבות
Morphology:

Verb: basic stem - pa'al (פָּעַל) conjugation, strong verb, present tense, plural, masculine and feminine.

Example: דוגמה: לומדים, לומדות

בניין קל, גזרת ע״ו, זמן הווה, רבים ורבות

Basic stem - pa'al (פָּעַל) conjugation, weak verb type ע״ו, present tense, plural, masculine and feminine.

Example: דוגמה: גרים, גרות

בניין קל, גזרת ל״ה, זמן הווה

Basic stem - pa'al (פָּעַל) conjugation, weak verb type ל״ה, present tense

Example: דוגמה: רוצֶה, רוצָה, רוצים, רוצות

תחביר: מיליות היחס - לְ... , עִם - The Preposition particles
Syntax:

מילת השאלה - לאן? - Question word

ג. הערות לשוניות
Grammatical notes

1) מטעמי פישוט מוצג כאן רק הניקוד הנפוץ ביותר של מילית היחס - לְ... .

In order to simplify the subject of the preposition particle ...לְ , only its most common vocalizations are presented in this unit.

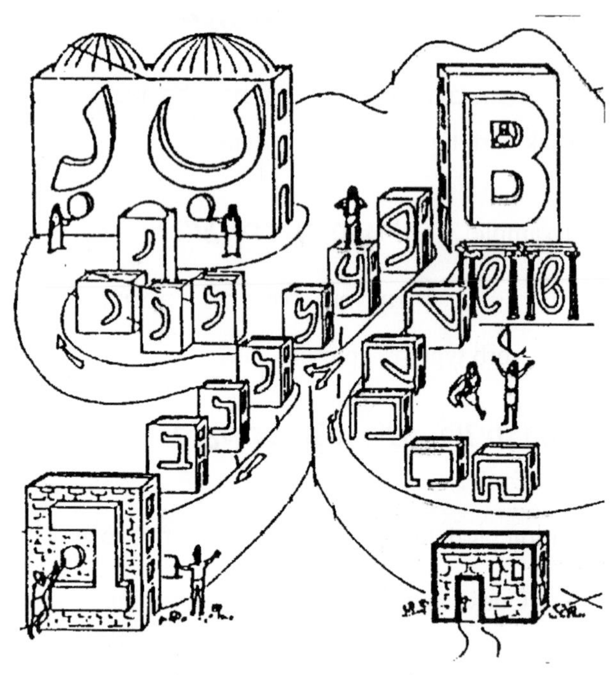

ב' מהפיניקית ועד הלטינית (עדה ירדני, הרפתקאות)

◀ עיצורים Conconants

b	-	בּ	-	בּ
k	-	כּ	-	כּ
p	-	פּ	-	פּ

◀ מילים Vocabulary

אַבָּא	אבא	'aba
אוּלְפָּן	אולפן	'ulpan
אֵין	אין	'ein
אֶשְׁכּוֹלִית	אשכולית	'eshkolit
בְּ... / בַּ...	ב... / ב...	be... / ba...
בַּיִת	בית	bayit
בַּנָנָה	בננה	banana
בְּסֵדֶר	בסדר	beseder
הַרְבֵּה	הרבה	harbe
יַפָּנִית	יפנית	yapanit
יֵשׁ	יש	yesh
כֵּן	כן	ken
כִּיתָּה	כיתה	kita
לְיַד	ליד	leyad
מְדַבֵּר	מדבר	medaber
מוּזֵאוֹן	מוזאון	muze'on
מִשְׁפָּחָה	משפחה	mishpaḥa
סוּכָּר	סוכר	sukar
סוּפֶּרְמַרְקֶט	סופרמרקט	supermarqeṭ
עוֹלָם	עולם	'olam
עַל	על	'al
פֹּה	פה	po
פּוֹלִיטִיקָה	פוליטיקה	poliṭiqa
פּוֹלָנִית	פולנית	polanit
פּוֹרְטוּגֶזִית	פורטוגזית	porṭugezit
תֵּאַטְרוֹן	תאטרון	te'aṭron
תַּפּוּז	תפוז	tapuz

I.

(bet)	b	=	בּ
(kaf)	k	=	כּ
(pe)	p	=	פּ

1.

א) פּוֹ • בִּי • כָּ • בַּ • פֵּ • כֵּ • פֶּ • כִּ • בֵּי • בֹּ • כִּי • בּוֹ •

פּוֹ • כָּ • בּוֹ • כֹּ • פָּ • בַּי •

ב) בַּיִת
כִּיתָּה
אוּלְפָּן
סוּפֶּרְמַרְקֶט

ג)

2. רַק רֶגַע!

בֶּנִי: מי זה?

פִּינִי: אני.

בני: מי זה "אני"?

פיני: פיני.

בני: בְּסֵדֶר, רַק רֶגַע...

	ז. m.	נ. f.
י. s.	מְדַבֵּר מְ□ַ□ֵ□	מְדַבֶּרֶת מְ□ַ□ֶ□ֶת

	ז. m.	נ. f.
ר. pl.	מְדַבְּרִים מְ□ַ□ְ□ִים	מְדַבְּרוֹת מְ□ַ□ְ□וֹת

עַל

3. א) סטודנטים מִכָּל העולם

פּוֹל מאנגליה. הוא מדבר אנגלית.
הוא מדבר על פוליטיקה ועל הָעוֹלָם.

מַרְיוֹ וְאַלֶכְּסַנְדֶר מִבְּרָזִיל. הם מדברים פּוֹרְטוּגָזִית.
הם מדברים על הַכּוֹל.

פּוֹלָה מִפּוֹלִין. היא מדברת פּוֹלָנִית.
היא מדברת על הַבַּיִת ועל הַמִּשְׁפָּחָה.

לִי וְנוֹרִיקוֹ מִיַּפָּן. הן מדברות יַפָּנִית.
הן מדברות על הָאוּלְפָּן ועל הַכִּיתָה.

ב) **אמרו משפטים דומים.**

Say sentences similar to the ones in (א 3.

1. **שנו את שמות הארצות ואת שמות השפות.**
2. **השתמשו בשמות הגוף.**

1. Change the names of the countries and the names of the languages.
2. Use the personal pronouns.

אתה / את / הוא / היא / אתם / אתן / הם / הן.

II.

פ ב כ ב פ כ
פ ב
ב כ פ
ב כ פ
ב כ פ כ
כ
פ ב כ פ

נס גדול / היה פה
נס גדול / היה שם

.4

ב, ב, ב
כ, כ, כ
פ, פ, פ
תפוז
בננה
אשכולית

5. א) **יֵשׁ...?**

ב) **ענו על השאלות עם המילה "יש".**

Answer the questions with the word **"יש"**.

דוגמה: - יש קוקה קולה?

- כן, יש.

6. א) כתבו את תשובות המוכרים לשאלות שבתרגיל 5.

Write the answers the vendors gave to the questions in exercise 5.

דוגמה: אין לחם!

אין ____________ אין ____________

אין ____________ אין ____________

אין ____________

ב) אמרו וכתבו שאלות ותשובות כמו בתרגילים 5, ו-6 א) עם שמות עצם אלה:

Say and write questions and answers similar to the ones in exercises 5, and 6 a) using the following nouns:

מלח, תפוזים, שוקולד, לימון, חלות, בננות, אשכוליות

דוגמה: יש מלח? — כן, יש מלח. / לא, אין מלח.

7. א) שלום פנינה! שלום ציפי!

ירושלים

שלום פנינה,

מה נשמע?
אני בְּישראל. אני גרה בירושלים ואני
לומדת עברית.
אני לומדת באולפן בציר, ויש פה
הַרְבֵּה סטודנטים.
יש בירושלים תאטרון, וגם מוזאון,
ויש אנשים מכל העולם.

להתראות, ציפי.

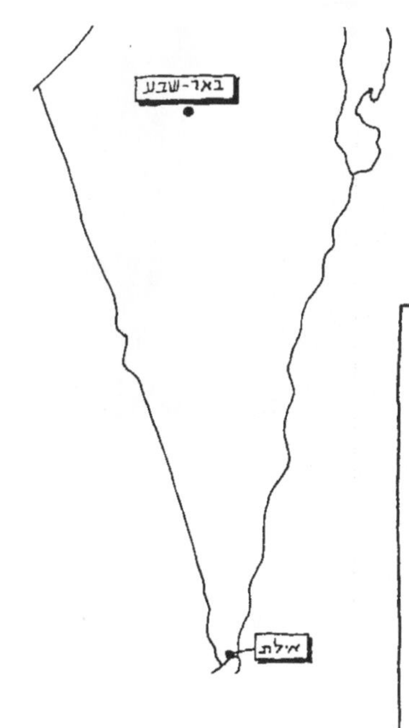

אילת

שלום ציפי,

מה נשמע? אני בסדר.
אני באילת. אני גרה ליד הים.
אני לא לומדת.
באילת אין אולפן ואין תאטרון.
יש רק ים ושמש.
יש מוזאון באילת ויש הרבה
קונצרטים.
גם פה יש אנשים מכל העולם.

ביי, להתראות, פנינה.

בְּ...

לְיַד

ב) השלימו את הטבלה לפי הגלויות של פנינה ושל ציפי.

Complete the table according to the postcards written by **פנינה** and **ציפי** .

	יש	אין
באילת	ים	אולפן
	______	______
בירושלים	אולפן	ים
	______	______

 אז יאללה, ביי!

8. אמרו משפטים. Create sentences and say them.

9. סדרו את המשפטים לשיחה. Rearrange these sentences to create a dialogue.

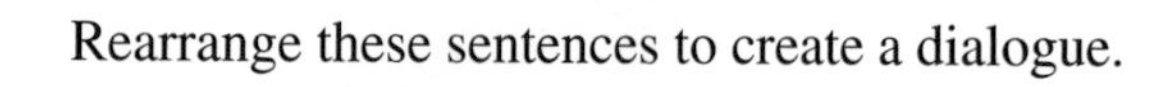

10. בחרו את המקום המתאים וקראו את המשפטים.

Choose the crorrect city or country, and read the sentences.

דוגמה: הַבִּיג-בֶּן   אַמְסְטֶרְדָם / (לוֹנְדוֹן)   ***הביג-בן בלונדון.***

1)	הָאַקְרוֹפּוֹלִיס	• סְפַּרְטָה / אָתוּנָה.
2)	הַכְּנֶסֶת	• ישראל / אנגליה.
3)	הַוָּתִיקָן	• וֶנֶצְיָה / רוֹמָא.
4)	מוּזֵאוֹן פּוֹמְפִּידוּ	• וִינָה / פָּרִיז.
5)	הָאֶמְפַּיֶּיר סְטֵייט בִּילְדִּינְג	• נְיוּ יוֹרְק / וַושִׁינְגְטוֹן
6)	הַכּוֹתֶל	• יְרִיחוֹ / ירושלים
7)	פֶּטְרָה	• יַרְדֵּן / כֻּוֵית

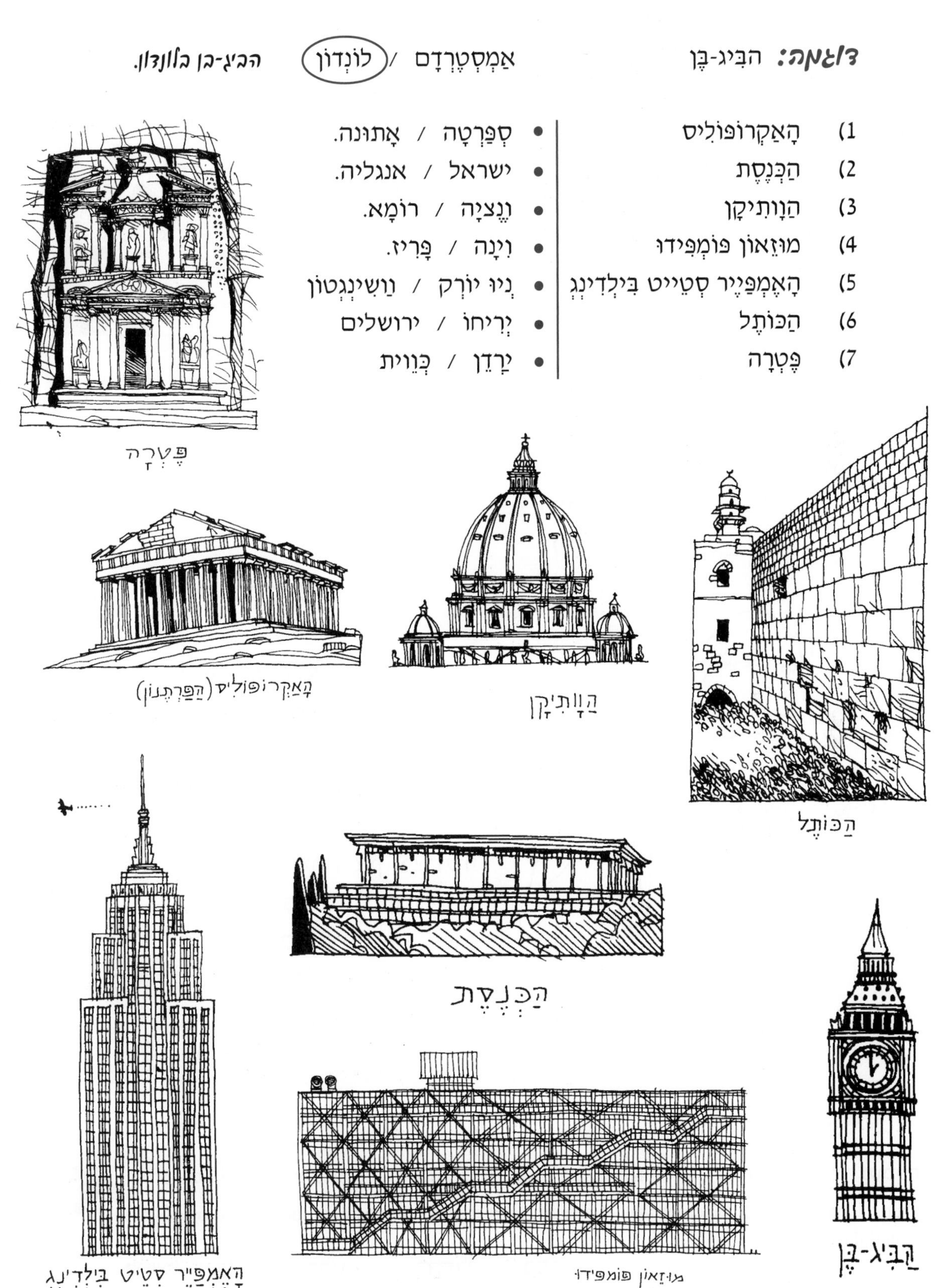

11. השלימו את המילים החסרות.

Complete the missing words.

נעים מאוד

רינה: שלום.

דויד: ______________.

רינה: אני *רינה*. ו ______________?

דויד: אני *דויד*.

רינה ודויד: ______________.

רינה: מאין אתה?

דויד: אני מיפן. ו ______________?

רינה: אני מטורונטו.

דויד: את ______________ יפנית?

רינה: כן. ______________ אתה לומד?

דויד: אני ______________ אנגלית.

רינה: להתראות.

דויד: ______________.

12. א) מה יש בַּסָּלָט?

דויד: אימא, אני רוצה סלט.

אימא: יש הרבה סלט, הינה הסלט.

דויד: מה יש בַּסלט?

אימא: יש תַּפּוּז וְאֶשְׁכּוֹלִית.

דויד: אשכולית?

אימא: אה... לא, סליחה. אין אשכולית בסלט. יש בַּנָּנָה, ויש קְצָת יין.

דויד: יש סוּכָּר בסלט?

אימא: כן, לא הרבה.

מה יש בסלט?

יידוע שם עצם שלפניו מילית יחס: **בְּ...** מקבלת את תנועת הא היידוע והא היידוע עצמה נשמטת.

When the preposition **בְּ** precedes the definite article, it receives the vowel of the definite article, and the definite article is dropped.

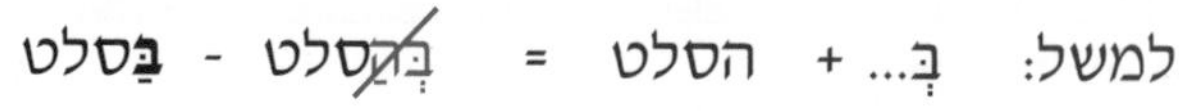

למשל: בְּ... + הסלט = בְּהסלט - **בַּ**סלט

ב) שאלו זה את זה וענו, כמו בשיחה בתרגיל 12א.

Ask each other questions, and answer them in dialogue form as in exercise **12א.**

- מה יש בַּתֵּה?
- מה אין בתה?

השתמשו במילים: **לימון, מלח, סוכר** Use the words:

13. אמרו משפטים כרצונכם מהטבלה. Create sentences using the words from the chart.

	ילדים	בַּמִסְעָדָה
יש	אנשים	בַּבַּיִת
	תלמידים	בָּאוּלְפָּן
אין	סטודנטים	בַּכִּיתָה
	מורים	בַּסוּפֶּרְמַרְקֶט

דוגמה: יש אנשים במסעדה.

14. התאימו את המשפט למקום לפי המפה.

Match the sentence to the place according to the map.

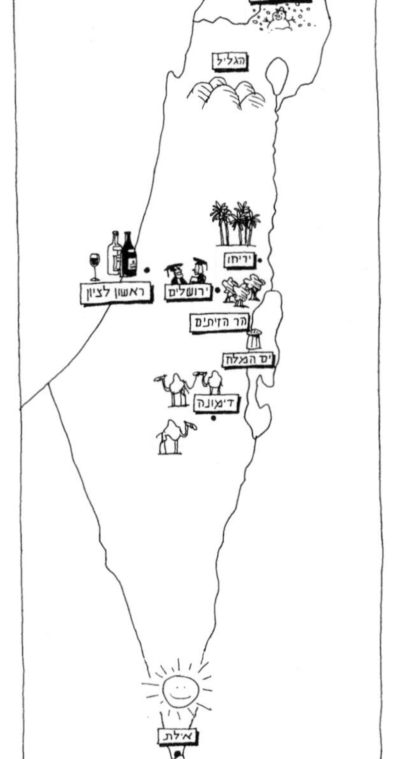

מַה יֵּשׁ שָׁם?

אַל יאללה, ביי!

כתבו את סופי השיחות והשתמשו ב: אוֹי וֵי, אתה עושה חיים, אהה? או: אז יאללה ביי!

Create endings for the following dialogues using the expressions above.

15. כתבו את אותיות הכתב שאתם יודעים.

Write the cursive letters you have learnt.

אָלֶף- ____ , בֵּית- ____ , גִימֶל- ____ , דָלֶת- ____ , הֵא- ____ , וָו- ____ , זַיִן- ____ ,

חֵית- ____ , טֵית- ____ , יוֹד- ____ , כַּף- ____ , לָמֶד- ____ , מֵם- ____ , נוּן- ____ ,

סָמֶךְ- ____ , עַיִן- ____ , פֵּא- ____ , צָדִי- ____ , קוֹף- ____ , רֵישׁ- ____ , שִׁין- ____ ,

שִׂין- ____ , תָיו- ____

א"ב של ילדים בגן (בני 5-6)

Alef-Bet of kinderdarden kids

Summary of Topics

האוצר הלשוני

א. אוצר המילים Vocabulary

מילים לועזיות
Foreign words

בָּנָנָה (נ.)	banana
מוּזֵאוֹן (ז.)	museum
סוּכָּר (ז.)	sugar
סוּפֶּרְמַרְקֶט (ז.)	supermarket
פּוֹלִיטִיקָה (נ. ר. 0)	politics
תֵּאַטְרוֹן (ז.)	theater

שמות מקומות
Names of places

מדינות
Countries

אַרְצוֹת הַבְּרִית	U.S.A.
בֶּלְגִּיָה	Belgium
בְּרָזִיל	Brazil
דֶּנְמַרְק	Denmark
יַפָּן	Japan
פּוֹלִין	Poland
פּוֹרְטוּגָל	Portugal
פֶּרוּ	Peru

ערים
Cities

בּוּאֶנוֹס אַיְירֶס	Buenos Aires
בּוֹסְטוֹן	Boston
בְּרִיסֶל	Brussels
בַּת יָם	Bat Yam
וַרְשָׁה	Warsaw
לִימָה	Lima
לִיסְבּוֹן	Lisbon
קוֹפֶּנְהָגֶן	Copenhagen

שמות עצם
Nouns

אַבָּא (נ.), אָבוֹת	father
אוּלְפָּן (ז.)	studio (Ulpan)
אֶשְׁכּוֹלִית (נ.), אֶשְׁכּוֹלִיּוֹת	grapefruit
בַּיִת (ז.), בָּתִּים	house
יַפָּנִית (נ. ר. 0)	Japanese (lang.)
כִּיתָּה (נ.)	class / classroom
מִשְׁפָּחָה (נ.)	family
עוֹלָם (ז.), עוֹלָמוֹת	world
פּוֹלָנִית (נ. ר. 0)	Polish (lang.)
פּוֹרְטוּגָזִית (נ. ר. 0)	Portuguese (lang.)
תַּפּוּז (ז.)	orange

פעלים
Verbs

מְדַבֵּר	talk

מיליות
Parricles

בְּ...	in
לְיַד	near / by
עַל	on / about

שונות
Miscellaneous

אֵין	there isn't (there aren't)
בְּסֵדֶר ת״פ	alright
הַכּוֹל	everything
הַרְבֵּה ש״ת, ת״פ	many / a lot
יֵשׁ	there is (there are)
יֵשׁ! מ״ק, ס.	yeh!
כָּל הָעוֹלָם ב.	the whole world
כֵּן	yes
פֹּה ת״פ	here

ב. הנושאים הלשוניים

Grammatical topics

צורות: Morphology:

פועל: בניין פִּיעֵל, גזרת השלמים, זמן הווה

Verb: pi'el (פִּיעֵל) conjugation, strong verb, present tense

דוגמה: מדבר, מדברת, מדברים, מדברות :Example

תחביר: Syntax:

משפט שמני בחיווי ובשלילה (המשך) - יש / אין

Declarative and negative nominal sentence (cont.) יש / אין

משפט שמני (המשך) - אני בישראל. Nominal sentence (cont.)

מיליות היחס - בְּ... , אֵצֶל, ליד - Preposition particles

מילית היחס - בְּ... + יידוע הַ... = בַּ = הַ Preposition particle ...בְּ + definite article הַ

דוגמה: יש הרבה סטודנטים בָּאוּלְפָּן. :Example

ג. הערות לשוניות

Grammatical notes

1) האותיות ב, כ, פ - b, k, p הן דגושות והגייתן "קשה". הן מופיעות:
א. בתחילת מילה, למשל: בית - bayit, כיתה - kita, פה - po.
ב. בראש הברה אחרי עיצור ללא תנועה, למשל: הַרְבֵּה - har-be, אֶשְׁכּוֹלִית - 'esh-kolit, מִשְׁפָּחָה - mish-paḥa.

מקרים אחרים של הגייה "קשה" באותיות אלה משקפים הכפלת עיצור מסיבות לשוניות היסטוריות, למשל: מְדַבֵּר - medab(b)er, שַׁבָּת - shab(b)at, סוּכָּר - suk(k)ar, תַּפּוּז - tap(p)uz.

The letters ב, כ, פ, b, k, p are with a dagesh (occlusive, plosive), and their pronunciation is "hard". They appear:

a) At the beginning of a word, for example: בית - bayit, כיתה - kita, פֹּה - po.

b) At the beginning of a syllable following a consonant without a vowel sound, for example: הַרְבֵּה - har-be, אֶשְׁכּוֹלִית - 'esh-kolit, מִשְׁפָּחָה - mish-paḥa.

Other cases of "hard" pronunciation indicate that the consonant is doubled (geminate), for grammatical or historical reasons, for example: מְדַבֵּר - medab(b)er, שַׁבָּת - sha(b)at, סוּכָּר - suk(k)ar.

2) מטעמי פישוט מוצג כאן רק הניקוד הנפוץ ביותר של מילית היחס בְּ...

In order to simplify the subject of the preposition ...בְּ only its most common vocalizations are presented in this unit.

3) מטעמי פישוט מוצג כאן רק הניקוד הנפוץ ביותר של מילית היחס בְּ... בבואה לפני שם עצם מיודע.

In order to simplify the subject of the preposition ...בְּ preceding a definite noun, only its most common vocalizations are presented in this unit.

יחידה 6

◀ עיצורים Consonants

ב	ב	v
כ	כ	k̄
פ	פ	f

◀ מילים Vocabulary

אָבוֹקָדוֹ	אבוקדו	’avoqado
אֲבָל	אבל	’aval
אוֹהֵב	אוהב	’ohev
אוּנִיבֶרְסִיטָה	אוניברסיטה	’universiṭa
אִינְטֶרְנֶט	אינטרנט	’inṭerneṭ
אֵיפֹה	איפה	’eifo
בָּא	בא	ba
בְּבַקָּשָׁה	בבקשה	bevaqasha
בּוֹקֶר טוֹב	בוקר טוב	boqer ṭov
בַּנְק	בנק	banq
בָּרוּךְ הַשֵּׁם	ברוך השם	baruk̄ hashem
בְּרוּכִים הַבָּאִים!	ברוכים הבאים!	bruk̄im haba’im
דְּרִישַׁת שָׁלוֹם	דרישת שלום	drishat shalom
הוֹלֵךְ	הולך	holek̄
חָלָב	חלב	ḥalav
טוֹב	טוב	ṭov
יוֹפִי!	יופי	yofi
(הַ)כְּנֶסֶת	(ה)כנסת	(ha)kneset
כּוֹתֵב	כותב	kotev
מְאוֹד	מאוד	me’od
מַה שְּׁלוֹמֵךְ?	מה שלומך?	ma shlomek̄?
מַה שְּׁלוֹמְךָ?	מה שלומך?	ma shlomk̄a?
מוּזִיקָה	מוזיקה	muziqa
מַזָּל טוֹב	מזל טוב	mazal-ṭov
מַחְשֵׁב	מחשב	maḥshev
מִכְתָּב	מכתב	mik̄tav
מָלוֹן	מלון	malon
סֵפֶר	ספר	sefer
סְפָרַדִּית	ספרדית	sfaradit
עִבְרִית	עברית	‘ivrit
עַכְשָׁיו	עכשיו	‘ak̄shav
עֶרֶב טוֹב	ערב טוב	‘erev ṭov
עֲרָבִית	ערבית	‘aravit
פָלָאפֶל	פלאפל	falafel
פְּרוֹפֶסוֹר	פרופסור	profesor
צָרְפָתִית	צרפתית	tsarfatit
קוֹרֵא	קורא	qore
קָפֶה	קפה	qafe
שִׁיעוּר	שיעור	shi‘ur

I.

ב	=	v	(vet)
כ	=	k̄	(k̄af)
פ	=	f	(fe)

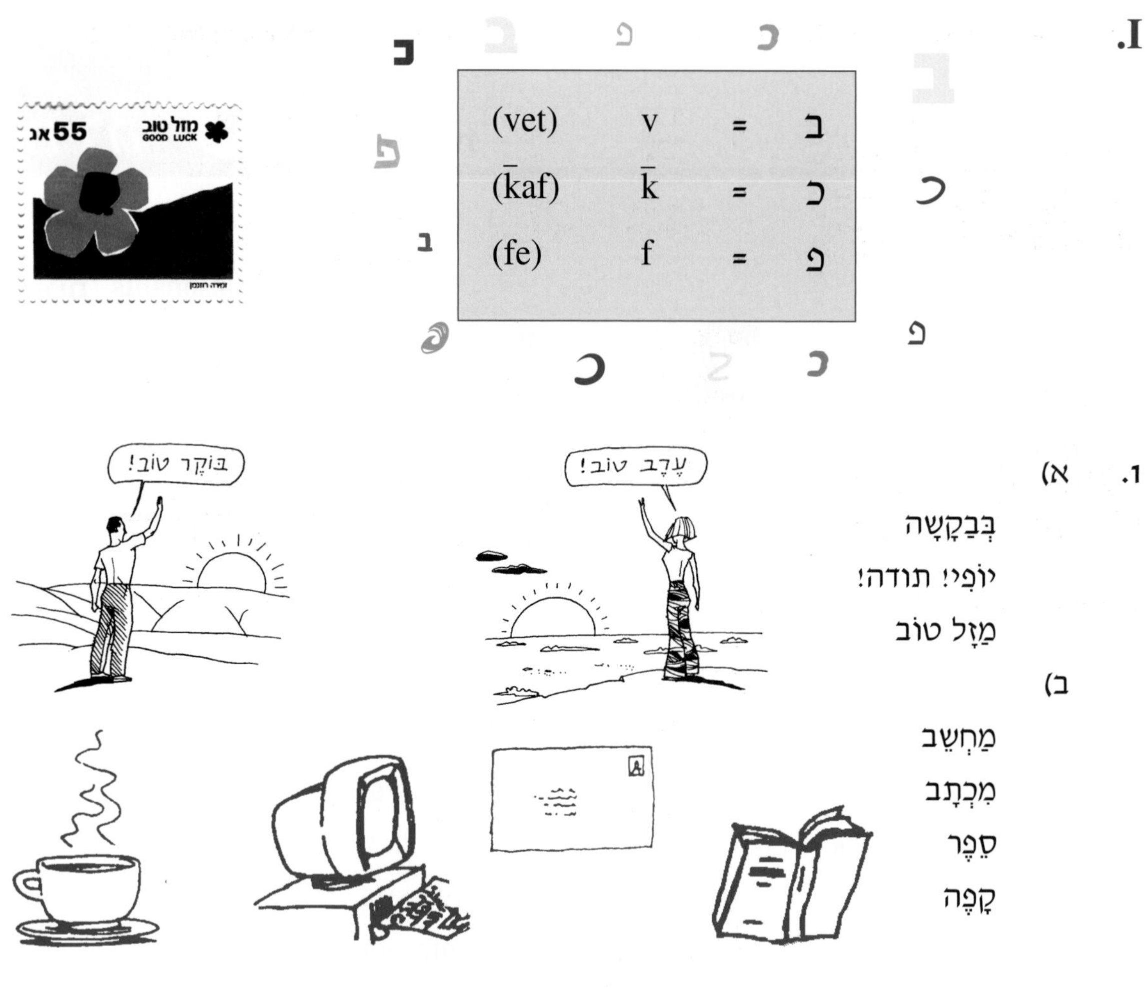

.1 א)

בְּבַקָּשָׁה

יוֹפִי! תודה!

מַזָּל טוֹב

ב)

מַחְשֵׁב

מִכְתָּב

סֵפֶר

קָפֶה

.2 א) **מה אתה אוֹהֵב? מה את אוֹהֶבֶת?**

אני אוהב מוזיקה.

אני לא אוהבת אָבוֹקָדוֹ.

אני אוהב חָלָב.

אני אוהב פָלָאפֶל.

אני אוהב שוקולד.

ב) **התאימו את המשפטים לאיורים.** Match the sentences to the illustrations.

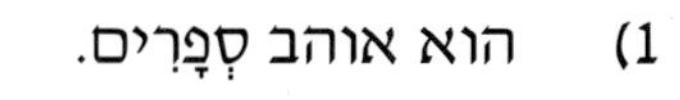

1) הוא אוהב סְפָרִים.
2) היא אוהבת קפה.
3) הם אוהבים מחשבים.
4) הם אוהבים מכתבים.
5) היא אוהבת סרטים.
6) הוא אוהב יין.

ג) **שאלו זה את זה וענו.** Ask each other the following questions and answer them.

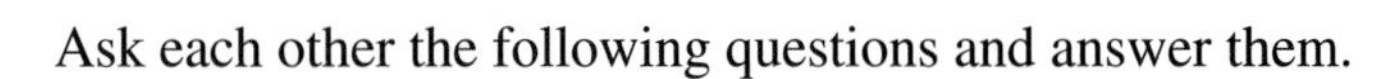

- מה אתה אוהב?
- מה את אוהבת?
- מה אתה לא אוהב?
- מה את לא אוהבת?

השתמשו במילים: גלידה, מתנות, תאטרון, סלט, עוגות, ים, ... :Use these words

.3 א) **אֵיפֹה?**

דַּפְנָה: מי פה?
רפי: אני פה.
דַּפְנָה: גם אָבִי פה?
רפי: כן, הוא פה.
דַּפְנָה: ואיפה מיכל?
רפי: היא לא פה.
דַּפְנָה: אהה, היא שם, והוא פה.

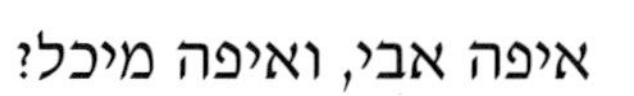

איפה אבי, ואיפה מיכל?

ב) **סדרו את המשפטים לשיחה.**

Rearrange these sentences to create a dialogue.

4. **חברו את שני החלקים למשפטים הגיוניים.**

Match the sentence parts on the right column to their corresponding parts on the left column to create a full sentence.

אֲבָל

1) יש פה מחשב,		הוא לא אוהב קפה עם חלב.
2) משה אוהב שירים,		המורה לא בכיתה.
3) הם לומדים בירושלים,		הוא לא שר.
4) יוסי אוהב עוגות,	אבל	אין ים בירושלים.
5) יעקב אוהב חלב,		הוא לא בסדר.
6) הם אוהבים ים,		הם גרים בתל-אביב.
7) התלמידים בכיתה,		הוא לא רוצה עכשיו עוגה.

דוגמה: יש פה מחשב, אבל הוא לא בסדר.

5. **סדרו את המילים למשפטים.**
הוסיפו סימני פיסוק:

Rearrange the following words to create full sentences.
Add punctuation marks:

דוגמה: מדברת / הבית / על / מיכל / המשפחה / ועל /
מיכל מדברת על הבית ועל המשפחה.

1) יש / העולם / מכל / בירושלים / אנשים /

2) ליד / ורפי / הים / גרים / דפנה /

3) וצרפתית / לומדות / ורותי / ספרדית / רחל /

4) עוגה / רוצות / אולי / עם / אתן / תה /

5) גרים / סליחה / אתם / איפה /

6) פה / מה / עושה / אתה /

7) אוהבים / לא / מחשבים / אנחנו /

8) מדברים / הם / לא / צרפתית /

9) סוכר / ועם / שותה / אבי / חלב / קפה / עם /

10) סטודנטית / היא / אבל / באוניברסיטה / לומדת / לא / היא /

11) דני / זה / דינה / וזאת /

II.

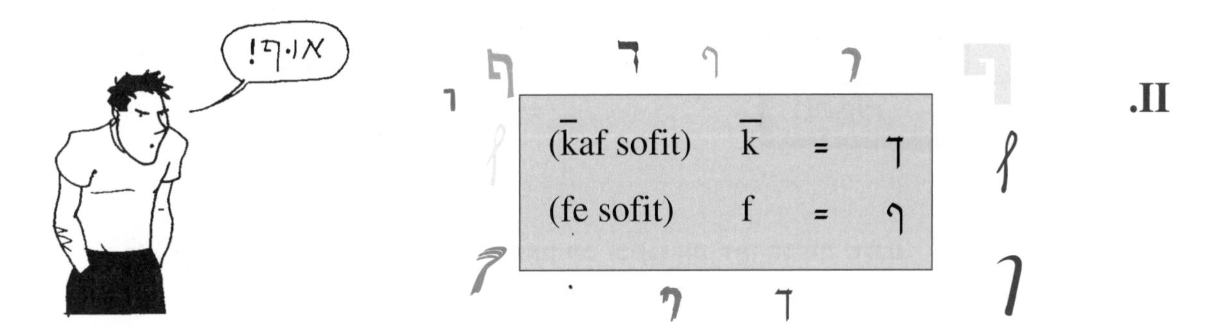

.6

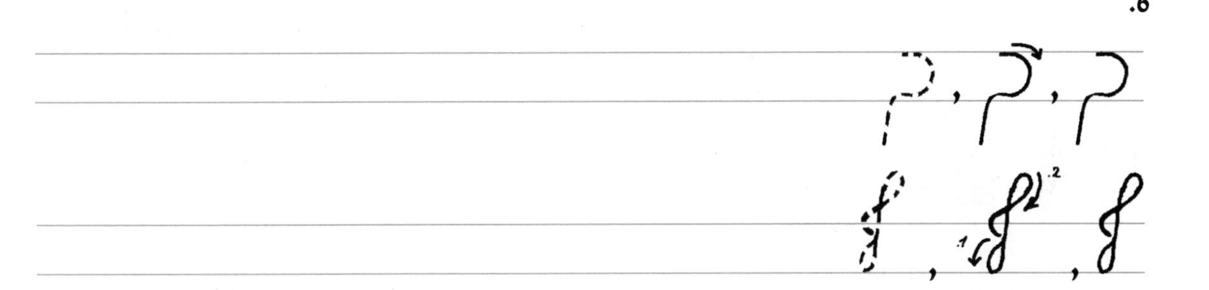

.6 **א) מה שלומך? מה שלומך?**

בָּרוּךְ ויוֹסֵף, בְּרוּכִים הַבָּאִים!

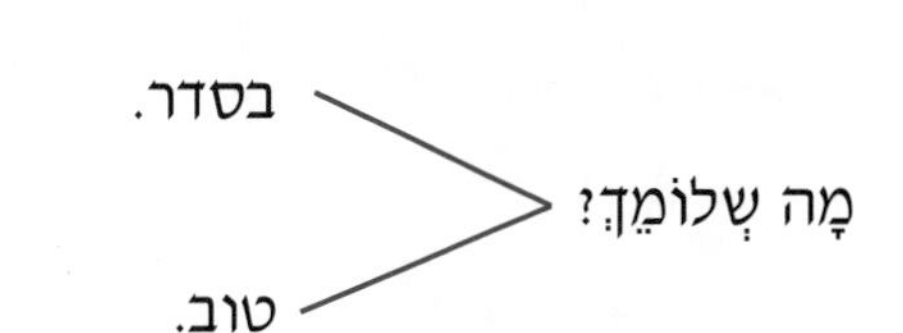

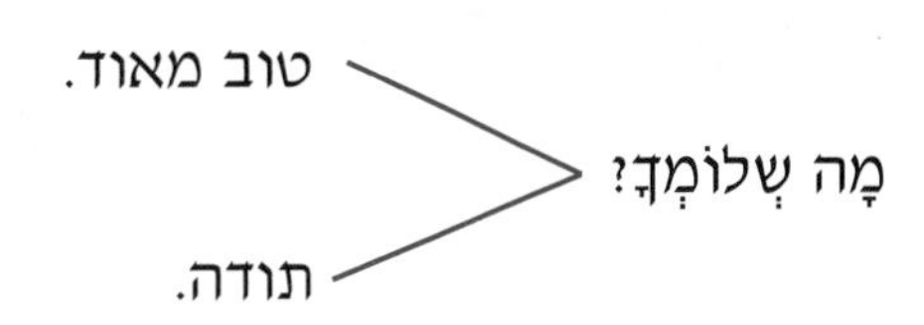

7. א) סמנו ✔ ליד המשפטים הנכונים לפי רשימת הסטודנטים בכיתה א'.

Put a check mark by the true sentences, according to the first grade student list.

שם	עיר
ברוך לוי	מוסקבה
רינה כהן	בוסטון
מרים שטיין	לונדון
יעקב סמית	אמסטרדם
חנה רבינוביץ	טהרן
אברהם ישראל	אדיס-אבבה
יוסף סלומון	איסטנבול
רות קליין	יוהנסבורג

1) רינה כהן מארצות הברית.
2) ברוך לוי לא מרוסיה.
3) יוסף סלומון מספרד.
4) אברהם ישראל מאתיופיה.
5) יעקב סמית מצרפת.
6) רות קליין ממקסיקו.
7) חנה רבינוביץ לא ממצרים.
8) מרים שטיין מאנגליה.

ב) שאלו את הסטודנטים בכיתה מאין הם וכתבו את יומן הכיתה שלכם.

Ask fellow students - where they come from, and write your class's student list.

8. בְּרוּכִים הַבָּאִים

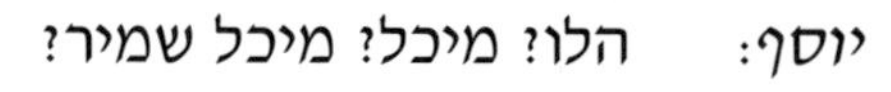

יוסף: הלו! מיכל! מיכל שמיר?
מיכל: כן, מי זה?
יוסף: יוסף.
מיכל: יוסף?
יוסף: יוסף מזרחי מאמריקה.
מיכל: אהה! שלום יוסף. מה שלומך?
יוסף: בָּרוּךְ הַשֵּׁם!
מיכל: אתה בישראל?
יוסף: כן. אנחנו בחֵיפָה.
מיכל: אתם? מי?
יוסף: אנחנו: בָּרוּך ואבי, דינה, רחל וגילה, נתן וציפי.
מיכל: ואיפה דויד ויונתן?
יוסף: כן, גם הם פה.
מיכל: ברוכים הבאים!

מי בא מאמריקה?

.9

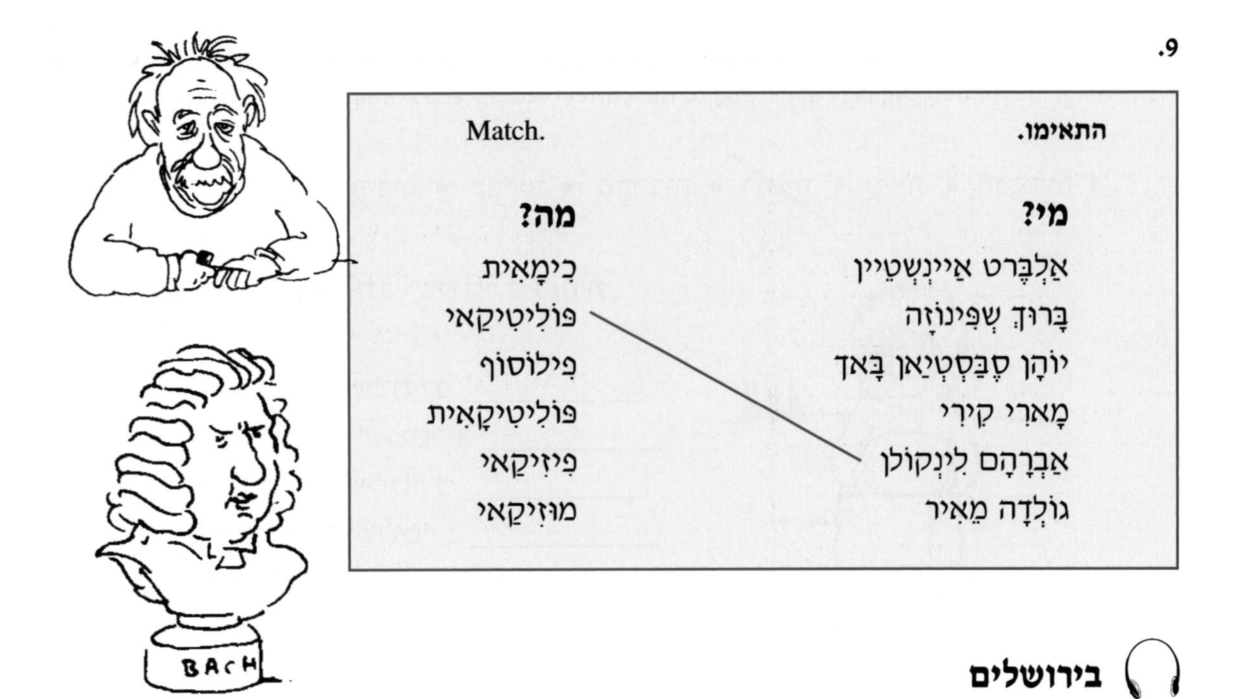

התאימו. Match.

מי?	מה?
אַלְבֶּרט אַיינְשְׁטַיין	כִימָאִית
בָּרוּךְ שְׁפִּינוֹזָה	פּוֹלִיטִיקַאי
יוֹהָן סֶבַּסְטְיַאן בָּאך	פִּילוֹסוֹף
מָארִי קִירִי	פּוֹלִיטִיקָאִית
אַבְרָהָם לִינְקוֹלְן	פִּיזִיקַאי
גוֹלְדָה מֵאִיר	מוּזִיקַאי

בירושלים

.10 א) כתבו 3 שיחות דומות בין שני אנשים במקומות שונים בירושלים לפי האיורים. היעזרו בדוגמה.

Create 3 similar dialogues between two people in different places in Jerusalem according to the illustrations. See example.

דוגמה: **בְּהַר הַצּוֹפִים**

- זאת האוניברסיטה?
- לא. זה בֵּית מָלוֹן.
- אז איפה האוניברסיטה?
- שם.

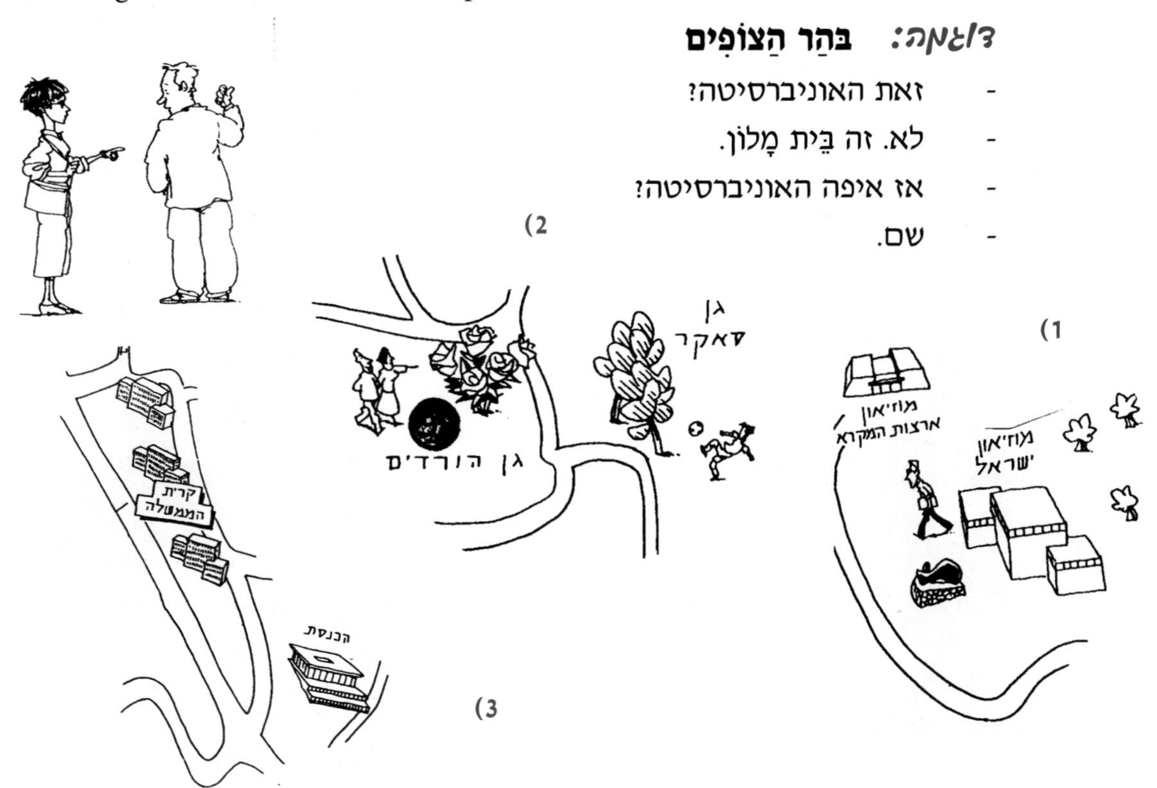

ב) כתבו שיחה דומה על מקומות אחרים שאתם מכירים.

Write a dialogue, similar to the ones above, about other places you know.

11. כתבו את שם השפה במשפט המתאים.

Write the name of the language at the end of the correct sentence according to the illustration.

• צָרְפָתִית • עֲרָבִית • עִבְרִית • סְפָרַדִית • ~~רוּסִית~~ • יַפָּנִית • הוֹלַנְדִית •

דוגמה: הוא כותב "שלום" ב *רוסית*.

1) הוא כותב "שלום" ב ___________.

2) היא כותבת "שלום" ב ___________.

3) הוא כותב "שלום" ב ___________.

4) הן כותבות "שלום" ב ___________.

5) הם כותבים "שלום" ב ___________.

6) הם כותבים "שלום" ב ___________.

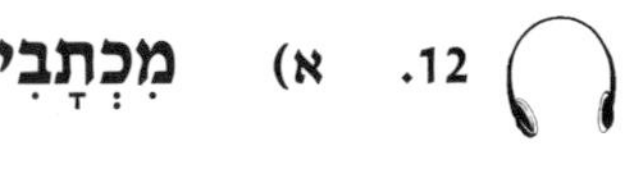

12. א) מִכְתָבִים

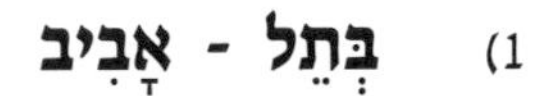

1) בְּתֵל - אָבִיב

- יפה, מה את עושׂה עַכְשָיו, את לומדת?
- לא. אני כותבת מִכְתָב לְיוסף.
- איפה הוא?
- בְּסַן פְרַנְסִיסְקוֹ.

2) בְּסַן פרנסיסקו

- יוסף, מה אתה עושׂה?
- אני קורא מכתב של יָפָה.
- איפה היא?
- היא בתל-אביב.

	ז. m.	נ. f.
י. s.	קוֹרֵא	קוֹרֵאת
ר. pl.	קוֹרְאִים	קוֹרְאוֹת

3) בָּאינטרנט

שלום יפה, מה שְלוֹמֵךְ?

אני בָּאוּנִיבֶרְסִיטָה, אני הולך עכשיו לַשיעור של פרוֹפֶסוֹר שַךְ.

דְרִישַת שָלוֹם לַמִשְפָּחָה.

אוהב מאוד גם בָּאִינְטֶרְנֶט.

להתראות, יוסף.

לאן? **לַ**שיעור.

איפה יפה, ואיפה יוסף?

יידוע שם עצם שלפניו מילית היחס: **לְ...** מקבלת את תנועת הא היידוע, והא היידוע עצמה נשמטת, כמו מילית היחס **בְּ...** (ראו הערה ביחידה 5).

The preposition particles **...בְּ** and **...לְ** preceding definite nouns receive the vowel sound of the definite article, and the definite article is dropped.

לְ... + הכיתה = ~~לְהַ~~כיתה - **לַ**כיתה

ב) כתבו את התשובה של יפה.

Write the answer **יפה** gave.

13. א) מאין אתם בָּאִים?

מאין? **מֵהָ**אוניברסיטה

מאין אתן באות?

מהתאטרון.

ב) ענו על השאלות לפי הציורים. Answer the questions according to the illustrations.

דוגמה: מאין את באה? *אני באה מהבית.*

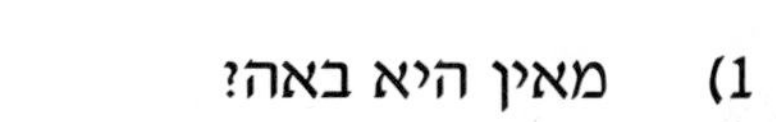

1) מאין היא באה?

2) מאין אתה בא?

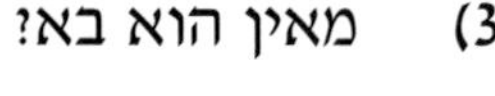

3) מאין הוא בא?

4) מאין אתם באים?

5) מאין הן באות?

6) מאין אתן באות?

7) מאין הם באים?

14. מאין ולאן?

א) אמרו משפטים לפי הדוגמה.

Create sentences, according to the example, and say them.

דוגמה: הסטודנטים הולכים מֵהַמסעדה לאולפן.

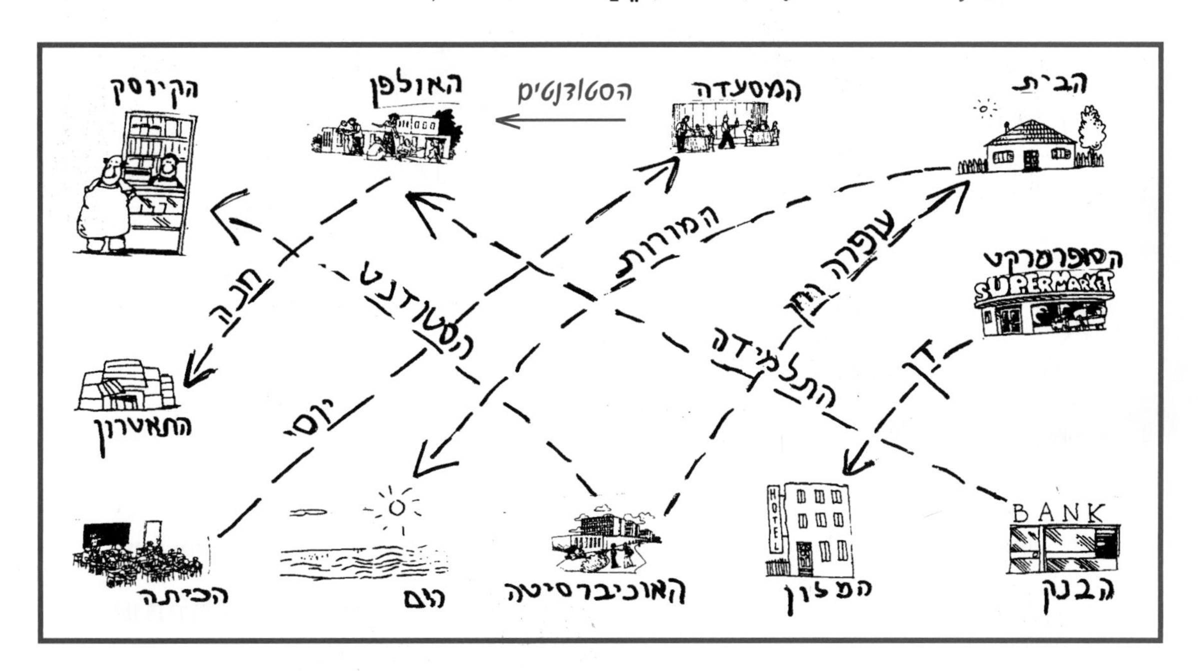

ב) הוסיפו עוד משפטים כרצונכם.

Add more sentences.

מה הם עושים שם?

דוגמה: הם לומדים באולפן.

מן המקורות

"דַע מֵאַיִן בָּאתָ וּלְאָן אַתָּה הוֹלֵךְ" (נזיקין, אבות ג' א')

15. כתבו את המילים החסרות לפי האיורים.

Complete the sentences according to the illustrations.

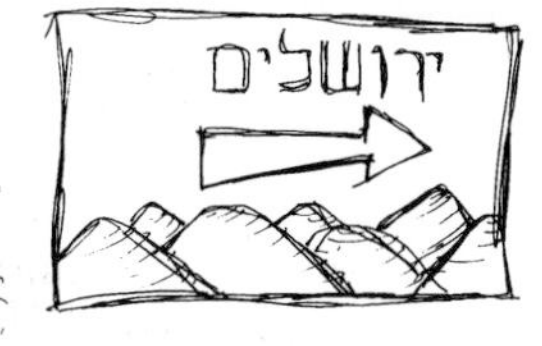

ירושלים - תל אביב - חיפה

1) ב ______________ יש הרים.

2) ב ______________ יש ______________.

3) ב ______________ יש גם ______________ וגם ______________.

אז יאללה, ביי!

16. כתבו את אותיות הכתב שאתם יודעים.

Write the cursive letters you have learnt.

אותיות האלף-בית

אָלֶף- ☐, בֵּית- ☐, גִימֶל- ☐, דָלֶת- ☐, הֵא- ☐, וָו- ☐, זַיִן- ☐,

חֵית- ☐, טֵית- ☐, יוֹד- ☐, כָּף- ☐, לָמֶד- ☐, מֵם- ☐, נוּן- ☐,

סָמֶךְ- ☐, עַיִן- ☐, פֵּא- ☐, צָדִי- ☐, קוֹף- ☐, רֵישׁ- ☐, שִׁין- ☐,

שִׂין- ☐, תָּיו- ☐

כף סופית- ☐, מם סופית- ☐, נון סופית- ☐, פא סופית- ☐, צדי סופית- ☐

מן המקורות

זאב רבן, גרמניה 1929

"סוֹף טוֹב הַכּוֹל טוֹב" (לפי מדרש לקח טוב בראשית קי"ג:)

Summary of Topics

האוצר הלשוני

א. אוצר המילים Vocabulary

פעלים Verbs

אוֹהֵב	love
בָּא	come
הוֹלֵךְ	walk / go
כּוֹתֵב	write
קוֹרֵא	read

מילים לועזיות Foreign words

אוּנִיבֶרְסִיטָה (נ.), אוּנִיבֶרְסִיטָאוֹת	university
אֲבוֹקָדוֹ (ז.), אֲבוֹקָדִים	avocado
אִינְטֶרְנֶט (ז. ר. 0)	internet
בַּנְק (ז.)	bank
מוּזִיקָה (נ.)	music
פָלָאפֶל (ז.)	falafel
פְּרוֹפֶסוֹר (ז. נ.)	professor
קָפֶה (ז. ר. 0)	coffee

שמות מקומות Names of places

מדינות Countries

אֶתְיוֹפְּיָה	Ethiopia
סְפָרַד	Spain
צָרְפַת	France
רוּסְיָה	Russia

ערים Cities

אָדִיס אַבֶּבָּה	Addis Ababa
חֵיפָה	Haifa
יָפוֹ	Jaffa
סַן פְרַנְסִיסְקוֹ	San Francisco
תֵּל-אָבִיב	Tel Aviv

שמות עצם Nouns

חָלָב (ז. ר. 0)	milk
מַחְשֵׁב (ז.)	computer
מִכְתָּב (ז.)	letter
בֵּית מָלוֹן (ז.), בָּתֵּי מָלוֹן	hotel
סֵפֶר (ז.), סְפָרִים	book
סְפָרַדִית (נ. ר. 0)	Spanish (lang.)
עֲרָבִית (נ. ר. 0)	Arabic (lang.)
צָרְפָתִית (נ. ר. 0)	French (lang.)
שִׁיעוּר (ז.)	lesson / class

שונות Miscellaneous

בְּבַקָּשָׁה	please
בּוֹקֶר טוֹב! ב.	good morning
בָּרוּךְ הַשֵּׁם ב.	Thank God
בְּרוּכִים הַבָּאִים! ב.	welcome
דְּרִישַׁת שָׁלוֹם ב.	regards (Send regards to...)
הַכְּנֶסֶת (נ.)	the Knesset
טוֹב ת״פ	good / well
יוֹפִי! מ״ק	great! good!
מְאוֹד ת״פ	very
מַה שְּׁלוֹמֵךְ? (נ.)	How are you?
מַה שְּׁלוֹמְךָ? (ז.)	How are you?
עַכְשָׁיו ת״פ	now
עֶרֶב טוֹב! ב.	good evening

מיליות Particles

אֲבָל	but

מילות שאלה Question words

אֵיפֹה?	where?

Grammatical topics

ב. הנושאים הלשוניים

צורות: פועל: בניין קל (פָּעַל), גזרת ל״א, זמן הווה

Morphology: Verb: basic stem - pa'al (פָּעַל) conjugation, weak verb type ל״א, present tense

Example: דוגמה: קורא, קוראת, קוראים, קוראות

תחבּיר: מיליות היחס - לְ... , מ...

Syntax: Preposition particles - לְ... , מ...

+ יידוע הַ... = מֵהַ..., לַ... = הַ... + the definite article

דוגמה: אני הולך לַשיעור. אני בא מהאוניברסיטה.

מילית הקישור - אֲבָל - The conjunction

מילת השאלה - איפה? - Question word

Grammatical notes

ג. הערות לשוניות

1) האותיות ב, כ, פ - v, k̄, f (ללא דגש) מסמנות את ההגייה הרפה של העיצורים בּ, כּ, פּ.
הן מופיעות:

א) באמצע מילה אחרי תנועה, למשל: אֲבָל - 'aval, עִבְרִית - 'ivrit, מִכְתָּב - mik̄tav, סֵפֶר - sefer.

ב) לעולם בסוף מילה, למשל: חָלָב - ḥalav, מַה שְׁלוֹמֵךְ? - ma shlomek̄?, יוֹסֵף - Yosef.

במקרים של הכפלת עיצור מסיבות לשוניות היסטוריות האותיות בּ, כּ, פּ דגושות גם באמצע מילה אחרי תנועה. ראה דוגמה בהערה 1) יחידה 5.
במילים זרות נשמרת ההגייה הלועזית, למשל: פילוסופיה, ארכיאולוגיה, מיקרוסקופ.

The letters - ב, כ, פ v, k, f (with no dagesh) indicate the tenuis pronunciation of the consonants בּ, כּ, פּ.
They appear:

a) In the middle of a word following a vowel, for example:
'aval - אֲבָל, 'ivrit - עִבְרִית, sefer - סֵפֶר, mik̄tav - מִכְתָּב.

b) Always at the end of a word, for example:
ḥalav - חָלָב, ma shlomek̄? - מַה שְׁלוֹמֵךְ?, Yosef - יוֹסֵף.

For historical grammatical reasons, sometimes the consonants בּ, כּ, פּ do appear with a dagesh in the middle of a word following a vowel (gemination). See example in note no. 1 unit 5.

2) מטעמי פישוט מוצג כאן רק הניקוד הנפוץ ביותר של מילית היחס - לְ... בבואה לפני שם עצם מיודע: לַ...

In order to simplify the subject of the preposition לְ... joined to a definite noun, only its most common vocalizations are presented in this unit לַ... .

◄ עיצורים Consonants

ג'	-	ğ
ז'	-	ž
צ'	-	ch

מנצ'וריה
מנצ'סטר
צ'כיה
אלג'יריה
ג'ורג'יה
ז'אן
צ'ילה
כ'ראר
לוס אנג'לס

◄ מילים Vocabulary

אָז	אז	'az
אַחַת	אחת	a'ḥat
אַחַת עֶשְׂרֵה	אחת עשרה	'aḥat esre
אֵיזֶה מַזָּל!	איזה מזל!	e'ize mazal
אַרְבַּע	ארבע	'arba
חֲדָשׁוֹת	חדשות	ḥadashot
חָמֵשׁ	חמש	ḥamesh
חֵצִי	חצי	ḥetsi
יוֹדֵעַ	יודע	yode'a
סוֹנָטָה	סונטה	sonaṭa
סִינִית	סינית	sinit
סֶנְדְוִויץ'	סנדוויץ'	sendvitch
עֶשֶׂר	עשר	'eser
צִ'יפְּס	צ'יפס	chips
צֶ'כִית	צ'כית	chek̄it

צֶ'לוֹ	צ'לו	chelo
צֶ'מְבָּלוֹ	צ'מבלו	chembalo
קוֹנְצֶ'רְטוֹ	קונצ'רטו	qonchertọ
קֶטְשׁוֹפּ	קטשופ	qeṭshop
רֶבַע	רבע	reva
שֶׁבַע	שבע	sheva
שָׁלוֹשׁ	שלוש	shalosh
שְׁמוֹנֶה	שמונה	shmone
שָׁעָה	שעה	sha'a
שָׁעוֹן	שעון	sha'on
שֶׁקֶט	שקט	sheqeṭ
שֵׁשׁ	שש	shesh
שְׁתַּיִים	שתיים	shtayim
שְׁתֵּים עֶשְׂרֵה	שתים עשרה	shteim 'esre
תֵּשַׁע	תשע	tesha

I.

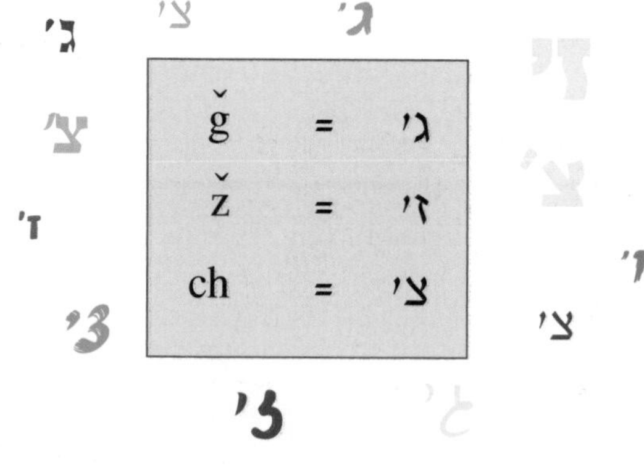

1. **התאימו בין השמות בטור 1 לשמות החיבה בטור 2.**

Match the names in column 1 with the corresponding nicknames in column 2.

מי הוא מי?

1	2
רָחֵל	ג'וֹשׁ
יוֹנָתָן	דֶבִּי
יוֹסֵף	רֵייצֶ'ל
יַעֲקֹב	אֶוָוה
חַוָּה	אָנָה
שִׁמְשׁוֹן	אֶלִיזָבֶּת
יִרְמְיָהוּ	ג'וֹן
שְׁמוּאֵל	סִימְפְּסוֹן
חַנָּה	מַייקֶל
דְבוֹרָה	ג'וֹזֶף
מִיכָאֵל	גֶ'רְמִי
יְהוֹשֻׁעַ	גֶ'יק
אֱלִישֶׁבַע	סֶם

מחזור הבנות בטבע / יורם טהר לב

פֶּסְיָה סוֹסְיָה זוֹשְׁקָה מוֹנְיָה
זֶ'נְיָה הֶנְיָה קְרֶינָה גְרוֹנְיָה
בְּרֶיינָה בְּרֶיינְדֶל שֵׁינְדְל בּוּנְיָה
דִינְקָה מִינְקָה חַיֶינְקָה בְּרוֹנְיָה

עָפְרָה דְבוֹרְקָה רוֹחִיק גִילָה
נִירָה יָעֵל צִבְיָה צִילָה
רוּתִי דְבוֹרָה נִיצָה הִילָה
וְאִילָנָה וְרָחֵלָה
וְיַרְדֵנָה וְכַרְמֶלָה
אוֹרִית שָׂרִית גַלִית לִיאַת
פָּזִית שִׁמְרִית דָלִית גִילַת
שִׁירִי שִׁירְלִי אוֹרְלִי גַל
יִפְעַת עֵינַת שָׁרוֹן סִיגָל וְגִילָה.
וְלֹא חוֹזֵר חָלִילָה.

2. **אמרו באיזו יבשת כל מקום וכתבו בטבלה.**

Say the names of the continents that the countries below belong to, and write them in the table.

איפה זה?

• צִ'ילֶה • מַנְצ'וּרְיָה • צַ'ד • רִיוֹ דֶה זָ'נֶרוֹ • בֵּיג'ִינְג • מַנְצֶ'סְטֶר • אַלְגִ'ירְיָה •

• לוֹס אַנְגֶ'לֶס • צֶ'כְיָה • ~~יִשְׂרָאֵל~~ •

ב-	אֵירוֹפָּה	אַסְיָה	אֲמֶרִיקָה	אַפְרִיקָה	אוֹסְטְרַלְיָה
		ישראל			

דוגמה: ישראל באסיה.

3. **אמרו זה לזה:** מה יש ברדיו? Tell each other:

דְבוֹרָז׳יק	שׁוֹסְטָקוֹבִיץ׳	מוֹצַרְט	צַ׳ייקוֹבְסְקִי
קוֹנְצֶ׳רְטוֹ לְצֶ׳מְבָּלוֹ	סוֹנָטָה לְצֶ׳לוֹ	דוֹן ג׳וֹבָנִי	רוֹמֵאוֹ וְז׳וּלְיֵיט

דוגמה: קונצ׳רטו לצ׳מבלו של דבורז׳ק.

4. **הוא מסין. היא יודע סינית.**

א)

הוא מסין. הוא יוֹדֵעַ סינית.
היא מְצֶ׳כְיָה. היא יוֹדַעַת צ׳כית.
הם מִצִ׳ילֶה. הם יוֹדְעִים ספרדית.
הן מֵאַלְגִ׳ירְיָה. הן יוֹדְעוֹת ערבית.

	ז. m.	נ. f.
י. s.	**יוֹדֵעַ**	**יוֹדַעַת**
ר. pl.	**יוֹדְעִים**	**יוֹדְעוֹת**

ב) שאלו זה את זה וענו. Ask each other the following questions and answer them.

- אתה יודע ספרדית?
- את יודעת רוסית?
- היא יודעת צ׳כית?
- אתם יודעים ערבית?
- הן יודעות יידיש?

אז יאללה, ביי!

צִ'יק צַ'ק

5. מַה הַשָּׁעָה? (I)

התאימו את השיחות לאיורים.

Match the dialogues to the illustrations.

א) - סליחה, מה השעה?
- שתיים.
- תודה.

ב) - סליחה, אולי אתה יודע מה השעה?
- לא.

ג) - ילד, מה השעה?
- רגע, אה... סליחה, השעון לא בסדר.

ד) - אבא, מה השעה?
- שתים עשרה.

ה) - יוסי, אתה יודע מה השעה?
- אוי! שמונה...

ו) - מה השעה?
- שלוש.
- איזה מזל! השיעור בארבע.

6. א)

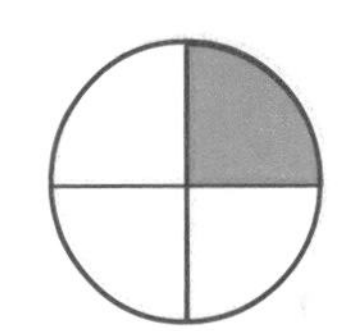

רֶבַע

חֵצִי

סליחה, מה השעה?

1) - סליחה, מה השעה?
- ארבע וָחֵצִי.

2) - מה השעה?
- אחת וָרֶבַע.

3) - סליחה, אולי אתה יודע מה השעה?
- כן, רבע לְחמש.

1 - 12 (נ.)

1. **אַחַת**
2. **שְׁתַּיִים**
3. **שָׁלוֹשׁ**
4. **אַרְבַּע**
5. **חָמֵשׁ**
6. **שֵׁשׁ**
7. **שֶׁבַע**
8. **שְׁמוֹנֶה**
9. **תֵּשַׁע**
10. **עֶשֶׂר**
11. **אַחַת עֶשְׂרֵה**
12. **שְׁתֵּים עֶשְׂרֵה**

ב) אמרו וכתבו מה השעה בכל שעון.

Read the hours and write them (in words).

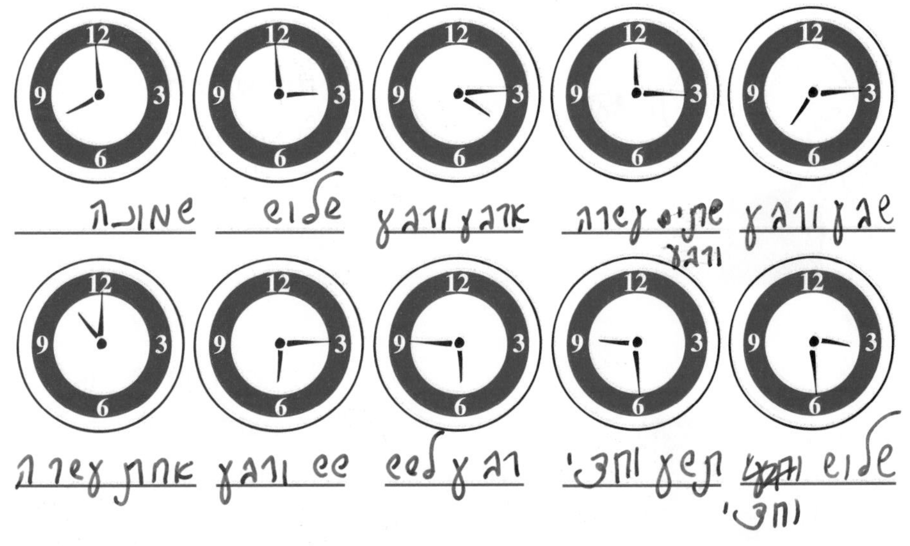

ג) אמרו וכתבו את השעה.

Say the hours and write them (in words).

1:15	2:45	04:00	10:15	11:30
אחת ורבע	רבע לשתיים	ארבע	עשר ורבע	אחת עשרה וחצי

יחידה VII

עברית מן ההתחלה

7. א) אתה יודע מה השעה?

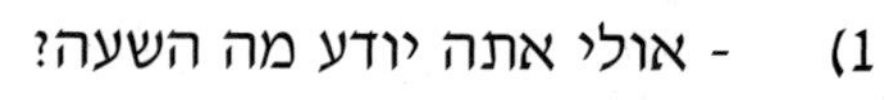

1) - אולי אתה יודע מה השעה?
- שתים עשרה ורבע.
- מה? שתים עשרה ורבע? אוי, לא!
- רגע, סליחה, אחת עשרה ורבע.
- יופי. תודה. איזה מזל!

2) - דני, מה השעה?
- מה?
- אתה יודע מה השעה?
- כן. אני יודע.
- נו...
- אה, כן, עשר וחצי.
- טוב, אז להת'.

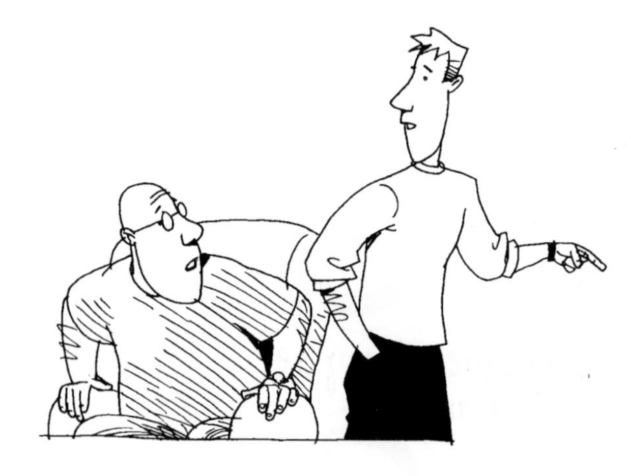

3) - טוב, אז אני הולך.
- מה השעה?
- רבע לשמונה.
- אז גם אני הולך.

4) - מה השעה?
- שש וחצי.
- יש עכשיו חֲדָשׁוֹת בטלוויזיה.
- אה, כן.
- אז ששש... שֶׁקֶט!

5) - מה השעה עכשיו?
- איפה?

- בישראל.
- בישראל רבע לארבע.
- ומה השעה באנגליה?
- רבע לשתיים.
- תודה רבה.

ב) **המחיזו את השיחות בתרגיל 7 א). שנו את השעות כרצונכם.**

Dramatize the dialogues in exercise 7 (א. You may change the hours as you see fit.

אל יאללה, ביי!

- דינה, מה השעה?
- רבע ל...

- דויד, מה השעה?
- וָחצי.
- רק? אז זה בסדר.

Summary of Topics

האוצר הלשוני

א. אוצר המילים Vocabulary

פעלים / Verbs

know	יוֹדֵעַ

שמות עצם / Nouns

news	חֲדָשׁוֹת (נ. ר.)
half	חֵצִי (ז.), חֲצָאִים
quarter	רֶבַע (ז.), רְבָעִים
hour	שָׁעָה (נ.)
clock / watch	שָׁעוֹן (ז.), שְׁעוֹנִים
quiet	שֶׁקֶט (ז. ר. 0)

מילים לועזיות / Foreign words

sonata	סוֹנָטָה (נ.)
Chinese (lang.)	סִינִית (נ. ר. 0)
sandwich	סֶנְדְוִויץ' (ז.)
chips / fries	צִ'ייפְּס (ז.)
Czech (lang.)	צֶ'כִית (נ. ר. 0)
cello	צֶ'ילוֹ (ז.)
harpsichord	צֶ'מְבָּלוֹ (ז.)
concerto	קוֹנְצֶ'רְטוֹ (ז.)
ketchup	קֶטְשׁוֹפּ (ז. ר. 0)

מספרים בנקבה / Numbers (female)

one	אַחַת
two	שְׁתַּיִים
three	שָׁלוֹשׁ
four	אַרְבַּע
five	חָמֵשׁ
six	שֵׁשׁ
seven	שֶׁבַע
eight	שְׁמוֹנֶה
nine	תֵּשַׁע
ten	עֶשֶׂר
eleven	אַחַת עֶשְׂרֵה
twelve	שְׁתֵּים עֶשְׂרֵה

שונות / Miscellaneous

then	אָז ת"פ
What luck!	אֵיזֶה מַזָּל! ב.
What is the time?	מַה הַשָּׁעָה?

Grammatical topics　　　ב.　הנושאים הלשוניים

צורות:　פועל: בניין קל (פָּעַל), גזרת ל״ע וגם גזרת פ״י, זמן הווה　　Morphology:

Verb: basic stem - pa'al (פָּעַל) cojunction, guttural ל״ע
and weak verb type פ״י, present tense

Example: דוגמה: יוֹדֵעַ, יוֹדַעַת, יוֹדְעִים, יוֹדְעוֹת

שונות:　מה השעה? (I)　　Miscellaneous:

Grammatical notes　　　ג.　הערות לשוניות

1) העיצורים ג׳, ז׳, צ׳ אינם קיימים בעברית עתיקה. סימנים אלה משמשים למילים לועזיות, שמות אנשים, מקומות וכו׳: ג׳ כמו בשם ג׳ורג׳ - George, ז׳ כמו בשם ז׳יק - Jacques, צ׳ כמו בשם צ׳רצ׳יל - Churchill .

The consonants ג׳ (as in George), ז׳ (as in Jacques) and צ׳ (as in Churchill) do not exist in ancient Hebrew. These letters are given an apostrophe and used for foreign words, names of people, places, etc.

2) בפעלי ל״ע בצורת הווה זכר, האות ע אחרי תנועת e מקבלת תוספת תנועת a מקשרת יוֹדֵעַ - yode'a . תנועת זו נקראת פתח גנובה.
הפתח הגנובה קיימת בכל מילה בעברית בין תנועות o, i, e, u ובין העיצורים הגרוניים - ה, ח, ע, כאשר הם מופיעים בסוף מילה.

In the present tense masculine form of the ל״ע (guttural) verb type, following the vowel e the ע is given a connective vowel sound - יודע - yode'a.
This vowel is called a "furtive pataḥ" (pataḥ gnuva).
Furtive pataḥ appears at the end of all Hebrew words, between the vowels u, e, i, o, and the guttural consonants, ע, ה, ח following them.
For example: same-aḥ - שָׂמֵחַ , shati-aḥ - שָׁטִיחַ, lishmo'a - לִשְׁמוֹעַ , no-aḥ- נוֹחַ　דוגמות:

בפעלי ל״ע בצורת הווה יחידה יש שתי תנועות a בגלל העיצור הגרוני. יוֹדַעַת yoda'at.

In the present tense feminine singular form of the ל״ע guttural verb type, there are two vowel sounds caused by the guttural consonant: יוֹדַעַת - yoda'at.

פסק זמן א

 .1  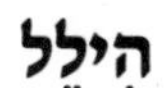 **הִילֵל**

מי אני? אני הילל. זה הַתַּנַ"ךְ. זאת הַמִּשְׁנָה. זה הַתַּלְמוּד.
אלה הספרים של הָרַמְבָּ"ם וזה הַמַּחְשֵׁב.
זאת המשפחה. זאת האישה, רחל, ואלה הילדים והילדות:
אַבְרֵימָלֶה, איציק, יַעֲנְקָלֶה, שָׂרָהלֶה וְלֵאָהלֶה.
מה אני עושׂה? אני לומד, לומד ולומד. אני תלמיד כל החיים.

 מה הילל עושה?

ב) **אמרו משפט מתאים לכל תמונה. השתמשו במילים אלה:**

Say the appropriate sentence for each illustration. Use the following words:

זֶה / זֹאת / אֵלֶּה

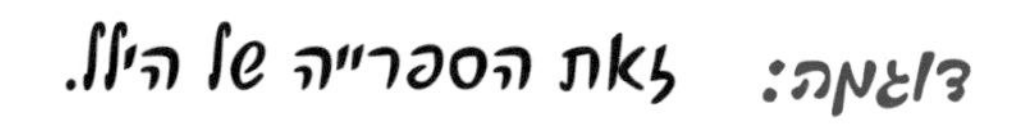

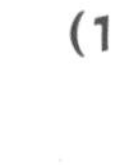

2)

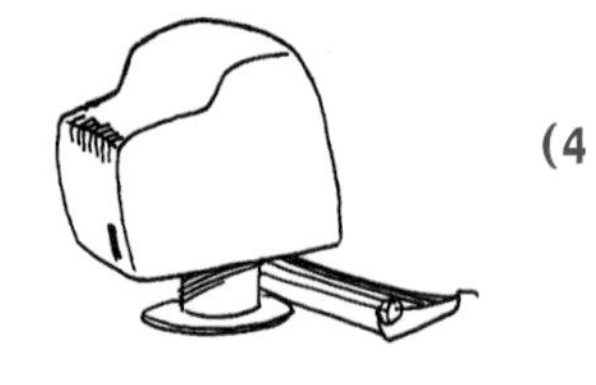

4)

.2 א) **התאימו את שמות העצם לאיורים.**

Match the noun with the illustrations.

ב) **אמרו וכתבו - זה או זאת. אחר כך אמרו כל משפט ברבים והשתמשו ב- אלה.**

Say and write – **זאת** or **זה** then say every sentence in the plural form and use - **אלה.**

דוגמה: *זה* תלמיד. *אלה תלמידים.*

1) ______ מוֹרֶה.
2) ______ בננה.
3) ______ מחשב.
4) ______ אולפן.
5) ______ תפוז.
6) ______ עוגה.
7) ______ בית.
8) ______ מסעדה.
9) ______ מכתב.
10) ______ חלה.
11) ______ לימון.
12) ______ ילדה.
13) ______ דגל.
14) ______ ספר.
15) ______ מתנה.
16) ______ סנדוויץ'.

.3

דן

מי אני? אני דן. אני מִקִיבּוּץ דְגַנְיָה, אבל עכשיו אני גר בתל אביב.
בתל אביב יש הכול; יש מסעדות ויש קפטריות, יש מוּזֵאוֹנים ויש דִיסְקוֹטֶקִים, יש קונצרטים ויש תאטרון, אבל אין שֶקֶט. אני לא אוהב שקט.
בתל אביב יש אנשים מכל העולם. באוניברסיטה יש ספרים מכל העולם וגם בסופרמרקט יש הכול מכל העולם.
מה אני עושׂה? אני לא יודע מה אני עושׂה. אני עושׂה חיים.

מה יש בתל אביב?

4. א) **כתבו לפי המפה -** Write according to the map -

יש / אין

גליל, צפת, חיפה, נתניה, תל אביב, אשדוד, אשקלון, באר שבע, אילת

דוגמה: בירושלים **אין** ים, **יש** הרים.

1) בגליל _______ הרים, ו_______ גם ים.
2) באילת _______ ים, ו_______ הרים.
3) בתל-אביב _______ ים, ו_______ הרים.
4) בצפת _______ הרים, ו_______ ים.
5) בנתניה _______ הרים, ו_______ ים.
6) בבאר שבע _______ ים, ו_______ הרים.
7) באשקלון _______ הרים, ו_______ ים.
8) באשדוד _______ ים, ו_______ הרים.
9) בחיפה _______ גם ים וגם הר.

ב) **כתבו את שיחת הטלפון בין רובינזון קרוזו ובין אימא שלו.**
השתמשו בשמות העצם שבאיור והוסיפו שמות עצם כרצונכם.

Write the telephone conversation between Robinson Crusoe and his mother.
Use the nouns in the illustration and add different ones at will.

רוֹבִּינְזוֹן קְרוּזוֹ

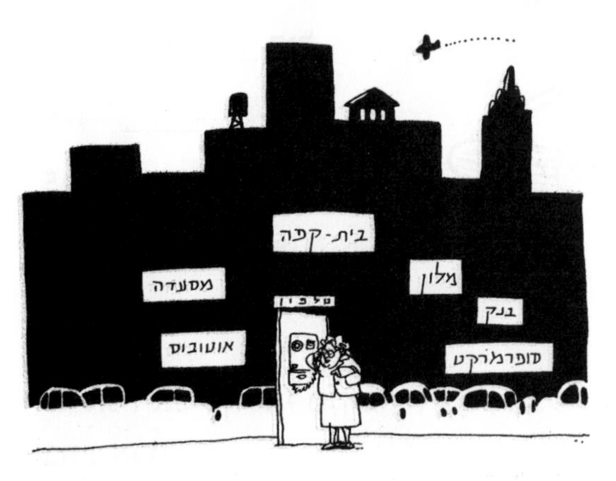

זאת התחלת השיחה: This is the beginning of the conversation:

- רובינזון, מה אתה עושה שם? יש שם מלון?
- לא, אימא, אין פה מלון.
- יש שם ....?

וזה סוף השיחה: This is the end of the conversation:

- אז מה יש שם?
- יש פה שֶׁקֶט, אימא. רק שקט.

.5 דינה

מי אני? אני לא את, ואת לא אני. מי אני? אני לא
יודעת. את יודעת מי את? ואתה יודע מי אתה?
אני לא יודעת מי אני, ואני לא יודעת מה אני.
אבל אני חברה של כוּלָם.
אני חברה של דני. הוא לומד באוניברסיטה, והוא יודע הכול.
אני חברה של יעל. היא גרה ליד הים. היא עושׂה מֶדִיטַצְיָה ויוֹגָה.
אני חברה של מיכל ותמר. אנחנו עושׂות פיקניקים, מַשֶׁהוּ מַשֶׁהוּ!
אני חברה גם של יעקב ורחל. איפה הם? הם לא פה עכשיו. הם בכל העולם; בהודו, בטִיבֶּט,
בהונולולו, בזנזיבר, באנטארטיקה... שם הם לומדים מי הם ומה הם.
על מה אני מדברת עם החברים? על החיים.

מה אתם יודעים על דינה?

.6 אמרו את הנטייה בהווה של הפעלים האלה:

Say the conjugation of the following verbs and write down the conjugation of the additional verbs:

ז. י.	נ. י.	ז. ר.	נ. ר.
אני / אתה / הוא	אני / את / היא	אנחנו / אתם / הם	אנחנו / אתן / הן
לוֹמֵד	**לוֹמֶדֶת**	**לוֹמְדִים**	**לוֹמְדוֹת**

וגם: הוֹלֵך, כּוֹתֵב

כאשר אחד מעיצורי השורש הוא עיצור גרוני, יש שינויים בהגייה:

When one of the consonants in a root is a guttural consonant, some changes in pronunciation occur:

אוֹהֵב, אוֹהֶבֶת, אוֹהֲבִים, אוֹהֲבוֹת / קוֹרֵא, קוֹרֵאת, קוֹרְאִים, קוֹרְאוֹת /
יוֹדֵעַ, יוֹדַעַת, יוֹדְעִים, יוֹדְעוֹת

עוֹשֶׂה	**עוֹשָׂה**	**עוֹשִׂים**	**עוֹשׂוֹת**

וגם - רוֹצֶה, שׁוֹתֶה

גָּר	**גָּרָה**	**גָּרִים**	**גָּרוֹת**

וגם - בָּא, שָׁר

מְדַבֵּר	**מְדַבֶּרֶת**	**מְדַבְּרִים**	**מְדַבְּרוֹת**

7. השלימו את שמות הגוף: אני, אתה, את, הוא, היא, אנחנו, אתם, אתן, הם, הן.

Complete the following sentences with the appropriate personal pronouns.

דוגמה: - חנה, **את** לומדת עכשיו?

- לא. אני מדברת בטלפון.

1) - דני, מה _____ עושה?
- _____ עושה חיים.

2) - יוסי ודויד, _____ מדברים עברית?
- לא, אבל _____ מדברים אנגלית, גרמנית, צרפתית, רוסית ויפנית.

3) - רחל ויעל, _____ גרות בירושלים?
- כן. _____ גרות פה.

4) - דויד לומד באוניברסיטה?
- לא. _____ לומד מהחיים.

5) - שׂרה מורה או תלמידה?
- _____ גם מורה וגם תלמידה.

6) - הילדים שותים יין?
- לא _____ שותים רק מיץ.

7) - מה רינה ורחל עושׂות שם?
- מה _____ עושׂות? אני לא יודע; או יוגה, או מדיטציה, או ...

8. כתבו את הפעלים המתאימים.

Write the appropriate verbs.

א) **דויד וחנה**

כותבים / קוראים / גרים / מדברים / באים / לומדים /

דויד וחנה מרוסיה. עכשיו הם **גרים** בישׂראל. הם _____ לאולפן ו_____ שם עברית. הם _____ מכתבים למשפחה ברוסית וגם _____ ספרים ברוסית. הם _____ עם החברים באנגלית, ברוסית ואולי קצת בעברית.

ב) שותים / אוהבת / הולכת / עושׂים / שרים /

רינה _____ ים.
בשבת היא _____ לים
עם חברים, והם _____ שם פיקניק.
בפיקניק הם _____ "הנה מה טוב
ומה נעים", _____ יין ומדברים, מדברים, מדברים.

מן המקורות

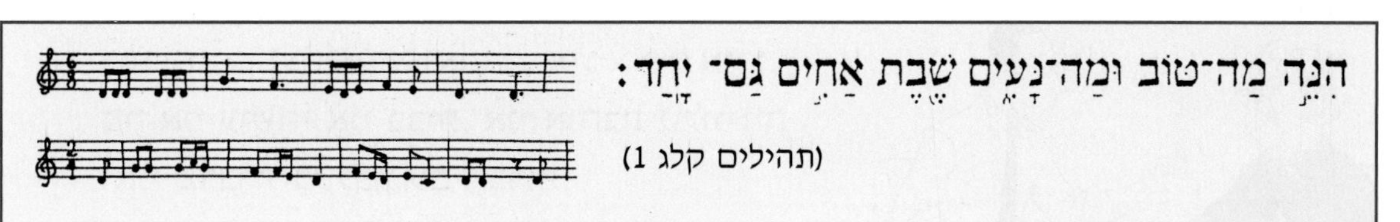

ג) **מה אתם שותים?**

יודעת / רוצים / אוהבת /

תמר: יוסי, חנה, מה אתם ______?

יוסי: קולה, בבקשה.

תמר: חנה, גם את?

חנה: אני לא ______ קולה.

תמר: אז אולי קפה או תה?

חנה: לא, תודה.

תמר: אולי מיץ?

חנה: לא.

תמר: אז מה כן?

חנה: אני לא ______.

9. סדרו את המילים למשפטים.

Rearrange the words to form sentences.

1) שקט / דני / לא אוהבת / ודינה / אוהב / שקט /
2) מכתבים / ובאוסטרליה / כותב / באמריקה / לחברים / יוסי /
3) אתם / ואיפה / גרות / אתן / איפה / גרים / ?
4) לומד / הוא / באולפן / האוניברסיטה / של / העברית /
5) יודעות / ותמר / עברית / צרפתית / וגם / רחל / גם /
6) וקורא / רמי / בערבית / מדבר / ובספרדית / ספרים /
7) עושה / מה / בשבת / אתה / ?
8) מהכנסת / הם / למוזאון ישראל / באים / והולכים /

פסק זמן

מוזאון

רבקה

מי אני? אני רבקה. אני אימא של משה, אברהם,
רותי, חנה, יצחק, דני ואֶהה... אימא של אורי.
מה אני עושׂה? אני בבית, אני אוהבת טלוויזיה
ואני מדברת בַּטֶלֶפוֹן עם חברות.
אני לא מדברת על פוליטיקה, ואני לא מדברת
על פילוסופיה. אני מדברת רק על הילדים,
על המשפחה ועל הבית.
הילדים זה החיים.

 מה רבקה עושה? מה היא לא עושה?

11. כתבו בטקסט את מילות היחס המתאימות:

Write the appropriate prepositions and preposition particles in the text.

של / על / ל.../ ב... / מ... / עם

בקפטריה באוניברסיטה

סטודנטית ______ יפן קוראת ספר ______ סינית ושותה קפה. סטודנט ______ צרפת
מדבר ______ חבר ______ הספרים של עגנון ושותה מיץ. סטודנטיות ______ רוסיה
קוראות מכתבים ______ מוסקווה ושותות מים. סטודנטים ______ ארצות הברית
כותבים ______ מחשב מכתבים ______ משפחה ושותים יין.
רק יוסי לא שותה. הוא הולך______ שיעור.

12. א) **גל**

מי אני? אני גל. אני ילד. אני הילד של אבא ושל אימא.
מֵאין אני? מהבית.
איפה אני גר? פה.
לאן אני הולך? לשם.
מתי אני הולך? עכשיו.
מה אני אוהב? גלידה עם שוקולד.
מה אני עושׂה? אני לא יודע.

מה אתם יודעים על גל?

ב) סמנו מי הוא גל? Circle the picture of **גל.**

ג) שאלו את גל עוד שלוש שאלות. Ask **גל** three more questions.

.13 א) **כתבו שאלות למילים המודגשות בקו והשתמשו במילות השאלה האלה:**

Write questions referring to the underlined words using the following question words:

איפה / לאן / מאין / מה / מי

<u>גל</u> מישׂראל. הוא <u>מאילת</u>. הוא גר <u>ליד הים</u>. הוא אוהב <u>שוקולד</u>. הוא הולך <u>לכיתה</u>, שם הוא <u>לומד, קורא וכותב</u>.

דוגמה: מאין גל?

ב) **כתבו קטע דומה על גילה.** Write a similar paragraph about **גילה.**

.14 **קראתם על הילל, דן, דנה, רבקה וגל. כתבו עכשיו קטע דומה על עצמכם.**

You have read about **הלל, דן, דנה, רבקה**, and **גל** Write a similar paragraph about yourselves.

.15 **מה השעה?**

השעה שמונה.
תשע ורבע.
השעה רבע לאחת עשרה.
שתים עשרה וחצי.
השעה ...

א) **אמרו מה השעה בערים הגדולות בעולם.** Say the hours in the major cities of the world.

ניו יורק
5:00

דבלין
10:00

פריז
12:00

רומא
11:00

תל אביב
2:00

מוסקבה
13:00

טוקיו
19:00

סידני
20:00

ב) **כאשר בתל אביב השעה 12:00, מה השעה בעיר שלך?**

When it is 12:00 in Tel-Aviv, what is the hour in your city?

ג) **אמרו וכתבו את השעה במילים.**

Say and write the hour in words.

- סליחה, מה השעה?

- ילד, מה השעה?

- רותי, מה השעה, בבקשה?

- מה השעה?

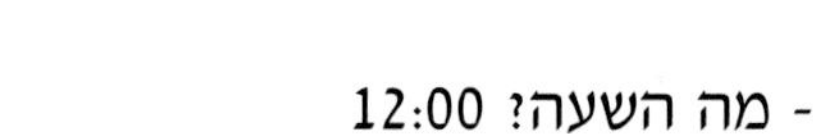

- מה השעה? 12:00

- אוי! עכשיו 23:15!

.16 א) **כתבו את המילים החסרות.**

Complete the missing words.

שלום דני,

עכשיו אני באולפן של האוניברסיטה, בחיפה. אני ______
עברית בכיתה אלף.
הסטודנטים בכיתה ______ ספר בעברית, ______ מכתבים
בעברית ______ שירים בעברית. רק אני לא יודע עברית.
המורה מצוינת. היא מישראל ______ היא מדברת גם
אנגלית, ספרדית ויידיש. גם האוניברסיטה ______. יש פה
מסעדה וקפטריה ויש ______ מכל העולם. איפה אתה? מה אתה ______? אתה
לומד או לא? איפה אתה ______ עכשיו, בבוסטון או בניו-יורק?

דרישת ______ למשפחה.
להתראות,
יוסי

ב) **כתבו מכתב תשובה של דני ליוסי.**

Write the reply letter **דני** wrote **יוסי.**

17. מילים, מילים

אמרו:

Say:

1) 3 מילים שמתחילות ב-ע. דוגמה: **עוגה**

Three words beginning with the letter ע:

2) 3 מילים שנגמרות ב-ם. דוגמה: **שלום**

Three words ending with ם:

3) 3 מילים שיש בהן 5 אותיות. דוגמה: **עברית**

Three five-letter words:

4) 3 שמות עצם עם 3 אותיות. דוגמה: **חבר**

Three three-letter word nouns:

אל יאללה, ביי!

התאימו את השיחות לאיורים.

Match the dialogues to the illustrations.

3

1) - הַיי, מה נִשְ...?
- על הַכֵּיפָּק. אני עושֶׂה חיים. יאללה בַּיי!

1

2) - שלום, מה שלומךָ?
- בָּרוּךְ הַשֵּׁם!
- והאישה והילדים?
- בָּרוּךְ הַשֵּׁם, בָּרוּךְ הַשֵּׁם!

2

3) - מה נשמע?
- יהיה טוב.
- איך הילדים?
- תודה. כולם בסדר.

5

4) - מה שלומךָ, חמוּדי?
- מה??
- ואימא, ואבא?
- בסדר.

4

5) - אַהֲלַן, מה חדש?
- כָּכָה ככה, מה הולך?
- פה, שם.

האוצר הלשוני

Vocabulary אוצר המילים

שמות עצם
Nouns

friend / boy / girl friend	חָבֵר (ז.), חֲבֵרָה (נ.) ש״ע
Mishnah	מִשְׁנָה (נ.)
kibbutz	קִיבּוּץ (ז.)
Sabbath / Saturday	שַׁבָּת (נ.)
Talmud	תַּלְמוּד (ז.)
the Bible	תַּנַ״ךְ (ז.)

תּוֹרָה, נְבִיאִים, כְּתוּבִים

Pentateuch, Prophets, Writings

מילים לועזיות
Foreign words

discotheque	דִיסְקוֹטֶק (ז.)
telephone	טֶלֶפוֹן (ז.)
yoga	יוֹגָה (נ.)
meditation	מֶדִיטַצְיָה (נ.)
philosophy	פִּילוֹסוֹפְיָה (נ.)
picnic	פִּיקְנִיק (ז.)
cafeteria	קָפֶטֶרְיָה (נ.)

שונות
Miscellaneous

everybody	כּוּלָם (ז. ר.)

שמות מקומות
Names of places

מדינות
Countries

India	הוֹדוּ
Honolulu	הוֹנוֹלוּלוּ
Zanzibar	זַנְזִיבָּר
Tibet	טִיבֶּט

ערים
Cities

Ashdod	אַשְׁדוֹד
Ashkelon	אַשְׁקְלוֹן
Beer Sheba	בְּאֵר שֶׁבַע
Saffed	צְפַת

מקומות אחרים
Other places

Antarctica	אַנְטְאַרְקְטִיקָה
Galilee	הַגָּלִיל

שיעור 1

1. א) **שלום, אני...**

רמי: שלום, אני רמי.
דינה: נעים מאוד. אני דינה. אתה מִפֹּה?
רמי: לא. אני מטורונטו, אבל עכשיו אני גר בישראל.
דינה: ומה אתה עושה?
רמי: אני לומד באוניברסיטה ועובד בספרייה.
דינה מה אתה לומד?
רמי: מחשבים ופילוסופיה.
דינה: וַאוֹ!
רמי: ומאין את? את לא מישראל, נכון?
דינה: לא. אני מצרפת.
רמי: ומה את עושה בישראל?
דינה: אני כותבת ספר על הפוליטיקה פה.
רמי: בישראל?
דינה: כן, וגם בירדן, במצרים, בסוריה ובלבנון.
רמי: וַאוֹ!

ב) **ענו על השאלות.** Answer the following questions.

1) מאין רמי?
2) מאין דינה?
3) איפה הם עכשיו?
4) מה רמי לומד?
5) מה דינה עושה?

ג) **אמרו את השיחה 1. א) בין שתי בחורות: דינה ורינה.**

Change dialogue **1. א)** into a dialogue between two young women: **דינה** and **רינה** and dramatize it.

ד) **המחיזו שיחה דומה. שנו פרטים כרצונכם.**

Role-play: Create a similar dialogue. Change details as you wish.

.2 מספרים מונים בנקבה 10-1 Cardinal Numbers -Feminine

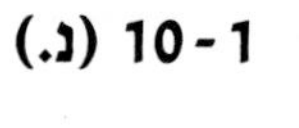

(נ.) 10 - 1

1	**אַחַת**
2	**שְׁתַּיִם**
3	**שָׁלוֹשׁ**
4	**אַרְבַּע**
5	**חָמֵשׁ**
6	**שֵׁשׁ**
7	**שֶׁבַע**
8	**שְׁמוֹנֶה**
9	**תֵּשַׁע**
10	**עֶשֶׂר**

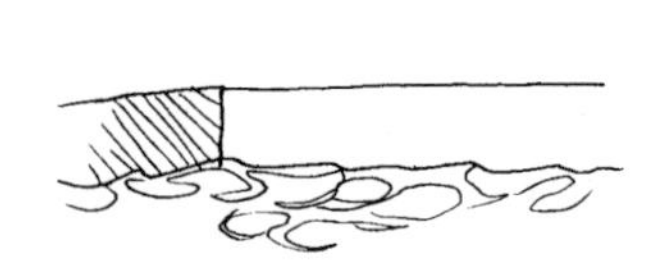

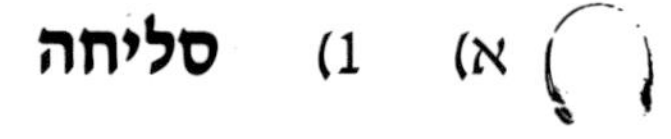

א) 1) סליחה

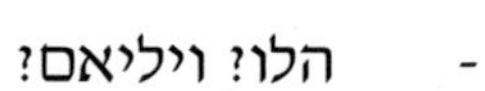

- הלו? ויליאם?
- לא. אין פה וויליאם.
- זה לא הבית של וויליאם שיקספיר? זה לא 3549174?
- לא. זה 3539175.
- סליחה.
- אין דבר.

2) מודיעין 144

- מודיעין אחת ארבע ארבע שלום.
- שלום. מִסְפַּר הטלפון של סַפְרָא בבקשה.
- איפה?
- בתל אביב, בִּרְחוֹב דִיזֶנגוֹף.
- חנות ספרא?
- כן.
- הינה המספר: 03-9304185.
- תודה.
- בבקשה.

3) מודיעין 188

- מודיעין אחת שמונה שמונה שלום.
- שלום. את מספר הטלפון של ג׳וֹרְג׳ וג׳וֹרְגֶ׳ט צֶ׳ריקוֹבֶר בְּרִיוֹ דֶה זָ׳נֶרוֹ, בבקשה.
- רק רגע! הינה המספר: 00-1-55-12-648793.

4) איפה מירה?

שׂרה: שלום. מירה?
דני: לא. זה דני.
שׂרה: מירה בבית?
דני: רק רגע... מירה! אני מצטער. היא לא פה עכשיו.
שׂרה: אתה יודע איפה היא?
דני: אולי היא בבית של פנינה.
שׂרה: יש שם טלפון?
דני: כן.
שׂרה: מה המספר?
דני: 637958.
שׂרה: 03?
דני: כן. 03-637958
שׂרה: תודה.

ב) אמרו וכתבו את מספרי הטלפון.

Say the telephone numbers and write them down.

0 = אֶפֶס

דוגמה: חמש, תשע, אפס, שלוש, אחת, שבע, שבע - **5903177**

1) אפס, ארבע, שלוש, שש, אחת, חמש, שלוש, שבע, שתיים ______________

2) ארבע, שלוש, שבע, חמש, שמונה, שמונה, אחת ______________

3) אפס, שתיים, שמונה, שש, ארבע, אחת, שלוש, שבע, שש ______________

4) אפס, שלוש, שתיים, תשע, חמש, אחת, אחת, ארבע, ארבע ______________

ג) **אמרו וכתבו שלושה מספרי טלפון של סטודנטים בכיתה.**

Say three telephone numbers of students in your class, and write them down.

3. מתי? ב...

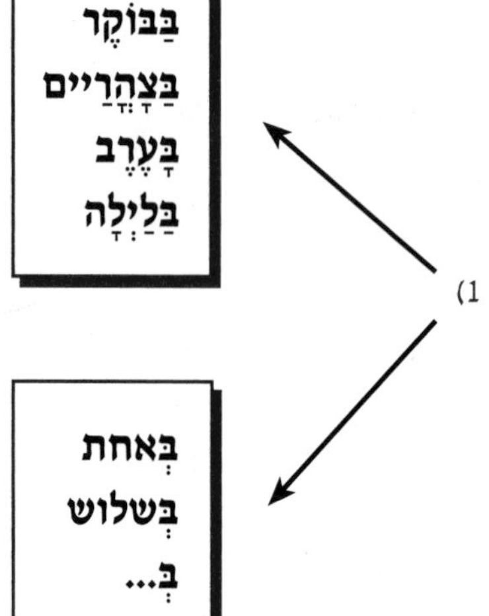

א) אני עובד בַּבּוֹקֶר.
אני הולך לַעֲבוֹדָה בְּשֶׁבַע.
בַּצָּהֳרַיִים אני בבית.

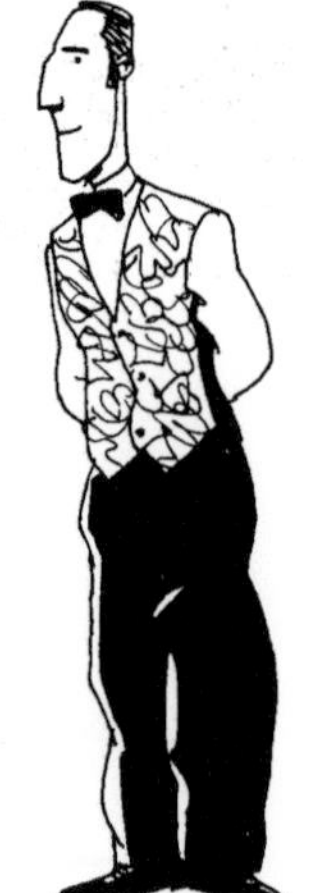

ב) אני עובד בָּעֶרֶב. בְּשֵׁשׁ אני הולך לעבודה.
בַּלַּיְלָה אני בדיסקוטק.

ג) אני עובד בערב.
בבוקר אני לומד.
בְּתשע בַּבּוֹקֶר אני הולך לאוניברסיטה.

4. א) רדיו בישראל

בוקר
FM 95.5

6:00	חדשות: עברית, אנגלית, צרפתית
7:00	פרופסור כץ: שיעור בהיסטוריה
8:00	בָּאָרֶץ ובעולם [2]
9:00	רק שירים
10:30	פרופסור לוין - הפילוסופיה של אריסטו
11:30	חדשות

צהריים
AM 576

12:00	הארכיאולוג בן-יוסף: בית בירושלים
13:00	חדשות: עברית, רוסית, ספרדית [3]
13:30	דוקטור ירדני: שבת בירושלים
14:00	שיעור בערבית

ערב
FM 91.3 - מוזיקה

19:00	הנדל: סונטה לצ'ילו
20:00	בטהובן: סימפוניה מספר 5

רדיו תל-אביב

19:30	רוק בתל אביב
21:00	שירים על תל אביב

ב) ענו לפי לוח המשדרים של "רדיו בישראל".

Answer the questions according to the radio-broadcast schedule.

דוגמה: - מתי ברוך לומד ערבית?

- *בשתיים בצהריים.*

1) מתי ברוך שומע חדשות?
2) מתי יפה שומעת סונטה של הנדל?
3) מתי הילדות שומעות שירים על תל אביב?
4) מתי הן שומעות רוק?
5) מה ברוך שומע בשתים עשרה בצהריים?
6) מה הילדות שומעות בתשע בערב?
7) מתי יש שיעור בהיסטוריה?
8) מתי פרופסור לוין מדברת ברדיו?

ג) שאלו זה את זה עוד שאלות על לוח המשדרים וענו עליהן.

Ask each other questions about the radio-broadcast schedule and answer them.

5. מספרים מונים בנקבה 10 - 1 Feminine cardinal numbers

1	**תלמידה אחת**
2	**שְתֵי מתנות**
3	**שלוש סטודנטיות**
4	**ארבע חנויות**
5	**חמש טלוויזיות**
6	**שש מסעדות**
7	**שבע משפחות**
8	**שמונה מורות**
9	**תשע ילדות**
10	**עשׂר לחמניות**

- שם המספר מופיע לפני שם העצם פרט לספרה 1. הספרה אחת מופיעה אחרי שם העצם.

Numeral numbers precede regular nouns except for the number one, which follows the noun.

דוגמה: **משפחה אחת**

- הספרה 2 מתקצרת לפני שם העצם. The number two is shortened when it precedes a noun.

דוגמה: **שתיים - שְתֵי משפחות**

.6 כמה?

א)

כמה מתנות?

שלוש.

כמה?

סליחה, שתיים.

ב) **בחרו שם עצם מהרשימה, שאלו זה את זה וענו כרצונכם בעזרת המספרים 1 - 10.**

Choose a noun from the list, ask each other questions and answer them, using numbers one to ten.

דוגמה: - כמה עוגות?
- שתי עוגות.

עוגה, חברה, אשכולית, סונטה, חנות, כיתה.
סימפוניה, תלמידה, אישה, לחמנייה, ספרייה,
משפחה, מורה, חלה.

ג) **אמרו וכתבו את המספרים.** Say the numbers and write them down.

1) מה היא קונה? לחמנייה *אחת* 1
בננות ______ 2
חלות ______ 3
עוגה ______ 1

2) מה הם קונים? ______ חלות 4
______ אשכוליות 6
______ עוגות 5
______ לחמניות 9
______ בננות 8

3) **ספרו זה לזה:** מה אתם קונים? Tell each other:

7. א)

1) **שֵירוּתִים**

- סליחה, איפה השירותים?
- שם.
- איפה?
- יָשָר, ישר.
- תודה.

2) **טלפון צִיבּוּרִי**

- סליחה, יש פה טלפון ציבורי?
- כן, ליד הקפטריה.
- **איך הולכים** לשם?
- ישר ויָמִינָה.
- תודה, תודה.

סְתָמִי - Impersonal

אֵיך?

יָמִינָה = לְיָמִין

הולכים

- מי הולך?
- אתה, או הוא, או אנחנו או ... כולם.

3) **חֲנוּת**

- סליחה, איפה **קונים** פה לחמניות?
- בחנות.
- איפה החנות?
- ישר ושְׂמֹאלָה.
- תודה רבה.
- בבקשה.

שְׂמֹאלָה = לִשְׂמֹאל

קונים

- מי קונה?
- את, או היא, או אתם או ... כולם.

4) **אוטובוס**

- סליחה, איך **נוסעים** לבאר שבע?
- באוטובוס 446.
- איפה האוטובוס?
- ישר ימינה, ואז שְׂמֹאלָה.

נוסעים

- מי נוסע?
- אני, או הם, או אתן, או ... כולם.

ב) המחיזו וכתבו שיחות דומות לשיחות בתרגיל 7 א).

Create dialogues similar to the ones in exercise 7 (א and write them down.

בשיחות -	1), 2)	In dialogues -
אמרו -	בנק או מסעדה	say -
במקום -	שירותים או טלפון ציבורי	instead of -

בשיחה -	3)	In dialogues -
אמרו -	חלות או בננות וסופרמרקט	say -
במקום -	לחמניות ו-חנות	instead of -

בשיחה -	4)	In dialogues -
אמרו מקום אחר במקום -	באר שבע	say a name of a place other than -

8. א) ענו על השאלות כרצונכם והשתמשו בפעלים שברשימה.

Answer the questions using the verbs from the list.

הפעלים: **שותים / קוראים / קונים / לומדים / נוסעים** Verbs:

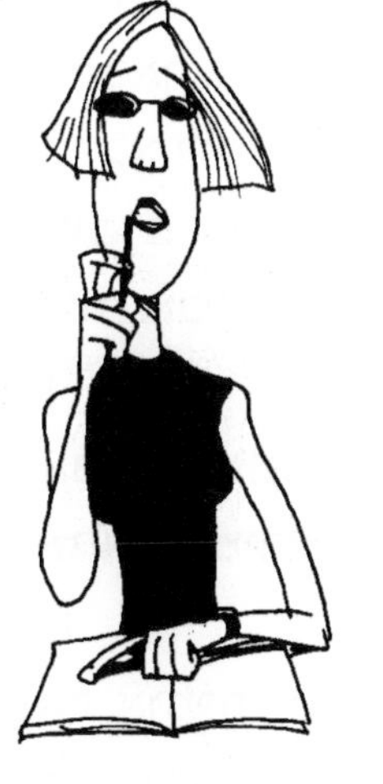

- מה עושים בסופרמרקט?
- מה עושים בספרייה?
- מה עושים בכיתה?
- מה עושים בקפטריה?
- מה עושים באוטובוס?
- מה עושים בחנות?

ב) שאלו זה את זה וענו. Ask each other and answer.

- מה עושים באולפן?
- מה עושים ומה לא עושים בשבת?

8. גם וגם

דינה: סליחה, אתה יודע איפה הספרייה?

דן: כן, זה שם.

דינה: אתה מִפה?

דן: כן.

דינה: אז אולי אתה יודע גם איך הולכים למוזאון ישראל.

דן: כן, אני הולך לשם עכשיו.

דינה: יופי. גם אני.

דן: רגע, את לא הולכת לספרייה?

דינה: כן, לא, אה...עכשיו אני הולכת למוזאון.

ירושלים - ממוזאון ישראל לאוניברסיטה העברית בגבעת רם

דינה: אתה מירושלים?

דן: כן ולא. ואת? את בטח לא מירושלים.

דינה: נכון. אני גרה בתל-אביב, אבל אני נוסעת הרבה לירושלים.

דן: את לומדת פה?

דינה: לא, אני באה לחברים. ואתה, אתה לומד באוניברסיטה?

דן: לא. אני לא לומד.

דינה: אתה עובד?

דן: כן, קצת, אבל לא בירושלים.

דינה: איפה?

דן: בתל אביב, במוזאון תל אביב.

דינה: רגע, אז אתה מירושלים או מתל אביב?

דן: גם וגם.

דינה: מה זאת אומרת? אני לא מְבִינה.
איך אתה גם מירושלים וגם מתל אביב?

דן: אֶה...... הינה המוזאון.

מֵבִין
מְבִינָה
מְבִינִים
מְבִינוֹת

סיימו את השיחה בדרכים שונות: סוף רומנטי, סוף מפתיע...

Create different endings for this dialogue: a romantic ending, a surprise ending...

אל יאללה, ביי!

Summary of Topics
האוצר הלשוני

א. אוצר המילים — Vocabulary

פעלים — Verbs

say	אוֹמֵר
understand	מֵבִין
sorry	מִצְטַעֵר
ride / go	נוֹסֵעַ
work	עוֹבֵד
buy	קוֹנֶה
hear	שׁוֹמֵעַ

שמות עצם — Nouns

zero	אֶפֶס (ז.), אֲפָסִים
morning	בּוֹקֶר (ז.), בְּקָרִים
shop	חֲנוּת (נ.), חֲנוּיוֹת
roll	לַחְמָנִיָּה (נ.)
night	לַיְלָה (ז.), לֵילוֹת
number	מִסְפָּר (ז.)
library	סִפְרִיָּה (נ.)
work	עֲבוֹדָה (נ.)
evening	עֶרֶב (ז.), עֲרָבִים
afternoon	צָהֳרַיִים (ז. ר)
street	רְחוֹב (ז.), רְחוֹבוֹת
toilet / lavatory	שֵׁירוּתִים (ז. ר.)

שמות תואר — Adjectives

public	צִיבּוּרִי, צִיבּוּרִית

מילים לועזיות — Foreign words

bus	אוֹטוֹבּוּס (ז.)
hello	הָלוֹ
archeologist	אַרְכֵאוֹלוֹג (ז.), אַרְכֵאוֹלוֹגִית (נ.)
doctor	דוֹקְטוֹר (ז./ נ.)
history	הִיסְטוֹרְיָה (נ. ר. 0)
symphony	סִימְפוֹנְיָה (נ.)
rock (music)	רוֹק (ז. ר. 0)

שונות — Miscellaneous

never mind	ב.	אֵין דָּבָר
sure / of course	ת״פ	בֶּטַח
...and also ... / both	ב.	גַּם וְגַם
to the right	ת״פ	יָמִינָה
straight	ת״פ	יָשָׁר
information / telephone directory	(ז.)	מוֹדִיעִין
correct / right	ת״פ	נָכוֹן
to the left	ת״פ	שְׂמֹאלָה
two		שְׁתֵּי -

מילות שאלה — Questions

how?	אֵיךְ?
how many? (how much?)	כַּמָּה?
when?	מָתַי?

ב. הנושאים הלשוניים — Grammatical topics

צורות: סיומות השם בנקבה, יחיד, ורבים - (המשך) — Morphology:

Singular and plural feminine (noun) suffixes (cont.).

Example: דוגמה : חנות, חנויות

תחביר: סתמי - פועל בגוף שלישי רבים בלי שם הגוף — Syntax:

The impersonal- plural third person verbs without pronouns.

Example: דוגמה : הולכים

Question words: איך? כמה? מתי? :מילות השאלה

שונות: מספרים מונים בנקבה: 10-1 — Miscellaneous: Feminine cordinal numbers:

ג. הערות לשוניות — Grammatical notes

1) התשובה לשאלה **מתי** פותחת כמעט תמיד במילת היחס **ב...** . מקרים אחרים יילמדו בהמשך.

The answer to the question מתי almost always opens with the pronoun ...ב . Other cases will be learnt in the future.

2) הָאָרֶץ = **the** country = ישראל. בָּאָרֶץ = in **the** country = בישראל.

3) שעות הצהריים ואילך נכתבות בדרך כלל במספרים מ-13 עד 24, אך נאמרות במספרים 1-12.

The afternoon hours are usually written with numbers 13 to 24, but are said with the numbers 1 to 12.

שיעור 2

1. **דירה ברחוב בן גוריון**

דירה ברחוב בן גוריון 3 בתל אביב
חֶדֶר גָדוֹל, מִטְבָּח, מקלחת ושֵירוּתִים.
טל. 03-5889412

יעקב או מירה

2. **כתבו בשרטוט ואמרו מה יש בדירה.**

Write the names of the different rooms on the apartment plan.

דירה 5, רחוב בן יהודה 9, תל אביב

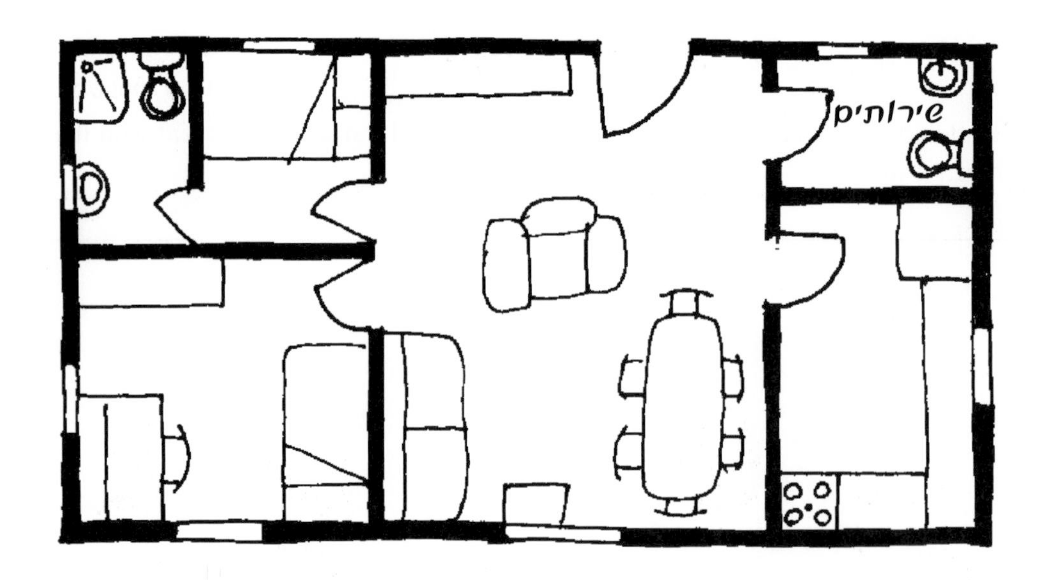

דוגמה: בדירה יש שירותים.

3. כן או לא?

יוסף: הָלוֹ?

אורי: שלום. זה 7425004?

יוסף: כן.

אורי: זה בְּקֶשֶׁר לַדִּירָה.

יוסף: כן. זאת דירה מְצוּיֶּנֶת.

אורי: כַּמָּה חֲדָרִים יש בדירה?

יוסף: יש סָלוֹן, חדר גדול וחדר קָטָן.

אורי: יש מטבח?

יוסף: בֶּטַח. יש מטבח קטן אבל חָדָשׁ. ליד המטבח יש שירותים חדשים, ויש בדירה גם מקלחת עם שירותים.

אורי: רגע, זאת דירה חדשה או ישנה?

יוסף: זאת דירה לא חדשה ולא ישנה, אבל יפה וּמְיוּחֶדֶת.

אורי: היא ליד האוניברסיטה?

יוסף: לא, אבל יש אוטובוס.

אורי: טוב, תודה.

יוסף: רגע, אז כן או לא?

אורי: אני לא יודע. תודה. שלום.

יוסף: שלום.

כתבו לפי השיחה, מודעה על הדירה.

Write an ad for the apartment according to the dialogue above.

מן המקורות

וְאֵין כָּל־חָדָשׁ תַּחַת הַשָּׁמֶשׁ: (קהלת א 9)

4. התאמה בין שם עצם ובין שם תואר במין ובמספר

Accordance between nouns and adjectives in their grammatical gender and number

	ז. .m	נ. .f
י. .s	טוב ☐	טוֹבָה ☐ָה
ר. .pl	טוֹבִים ☐ִים	טוֹבוֹת ☐וֹת

וגם: גָּדוֹל, גְּדוֹלָה, גְּדוֹלִים, גְּדוֹלוֹת
יָשָׁן, יְשָׁנָה, יְשָׁנִים, יְשָׁנוֹת
קָטָן, קְטַנָּה, קְטַנִּים, קְטַנּוֹת
יָפֶה, יָפָה, יָפִים, יָפוֹת

ילדה יפה

ז. .m	נ. .f
מְיוּחָד ☐	מְיוּחֶדֶת ☐ֶת
מְיוּחָדִים ☐ִים	מְיוּחָדוֹת ☐וֹת

מן המקורות

"וִיבַשֵּׂר לָנוּ בְּשׂוֹרוֹת טוֹבוֹת" (ברכת המזון)

5. א) **התאימו את המשפטים לאיורים.** Match the sentences with the illustrations.

1) זה בית גדול.
2) אלה שירותים ישנים.
3) זאת מקלחת חדשה.
4) זאת דירה קטנה.
5) זה מטבח יפה.

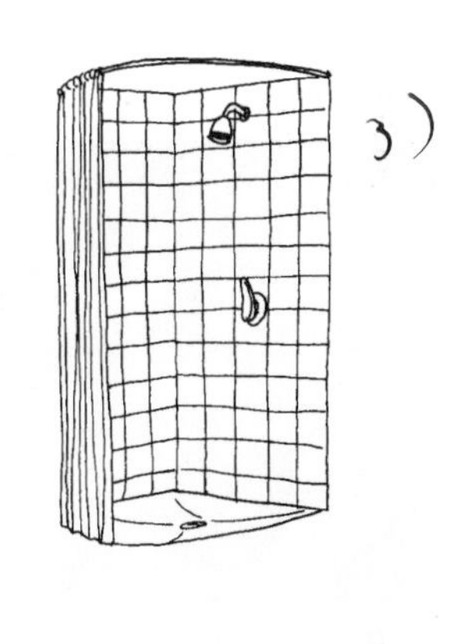

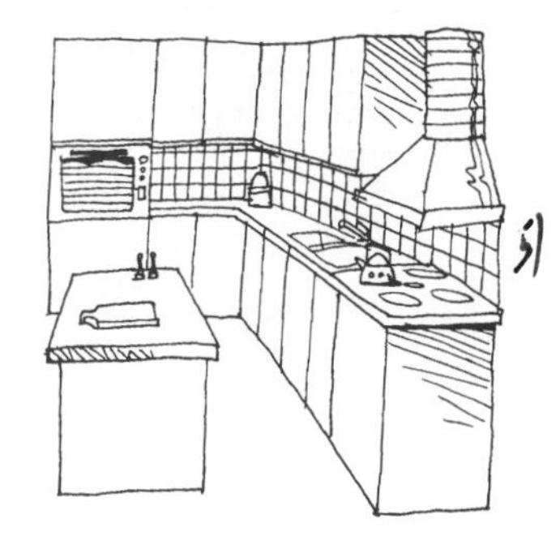

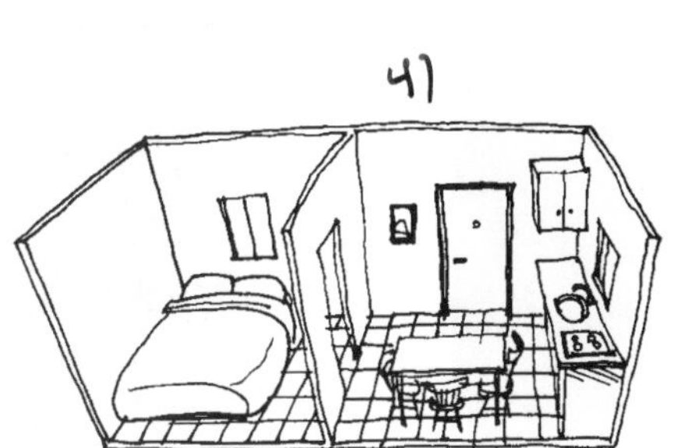

ב) **התאימו את הברכות לאיורים.** Match the greetings with the illustrations.

עֶרֶב טוֹב!
צָהֳרַיִים טוֹבִים!
לילה טוב!
בוקר טוב!

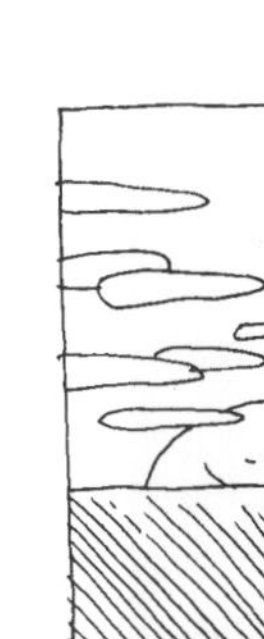

ג) השלימו את המשפטים בשמות התואר הנכונים.

Complete the sentences using the correct adjectives.

1) יש פה רדיו *טוב* ושתי טלוויזיות ______.	(טוב/טובה/טובים/טובות)
2) אני לא רוצה סנדוויץ' ______ וגם לא עוגה ______.	(קטן/קטנה/קטנים/קטנות)
3) בְּצְפַת יש הרבה בתים ______ וחנויות ______.	(ישן/ישנה/ישנים/ישנות)
4) זאת לא דירה ______, אבל יש פה מטבח ______ ומקלחת ______.	(חדש/חדשה/חדשים/חדשות)
5) בחנות יש ספרים ______, וגם חנוכיות ______.	(עתיק/עתיקה/עתיקים/עתיקות)

חנוכייה ישנה

חנוכייה מודרנית

מנורה עתיקה

6. א) בֵּית טִיכוֹ

בית - בָּתִּים

בכל העולם יש בָּתִּים-מוזאונים. אלה בתים יפים של אנשים מיוחדים, לְמָשָׁל: הבית של מַרק טְוֵוין בארצות הברית, הבית של קלוֹד מוֹנֶה בצרפת או הבית של חַיִּים נַחְמָן בְּיָאליק בתל אביב.

גם בירושלים יש בית-מוזאון, הבית של דוקטור אברהם ואנה טיכו.
בבית יש סָלוֹן גדול. בסלון יש צִיּוּרִים יפים של אנה טיכו; ציורים של ירושלים - של ההרים, של העֵצִים ושל האנשים בירושלים.
בחדר של דוקטור טיכו יש שולחן גדול, השולחן של דוקטור טיכו. יש שם גם חֲנוּכִּיּוֹת עַתִּיקוֹת מכל העולם, החנוכיות של דוקטור טיכו.
יש בבית ספרייה קטנה. בספרייה יש ספרים על ירושלים ועל ישראל. יש בספרייה ספרים ישנים וספרים חדשים. ליד הספרייה יש חנות קטנה ומסעדה נחמדה. במסעדה יש סלטים, סנדוויצ'ים ועוגות.
ליד הבית יש גינה יפה עם עֵצִים גדולים. לִפְעָמִים יש בגינה או בבית קונצרטים של מוזיקה קְלָסִית.
הרבה אנשים באים לבית טיכו. הם באים למוזאון או לספרייה, לחנות, למסעדה, לגינה או לקונצרטים.

בית טיכו

Write a description of the contents of Ticho's house. **ב) כתבו מה יש בבית טיכו.**

1) סלון גדול
2) ציורים יפים
3) שולחן גדול
4) חנוכיות עתיקות
5) ספריה קטנה
6) ספרים ישנים וחדשים
7) חנות קטנה
8) מסעדה נחמדה
9) ______ טובות
10) גינה יפה
11) עצים גדולים
12) מוסיקה קלסית

אנה טיכו - ירושלים

אנה טיכו 1980-1894

Write about a museum you know. **ג) כתבו על בית-מוזאון שאתם מכירים.**

7.

- לשמות עצם רבים בזכר יש בצורת הרבים סיומת של נקבה- □ות:
- Many masculine nouns in their plural form receive a feminine suffix □ות

For example: למשל:

מָלוֹן - מְלוֹנוֹת, רְחוֹב - רְחוֹבוֹת, אַרְמוֹן - אַרְמוֹנוֹת, שׁוּלְחָן - שׁוּלְחָנוֹת.

- למספר שמות עצם בנקבה יש בצורת הרבים סיומת של זכר - □ִים.
- Some feminine nouns in their plural form receive a masculine suffix □ִים.

For example: **אִישָׁה - נָשִׁים, עִיר - עָרִים** למשל:

- שם התואר מותאם למינו של העצם בלי להתחשב בסיומת.
- The adjective fits the noun's gender and the suffix is not taken into consideration.

For example: **מלונות גדולים, נשים יפות** למשל:

8. א) **כתבו ביחיד.** Write in singular form.

דוגמה: יש בדירה שולחנות ישנים אבל טובים.

יש בדירה שולחן ישן אבל טוב.

1) אלה רחובות עתיקים ויפים.
2) במוזאון יש ציור של נשים מיוחדות.
3) אנחנו לא אוהבים מלונות גדולים ומודרניים.
4) ליד התאטרון בירושלים יש בתים יפים.
5) הם גרים בארמונות קטנים.
6) אני קונה שלוש לחמניות טובות.
7) באוניברסיטה יש חנויות נחמדות.
8) בערים גדולות אין שקט.

ב) הוסיפו שמות תואר. Add adjectives to the following nouns.

1)

תלמיד חדש	ילד קטן	מורה טוב	בחור יפה
תלמידה חדשה	ילדה קטנה	מורה טובה	בחורה יפה
תלמידים חדשים	ילדים קטנים	מורים טובים	בחורים יפים
תלמידות חדשות	ילדות קטנות	מורות טובות	בחורות יפות

2)

ספר גדול	מסעדה גדולה	חדרים גדולים
לחמנייה קטנה	דירה קטנה	מלון קטן
דירות ישנות	נשים ישנות	טלוויזיה ישנה
רחוב רחב	ערים רחבות	שולחנות רחבים
משפחות נחמדות	אישה נחמדה	
שירותים חדשים	מטבח חדש	
ארמונות יפים	עיר יפה	
מתנות מיוחדות	בית מיוחד	

9. איזה? איזו?

	ז. m.	ז. / נ. m. / f.	נ. f.
י. s.	אֵיזֶה		אֵיזוֹ
ר. pl.		אֵילוּ	

א) - איזה ספר אתה קורא?
- אני קורא ספר של טולסטוי.

- איזו מוזיקה את אוהבת?
- מוזיקה קלאסית.

- אילו רחובות יש בעיר העתיקה?
- רחובות קטנים ומיוחדים.

ב) כתבו את השאלות.

Write questions according to the following sentences.

דוגמה: אני אוכל סנדוויץ' עם אבוקדו.

איזה סנדוויץ' אתה אוכל?

1) בסלון יש שולחן גדול.
2) במוזאון יש ציורים עתיקים.
3) אנחנו קונים דירה קטנה.
4) אני אוהב אנשים מיוחדים.
5) בספרייה יש ספרים ישנים.
6) אני רוצה יין מצרפת.
7) הם שומעים מוזיקה קלסית.
8) בדירה של יעל יש מטבח חדש.

האמפיתאטרון בקיסריה

10. א) קֵיסָרְיָה

קיסריה - עיר מיוחדת ליד הים על שֵׁם אוגוסטוס, קיסר רומא.
קיסריה היא עיר עתיקה. יש שם רחובות קטנים, ארמון גדול של הוֹרדוס ואַמְפִיתֵאַטְרוֹן רומי.
באמפיתאטרון יש היום קונצרטים מיוחדים ולפעמים בָּלֶט או תאטרון מכל העולם.
ליד קיסריה העתיקה יש היום עיר חדשה. שָׁם יש רחובות גדולים, בתים יפים כְּמוֹ ארמונות ומוזאון מיוחד עם ציורים מודרניים.

הקיסר אוגוסטוס

(63 לפנה"ס-14 לספירה)

ב) כתבו לפי הטקסט מה יש בקיסריה.

Create a list of all the things that exist in ancient and modern Caesarea, according to the text.

דוגמה: בעיר העתיקה	בעיר החדשה
ארמון גדול	בתים

אז יאללה, ביי!

איזה יופי!

איזה אהבה!

איזה חברים טובים!

איזה כֵּיף!

וואו! איזה בית!
כמו ארמון.

Grammatical summary / סיכום לשוני

א) סיומות השם בנקבה - יחיד
Suffixes of feminine singular nouns

הסיומות Suffixes		דוגמות Examples
◻ָה		תלמידָה, מתנָה, ספריָיה, טובָה
◻ת	◻ֶת	מחבֶּרֶת, כְּנֶסֶת, מְיוּחֶדֶת
	◻ַת	מִקְלַחַת
	◻ִית	עבְרִית, אשכּוֹלִית, ציבּוּרִית
	◻וּת	חֲנוּת

לפעמים שם העצם מסתיים ב- **ת**, שאינה סיומת אלא חלק מהמילה.

Sometimes nouns end with a letter **ת**, which is not a suffix but actually part of the word.

This noun may be masculine, for example: — שם עצם זה יכול להיות זכר, למשל: **זית**

or feminine, for example: — או נקבה, למשל: **שבת**

יש שמות עצם בנקבה בלי סיומת מיוחדת לנקבה.

There are feminine nouns that do not have a feminine suffix.

For example: — למשל: **ארץ, עיר, שמש**

ב) סיומות השם בנקבה - רבים
Suffixes of feminine plural nouns

הסיומת ביחיד Singular suffixe		הסיומת ברבים Plural suffixe	דוגמות Examples
◻ה		◻ **וֹת**	תלמידות, מתנות, ספריות, טובות
◻ת	◻ֶת	◻ **וֹת**	מחברות, מיוחדות
	◻ַת	◻ **וֹת**	מקלחות
	◻ִית	◻ִ **יוֹת**	אשכוליות, ציבוריות
	◻וּת	◻ **ויוֹת**	חנויות

Summary of Topics

האוצר הלשוני

א. אוצר המילים Vocabulary

שמות עצם
Nouns

אַהֲבָה (נ.)	love
אַרְמוֹן (ז.), אַרְמוֹנוֹת	castle
בָּחוּר (ז.), בַּחוּרָה (נ.)	young man
גִינָה (נ.)	garden
דִירָה (נ.)	apartment
חֶדֶר (ז.), חֲדָרִים	room
חֲנוּכִּיָיה (נ.)	Chanukah lamp
מַחְבֶּרֶת (נ.)	notebook
מִטְבָּח (ז.)	kitchen
מִקְלַחַת (נ.)	shower
עֵץ (ז.)	tree
צִיוּר (ז.)	painting / drawing
שׁוּלְחָן (ז.), שׁוּלְחָנוֹת	table

מילים לועזיות
Foreign words

אַמְפִיתֵאַטְרוֹן (ז.)	amphitheater
בַּלֶט (ז.)	ballet
סָלוֹן (ז.)	living room / salon
קֵיסָר (ז.), קֵיסָרִית (נ.)	emperor, empress
מוֹדֶרְנִי, מוֹדֶרְנִית ש"ת	modern
קְלָסִי, קְלָסִית ש"ת	classical

מילות שאלה
Questions

אֵיזֶה? (ז.)	which?/what?
אֵיזוֹ? (נ.)	which?
אֵילוּ? (ר.ז.נ.)	which?

שמות תואר
Adjectives

גָדוֹל, גְדוֹלָה	big
חָדָשׁ, חֲדָשָׁה	new
טוֹב, טוֹבָה	good
יָפֶה, יָפָה	beautiful / pretty
יָשָׁן, יְשָׁנָה	old / ancient
מְיוּחָד, מְיוּחֶדֶת	special
מְצוּיָן, מְצוּיֶנֶת	excellent
נֶחְמָד, נֶחְמָדָה	nice
עַתִיק, עַתִיקָה	ancient
קָטָן, קְטַנָה	small

שונות
Miscellaneous

בְּקֶשֶׁר ל... ב.	about the/in connection to
כְּמוֹ	like / as
לְמָשָׁל	for example
לִפְעָמִים ת"פ	sometimes
עַל שֵׁם	named after

ב. הנושאים הלשוניים

Grammatical topics

צורות: שם התואר

Morphology: Adjective

דוגמות: טוב, טובה, טובים, טובות
גדול, גדולה ...
יפֶה, יפָה, יפים ...

תחביר: התאמה בין שם עצם ושם תואר במין ובמספר

Syntax:
Accordance of nouns and adjectives in gender and number.

דוגמות: תלמיד חדש — דירות ישנות
בחורה יפה — אורים טובים

משפטי שאלה — איזה? איזו? אילו?

Interrogative sentences:

סיכום לשוני

Grammatical summary

סיומות השם בנקבה - יחיד ורבים

Suffixes of feminine singular nouns and plural nouns

ג. הערות לשוניות

Grammatical notes

1. במילים רבות, כאשר נוספת הברה לציון צורת הנקבה או צורת הרבים, מתרחק הטעם.
במילים אלה מתקצרת התנועה הרחוקה מהטעם.

In many words, when a syllable is added to indicate the plural form, the stress moves to the last syllable. In these words, the farthest vowel from the stress is shortened.

למשל: **גָדול, גְדולה, גְדולים, גְדולות** — For example: gadol - gdola, gdolim, gdolot

2. בעברית מודרנית, ברחוב, עם חברים, בעיתון ולפעמים גם בספרים, אומרים איזה, גם לנקבה וגם לרבים.
למשל: איזה עוגה אתה רוצה? איזה שירים את כותבת? איזה מסיבות יש באוניברסיטה?

In contemporary Hebrew, on the street, among friends, in newspapers, and sometimes in books, איזה is used for the feminine and plural forms (see examples above).

3. במשפטים שמניים, כאשר הנשוא הוא שם עצם, יש אוגד בין הנושא ובין הנשוא.

In nominal clauses, there is a link word between the subject and the predicator, when the predicator is a noun.

למשל: נושא (subject) אוגד (link) נשוא (predicator) — For example:

קיסריה היא עיר עתיקה.

האוגד- **הוא, היא, הם, הן** - מותאם תמיד לנושא במין ובמספר.

The link word - **הוא, היא, הם, הן** is always in accordance with the subject in gender and in number.

מספרים מונים בזכר 1-10

Masculine cardinal numbers

1	**אֶחָד**	שיעור אחד
2	**שְׁנַיִים**	שְׁנֵי בָּתִים
3	**שְׁלוֹשָׁה**	שלושה חֲדָרים
4	**אַרְבָּעָה**	ארבעה סְפָרים
5	**חֲמִישָׁה**	חמישה בַּחוּרים
6	**שִׁישָׁה**	שישה חֲבֵרים
7	**שִׁבְעָה**	שבעה שְׁקָלים
8	**שְׁמוֹנָה**	שמונה צִיוּרים
9	**תִּשְׁעָה**	תשעה אֲנָשים
10	**עֲשָׂרָה**	עשרה יְלָדים

מן המקורות

שְׁמַע יִשְׂרָאֵל יְהוָה אֱלֹהֵינוּ יְהוָה אֶחָד:
(דברים ו' 4)

"עַל שְׁלוֹשָׁה דְּבָרִים הָעוֹלָם עוֹמֵד, עַל הַתּוֹרָה, עַל הָעֲבוֹדָה וְעַל גְּמִילוּת חֲסָדִים"
(נזיקין, אבות א' א')

1. **אמרו וכתבו את שמות העצם ברבים והוסיפו מספרים מ-1 עד 10 כרצונכם.**

Say the plural form of the following nouns, then write the nouns using numbers 1 to 10 (as you wish) to determine singular or plural forms.

איש, בית, חדר, שולחן, מטבח, ספר, הר, מחשב, רחוב, שיעור, סלט, תפוז, לימון, עץ, שקל, מלון,

דוגמה: סלט אחד, שני לימונים

.2 א) **קראו ואמרו את המספרים.**

Read the numbers and say them.

כמה זה עולֶה?

- יש מיץ תפוזים?
- כן, בבקשה.
- כמה זה עולה?
- 5 שקלים.

- פִּיתָה עם חומוס, בבקשה.
- עוֹד מַשֶהוּ?
- לא, תודה. כמה זה עולה?
- 9 שקלים.

ב) **שאלו זה את זה וענו.**

Ask each other the following question and answer it (according to the product).

דוגמה: - כמה זה עולה?
- 6 שקלים.

- שוקולד - 10 שקלים
- קוקה קולה - 6 שקלים
- סנדוויץ' - 5 שקלים
- עוגה - 7 שקלים
- גלידה - 9 שקלים

.3 מַה הַשָעָה? (II)

א) - סליחה, מה השעה?

- 4:05 → ארבע וחמישה. / ארבע וחמש דַקוֹת.
- 3:55 → חמישה לארבע. / חמש דקות לְארבע.

- אולי אתה יודע מה השעה?

- 1:10 → אחת ועשׂרה. / אחת ועשׂר דקות.
- 12:50 → עשׂרה לאחת. / עשׂר דקות לאחת.

ב) בחרו שעה, שאלו זה את זה - מה השעה? וענו.

Choose an hour, then ask each other - **?מה השעה**, and answer the question.

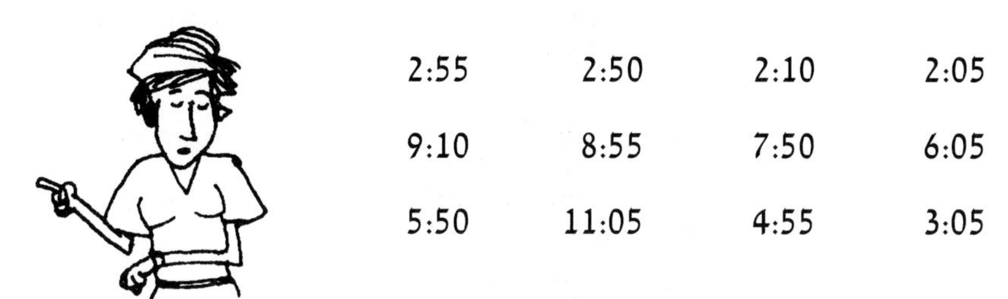

2:05	2:10	2:50	2:55
6:05	7:50	8:55	9:10
3:05	4:55	11:05	5:50

4. א) דירה בתל אביב ב-1950 (אֶלֶף תְּשַׁע מֵאוֹת וַחֲמִישִּׁים)

זאת דירה ישראלית בתל אביב. שני חדרים קטנים; סלון וחדר לילדים. יש מטבח קטן ומקלחת עם שירותים. אין הרבה רהיטים - שניים שלושה כיסאות ישנים, מיטות ושולחן גדול. הרהיטים יפים אבל לא מודרניים.

יִשְׂרְאֵלִי, יִשְׂרְאֵלִית

ב) כתבו לפי התמונה על וילה בקיסריה.

Write about a villa in Caesarea according to the picture.

בית בקיסריה ב-2009 (אַלְפַּיִים וָתֵשַׁע)

השתמשו במילים: חדרים גדולים, מטבח מודרני, רהיטים עתיקים...

Use the words above in your description.

5. כָּל + שם עצם ביחיד

כָּל + a singular noun

כָּל-

א) כָּל שַׁבָּת

- מה אתה עושה בשבת?
- אני מטייל עם המשפחה.
- כל שבת?
- לא כל שבת. שבת כן, שבת לא.

כל בּוֹקֶר

כל בוקר אני הולך לבֵית הַכְּנֶסֶת.
כל ערב אני לומד תלמוד.
כל שבת אני קורא בַּתּוֹרָה.

כל בוקר אני שומע חדשות ברדיו.
כל ערב אני רואה טלוויזיה.
כל שבת אני מְטַיֵּיל עם חברים.

מן המקורות

"**כָּל יִשְׂרָאֵל חֲבֵרִים**" (תלמוד ירושלמי, חגיגה עט, ד:)

ב)   כתבו מה אתם עושים כל בוקר, כל יום, כל שבת.

Write what you do every morning, every day, every Sabbath.

6.   א)

כל ספר - 2 שקלים

דני: שלום. כמה זה עולה?

המוכר: כל ספר - רק שני שקלים.

דני: בֶּאֱמֶת? אז אני רוצה חמישה ספרים.

המוכר: עשרה שקלים בבקשה.

דני: תודה רַבָּה. שלום.

ב)   כתבו שיחה דומה בחנות לדיסקים משומשים.

Write a similar dialogue taking place in a used CD store.

7. שבצו את הצירוף המתאים. השתמשו במילים:

Complete the sentences using the appropriate words:

בוקר / שבת / תלמיד / שנה / יום / מילה /

דוגמה: **כל בוקר** אני לומד באולפן.

1) אני קורא עברית, אבל אני לא מבין ________.

2) ________ , באוגוסט, הוא נוסע לאירופה.

3) ________ ב-8:00 יש חדשות בטלוויזיה. רק בשבת החדשות ב-9:00.

4) בישראל ________ לומד תנ״ך מכיתה ב׳.

5) ________ אנחנו הולכים לבית כנסת וקוראים בתורה.

8. קראו את השיחה בקול ואמרו את המספרים.

Read the dialogue and say the numbers.

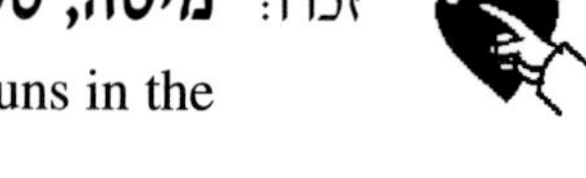

זכרו: **מיטה, טלוויזיה, קפטריה** הם שמות עצם בנקבה. כל יתר שמות העצם בשיחה הם בזכר.

Remember: **מיטה, טלוויזיה, קפטריה** are feminine nouns. All the other nouns in the dialogue are masculine.

בְּאַכְסַנְיָה

יוסי: בוקר טוב, יש מקום באכסניה?

דויד: כן. כמה אתם?

יוסי: אנחנו 7 אנשים.

דויד: בסדר. יש פה 2 בתים, 5 חדרים בכל בית. בכל חדר יש 6 מיטות, 6 כיסאות ושולחן 1.

יוסי: יש מקלחת בכל חדר?

דויד: לא, אבל בכל בית יש 4 מקלחות, 5 שירותים ומטבח 1 .

יוסי: יש טלוויזיה בחדר?

דויד: לא, אין טלוויזיה בחדר. יש טלוויזיה 1 בכל בית ליד המטבח.

יוסי: יש טלפון?

דויד: כן. יש 2 טלפונים ציבוריים בכל בית ליד השירותים.

יוסי: ואיפה אוכלים? יש פה קפטריה?

דויד: בטח! יש פה 2 קפטריות: 1 חֲלָבִית ו-1 בְּשָׂרִית.

יוסי: טוב מאוד. כמה זה עולה?

דויד: 10 שקלים.

יוסי: ולסטודנטים?

דויד: לסטודנט 9 שקלים, ולילד 8 שקלים.

יוסי: יופי. אנחנו רוצים 7 מיטות; ל-4 סטודנטים ול-3 ילדים.

דויד: בבקשה.

מה יש באכסניה?

התאמה בין שם עצם ובין שם תואר ביידוע

Nouns and adjectives must have corresponding definite articles.

ילד קטן ...	יש פה ילד קטן.
הילד הקטן ...	**הילד הקטן אוהב צ'יפס.**

9. א)

סליחה

- סליחה, יש פה כַּסְפּוֹמָט?
- כן, ליד הטלפון הציבורי.
- תודה.
- בבקשה.

ב) כתבו שתי שיחות דומות.

Write two similar dialogues.

השתמשו במילים אלה:

Use these words:

שיחה 1: בנק, המסעדה הגדולה

שיחה 2: קפטריה, הסופרמרקט החדש

10. קראו את המשפטים והוסיפו יידוע.

Read the following sentences, then complete the new sentences using definite articles.

דוגמה: יש פה שולחן גדול. הוא כותב על **השולחן הגדול.**

1) לומדים שם סטודנטים חדשים. ______________ לומדים עברית.

2) המורה קורא שיר מודרני. ______________ על אנשים בתל אביב.

3) זאת מיטה ישנה. ______________ מדנמרק.

4) זה כיסא מיוחד. אני יושב על ______________ .

5) אנחנו קונים רהיטים עתיקים. ______________לסלון.

6) זה ספר על אנשים יפים. בספר יש ציורים של ______________ בעולם.

7) היא אוכלת עוגה טובה. ______________ משוקולד.

8) יש בכיתה בחורות נחמדות. אני לומדת בבית עם ______________ .

9) יש בדירה שני שולחנות: גדול וקטן. ______________ מאיטליה, ו______________ מספרד.

מן המקורות

מיטה   שולחן   כיסא   מנורה ...

וַיְהִי הַיּוֹם וַיַּעֲבֹר
אֱלִישָׁע אֶל־שׁוּנֵם וְשָׁם אִשָּׁה גְדוֹלָה וַתַּחֲזֶק־בּוֹ לֶאֱכָל־לָחֶם
וַיְהִי מִדֵּי עָבְרוֹ יָסֻר שָׁמָּה לֶאֱכָל־לָחֶם׃ וַתֹּאמֶר אֶל־אִישָׁהּ
הִנֵּה־נָא יָדַעְתִּי כִּי אִישׁ אֱלֹהִים קָדוֹשׁ הוּא עֹבֵר עָלֵינוּ תָּמִיד׃
נַעֲשֶׂה־נָּא עֲלִיַּת־קִיר קְטַנָּה וְנָשִׂים לוֹ שָׁם מִטָּה וְשֻׁלְחָן וְכִסֵּא
וּמְנוֹרָה וְהָיָה בְּבֹאוֹ אֵלֵינוּ יָסוּר שָׁמָּה׃

(מלכים ב׳ ד 8-10)

11. א)

הַזֶּה
הַזֹּאת
הָאֵלֶּה

הכיסא הזה

- של מי הכיסא הזה?
- של רינה.
- וזה?
- של יוסי.

הדירה הזאת

- הדירה הזאת של רחל?
- כן.
- וזאת?
- אני לא יודע.

הציורים האלה

- הציורים האלה של פיקאסו?
- כן.

של מי?

ב) שאלו זה את זה וענו.

Ask each other questions and answer them according to the example below.

דוגמה: - של מי הספר הזה?
- של דן כהן.

1)

2)

3)

4)

5)

6)

12. א) מוזאון בַּנֶּגֶב

בנגב, ליד באר שבע, יש עיר של בֶּדווים - רַהַט. ליד רהט יש מוזאון מיוחד על החיים של הבדווים. במוזאון יש אוֹהֶל גדול. באוהל אין רָהִיטִים; אין מִיטוֹת ואין שולחנות. יש שם שטיחים גדולים ויפים. השטיחים הם המיטות, הכיסאות והשולחנות.
באוהל יש שני חדרים; הַגְּבָרִים יושבים בחדר אחד והנשים יושבות עם הילדים בחדר אַחֵר. ליד המוזאון יש קפטריה עם אוכל בדווי, פיתות מיוחדות וקפה טוב. אנשים מכל העולם באים למוזאון ולומדים שם על הבדווים.

ב) אמרו וסמנו מה יש (V) ומה אין (X) באוהל בדווי.

Say and indicate what Bedouin tents have (יש) and what they do not have (אין).

ג) שאלו זה את זה שאלות על הטקסט וענו עליהן.

Ask each other questions about the text and answer them.

דוגמה: - איפה רהט?
- רהט בנגב ליד באר שבע.

ד) כתבו 5 שאלות על הטקסט. השתמשו במילות השאלה: מי, מה, איפה, כמה, איזה.

Write five questions about the text using the question words above.

אז יאללה, ביי!

אבא, תביא שש שקל.
דָנָה'לֶה, אומרים: תן לי שישה שקלים, בבקשה!
תביא שתי לימון.
המורה אומרת: שני לימונים.
אז מה?
מה יש בארוחת בוקר?
יש שתי סנדוויצ'ים ושלוש תפוזים.
באולפן אומרים: שני סנדוויצ'ים ושלושה תפוזים.
באמת?!

Summary of Topics

האוצר הלשוני

א. אוצר המילים Vocabulary

פעלים Verbs

אוֹכֵל	eat
יוֹשֵׁב	sit
מְטַיֵּיל	go for a walk / travel
עוֹלֶה	cost

שמות תואר Adjectives

אַחֵר, אַחֶרֶת	another
בְּשָׂרִי, בְּשָׂרִית	of meat
חֲלָבִי, חֲלָבִית	dairy
יִשְׂרְאֵלִי, יִשְׂרְאֵלִית	Israeli

מספרים בזכר Masculine numbers

אֶחָד	one
שְׁנַיִים, שְׁנֵי -	two
שְׁלוֹשָׁה	three
אַרְבָּעָה	four
חֲמִישָּׁה	five
שִׁישָּׁה	six
שִׁבְעָה	seven
שְׁמוֹנָה	eight
תִּשְׁעָה	nine
עֲשָׂרָה	ten
אֶלֶף (ז.), אֲלָפִים	one thousand
חֲמִישִּׁים	fifty
מֵאָה (נ.) מֵאוֹת	one hundred
אַלְפַּיִים	two thousands

שמות עצם Nouns

אוֹהֶל (ז.), אוֹהָלִים	tent
אַכְסַנְיָה (נ.)	hostel
בֵּית כְּנֶסֶת (ז.), בָּתֵּי כְּנֶסֶת	synagogue
גֶּבֶר (ז.), גְּבָרִים	man
דַּקָּה (נ.), דַּקּוֹת	minute
יוֹם (ז.), יָמִים	day
כִּיסֵּא (ז.), כִּיסְאוֹת	chair
מִיטָּה (נ.)	bed
מִילָּה (נ.), מִילִּים	word
מָקוֹם (ז.), מְקוֹמוֹת	place
פִּיתָּה (נ.)	pita (kind of bread)
רָהִיט (ז.)	furniture
שָׁטִיחַ (ז.), שְׁטִיחִים	carpet
שֶׁקֶל (ז.), שְׁקָלִים	shekel

שונות Miscellaneous

כָּל-	all / every / each
מַשֶּׁהוּ (ז.)	something
עוֹד מ״ח	more
תּוֹדָה רַבָּה	thank you very much

מילים לועזיות Foreign words

חוּמוּס (ז.)	chick-peas / humus
כַּסְפּוֹמָט (ז.)	ATM machine
בֶּדְוִוי, בֶּדְווִית ש״ת	Bedouin

ב. הנושאים הלשוניים — Grammatical topics

תחביר: התאמה בין שם עצם ושם תואר ביידוע - Syntax:

Nouns and adjectives have a corresponding definite article.

דוגמות: הילד הקטן
הבית הזה

כל + שם עצם ביחיד - .כל + Singular nouns

דוגמה: כל יום

שונות: Miscellaneous:

מספרים מונים בזכר - 1-10 - Masculine counting/cardinal numbers

מה השעה? (II)

ג. הערות לשוניות — Grammatical notes

1. במספרים בזכר כמו במספרים בנקבה, הספרה 1 מופיעה אחרי שם העצם, והספרה 2 מתקצרת:

As in the case of numbers in their feminine form, in masculine form the number one appears after the noun, and the number two is shortened:

שְׁנַיִים - שְׁנֵי

2.
- הסיומת □ִי משמשת כשם תואר: The suffix □ִי is used as an adjective.

  למשל: ישראלי, ישראלית, ישראליים, ישראליות.
  מודרני, מודרנית, מודרניים, מודרניות.

- אי אפשר לגזור שמות תואר אלה בדרך אוטומטית, כי במקרים רבים יש שינויים בבסיס השם הגזור.

  These adjectives cannot be created in an automatic manner by adding this suffix, because in many cases the original noun is changed.

  למשל: רוסיה - רוסי, אמריקה - אמריקני, איטליה - איטלקי :For example

- שמות תואר אלה יכולים לשמש כשמות עצם כאשר הם מתייחסים לבני אדם.
  בשמות העצם יש בצורת הריבוי רק יוד אחת.

  These adjectives can be used as nouns when they refer to people.
  In their plural form, these nouns have only one yod (י).

  למשל: ישראלים, רוסים, אמריקנים, איטלקים.

שיעור 4

1. א) **בחנות ספרים**

אני קורא ספר טוב.
אני קורא **אֶת הספר** של עַגְנוֹן.

אבי: שלום. אני מְחַפֵּשׂ מתנה לחבר.
מוכר: הוא אוהב את הספרים של ...
אבי: כן, הוא אוהב ומַכִּיר את הספרים האלה.
מוכר: אז אולי אתה רוצה את הספר החדש של ...
אבי: אה...
מוכר: או אולי את הספר של ...
אבי: רגע, רגע, אני רואה פה ספר חדש על עגנון.
אני רוצה את הספר הזה.
מוכר: בבקשה. אתה רוצה עוד משהו?
אבי: לא, תודה.
מוכר: להתראות.

מה אבי קונה לחבר?

ב) **אמרו וכתבו שיחה דומה בחנות מוזיקה.**

Create a similar dialogue in a CD store - say it and then write it down.

2. את מכירה את אבי?

א) - את מַכִּירָה את אבי?
- לא. נעים מאוד.

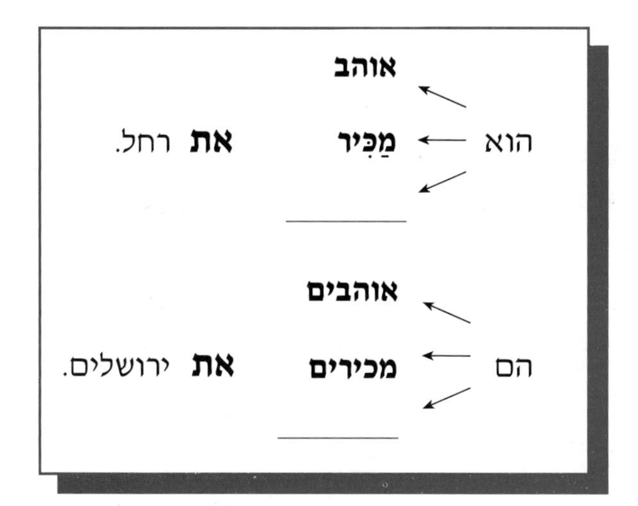

ב) **אני אוהב את...**

אני אוהב שמש וים.
אני אוהב פלאפל חם.
אני אוהב חומוס וטחינה,
ואני אוהב את ... רינה.

ג) **כתבו מה אתם אוהבים.** Write what you love

אני אוהב... אני אוהבת...

3. **אמרו משפטים והוסיפו אֶת אם צריך.**

Say the sentences below, using the preposition **אֶת** when necessary.

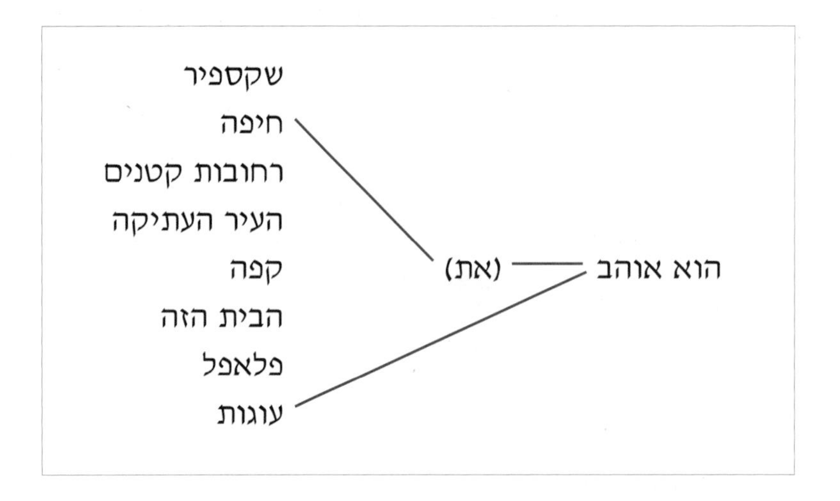

Example: *דוגמות: הוא אוהב את חיפה. הוא אוהב עוגות*

4. **א) מה אתה אוהב?**

אני אוהב את המוזיקה של באך.
אני אוהב את הציורים של ואן גוך.
אני אוהב את הסרטים של צַ'רְלִי צַ'פְּלִין.
אני אוהב את השירים של מַתִי כַּסְפִּי.
אני אוהב שוקולד. אני אוהב יין,
ואני אוהב את אֵילַת.

ב) **שאלו זה את זה וענו.** Ask each other the questions below and answer them.

- מה אתה אוהב? מה את אוהבת?
- אתה אוהב את המוזיקה של ...? את אוהבת את הסרטים של ...?
- את הספרים של ...?
- את מי אתה אוהב? את מי את אוהבת?
- אתה אוהב את ... ? את אוהבת את ... ?

ג) **כתבו מה אתם אוהבים:** Write what you love: אני אוהב את המוזיקה של...

5. א) **השלימו את המשפטים.** Complete the following sentences.

דוגמה: אני אוהב עוגות, אבל אני לא אוהב **את העוגה** הזאת.

1) רינה אוהבת מוזאונים, אבל היא לא אוהבת __את המוזאון__ החדש בתל אביב.
2) כל שבוע אנחנו קונים דיסק. היום אנחנו קונים __את הדיסק__ החדש של ג'ון לֶנון.
3) היא אוהבת __את הבית__ של אימא ושל אבא בחיפה, אבל היא מחפשת דירה בבאר שבע, כי עכשיו היא לומדת שם באוניברסיטה.
4) אני רואה בתים, אבל אני לא רואה __את הבית__ של רחל.
5) הוא לא קורא הרבה ספרים. הוא קורא רק __את הספר__ של טולקין.
6) אתם יודעים אלף מילים בעברית. אתם יודעים גם __את המילים__ של השיעור הזה.
7) הם שרים שירים מודרניים בעברית. לפעמים הם שרים גם __את השירים__ הישנים והטובים.

עכשיו אני מבין את ה"את".

ב) **שוחחו ביניכם בקפטריה. היעזרו בציורים.**
Dramatize in pairs talks in the cafeteria. Use the illustrations.

דוגמה:
- יש סנדוויצ'ים?
- כן. הנה הסנדוויצ'ים.
- יופי. אני רוצה את הסנדוויץ' הזה.

6. א) מניו-יורק לישראל ב"אֶל-עַל"

ב"אל-על" בניו-יורק אני "רואה" את ישראל ו"שומע" את הישראלים:

ב"אל-על" אני גם "שומע" וגם "רואה" את ישראל:
אני רואה את הישראלים עם הרבה תִיקִים. אני שומע את הילדים הקטנים מדברים עברית.

אני פוגש את "כל העולם":
אני פוגש את רותי ואת דני.
אני פוגש את המורה לעברית
ואת הסטודנטים
מהאוניברסיטה.
אני פוגש את החברה של הדוֹדָה
של אברהם מתל אביב ואת...

אני קורא את העיתון מישראל, קונה עוד שעון טוב אבל בְּכֶסֶף ישראלי, אוכל את הסלט הישראלי ושותה את המיץ הטוב מישראל - מיץ תפוזים.

ואז אני רואה את הים של תל אביב. אני רואה את הבתים ואת הרחובות של תל אביב. אני רואה את האוטובוסים, ואת העצים. אני שר עם כולם את השיר "הבאנו שלום עליכם", וְזֶהוּ - אני בישראל.

ב) **ענו לפי הטקסט.** Answer the following questions according to the text.

1) את מי הישראלי שומע?
2) את מי הוא פוגש?
3) את מי הוא רואה?
4) מה הוא קורא?
5) מה הוא קונה?
6) מה הוא אוכל?
7) מה הוא שותה?
8) מה הוא רואה?
9) מה הוא שר?

ג) **כתבו:** מה אתם חושבים: את מי הוא עוֹד פוגש? מה הוא עוד רואה?

7. סדרו את המילים למשפטים, הוסיפו אֶת וכתבו את המשפטים.

Arrange the words into complete sentences adding the preposition **אֶת** in the appropriate places.

דוגמה: האלה / קוראים / השיר / התלמידים

התלמידים האלה קוראים את השיר.

1) רואים / אנחנו / יוסי / ברחוב בן יהודה /
6) קונים / העיתון / הם / של / יום שישי /

אנחנו רואים את יוסי ברחוב.. הם קונים העיתון של יום שישי.

2) לומדים / המילים / הסטודנטים / החדשות /
7) אוהב / אתה / הסלט / הזה / לא /

הסטודנטים לומדים את המילים החדשות. אתה לא אוהב את הסלט הזה.

3) שותות / הילדות / הקפה / לא / למה /
8) שרים / השיר / אנחנו / בעברית /

למה הילדות לא שותות את הקפה? אנחנו שרים את השיר בעברית.

4) רוצה / הספר / טולסטוי / של / אני /
9) שומעים / הסטודנטים / לצילו / הקונצרט /

אני רוצה את הספר של טולסטוי. הסטודנטים שומעים את הקונצרט לצילו

5) כותבת / השם / של / החנות / היא /
10) אוכל / הזאת / העוגה / הוא /

היא כותבת את השם של החנות. הוא אוכל את העוגה הזאת.

8. אמרו וכתבו את השאלה או את התשובה.

Say and then write down the question or the answer.

1) מה אתה אוכל? ________________

2) ________________ אני רואה את הים.

3) את מי את פוגשת היום? ________________

4) ________________ את אימא ואת אבא.

5) מה הן שותות? ________________

6) את מי היא שומעת? ________________

7) ________________ הם מכירים את יוסי מחיפה.

8) מה הם אוכלים בשבת? ________________

9) את מי אתם רואים שם? ________________

10) ________________ אנחנו קוראים עיתון ישראלי.

9. התאמה בין שם עצם + מילית יחס ובין שם תואר

Agreement of the noun + a preposition, and its adjective

הבית הגדול

בַבית הגדול

לַדירה הגדולה

מֵהַבתים הגדולים

(2

הכותל המערבי בירושלים

א) לַכּוֹתֶל הַמַּעֲרָבִי

דני: יוסי, לאן אתה הולך?

יוסי: לעיר העתיקה.

דני: לאן בעיר העתיקה?

יוסי: לכותל המערבי.

לאן יוסי הולך?

ב) אַהֲלָן! מה חדש?

תמר: אהלן! מה חדש? איך בבית החדש?

דויד: מצוין. יש מטבח חדש, גינה יפה, חדרים גדולים, אבל אין רהיטים.

תמר: אז מה אתם עושים?

דויד: אני מחפש עכשיו רהיטים. את יודעת איפה קונים רהיטים טובים וזוֹלִים?

תמר: בטח. בשוק הבדווי בבאר שבע. יש שם כיסאות, שולחנות, מיטות, מה לא?

ג) סמנו לפי השיחה נכון / לא נכון.

According to the dialogue above write נכון / לא נכון (true/false) by the following statements.

בבית של דויד: 1. אין גינה. נכון / לא נכון

2. יש חדרים גדולים. נכון / לא נכון

3. יש הרבה רהיטים. נכון / לא נכון

4. אין מטבח. נכון / לא נכון

10. אמרו לפי הציורים מה יש בכל חנות.

According to the illustrations say what every store has in it.

ליד הבית של יוסי יש שתי חנויות; חנות גדולה וחנות קטנה.

בחנות הגדולה יש... בחנות הקטנה יש...

דוגמה: בחנות הגדולה יש שטיחים.

בחנות הקטנה יש עוגות.

11. בחרו שם גוף או שם פרטי כרצונכם, בחרו מהרשימות פועל וצירוף שם עצם + שם תואר, יידעו את הצירוף וכתבו משפטים (לפחות עשרה משפטים).

Choose a personal pronoun or private name, then choose a verb and a combination of a noun + an adjective, add the definite article, and write down at least ten sentences.

הפעלים Verbs	**שמות עצם + שמות תואר** Nouns + adjectives
	גינה קטנה
	ספרייה גדולה
גר ב...	בית ישן
הולך ל...	מלון טוב
עובד ב...	חנות מיוחדת
בא מ...	ארמון עתיק
יושב ב...	דירה יפה
נוסע ל...	מוזאון חדש
לומד ב...	חדר נחמד
שר ב...	עיר עתיקה
	מטבח מודרני
	מקום נכון

דוגמה: הוא בא מהבית הישן.
רינה הולכת למוזאון החדש.

שבוע = שבעה ימים

יוֹם רִאשׁוֹן
יוֹם שֵׁנִי
יוֹם שְׁלִישִׁי
יוֹם רְבִיעִי
יוֹם חֲמִישִׁי
יוֹם שִׁישִׁי
שַׁבָּת

12. א) עובד,עובד, עובד

ביום ראשון הוא עובד.
ביום שני הוא עובד.
ביום שלישי הוא עובד.
ביום רביעי הוא עובד.
ביום חמישי הוא עובד.
ביום שישי הוא עובד רק בבוקר.
בשבת הוא בבית.

ב) עושה חיים

ביום ראשון הוא עושה מדיטציה.
ביום שני הוא עושה יוגה.
ביום שלישי הוא עושה טאי צ׳י.
ביום רביעי הוא לומד.
ביום חמישי הוא יושב ליד הים.
ביום שישי הוא כותב שיר.
בשבת הוא בבית.

13. הַיּוֹם - מָחָר

היום יום ראשון. מחר יום שני ...

א) קראו והשלימו:

Read and complete the following sentences:

1) היום יום שני.   מחר יום ____________

2) היום יום שלישי.   מחר ____________

3) היום ____________   מחר ____________ חמישי.

4) מחר שבת.   היום ____________

ב) אמרו כרצונכם עוד 5 משפטים כמו בתרגיל א).

Create 5 more sentences similar to the ones in exercise (א .

היום יום שישי, מחר שבת.

מן המקורות

בְּרֵאשִׁית בָּרָא אֱלֹהִים אֵת הַשָּׁמַיִם וְאֵת הָאָרֶץ: (בראשית א 1)

א) אין שָׁמַיִם ואין אֶרֶץ. אין יָרֵחַ, אין שֶׁמֶשׁ ואין כּוֹכָבִים.
אין אנשים - אין איש ואין אישה אין זָכָר ואין נְקֵבָה.
יש רק "תוהו וָבוהו"

יום ראשון - אור וְחוֹשֶׁךְ

יום שני - שמים ואדמה

יום שלישי - ים, דֶּשֶׁא, עֵצִים

יום רביעי - שמש, יָרֵחַ וְכּוֹכָבִים

יום חמישי - בַּעֲלֵי חַיִּים

יום שישי - אנשים - זכר ונקבה

שבת - מנוחה

ב) אמרו מה ברא אלוהים בכל יום. Say what God created on each day.

דוגמה: *ביום הראשון אלוהים ברא את האור ואת החושך.*

Grammatical summary

סיכום לשוני

The combination of a noun and preposition + adjective

צירופי שם עצם עם מילת יחס + שם תואר

Definite מיודע	**Indefinite לא מיודע**
בַּ... / לַ... + שם עצם + הַ... + שם תואר ...בַּ/...לַ + noun...+ ...הַ + adjective מֵהַ... + שם עצם + הַ... + שם תואר ...מֵהַ + noun + ...הַ + adjective	מִ... / בְּ... / לְ... + שם עצם + שם תואר ...מִ /...בְּ /...לְ + noun + adjective
מֵהַבית הקטן בַּבית הקטן לַבית הקטן	מִבית קטן בְּבית קטן לְבית קטן
מִ... / בְּ... / לְ... + שם עצם פרטי (אדם או מקום) + ה... + שם תואר ...מִ/...בְּ/...לְ + proper name (person or place) + ...הַ + adjective	
מִיפו העתיקה בְּיפו העתיקה לְיפו העתיקה	

Summary of Topics

האוצר הלשוני

א. אוצר המילים Vocabulary

פעלים / Verbs

מְחַפֵּשׂ	search
מַכִּיר	know
פּוֹגֵשׁ	meet
רוֹאֶה	see

שמות עצם / Nouns

דּוֹד (ז.), דּוֹדָה (נ.)	uncle, aunt
כֶּסֶף (ז.), כְּסָפִים	money
מוֹכֵר (ז.), מוֹכֶרֶת (נ.)	sales person / clerk
עִיתּוֹן (ז.)	newspaper
שָׁבוּעַ (ז.), שָׁבוּעוֹת	week
תִּיק (ז.)	bag / file

שמות תואר / Adjectives

זוֹל, זוֹלָה	cheap
נָכוֹן, נְכוֹנָה	correct / right

שונות / Miscellaneous

אֶת מ״י	(word signifying a direct object)
הַיּוֹם תה״פ	today
הַכּוֹתֶל הַמַּעֲרָבִי (ז.)	the Wailing Wall
זֶהוּ	That's it
מָחָר תה״פ	tomorrow

מילים לועזיות / Foreign words

דְּיוּטִי פְרִי (ז. ר. 0)	duty-free
טַאי צִ׳י (ז. ר. 0)	Tai Chi
טְחִינָה (נ.)	tahini
פַּסְפּוֹרְט (ז.)	passport
סִיגַרְיָה (נ.)	cigarette

ימי השבוע / days of the week

יוֹם רִאשׁוֹן	Sunday
יוֹם שֵׁנִי	Monday
יוֹם שְׁלִישִׁי	Tuesday
יוֹם רְבִיעִי	Wednesday
יוֹם חֲמִישִׁי	Thursday
יוֹם שִׁישִּׁי	Friday

סלנג / Slang

אַהֲלָן!	Hi!

ב. הנושאים הלשוניים — Grammatical topics

תחביר: מילת היחס - אֶת — Syntax: The preposition -

דוגמה: הוא קורא את השיר.
אדם אוהב את חווה.

התאמת שם תואר לצירוף שם עצם + מילת יחס
Agreement of the adjective and the noun + preposition

דוגמה: בבית הישן

שונות: ימי השבוע — Miscellaneous: Days of the week

סיכום לשוני: צירופי שם עצם עם מילת יחס + שם תואר — Grammatical summary:

The combinations of a noun with a pronoun + an adjective

ג. הערות לשוניות — Grammatical notes

1) כאשר שואלים על משהו, שהוא בתפקיד מושא במשפט, שואלים: מה... ?
דוגמה: מה אתה קורא?

כאשר שואלים על מישהו, שהוא בתפקיד מושא במשפט, שואלים: את מי ...?
דוגמה: את מי הוא אוהב?

When asking about something, which is the object of a sentence, the question is: מה...? (see example above).

When asking about somebody, who is the object of a sentence, the question is: את מי...? (see example above).

2) שם התואר מותאם לשם העצם במין, במספר וביידוע, גם כאשר מצטרפות לשם העצם אותיות השימוש - ב..., ל..., מ....

Agreement of adjectives and nouns in gender, number and their definite articles, even when the service letters ב..., ל..., מ... are added to the noun.

שיעור 5

1. א) מה לקרוא?

ב) מה לאכול?

ג) מה ללבוש?

2. **בניין פָּעַל - גזרת השלמים - שם פועל** **פָּעַל** conjugation - strong verb - infinitive form

הווה Present tense	**שם פועל** Infinitive form	
לומד	**לִלְמוֹד**	לִ □□וֹ□
כותב	**לִכְתוֹב**	
פוגש	**לִפְגוֹשׁ**	
לובש	**לִלְבּוֹשׁ**	
קורא	**לִקְרוֹא**	
שומע	**לִשְׁמוֹעַ**	
נוסע	**לִנְסוֹעַ**	
עובד	**לַעֲבוֹד**	לַחֲ□וֹ□
חושב	**לַחֲשׁוֹב**	
אוכל	**לֶאֱכוֹל**	לֶאֱ□וֹ□
אוהב	**לֶאֱהוֹב**	
אומר	**לוֹמַר**	

3. א) **שבצו את שם הפועל.** Complete the sentences with the correct infinitive form.

דוגמה: אנשים לובשים ג'ינס. אין זמן לחשוב מה *ללבוש*.

1) אנשים <u>קוראים</u> עיתון. אין זמן ________ ספרים.

2) אנשים <u>כותבים</u> אִי מֵייל. אין זמן ________ מכתבים.

3) אנשים לא <u>לומדים</u> פילוסופיה. אין זמן ________ על אריסטו ועל ניטְשֶה.

4) אנשים <u>אוכלים</u> סנדוויץ' ברחוב. אין זמן ________ סלט ירקות.

אריסטו

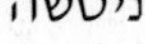
ניטשה

מן המקורות

לַכֹּל זְמָן וְעֵת לְכָל-חֵפֶץ תַּחַת הַשָּׁמָיִם: (קהלת פרק ג 1)

5) אנשים לא <u>פוגשים</u> חברים. אין זמן__________ חברים.

6) אנשים <u>שומעים</u> חדשות ברדיו. אין זמן__________ קונצרט.

7) אנשים <u>נוסעים</u> לעבוד. אין זמן__________ למשפחה.

8) אנשים <u>חושבים</u> על כסף. אין זמן__________ על אנשים, על אהבה.

9) אנשים <u>אוהבים</u> את הקַרְיֶירָה. אין זמן__________ את החיים.

10) אנשים <u>אומרים</u> רק "היי" ורצים. אין זמן__________ הרבה מילים.

11) אנשים <u>עובדים</u>, עובדים ועובדים. יש זמן רק __________ .

ב) שאלו זה את זה וענו. Ask each other the following questions and answer them.

- באמריקה יש זמן לכתוב מכתב לחבר?
- באנגליה יש זמן לחשוב על אנשים ועל אהבה?
- בצרפת יש זמן ללבוש בגדים יפים?
- ביפן יש זמן לקרוא ספרים?
- ב... יש זמן ל...?

4. השלימו את הטבלה. Complete the table.

ז. (י.)	נ. (י.)	ז. (ר.)	נ. (ר.)	שם פועל
הווה				
לומד	___	___	___	___
___	כותבת	___	___	___
___	___	פוגשים	___	___
___	___	___	לובשות	___
___	קוראת	___	___	לקרוא
שומע	___	___	___	___
___	נוסעת	___	___	___
___	___	עובדים	___	___
___	___	___	חושבות	___
___	___	___	___	לאכול
אוהב	___	___	___	___
___	___	___	___	לומר

5. רוצה + שם הפועל — The verb רוצה + infinitive form

אני רוצה ללמוד

שלום: שלום. זה בקשר לקורס יוגה.
מירה: כן, אתה לומד בקורס?
שלום: לא, אני רוצה ללמוד.
מירה: בסדר. מה שמך?
שלום: שלום שלום.
מירה: כן, אבל מה שמך?
שלום: זה שמי - שלום שלום.

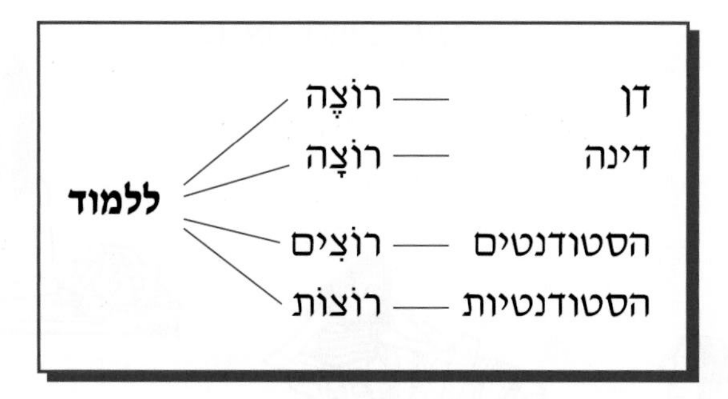

6. כתבו את השאלות: — Complete the sentences with the correct questions.

מה שְׁמֵךְ? / מה שְׁלוֹמֵךְ? / מה שִׁמְךָ? / מה שְׁלוֹמְךָ? /

1) __________ לא טוב. אני לא לומדת ולא עובדת.
2) __________ שמי דינה ישראלי.
3) __________ מצוין. הכול בסדר.
4) __________ יעקב כהן.

7. א) אמרו לפי הציורים, כמו בדוגמה.
Say the sentences according to the illustrations, as shown in the example.

מה הם אוהבים?

דוגמה: את לא לומדת, ואת לא אוהבת ללמוד.
הם לומדים והם אוהבים ללמוד.

1) אתה אוכל ואתה ...

2) אני חושב ואני ...

3) היא קוראת ו...

4) את עובדת ו...

5) הן עובדות, אבל ...

6) אתן לומדות ...

7) אתם לובשים ג'ינס ו...

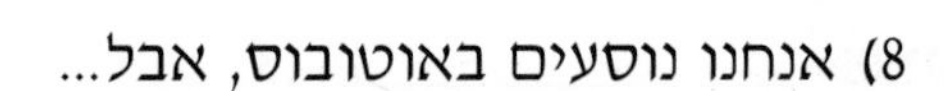

8) אנחנו נוסעים באוטובוס, אבל...

9) הם אוהבים והם ...

ב) שאלו זה את זה וענו. Ask each other the following questions and answer them.

- מה אתה אוהב לקרוא?
- מה אתה רוצה ללמוד?
- מה אתה אוהב לאכול?
- איפה אתה רוצה לעבוד?
- לאן אתם רוצים לנסוע?
- מה אתם אוהבים ללמוד?

! אני רוצה לשאול!

- מה את אוהבת לקרוא?
- מה את רוצה ללמוד?
- מה את אוהבת לאכול?
- איפה את רוצה לעבוד?
- לאן הן רוצות לנסוע?
- מה אתן אוהבות ללמוד?

.8 א) הַגְּנִיזָה בְּקָהִיר (900 - 1200)

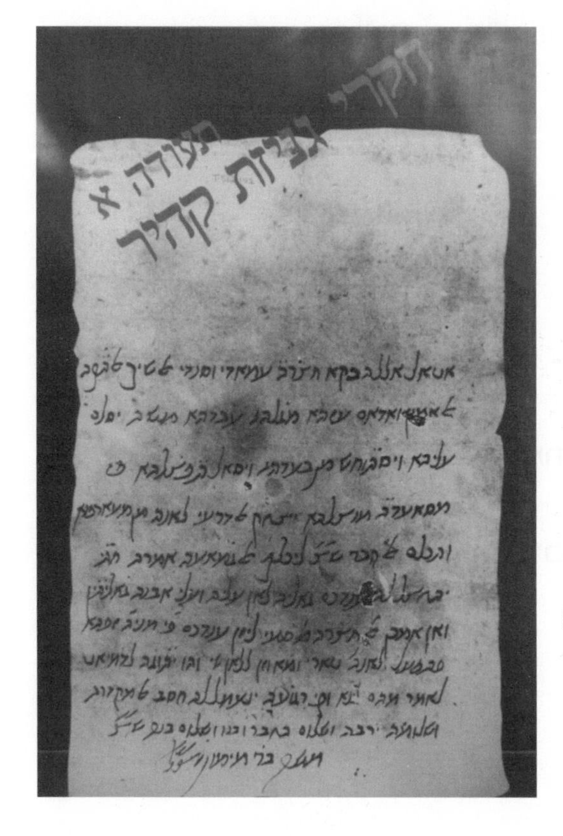

בכל בית כנסת יש גניזה. בגניזה יש ספרים ישנים: תורה, משנה, תלמוד וְעוֹד. בגניזות העתיקות יש גם מכתבים.

בבית הכנסת בקהיר יש גניזה גדולה מאוד. בגניזה הזאת יש הרבה מכתבים. מהמכתבים האלה לומדים על החיים של הַיְּהוּדִים במצרים, בישראל, בסוריה, בספרד, במרוקו וגם ברוסיה: יהודים מכל הארצות האלה כותבים לַרַבָּנִים בקהיר. הם כותבים את המכתבים בערבית, בעברית או ביידיש.

האנשים רוצים ללמוד והם שואלים את הרבנים שאלות: מה לאכול בפסח? מה לקרוא עם הילדים בשבת? ועוד.

בגניזה יש גם מכתבים של נשים. הן שואלות את הרבנים שאלות על החיים. למשל: "הילד לא רוצה ללמוד. מה עושים?"

או: "הַבַּעַל לא רוצה לעבוד. מה אתה חושב?" או: "שמי שׂרה-לאה, ואני רוצה שֵׁם אחר. או: "הבעל רוצה שתי נשים. אני לא יודעת מה לחשוב."

בגניזה יש ספר של הָאָלֶף-בֵּית בעברית לילדים: הילדים בַּמֵּאָה ה-11 לומדים לקרוא ולכתוב עברית.

ספר אלף בית לילדים - הגניזה בקהיר

ב) **כתבו לפי הטקסט - נכון או לא נכון.** Write down according to the text - **נכון** or **לא נכון**.

1) אין בית כנסת בלי גניזה.
2) בגניזה יש רק ספרים.
3) בגניזה יש מכתבים מהרבה ארצות.
4) אין בגניזה מכתבים בעברית.
5) בגניזה אין מכתבים של נשים, כי הן לא יודעות לקרוא ולכתוב.
6) יש בגניזה מכתבים עם שאלות לרבנים.

ג) **סמנו את כל שמות הפועל בטקסט והעתיקו אותם. כתבו ליד כל שם פועל את צורת ההווה ביחיד.**

Underline all the infinitive verbs in the text and copy them down. Write the present singular form next to each infinitive verb.

דוגמה: ללמוד - לומד

ד) **כתבו מה אתם חושבים:** Write down your opinion:

"גניזה מודרנית" (3000 - 2000)

- איזה שאלות יש בגניזה מודרנית?
- מי כותב את המכתבים?
- למי כותבים את המכתבים?

 **א) איך הם רצים, מדברים, אוכלים, עובדים, יושבים ...?**

הוא רץ מהר.

הם מדברים הרבה.

הוא אוכל לאט.

הוא "אומר שלום" יפה.

הם עובדים קשה.

הוא מדבר עברית מצוין.

היא יושבת בשקט וקוראת, הוא אוכל מהר ורץ.

ב) **אמרו את תואר הפועל המתאים וכתבו את המשפטים.**

Say the correct adverb, and write down the complete sentences.

דוגמה: אין זמן. היא אוכלת ***מהר***. הוא מדבר ***מהר***. הם נוסעים ***מהר***.

1) יש זמן. הם נוסעים_______. אני עובדת _______. אתה קורא_______ .

2) הם סטודנטים מצוינים. היא קוראת _______ . הוא כותב _______ . הם מדברים _______ .

3) הם מוּזיקָלִיִים מאוד. היא שרה_______. הוא שר_______ .

4) הם קַרְיֶירִיסְטִים. הוא עובד_______ . היא עובדת_______.

10. א) **מַשֶהוּ / מִישֶהוּ**

מה? - מַשהו
מי? - מישהו

 מה הוא מחפש?

ב) סמנו בקו: מישהו או משהו.

Draw a line from the words to מישהו or משהו.

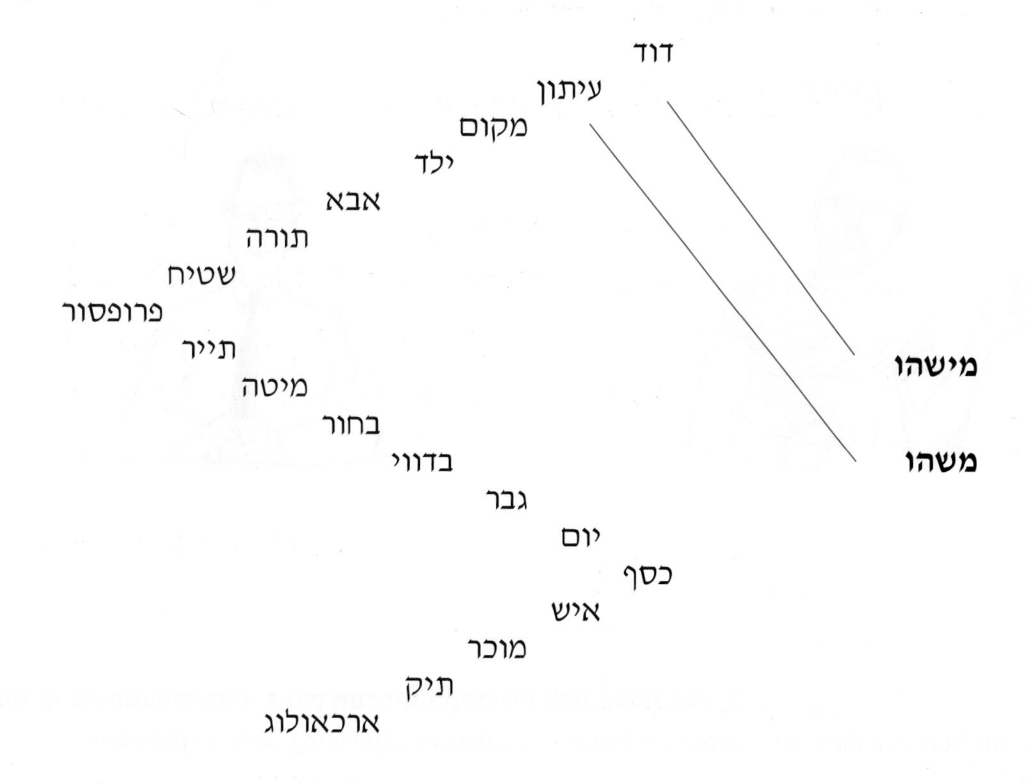

ג) קראו את השיחות ושבצו: מַשהו או מִישהו.

Read the dialogues and complete the sentences with מַשהו or מִישהו.

1) מיכל: דני, על מי אתה חושב?
דני: על _מישהו_ .
מיכל: על מי?
דני: אני לא אומר.

2) דויד: אבא, אימא, על מה אתם מדברים?
אבא: על _משהו_ .
דויד: אבל על מה?
אימא: זה לא לילדים.

3) אבי: יוסי, ________ בטלפון!
יוסי: מי?
אבי: אני לא יודע. ________ .

4) ________ רוצה ________ טוב?

אז יאללה, ביי!

סמנו קו בין המבעים בטור 1 ובין המבעים המקבילים להם בסלנג בטור 2.

Draw a line between the expressions in column 1 and the corresponding slang expressions in column 2.

1	2
- שמי	- אהלן!
- להתראות!	- קוראים לי ...
- שלום!	- ת׳רואה ת׳חֶבְרֶה מהכיתה?
- אתה רואה את החברים מהכיתה?	- איך קוראים לך?
- מה שמך?	- מאיפה אתה?
- מאין אתה?	- יאללה, בַּיי!

א. אוצר המילים Vocabulary

פעלים Verbs

חוֹשֵׁב, לַחְשׁוֹב	think
לוֹבֵשׁ, לִלְבּוֹשׁ	wear
רָץ, לָרוּץ	run
שׁוֹאֵל, לִשְׁאוֹל	ask

שמות עצם Nouns

אָלֶף בֵּית (ז. ר. 0)	alphabet
בֶּגֶד (ז.), (בְּגָדִים - clothes)	garment
בַּעַל (ז.), בְּעָלִים	husband
גְנִיזָה (נ.)	archives
זְמַן (ז.)	time
יְהוּדִי (ז.), יְהוּדִיָּיה (נ.)	Jew
מֵאָה (נ.)	century ("one hundred")
רַב (ז.), רַבָּנִים	rabbi
שֵׁם (ז.), שֵׁמוֹת	name

שונות Miscellaneous

בְּשֶׁקֶט ת״פ	quietly
לְאַט ת״פ	slow / slowly
מַהֵר ת״פ	fast / quickly
מִישֶׁהוּ (ז.)	somebody
קָשֶׁה ת״פ	hard
מַה שְּׁמֵךְ? (נ.)	What is your name?
מַה שִּׁמְךָ? (ז.)	What is your name?
שְׁמִי	my name

מילים לועזיות Foreign words

אִי מֵייל (ז.)	e-mail
מוּזִיקָלִי (ז.), מוּזִיקָלִית (נ.)	musical
גִ'ינְס (ז.)	jeans
קַרְיֶירִיסְט (ז.), קַרְיֶירִיסְטִית (נ.)	"career oriented"
קוּרְס (ז.)	course
קַרְיֶירָה (נ.)	career

ב. הנושאים הלשוניים — Grammatical topics

צורות: פועל: בניין קל (פָּעַל), גזרת השלמים, שם פועל — Morphology:

Verb: basic stem pa'al (פָּעַל) conjugation, strong verb, infinitive form

לִ☐☐וֹ☐ דוגמה: לִלְמוֹד, לִקְרוֹא

לֶאֱ☐וֹ☐ לֶאֱכוֹל

לַח☐וֹ☐ לַחֲשוֹב

לַעֲ☐וֹ☐ לַעֲבוֹד

לִ☐☐וֹעַ לִשְׁמוֹעַ

תחביר: צירוף שם פועל: **רוצה** + שם פועל — Syntax:

Infinitive verb combinations: רוצה + an infinitive form

דוגמה: דן רוצה ללמוד.

תארי פועל Adverbs

דוגמה: מהר, בשקט.

ג. הערות לשוניות — Grammatical notes

שמות תואר רבים משמשים הן כשם תואר והן כתואר הפועל.

Many adjectives are used both as adjectives and as adverbs.

למשל: טוב, יפה, מצוין, נחמד, קשה — For example:

שיעור 6

1. **בניין פָּעַל - גזרת ע"ו - שם פועל**

פָּעַל conjugation - ע״ו verb type - infinitive form

הווה Present tense	**שם פועל** Infinitive form
גר	**לָגוּר** לָ□וּ□
קם	**לָקוּם**
רץ	**לָרוּץ**
שר	**לָשִׁיר** לָ□ִי□
בא	**לָבוֹא**

א) **לא רוצָה לקום**

אבי: רחל, בוקר טוב! את קמה?

רחל: לא. אני לא רוצה לקום עכשיו.

אבי: את לא הולכת לעבוד?

רחל: לא. אני עובדת רק בָּעֶרֶב.

אבי: אבל יש קפה טוב.

רחל: טוב. אני באה.

? מתי רחל עובדת?

ב) **אמרו שיחה דומה לפי הציור:**

Say a similar dialogue according to the illustration.

לא רוצָה לקום

ג) **לא רוצָה לבוא**

יעל: הי, מה נש.?

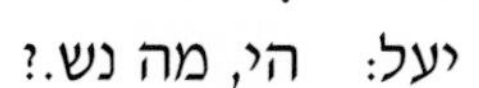

אורי: טוב. בסדר.

יעל: אני הולכת ליוסי. אתה רוצה לבוא?

אורי: לא. אני הולך עכשיו ללמוד בספרייה.

יעל: מתי אתה חוזֵר?

אורי: אני לא יודע.

יעל: אז מתי אתה כן רוצה לבוא?

אורי: אולי מחר.

 לאן יעל הולכת, ולאן אורי הולך?

ד) **רוצים לשיר**

המורה: מי רוצָה לשיר את השיר החדש?

רותי: אני.

דויד: גם אני, גם אני.

המורה: בבקשה.

רותי ודויד:

מי רוצה לשיר?

2. א) **השלימו את הטבלה.** Complete the table.

הווה				שם פועל
י.		ר.		
ז.	נ.	ז.	נ.	
גר	______	______	______	______
______	קמה	______	______	______
______	______	רצים	______	______
______	______	______	שרות	______
______	______	______	______	לבוא

ב) **השלימו את שמות הפועל.** Complete the sentences with the correct infinitive forms.

דוגמה: דני גר בפריז, אבל הוא רוצה *לגור* בתל-אביב.

1) דינה גרה בתל-אביב, אבל היא רוצה __________ בפריז.

2) דני רץ כל יום חמישה קילומטרים. הוא אוהב __________ .

3) דינה לא רצה. היא לא אוהבת __________ .

4) דני קם כל בוקר ב-6:00. הוא לא אוהב __________ בבוקר.

5) גם דינה רוצה __________ ב-6:00, אבל היא קמה ב-10:00.

6) דני ודינה שרים הרבה שירים יפים. הם אוהבים __________ .

3. א)

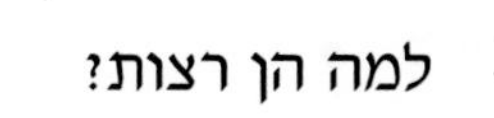

למה, למה, למה?

1) - למה הוא רץ?
- כי האוטובוס בא.

2) - למה הן רצות?
- כי המורה בכיתה.

3)
- למה הם רצים?
- כי הם אוהבים לרוץ.

4)
- למה היא רצה?
- כי הילדים בבית, והם רוצים לאכול.

ב) **התאימו את התשובות לשאלות.** Match the answers to the questions.

- למה אתה לא אוכל?	- כי אני רוצה שקט.
- למה את לא באה לסרט?	- כי אני בְּדִיאֶטָה.
- למה את לא גרה בעיר?	- כי אני הולך לטייל.
- למה את נוסעת לאילת?	- כי אני רוצה ללמוד.
- למה את שואלת?	- כי אני אוהבת שמש וים.
- למה אתה לובש ג'יינס?	- כי אני אוהב לשמוע רק רוק.
- למה אתה לא קונה וידאו?	- כי אני לא מבינה.
- למה אתה לא שומע מוזיקה קלסית?	- כי זה עולה הרבה כסף.

דוגמה: - למה את לא גרה בעיר? - כי אני רוצה שקט.

ג) **אמרו עוד שאלה לכל תשובה שבתרגיל 3 ב)** Ask one more question for each answer in exercise

דוגמה: - *למה את שותה קפה בלי סוכר?*

- *כי אני בדיאטה.*

ד) **שאלו זה את זה וענו.** Ask each other the following questions and answer them.

- למה אתה רץ?
- למה אתה לומד?
- למה אתה (לא) עובד?
- למה אתה (לא) גר בעיר?

- למה את רצה?
- למה את לומדת?
- למה את (לא) עובדת?
- למה את (לא) גרה בעיר?

4. הקיבוץ

ב-1950	היום
כולם אוכלים יַחַד כל ארוחה.	לפעמים אוכלים יחד בעֶרֶב שבת.
חַקְלָאוּת בלי מכונות	חקלאות מודרנית
הילדים גרים בבֵית ילדים.	הילדים גרים בבית של ההוֹרים.
חיים בַּטֶבַע.	חיים בטבע.

5. א)

קיבוץ הַרְדוּף

בגליל, ליד חיפה, יש קיבוץ קטן ומיוחד, קיבוץ הרדוף. האנשים בקיבוץ לא רוצים לגור בעיר גדולה כמו תל אביב או חיפה. הם מחפשים שקט ורוצים לגור במקום קטן.

החיים בקיבוץ הרדוף הם לְפִי האִידֵאוֹלוֹגְיָה האַנתרופוסופית של רודולף שְטַיינֶר. האנשים בקיבוץ אוהבים את הטֶבַע ולא את המוֹדֶרְנִיזַצְיָה. הם אוהבים את האָדָם ולא את המכונה. הם לא רוצים מִיקרוֹגָל בבית, הם לא רוצים טלוויזיה, וגם לא מחשב.
החברים בקיבוץ עובדים בְּחַקְלָאוּת אוֹרְגָנִית - חקלאות בְּלִי כִימִיקָלִים.
בערב הם יושבים ביחד, עושים מדיטציה ויוגה, שרים, רוקדים ומדברים על הטבע ועל החיים.
הילדים בהרדוף לומדים בבית ספר מיוחד. הם מטיילים הרבה בטבע, עובדים בחקלאות, לומדים לשיר ולרקוד, ומְשַׂחֲקִים גם בשיעורים וגם בהַפְסָקוֹת.
אנשים מהעיר באים לקיבוץ הרדוף, כי יש שם מסעדה עם אוֹכֶל אורגני וחנות קטנה. בחנות יש תה, חומוס, תבלינים בלי כימיקלים ולחם מיוחד.

יש בקיבוץ הרדוף קורסים על הפילוסופיה האנתרופוסופית, כי הרבה אנשים רוצים לבוא ללמוד על הפילוסופיה ועל רודולף שטיינר, לפגוש את האנשים בקיבוץ ולשמוע על החיים המיוחדים בקיבוץ הזה.

ב) כתבו פרסומת לקיבוץ הרדוף.

Write an advertisement for Harduf kibbutz.

ג) **סמנו את המשפט הנכון לפי הטקסט.** Underline the correct sentence according to the text.

א. 1) קיבוץ הרדוף הוא קיבוץ גדול.
2) קיבוץ הרדוף ליד תל-אביב.
3) קיבוץ הרדוף בגליל.
4) ליד חיפה אין קיבוצים.

ב. 1) בקיבוץ הרדוף אין אנתרופוסופים.
2) בקיבוץ הרדוף יש שקט.
3) בקיבוץ הרדוף אין חנויות.
4) בקיבוץ הרדוף יש טלוויזיה בכל בית.

ג. 1) החברים בקיבוץ הרדוף לא עובדים.
2) החברים בקיבוץ הרדוף עובדים בעיר.
3) החברים בקיבוץ הרדוף עובדים בערב.
4) החברים בקיבוץ הרדוף עובדים בחקלאות.

ד. 1) האנשים בהרדוף עושים מדיטציה.
2) האנשים בהרדוף אוהבים את החיים בעיר.
3) האנשים בהרדוף אוהבים מכונות.
4) האנשים בהרדוף רואים טלוויזיה כל ערב.

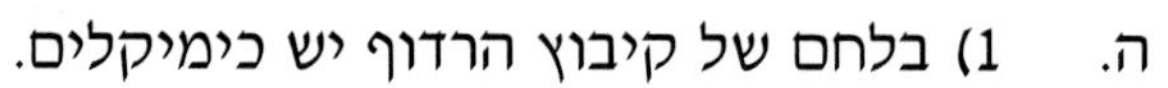

ה. 1) בלחם של קיבוץ הרדוף יש כימיקלים.
2) בחנות בהרדוף יש רק לחם ותה.
3) בחנות בהרדוף אין תבלינים.
4) במסעדה בהרדוף יש אוכל בלי כימיקלים.

ו. 1) הילדים בהרדוף לא לומדים בבית ספר.
2) הילדים בהרדוף שרים, רוקדים ומשחקים.
3) הילדים בהרדוף נוסעים לבית ספר בחיפה.
4) הילדים בהרדוף לא עובדים בחקלאות.

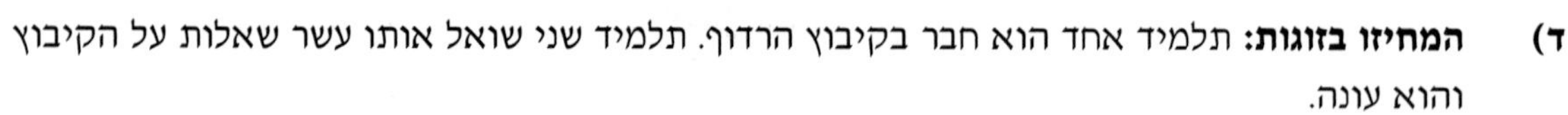

ד) **המחיזו בזוגות:** תלמיד אחד הוא חבר בקיבוץ הרדוף. תלמיד שני שואל אותו עשר שאלות על הקיבוץ והוא עונה.

Dramatize in pairs: one student is a member of Harduf kibbutz. A second student asks him/her questions about the kibbutz, and the first student answers.

דוגמה: למה אתה גר בקיבוץ הזה?

.6 השלימו את הסיפור ואמרו את הפעלים המתאימים מהרשימה לפי ההקשר בצורה הנכונה.

Complete the story using the correct verbs from the list according to the context.

הפעלים: שותה / מדבר / יודע / רץ / אוהב / מטייל / עובד / קורא / קם / בא / לומד / רוצה / אוכל / שומע / גר / הולך /

מתנדב בקיבוץ

אני ___ מהולַנד. עכשיו אני ___ בקיבוץ ליד טְבֶרְיָה. זה קיבוץ נחמד, לא גדול ולא קטן, ויש פה אנשים מכל העולם.
אני ___ בחקלאות או בחנות של הקיבוץ. אני ___ בשש בבוקר, ___ קפה, ___ לחמנייה ו ___ לעבודה. בערב אני ___ מוזיקה, או ___ חמישה קילומטרים מהקיבוץ לטבריה. אני ___ את העבודה, את הארוחות בקיבוץ ואת האנשים בקיבוץ. הם אנשים נְעִימִים ונחמדים, ואנחנו ___ על פוליטיקה ועל החיים בקיבוץ.
יש אולפן בקיבוץ. שם אנחנו ___ עברית, ו ___ עיתון בעברית קַלָּה. בשבת אנחנו ___ ליד הקיבוץ. בגליל יש מקומות יפים מאוד. החיים בקיבוץ מְעַנְיְינִים, אבל אני לא ___ איפה אני ___ לגור.

.7 מספרים 100-20 Numbers

20	**עֶשְׂרִים**	עשרים בחורות
30	**שְׁלוֹשִׁים**	שלושים בחורים
40	**אַרְבָּעִים**	ארבעים בחורים ובחורות
50	**חֲמִישִּׁים**	חמישים חברים
60	**שִׁישִּׁים**	שישים חברות
70	**שִׁבְעִים**	שבעים חברים וחברות
80	**שְׁמוֹנִים**	שמונים מורים
90	**תִּשְׁעִים**	תשעים מורות
100	**מֵאָה**	מאה אנשים

שלוש - שלושים
ארבע - ארבעים
חמש - חמישים
...
...

עשרים ואחת ילדות
עשרים ואחד ילדים
עשרים ואחד ילדים וילדות

8. א) אמרו את תוצאות המשחקים. 1) Say the results of the games.

שיקגו - פיניקס	110 - 120
מילנו - פריז	98 - 103
מדריד - איסטנבול	76 - 91
לוס אנג'לס - בוסטון	86 - 87
תל אביב - ירושלים	76 - 92
הרצליה - חיפה	55 - 66
אילת - צפת	44 - 53

ב) אמרו וכתבו במילים. Say and then write down in words.

דוגמה: 23 + 31 = 54 *עשרים ושלוש ועוד שלושים ואחת הם חמישים וארבע.*

+	**וְעוֹד**
—	**פָּחוֹת**
=	**הֵם**

1) 52 + 46 = 98

2) 9 + 64 = 73

3) 5 + 97 = 102

4) 88 - 26 = 62

5) 135 - 89 = 46

6) 199 - 31 = 168

9. א)

שְׁאֵלוֹת במתמטיקה

לילדים בכיתה ב'

1) שתי כיתות אלף בבית ספר בתל-אביב נוסעות לטִיול בירושלים.
בכיתה א/1 (אָלֶף 1) יש 37 תלמידים ובכיתה א/2 (אלף 2) יש 41 תלמידים.
כמה תלמידים נוסעים לטיול בירושלים?

2) במסעדה של איציק יש 50 שולחנות. בגינה של המסעדה יש עוד 60 שולחנות.
כמה שולחנות יש במסעדה ובגינה?

3) בספרייה של הכיתה יש 120 ספרים בעברית ובאנגלית. 30 ספרים באנגלית. כמה ספרים בעברית יש בספרייה?

4) בכל שיעור עברית לומדים 20 מילים חדשות. בכל שבוע יש 2 שיעורים בעברית ושיעור אחד באנגלית. כמה מילים בעברית לומדים בשבוע?

ב) חשבו על עוד שתי שאלות במתמטיקה לילדים בכיתה ב'. כתבו אותן ושאלו חברים בכיתה.

Think of two more math questions for second grade students. Write them down and ask your classmates.

.10 מה השעה? (III)

א)

- סליחה, מה השעה?
- 5:20 ← חמש ועשׂרים.

- סליחה, מה השעה?
- 7:36 ← שבע שלושים ושש. / עשׂרים וארבע דקות לשמונה.

- אולי אתה יודע מה השעה?
- 12:40 ← שתים עשׂרה וארבעים. / עשׂרים לאחת.

ב) בחרו שעה, שאלו זה את זה - מה השעה? וענו.

Choose an hour from the list below, ask each other what time is it, and answer.

13:40	4:50	3:28	20:34
9:51	16:25	14:24	1:30

אף יאללה, ביי!

מה בא לכם עכשיו?

מה לא בא לכם?

Summary of Topics

האוצר הלשוני

א. אוצר המילים Vocabulary

פעלים Verbs

חוזֵר, לַחֲזוֹר	go back
מְשַׂחֵק, לְשַׂחֵק	play
קָם, לָקוּם	get up
רוֹקֵד, לִרְקוֹד	dance

שמות תואר Adjectives

מְעַנְיֵין, מְעַנְיֶינֶת	interesting
נָעִים, נְעִימָה	pleasant
קַל, קַלָּה	easy / light

שונות Miscellaneous

בֵּית יְלָדִים (ז.) בָּתֵּי יְלָדִים	"children's home" (in a kibbutz)
בְּלִי מ״י	without
(בְּ)יַחַד ת״פ	together
כִּי מ״ח	because
לְפִי מ״ח	according to
מַה נִשְׁ...? ס.	what's up?
עֶרֶב שַׁבָּת (ז.), עַרְבֵי שַׁבָּת	Shabbath eve/eves (Friday night)

מספרים Numbers

עֶשְׂרִים	20	twenty
שְׁלוֹשִׁים	30	thirty
אַרְבָּעִים	40	forty
חֲמִישִּׁים	50	fifty
שִׁישִּׁים	60	sixty
שִׁבְעִים	70	seventy
שְׁמוֹנִים	80	eighty
תִּשְׁעִים	90	ninety
מֵאָה	100	hundred

שמות עצם Nouns

אָדָם (ז. ר. 0)	human / man
אוֹכֶל (ז. ר. 0)	food
אֲרוּחָה (נ.)	meal
בֵּית סֵפֶר (ז.), בָּתֵּי סֵפֶר	school
(הוֹרֶה) הוֹרִים (ז. ר)	(parent) parents
הַפְסָקָה (נ.)	recess (a "break")
חַקְלָאוּת (נ. ר. 0)	agriculture
טֶבַע (ז. ר. 0)	nature
טִיּוּל (ז.)	hike / (a) walk
מְכוֹנָה (נ.)	machine
מִתְנַדֵּב (ז.), מִתְנַדֶּבֶת (נ.)	volunteer
שְׁאֵלָה (נ.)	question
תַּבְלִין (ז.)	spice

מילים לועזיות Foreign words

אִידֵאוֹלוֹגְיָה (נ.)	ideology
דִיאֶטָה (נ.)	diet
כִּימִיקָלִים (ז. ר.)	chemicals
מוֹדֶרְנִיזַצְיָה (נ.)	modernization
מִיקְרוֹ-גַל (ז.)	microwave
קִילוֹמֶטֶר (ז.)	kilometer
אוֹרְגָנִי, אוֹרְגָנִית ש״ת	organic
אַנְתְרוֹפּוֹסוֹפִי, אַנְתְרוֹפּוֹסוֹפִית ש״ת	anthroposophic

מתמטיקה Mathematics

וְעוֹד (+)	plus (+)
פָּחוֹת -	minus (-)
הֵם =	equals / are...(=)

מילות שאלה Questions

לָמָה?	why?

ב. הנושאים הלשוניים — Grammatical topics

צורות: פועל: בניין קל (פָּעַל), גזרת ע״ו, שם פועל — Morphology:

Verbs: basic stem (פָּעַל conjugation), ע״ו verb type, infinitive form.

לָ□וּ□ — דוגמה: לָגוּר

לָ□ִי□ — לָשִׁיר

לָבוֹא

תחביר: משפטי סיבה - למה...? כי... - Causal clauses — Syntax:

שונות: מספרים - 20-100 — Miscellaneous: Numbers

מה השעה? (III)

ג. הערות לשוניות — Grammatical notes

1) בעברית מספרים סתמיים, ללא ציון שם העצם אחריהם, הם תמיד בנקבה.

Neuter numbers in Hebrew, which do not precede a noun, are always feminine.

For example: למשל: אחת ועוד אחת הם שתיים. הוא נוסע באוטובוס תשע.

ב פסק זמן

1. א) **מה בתמונה?**

העבירו קו מהמילה לתמונה.

Draw a line between the word and the picture.

ב) **אמרו וכתבו מה יש בדירה שלכם.**

Say and then write what does your apartment have.

2. **חברו בקו את ההפכים.**

Draw a line between the opposites.

בוקר	נקבה
גדול	מהר
חדש	לא
טוב	קל
קצת	אין
לאט	ישן
כן	רע
קשה	לילה
יום	קטן
יש	ערב
זכר	הרבה

3. א) **התאימו את המשפטים לאיורים.**

Match the sentences with the illustrations.

מה הם עושים?

1) היא אוכלת.
2) הם הולכים.
3) הן מדברות.
4) הוא פוגש חבר.
5) הוא יושב.
6) היא מחפשת.
7) הם קונים.
8) היא שותה.
9) הוא עולה.
10) הן בונות.

ב) **הוסיפו עוד מילה לכל משפט.**

Add one more word to each sentence.

דוגמה: היא אוכלת לחמנייה.

4. **כתבו איפה אתם רוצים או לא רוצים לגור ולמה.**

Write where you want or do not want to live, and explain why.

בית קטן	ארמון	דירה גדולה	הרים
ספרייה	טבע	מלון	קיבוץ
אוהל			אכסניה

דוגמה: אני רוצה לגור בטבע, כי יש שם שקט.
אני לא רוצה לגור במלון, כי זה לא בית.

5. **א) ארוחה טובה בבוקר**

במלונות בישראל אוכלים בבוקר ארוחה
גדולה וטובה - לחם או לחמנייה, אשכולית,
סלט ישראלי גדול עם הרבה תבלינים,
ושותים קפה, תה או מיץ תפוזים.
זאת ארוחה ישראלית, אבל זאת לא הארוחה
של הישראלים. הישראלים לא אוכלים בבוקר
כי אין זמן לאכול: הילדים רצים לבית ספר ואימא ואבא רצים לעבודה.
הרבה ישראלים גם לא שותים בבוקר: לא קפה, לא תה ולא מיץ. הם הולכים לעבודה
בלי לאכול ובלי לשתות.
המורים אומרים: הרבה ילדים לא לומדים טוב כי הם לא אוכלים בבוקר. הם לא
מבינים את השיעור, הם לא שומעים מה המורה אומרת - הם חושבים רק על
ההפסקה ועל האוכל.
פרופסור גינדין מ"הדסה" בירושלים אומר: ארוחה נכונה בבוקר היא ארוחה עם סלט
גדול, גבינה והרבה מים. הארוחה בבוקר היא אֶנֶרְגְיָה להרבה שעות. בלי האנרגיה
הזאת אין חיים נוֹרְמָלִיים.

ב) כתבו ליד כל משפט רֵאָלִי **או** אִידֵאָלִי **לפי הקטע.**

Write next to every sentence רֵאָלִי or אִידֵאָלִי according to the excerpt.

דוגמה: אימא, אני רוצה עוד סלט בבקשה. - אידאלי

1) - אתה לא שותה בבוקר?
- לא. אין זמן.

2) - המורה, מתי יש הפסקה? אני רוצה לאכול משהו.

3) - לא, תודה. גם לא קפה. עכשיו שבע ואני רצה לעבודה.

4) - בוקר טוב! על השולחן יש גבינות, סלט ומיץ. אתם באים לאכול?
- כן, אנחנו באים.

5) - אני לא שומע מה המורה אומר. אני חושב רק על הסנדוויץ' בהפסקה.

6) - מתי את קמה בבוקר?
- אני קמה בשש. בשבע אני אוכלת ארוחה גדולה עם הילדים ובשמונה אני הולכת לעבודה.

ג) ספרו זה לזה מה אוכלים בבוקר, בצהריים ובערב בארצות שונות.

Tell each other what kind of meals are eaten in the morning, in the afternoon, and in the evening, in different countries.

6. **בחרו את המילה המתאימה וקראו את המשפטים.** Choose the appropriate word and read the sentence.

1) אין חיים בלי ________, אבל יש חיים בלי ________. מלח / סוכר

2) שמונה ________ שלוש הם חמש. פחות / ועוד
שש ________ שתיים הם שמונה.

3) - ________ אתה לא לומד בספרייה? כי / למה
- ________ אני אוהב ללמוד בטבע.

4) בבית כנסת רֶפוֹרְמִי ה________ יושבות עם ה________. נשים / גברים

5) - הלו?! ________ בבית? אימא / אבא
- לא, הוא בעבודה.
- ו________ ?
- גם היא בעבודה.

6) במסעדה: - קפה, בבקשה. בבקשה / תודה
- הינה הקפה.
- ________.
- ________.

7) - איך הולכים לתאטרון? ימינה / שמאלה
- אתה הולך ישר, ו________.
- ולבנק?
- ישר ו________.

8) כל סִימֶסְטֶר ה________ מדבר עם אימא או עם אבא
של ה________. מורה / תלמיד

9) - אני לא רואה את חנה. היא לא ________ ? שם / פה
- אולי היא בבית של דויד.
- לא. היא גם לא ________.

7. כתבו את שמות העצם המתאימים ביחיד או ברבים. Write the appropriate plural or singular nouns.

~~ספרייה~~ / ציור / איש / ים / ארוחה / רוסית / עיר / שירותים /

1) *בספרייה* מודרנית יש ספרים וגם מחשבים.
2) בישראל פוגשים ________ מכל העולם.
3) במוזאון ישראל בירושלים יש________ עתיקים וגם מודרניים.
4) בישראל יש שלוש ________ גדולות: תל אביב, ירושלים וחיפה.
תל-אביב וחיפה ליד ה________, אבל ירושלים - לא.
5) בצרפת אוכלים שלוש________ כל יום: בבוקר,
בצהריים ובערב.
6) הוא בא מרוסיה. הוא מדבר ________, אנגלית
וקצת עברית.
7) - סליחה, איפה ה________?
- לנשים פה, ולגברים שם.

8. כתבו את שמות התואר המתאימים בזכר או בנקבה.
Write the appropriate masculine or feminine adjectives.

עתיק / מעניין / מצוין / ציבורי / קטן / קשה / ישן / ~~מודרני~~ /

דוגמה: אני לא אוהב מוזיקה עתיקה. אני אוהב רק מוזיקה *מודרנית*.

1) בירושלים יש עיר ________ ועיר חדשה.
2) זה לא ________, זה קל.
3) דינה אוהבת ללמוד. היא סטודנטית ________.
4) הוא גר בבית מ-1950. זה בית ________.
5) זה חדר ________. אין מקום בחדר - לא לטלוויזיה ולא למחשב.
6) אני לא רוצה לקרוא את הספר הזה. הוא לא ________.
7) - הלו, דני? מה שלומך? סליחה, אני לא בבית עכשיו. אני מדבר מטלפון ________.

9. מיינו את המילים ל-8 קטגוריות.

Arrange the words below into eight categories.

איפה גרים?	מה אוכלים?	מה שותים?	מה קוראים?
אוהל	אשכולית	יין	מכתב

רהיטים	משפחה	שפות	מילות שאלה
ארון	אבא	אנגלית	איפה

המילים: אבא / אוהל / איזה / איך / אימא / איפה / אכסניה / אנגלית /
ארון / ארמון / אשכולית / בית / בעל / גלידה / גרמנית / דוד / דודה /
דירה / הורים / חדר / חלה / יידיש / יין / יפנית / ירקות / חלב / כיסא /
כמה / לאן / לחם / לחמנייה / לימון / למה / מאין / מה / מי / מיטה /
מים / מיץ / מכתב / מלון / מלח / משנה / מתי / ספר / ספרדית / עברית /
ערבית / עוגה / עיתון / פולנית / פורטוגזית / פיתה / צרפתית / קיבוץ /
רומנית / שולחן / שוקולד / שטיח / שיר / תורה / תלמוד / תפוז /

10. כתבו את המילים החסרות.

Write the missing words.

קפה עם ספר

בירושלים, בתל אביב, בפריז, בדבלין
ובמקומות אחרים בעולם יש חנויות
מיוחדות: בחנויות האלה יש ספרים וקפה.
אנשים באים למקומות האלה לקרוא ספרים
ולפעמים גם לאכול או לשתות משהו.
לפעמים הם באים לשם מהעבודה בשעה
אחת בצהריים. הם קוראים עיתון או
ספר, אוכלים משהו וחוזרים לעבודה.
אנשים אחרים באים לחנויות האלה בבוקר, יושבים שם כמה שעות כמו בספרייה.
באים לשם גם הורים עם ילדים קטנים. ההורים שותים קפה, אוכלים עוגה, מדברים
עם חברים, והילדים קוראים ומשחקים.

11. אמרו וכתבו את השאלות לפי התשובות. Say and write the questions according to the answers.

השתמשו במילות השאלה: Use the question words above.

איפה, מתי, מה, מי, מאין, לאן, כמה, למה, איך

זכרו, לפעמים צריך להוסיף מילת יחס למילת השאלה, למשל:
Remember, sometimes a preposition must be added to the question word:

את מי, עם מי, על מה?

דוגמות: ישר וימינה. — איך הולכים לשם?

הם הולכים לאכסניה. — לאן הם הולכים?

1) דינה גרה בבאר שבע.
2) אנחנו מחפשים שטיח בדווי.
3) אני קונה כרטיסים לסרט.
4) כי הוא לא אוכל עוגות.
5) הן רואות את רינה באוניברסיטה.
6) הם רוקדים ביום שני בערב.
7) שמי חנה לוי.
8) אני מאוסטרליה.
9) ישר, ישר, ישר.
10) טוב, תודה.
11) הם רוצים לשתות.
12) אני נוסע עם המשפחה.
13) הדירה הזאת של דויד ושל מיכל.
14) רחל חושבת על החיים.
15) אורי חושב על רחל.

12. ספרו מה עושים בשבע בערב בשלושה מקומות שונים בעולם.

Say what is done at seven in the evening in three different places in the world?

א)

ב)

ג)

האוצר הלשוני

Summary of Topics

מילים לועזיות
Foreign words

שמות עצם
Nouns

אֶנֶרְגִיָּה (נ.)	energy
סִימֶסְטֶר (ז.)	semester

שמות תואר
Adjectives

אִידֵאָלִי, אִידֵאָלִית	ideal
נוֹרְמָלִי, נוֹרְמָלִית	normal
רֵאָלִי, רֵאָלִית	actual / real
רֶפוֹרְמִי, רֶפוֹרְמִית	reform (jewish)

שיעור 7

.1

סרט וקפה

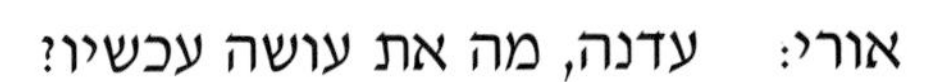

אורי: עדנה, מה את עושה עכשיו?

עדנה: שום דָבָר.

אורי: את רוצה לעשות משהו?

עדנה: כן, אולי.

אורי: את רוצה לראות את הסרט החדש של וּודי אֶלֶן?

עדנה: איפה, בַּסִינֶמָטֶק?

אורי: כן.

עדנה: יופי, אני רוצה גם לקנות שם כרטיסים לְפֶסְטִיבָל הסרטים.

אורי: אולי את רוצה גם לשתות קפה במסעדה של הסינמטק?

עדנה: למה לא?!

אורי: אז להתראות בשבע ליד הסינמטק.

עדנה: לְהִתְ...!

עדנה ואורי הולכים לסינמטק. מה הם עושים שם?

עדנה and אורי are going to the Cinematheque. What are they doing there?

.2 בניין פָּעַל - גזרת ל"י (ל"ה) - שם פועל

פָּעַל conjugation - ל"י (ל"ה) verb type - infinitive form

הווה Present tense	שם הפועל Infinitive form	
בונה	**לִבְנוֹת**	**לִ□ְ□וֹת**
קונה	**לִקְנוֹת**	
רוצה	**לִרְצוֹת**	
רואה	**לִרְאוֹת**	
שותה	**לִשְׁתוֹת**	
עושׂה	**לַעֲשׂוֹת**	**לַעֲ□וֹת** (1
עולה	**לַעֲלוֹת**	
	לִהְיוֹת	(2

"להיות או לא להיות"

(המלט, שקספיר)

א) כתבו לפי הדוגמה: רוצה + שם פועל.
Write down sentences according to the example - רוצה + an infinitive form.

דוגמה: *משה קונה כיסא עתיק. גם דויד* ***רוצה לקנות כיסא עתיק.***

1)	אני שותה שוֹקוֹ חם.	גם רותי ...
2)	רותי עושה מסיבה בכיתה.	גם דויד ...
3)	דויד רואה במוזאון את הציורים של פיקאסו.	גם מיכל ...
4)	מיכל עולה לְמְצָדָה.	גם אבי ...
5)	אבי בונה בית על ההר.	גם רחל ...
6)	רחל קונה ספרים חדשים.	גם אורי ...
7)	אורי פרופסור באוניברסיטה.	גם יוסי ***רוצה להיות*** ...
8)	יוסי רב בבית כנסת סְפָרַדִּי.	גם אלי ...
9)	היא בבית.	גם אתה ...
10)	אתה בעבודה.	גם אני ...

מצדה

ב) השלימו את הטבלה.

Complete the table.

הווה				שם פועל
י.		ר.		
ז.	נ.	ז.	נ.	
שותה	______	______	______	______
______	קונה	______	______	______
______	______	רוצים	______	______
______	______	______	רואות	______
	______	______	______	לבנות
עושׂה	______	______	______	______
______	עולה	______	______	______

.3 **א)**

אני רואה בקפה

- אתה רוצה ללמוד פילוסופיה ומוזיקה.
- אתה רוצה לכתוב ספרים מיוחדים.
- אתה רוצה לקנות בית ליד הים.
- אתה לא רוצה לעבוד. אתה רוצה רק לאהוב.
- אתה רוצה לעשות משהו מעניין בחיים.
- אתה רוצה לִהְיוֹת ...
- נכון, נכון, אבל עכשיו אני רוצה לשתות קפה.

ב) גם אתם רואים בקפה או קוראים את ההורוסקופ או... אמרו לתלמידים אחרים בכיתה מה הם רוצים. השתמשו ב-ללמוד, לגור, לקנות, לכתוב, לקרוא, לשתות, לאכול, לעבוד, להיות ...

You are also fortune tellers or horoscope readers or...Tell other student in your class their fortunes. Use the infinitive forms above.

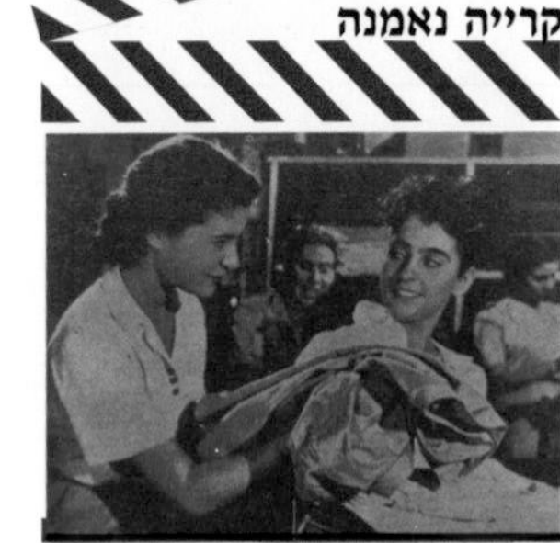

4. א) הישראלי בסרטים ישראליים

ישראלית יפה מהקיבוץ פוגשת את העולים החדשים ממָרוֹקוֹ או מעִירָק, מפּוֹלִין או מֵרוּסיָה.
ישראלי נחמד עובד בחקלאות ואוהב את הטבע ואת הארץ.
ישראלים ועולים חדשים בונים את הארץ. הם לובשים כָּאפִייָה, כּוֹבַע טֶמְבֶּל וסַנְדָלִים. בלילה הם מדברים, שרים ורוקדים וביום הם עובדים ושותים מיץ תפוזים.
אלה הישראלים בסרטים של שְנוֹת החמישים (1959-1950). בסרטים של שנות החמישים יש סרטים דוֹקוּמֶנְטָרִיִים, צִיוֹנִיִים או רוֹמַנְטִיִים.

בסרטים של שנות השישים והשבעים הישראלים הולכים לצָבָא, אבל הם לא רוצים מִלְחָמָה. הם רוצים להיות בבית עם המשפחה ועם החברים. הישראלים בסרטים האלה שואלים שאלות על החיים.

בסרטים של שנות השמונים הישראלים רוצים לראות את העולם הגדול. הם נוסעים לאמריקה, עובדים ביום ושותים בלילה. בסרטים האלה לומדים על הקוֹנְפְלִיקְטִים של הישראלים: אַשְכְּנַזִים וּסְפָרַדִים, קיבוץ ועיר, שלום ומלחמה, עֲרָבִים ויהודים. בסרטים אחרים בשנות השמונים יש סִיפּוּרִים מעניינים על ישראלים עם בְּעָיוֹת: אהבה טראגית, בחור מְשוּגָע, ילדה מיוחדת. גם בסרטים האלה יש קונפליקטים: הורים וילדים, גברים ונשים, ועוד. בסרטים האלה יש הוּמוֹר, יש סְלֶנְג ישראלי והרבה שירים. בהומור, בשירים ובסלנג יש אוֹפְּטִימִיוּת.
בסרטים של שנות התשעים ושל שנות האלפיים יש סיפורים קטנים על היומיום בישראל, ויש גם סרטים לילדים.

ב) התאימו לפי הטקסט ואמרו 6 משפטים מהטבלה.

Match according to the text, then say six sentences from the table.

מתי?	מה?
שנות החמישים	הישראלים אוהבים את הארץ.
שנות השישים והשבעים	יש הומור.
שנות השמונים	הישראלים שרים ורוקדים.
שנות התשעים ושנות האלפיים	יש סלנג.
	יש סרטים דוקומנטריים.
	הישראלים רוצים להיות בבית.
	יש סיפורים קטנים על החיים.
	יש סרטים לילדים.
	יש קונפליקטים.
	יש בעיות מיוחדות.

דוגמה: בסרטים של שנות החמישים הישראלים שרים ורוקדים.

5. לדעת + משפט שאלה

לדעת + a question

א) יודע או לא יודע?

הוא יודע מה הוא רוצה.

הוא יודע מאין הוא בא
ולאן הוא הולך.

היא יודעת מי זה אריסטו.

- מה הוא לא יודע?
- הוא לא יודע למה יש בעולם הרבה בעיות.

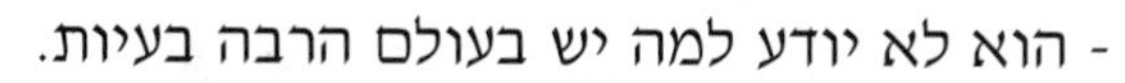

- הוא לא יודע איפה זה אנטארקטיקה.

אני לא יודע למה אני פה.

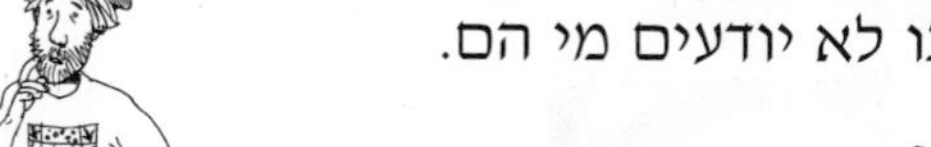

אנחנו לא יודעים מי הם.

הוא לא יודע איפה הוא.

ב) אמרו 10 משפטים מהטבלה. Say ten sentences from the table.

אני			מי	היא לומדת.
אתה	רוצה		איפה	הם באים.
את			לאן	אתה נוסע ביום שישי.
הוא	רוצה		מה	עובד עם רחל.
היא		לדעת	מתי	דויד עושה פה.
אנחנו	רוצים		מאין	אתן חושבות.
אתם			למה	המַדְרִיךְ רוצה לרקוד.
אתן	רוצות		איך	הולכים למוזאון.
הם			על מי	הן מדברות.
הן			על מה	אנחנו פוגשים את מירי.

דוגמה: אני רוצה לדעת מתי אנחנו פוגשים את מירי.

6. מ... עד...

מ... עַד...

א) יוסי עובד חצי שָנָה באילת וחצי שנה בחיפה.
מינואר עד יוני הוא גר באילת, ומיוני
עד דצמבר הוא גר בחיפה.

אני אוהבת את אבא מֵהַשָּׁמַיִם ועד הָאָרֶץ.

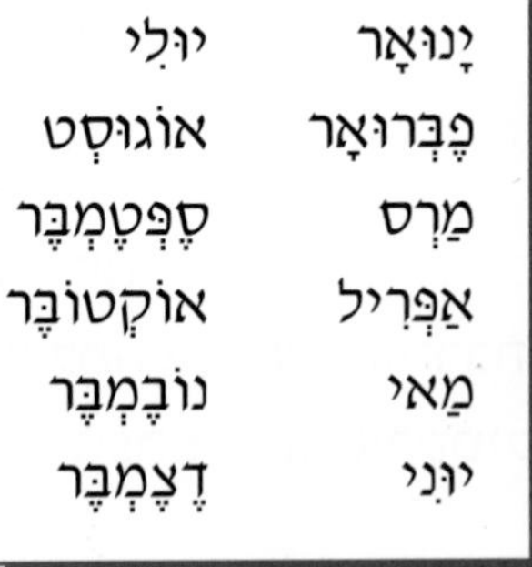
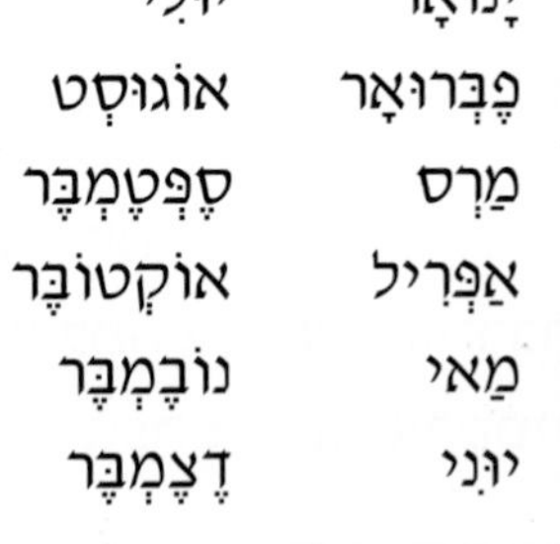

יָנוּאָר	יוּלִי
פֶבְּרוּאָר	אוֹגוּסְט
מֶרְס	סֶפְּטֶמְבֶּר
אַפְּרִיל	אוֹקְטוֹבֶּר
מַאי	נוֹבֶמְבֶּר
יוּנִי	דֶצֶמְבֶּר

הם אוהבים לרקוד.
הם רוקדים מהבוקר עד הערב.

ב) קראו ואמרו מה דני לומד ומתי. Read, and then say what דני is studying and when.

דני לומד בבית ספר. הוא לומד שישה ימים בשבוע - מיום ראשון עד יום שישי.

יום ראשון

8:50 - 8:00	עברית
9:40 - 8:50	אנגלית
10:10 - 9:40	הפסקה
11:00 - 10:10	תנ״ך
11:50 - 11:00	מחשבים
12:00 - 11:50	הפסקה
12:50 - 12:00	היסטוריה

דוגמה: משמונה עד עשרה לתשע הוא לומד עברית.
מעשרים לעשר עד עשר ועשרה יש הפסקה.

ג) ספרו מה אתם לומדים ומתי. Tell a fellow student what you study and at what hours.

7. כָּל + שם עצם מיודע ביחיד כָּל + a definite singular noun

הוא לומד כל הזמן

אורי: יורם, מה אתה עושה עכשיו?
יורם: אני לומד לבחינה בפילוסופיה.
אורי: ובצהריים?
יורם: לומד לבחינה בהיסטוריה.
אורי: ובערב?
יורם: לומד לבחינה בגאוגרפיה.
אורי: כל היום אתה לומד?
יורם: כן. יש לי הרבה בחינות. אני לומד כל הזמן.
אורי: די, מספיק ללמוד!

8. השלימו את המשפטים. Complete the following sentences.

השתמשו ב- כל + השנה / הכיתה / ~~הזמן~~ / העולם / היום / הבוקר / Use -
השבוע / הארץ / המשפחה /

דוגמה: דויד אוהב לשיר. הוא שר ***כל הזמן***: הוא שר בבוקר, בצהריים, בערב, וגם בלילה. הוא שר ביום ראשון, ביום שני, ב... וגם בשבת.

1) שולה עובדת בחנות משמונה בבוקר עד אחת בצהריים. היא עובדת שם __________ .

2) הם מטיילים מינואר 2000 עד דצמבר 2000. הם מטיילים __________.

3) רחל אוהבת לקרוא. היא קוראת בבוקר, בצהריים ובערב - היא קוראת __________.
היא קוראת ביום ראשון, ביום שני, ביום שלישי ... עד שבת. היא קוראת __________.

4) הן מכירות אנשים באמריקה, ברוסיה, בהודו ובאנגליה. הן מכירות אנשים ב __________.

5) אנחנו מטיילים בנגב, בגליל, בגולן. אנחנו מטיילים בהרים וליד הים. אנחנו מטיילים ב __________.

6) אבא ואימא של דני גרים בארגנטינה. גם הדודים והדודות של דני גרים שם. __________ של דני גרה בארגנטינה. רק דני גר בישראל.

7) לא __________ לומדת היום. עשרים תלמידים בטיול במוזאון ורק עשרים לומדים.

מן האקורות

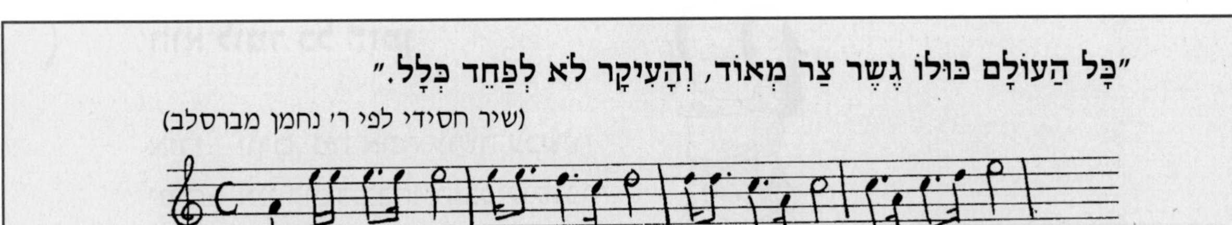

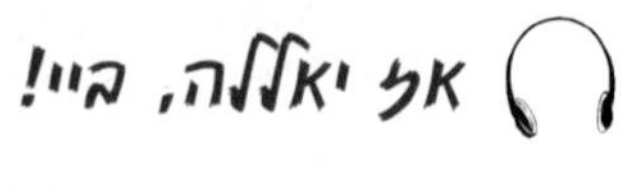

בְּהַצְלָחָה !

Summary of Topics

האוצר הלשוני

א. אוצר המילים Vocabulary

פעלים Verbs

בּוֹנֶה, לִבְנוֹת	build
לִהְיוֹת	to be
עוֹלֶה, לַעֲלוֹת	rise/go up

שמות עצם Nouns

בְּחִינָה (נ.)	exam
בְּעָיָה (נ.)	problem
כּוֹבַע (ז.)	hat
כַּרְטִיס (ז.)	ticket
מַדְרִיךְ (ז.), מַדְרִיכָה (נ.)	guide
מִלְחָמָה (נ.)	war
סִיפּוּר (ז.)	story
סַנְדָל (ז.)	sandal
צָבָא (ז.), צְבָאוֹת	army
שָׁמַיִם (ז.ר.)	sky
שָׁנָה (נ.), שָׁנִים	year

שונות Miscellaneous

דַי ת״פ	enough! / Stop it!
יוֹמְיוֹם ת״פ	daily life
כּוֹבַע טֶמְבֶּל (ז.)	"Tembel" (=dummy's) hat
כָּל ה...	all the...
מַסְפִּיק ת״פ	enough!
עַד מ״ח	until / till / to
עוֹלֶה חָדָשׁ (ז.)	new immigrant (in Israel)
שׁוּם דָבָר	nothing
שְׁנוֹת הַחֲמִישִׁים	The Fifties
שְׁנוֹת הַשִּׁישִׁים	The Sixties

שמות תואר Adjectives

אַשְׁכְּנַזִי, אַשְׁכְּנַזִיָּיה	Ashkenazi (Jew of European descent)
מְשׁוּגָע, מְשׁוּגַעַת	crazy
סְפָרַדִי, סְפָרַדִיָּיה	Spanish
עֲרָבִי, עֲרָבִיָּיה	Arab
צִיּוֹנִי, צִיּוֹנִית	Zionist

מילים לועזיות Foreign words

אוֹפְּטִימִיוּת (נ. ר. 0)	optimism
הוּמוֹר (ז. ר. 0)	humor
שׁוֹקוֹ (נ. ר. 0)	cocoa
כָּאפִיָּיה (נ.)	kaffiyeh
סִינֶמָטֶק (ז.)	cinematheque
סְלֶנְג (נ. ר. 0)	slang
פֶסְטִיבָל (ז.)	festival
קוֹנְפְלִיקְט (ז.)	conflict
דוֹקוּמֶנְטָרִי, דוֹקוּמֶנְטָרִית ש״ת	documentary
טְרָאגִי, טְרָאגִית ש״ת	tragic

חודשי השנה Months of the year

יָנוּאָר	January	יוּלִי	July
פֶבְּרוּאָר	February	אוֹגוּסְט	August
מַרְס	March	סֶפְּטֶמְבֶּר	September
אַפְּרִיל	April	אוֹקְטוֹבֶּר	October
מַאי	May	נוֹבֶמְבֶּר	November
יוּנִי	June	דֶצֶמְבֶּר	December

ב. הנושאים הלשוניים — Grammatical topics

צורות: פועל: בניין קל, גזרת ע״ו, שם הפועל - Morphology:

Verbs: basic stem (פָּעַל conjugation) - ע״ו verb type, an infinitive form.

לְ□□וֹת דוגמה: לִשְׁתּוֹת
לַעֲ□וֹת לַעֲשׂוֹת

תחביר: כל + שם עצם מיודע ביחיד Syntax:

כל + a definite singular noun - example: דוגמה: כל היום

משפטי מושא עם מילות שאלה

Object Clauses with questions - example: דוגמה: אני יודע מי אני.

ג. הערות לשוניות — Grammatical notes

1) כמו בגזרת השלמים, כאשר פ הפועל היא ע, ח או ה היא מנוקדת בחטף פתח - a, והתחילית ל היא בפתח - a, פרט לפועל לִהְיוֹת.

As in strong verbs when פ הפועל is an ע, ח or ה it is vocalized with a chataf-patach - a , and the prefix ל is vocalized with a patach - a, except for the verb לִהְיוֹת

דוגמה: לַעֲשׂוֹת.

2) נטיית הפועל להיות כמעט ולא קיימת בהווה. בעבר ובעתיד הפועל קיים בכל הגופים.

Conjugations of the verb להיות (to be) are almost nonexistent in present tense. The verb is conjugated in all persons in past and future tenses.

הווה: אני פה. present: עבר: הייתי פה. past: עתיד: אהיה פה. future:

שיעור 8

משפטים שמניים Nominal clauses

הספר ישן.	**השיעורים קָשִׁים.**
האוניברסיטה גדולה.	**הכיתות קטנות.**

1\. א) **גְלוּיָה לדני**

שלום דני,

מה נשמע? אני בקורס למחשבים.
המקום יפה, אבל הסטודנטים לא נחמדים.
הכיתה גדולה, והמורים לא מעניינים.
השיעורים קשים תמיד, הספרים לא
טובים והתרגילים משעממים.
אני רוצה לחזור הביתה.

להתראות, יוסי.

דני כהן
רחוב הים
חיפה

הַבַּיְתָה = לַבַּיִת

ב) **כתבו גלויה אחרת, שמחה יותר.** Write a happier sounding postcard.

השתמשו במילים: נחמד / טוב / יפה / מיוחד / מצוין / Use the words:

ג) **כתבו משפטים.** Create sentences using the following words.

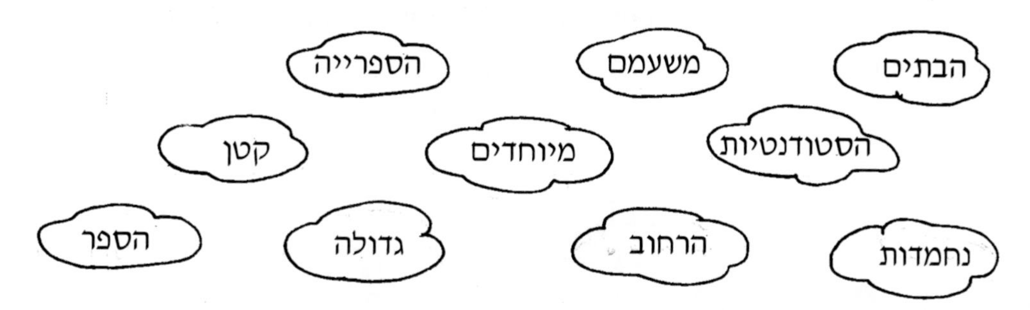

דוגמה: הספרייה גדולה.

2. א) למה ג'ון בא לישראל?

- כי יש פה שמש טובה.
- כי יש פה אנשים נחמדים.
- כי יש פה פלאפל טוב.
- כי יש פה מקומות עתיקים.
- כי יש פה אוניברסיטאות מצוינות.
- כי יש פה מסעדות כְּשֵׁרוֹת.
- כי יש פה קִיבּוּצִים מיוחדים.
- כי יש פה שמים יפים.
- כי יש פה מִדְבָּר גדול וְשָׁקֵט.
- כי יש פה חיים מעניינים.

ב) כתבו מה ג'ון אומר על ישראל (לפי א').

Write down what Jhon says about Israel (according to א').

בישראל השמש *טובה*. האנשים ________. הפלאפל ________. ה________

עתיקים. האוניברסיטאות ________. ה________ כשרות. הקיבוצים ________.

ה________ יפים. המדבר ________. החיים ________.

ג) גינה לא רוצה לבוא לישראל.
כתבו מה היא אומרת על ישראל.

Gina does not want to come to Israel.
Write down what she says about Israel.

דוגמה: בישראל החיים לא מעניינים.

ד) כתבו עוד 4 משפטים דומים חיוביים ושליליים.

Write down four similar positive and negative sentences.

בישראל ... או באמריקה ... או ב...

3. א) מלונות ים-המלח

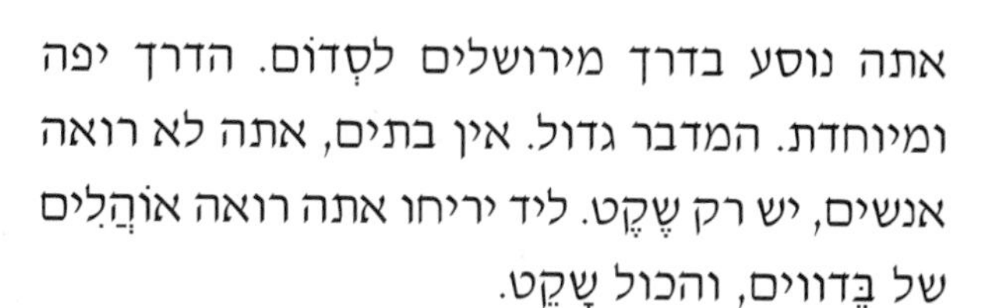

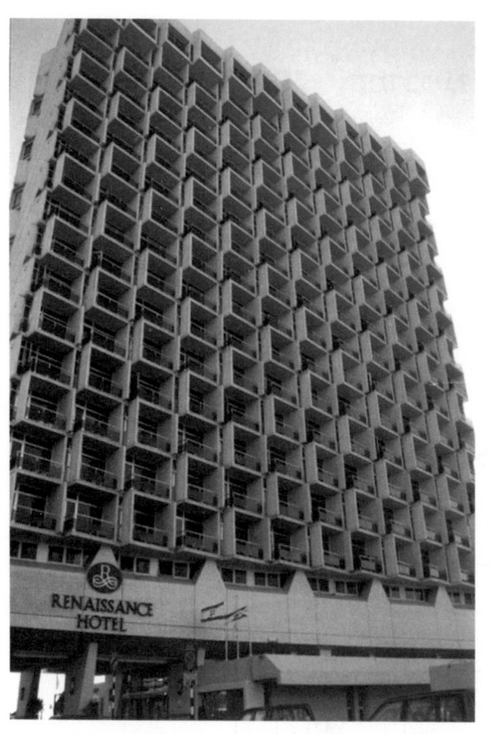

מלון רנסנס בים המלח

אתה נוסע בדרך מירושלים לסְדוֹם. הדרך יפה ומיוחדת. המדבר גדול. אין בתים, אתה לא רואה אנשים, יש רק שֶׁקֶט. ליד יריחו אתה רואה אוֹהֳלִים של בֶּדווים, והכול שָׁקֵט.

5 פִּתְאוֹם, אתה רואה מלונות גדולים ומודרניים; מלון אחד, ועוד מלון, ועוד מלון: הילטון, שֶׁרָתוֹן, הַיַּיאט, פְּלָזָה...

ואתה שואל: מה הם "עושים" שם בְּאֶמְצַע המדבר? ליד ים המלח יש מעיינות של מים חַמִּים. הרבה

10 תַּיָּירִים מהארץ ומחו"ל באים לשם. אנשים חולים מכל העולם באים למעיינות האלה, כי יש במים הרבה מִינֶרָלִים. הם באים בַּחוֹרֶף, כי בחורף יש במדבר שמש טובה.

הם גרים במלונות ומשם הם רואים את ההרים

15 המיוחדים, את הים הכחול ואת השמים היפים. הם רואים את המדבר ושומעים את הַשֶּׁקֶט.

ב) ענו על השאלות לפי הטקסט. Answer the following questions according to the text.

1) מה יש ליד האוהלים של הבדווים?
2) בשורה 8 כתוב: "הם". מי?
3) בשורה 10 כתוב "לשם". לאן?
4) למה באים התיירים למעיינות ליד ים המלח?

ים המלח - יהודית ילין-גינת

ג) השלימו את שם התואר לפי הקטע.

Complete the sentences with the correct adjective, according to the text.

דוגמה: המדבר גדול.

1) הדרך מירושלים לסדום ____________.

2) המלונות ____________.

3) המים במעיינות ____________.

4) השמש במדבר ____________.

5) ההרים ____________.

6) הים ____________.

7) השמים ____________.

ד) כתבו גלויה לחבר מהמלון ליד ים המלח.

Write a postcard to a friend from the Hotel by the Dead Sea.

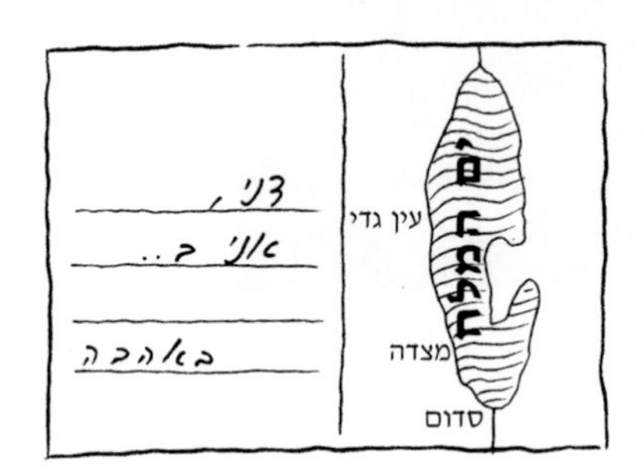

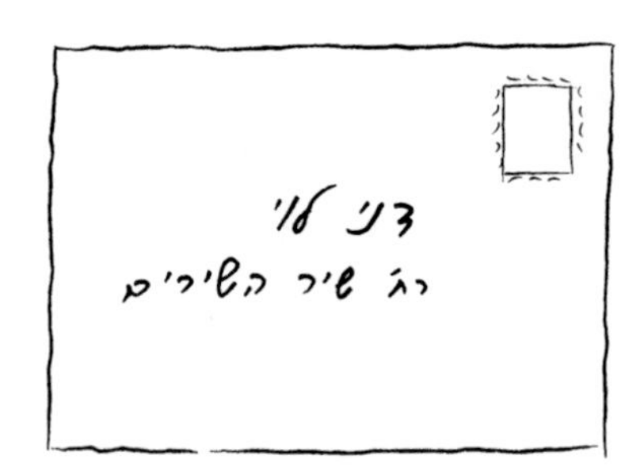

4. בניין פָּעַל - גזרת פ"י - שם הפועל

פָּעַל conjugation - פ״י verb type - infinitive form

הווה Present tense	**שם פועל** Infinitive form	
הולך	**לָלֶכֶת**	**לָ□□ֶ□ת**
יורד	**לָרֶדֶת**	
יושב	**לָשֶׁבֶת**	

5. א) אני אוהב ללכת

אבי: לאן? לאוניברסיטה?

דויד: כן. אתה רוצה טְרֶמְפּ?

אבי: לא. אני רוצה לָלֶכֶת.

דויד: אבל אני נוסע לשם עכשיו.

אבי: תודה, אבל אני לא רוצה לנסוע.
אני אוהב ללכת. באמת, תודה.

דויד: יום טוב!

 מי נוסע ומי הולך?

ב) השלימו את הטבלה. Complete the table.

הווה				שם פועל
י.		ר.		
ז.	נ.	ז.	נ.	
הולך	______	______	______	______
______	______	יושבים	______	______
______	יודעת	______	______	______
______	______	______	יורדות	______

אז יאללה, ביי!

א) מה פתאום?!

6. א) רני לא רוצה שום דבר

אימא: רני, אתה לא אוכל שום דבר?
רני: לא. אני לא רוצה לאכול.
אימא: אתה רוצה לשתות משהו?
רני: לא. שום דבר.
אימא: למה אתה לא לומד?
רני: כי אני לא רוצה ללמוד.
אימא: למה אתה לא קורא ספר?
רני: כי אני לא רוצה לקרוא.
אימא: אולי אתה רוצה ללכת לדוֹדה שושנה?
רני: אימא, לא!!
אימא: אז מה אתה רוצה?
רני: שום דבר!

מה רני רוצה?

כתבו על רני : רני לא אוכל שום דבר. הוא לא... Write about רני :

ב) כתבו שיחה דומה בין שני חברים או חברות במסיבה.

השתמשו בפעלים אחרים, למשל במקום לומד, קורא - רוקד, מדבר וכו'.

Write down a similar dialogue between friends at a party. Use different verbs, for example instead of **לומד, קורא - רוקד, מדבר** etc.

7. בחרו את הפועל המתאים מהרשימה ואמרו את המשפטים.

Use the correct verb from the list and say the sentences.

הפעלים: לשבת / ללכת / לדעת / לרדת :Verbs

1) - את רוצה ____________ לסרט?
- כן, מתי?

2) - אתה רוצה ____________ ליד מיכל?
- לא. אני יושב תמיד ליד תמר.

3) - אני רוצה לנסוע!
- מצטער. אין מקום. בבקשה ____________.

4. - אתם רוצים ____________ איפה יש מסעדה סינית בחיפה?
- כן. איפה?

8. חזרה על כל הפעלים שנלמדו

Review of all the verbs that were learnt

שרטטו טבלות במחברת, שבצו את הפעלים במקום הנכון והשלימו את צורות הפעלים החסרות.

Draw tables in your note book. Place the verbs in their correct place and complete the missing verb forms.

הפעלים: לאהוב, לאכול, לבוא, לבנות, לדעת, לומר, לחזור, לחשוב, לכתוב, ללבוש, לנסוע, לעבוד, לעלות, לעשׂות, לפגוש, לקום, לקנות, לקרוא, לראות, לרוץ, לרצות, לרקוד, לשאול, לשבת, לשיר, לשמוע, לרדת,

	ז.	נ.	ז. ר.	נ. ר.
ללמוד לאהוב	לומד			
לשתות לבנות				
לגור לקום				
לדעת ללכת				

אל יאללה, ביי!

ב) לְבְרִיאוּת!

9. א) ברחוב שינקין בתל-אביב

שׂרית: היי יורם, מה נִשְׁ..?
יורם: טוב. תודה. ואת, מה שלומך?
שׂרית: אַחְלָה!
יורם: אולי את רוצה לשתות קפה?
שׂרית: סַבָּבָּה!
יורם: לאן את רוצה ללכת? אולי לקפה ירושלים?
שׂרית: עַל הַכֵּיפַק!

פיתה עם חומוס / סנדוויצ'ים /
צ'יפס / פיצה / פסטה / סלט /
קפה עם חלב / תה / מיץ /
גלידה שוקולד / גלידה לימון / עוגות

בקפה ירושלים

יורם: יש פה מקום נחמד ליד החַלון. את רוצה לשבת שם?
שׂרית: בְּכֵיף. אז תַגיד, מה הולך?
מלצר: סליחה, אתם כבר יודעים מה אתם רוצים?
שׂרית: פַּסטָה פֶּסטו וגם גלידה לימון.
יורם: ואני רוצה פיצה וקפה עם הרבה חלב, בבקשה.
שׂרית: וגם מים קָרים עם לימון.

— — — —

שׂרית: נו, יורם, אז מה העניינים?
יורם: מה את רוצה לשמוע? אני לומד מתמטיקה ופילוסופיה.
שׂרית: וָואלָה, מה אתה אומר?!
יורם: ואת, מה את לומדת?
שׂרית: אני? ללמוד? מַה פִּתְאוֹם? אני רוצה לטייל בעולם, לפגוש אנשים, לנסוע קצת.
יורם: לאן את רוצה לנסוע?
שׂרית: בּוֹליבְיָה, הודוּ, אוסטרליה, קֶנְיָה. פה, שם.
יורם: מתי את נוסעת?
שׂרית: אני יודעת?! אני רוצה לנסוע עם חברים. אתה רוצה לבוא?
יורם: אֶה... מלצר, חֶשְׁבּוֹן, בבקשה!

תַגיד
תַגידי
תַגידו

קפה ירושלים
רח' שינקין 9, ת"א
פיצה..........
פסטה פסטו.......
גלידה..........

1) מי מדבר בסלנג, יורם או שׂרית?

Who is talking in slang, יורם or שׂרית ?

2) בחרו וסמנו: מי זה יורם, ומי זאת שׂרית?

Choose and indicate: who is שׂרית and who is יורם ?

ב) כתבו על מי אפשר להגיד את המשפטים האלה, על יורם או על שׂרית?

Write down which character these sentences refer to - יורם or שׂרית ?

1) ________ רוצה לנסוע עם חברים.

2) ________ לא רוצה ללמוד.

3) ________ רוצה לשתות קפה.

4) ________ רוצה מים.

5) ________ רוצה לטייל בהודו.

ג) המשיכו את השיחה בין שׂרית ויורם. יש אפשרויות שונות לסיים את השיחה.

Continue the conversation between שׂרית and יורם. There are different possibilities to end the conversation.

למשל: שׂרית: טוב. להתראות בצוד שנה. אתה רוצה משהו מהודו?

או: שׂרית: אז להתראות מחר ב"אל-על"!

10. א) השלימו את הפעלים המתאימים - צורת הווה או שם פועל.

Complete the sentences using the correct verbs - present tense or infinitive.

אנשים בתל אביב

בת"א יש אנשים מכל העולם; מאירופה, ומאפריקה, מאמריקה, מאסיה ומאוסטרליה.
בת"א אנשים ______ עברית ויידיש, אנגלית ורוסית, גרמנית ושׂפות אחרות.
בת"א אנשים אוהבים ______ הכול. הם ______ חומוס, פלאפל, פִּיצָה, בּוּרֶקַס, או משהו אחר. בארוחות הם ______ יין, מיץ, קפה, או תה.
במסיבות בת"א אנשים אוהבים ______ ג'ינס וטי-שֶׁרט, ולפעמים הם ______ בגדים אֶלֶגַנְטִיִים.
בת"א אנשים אוהבים ______ מוזיקה. הם ______ מוזיקה מודרנית או קלסית. הם אוהבים שירים מרוסיה, מאמריקה, מספרד או ממקום אחר. הם ______ גם שירים ישראליים.
בת"א אנשים אוהבים ______ ברחובות. הם ______ ברחובות, ______ בחנויות ו ______ בבית קפה או במסעדה.
בבית הם ______ ספרים, ______ טלוויזיה, ולפעמים גם ______ שאלות וחושבים על החיים.

ב) ספרו על אנשים בעיר אחרת.

Tell about people in a different city.

סיכום לשוני

Grammatical summary

דגמי משפטים שמניים

Nominal clause models

א. שם עצם מיודע / שם עצם פרטי / שם גוף / כינוי רומז + שם עצם

Definite nouns / proper nouns / personal pronouns / demonstrative pronouns + nouns

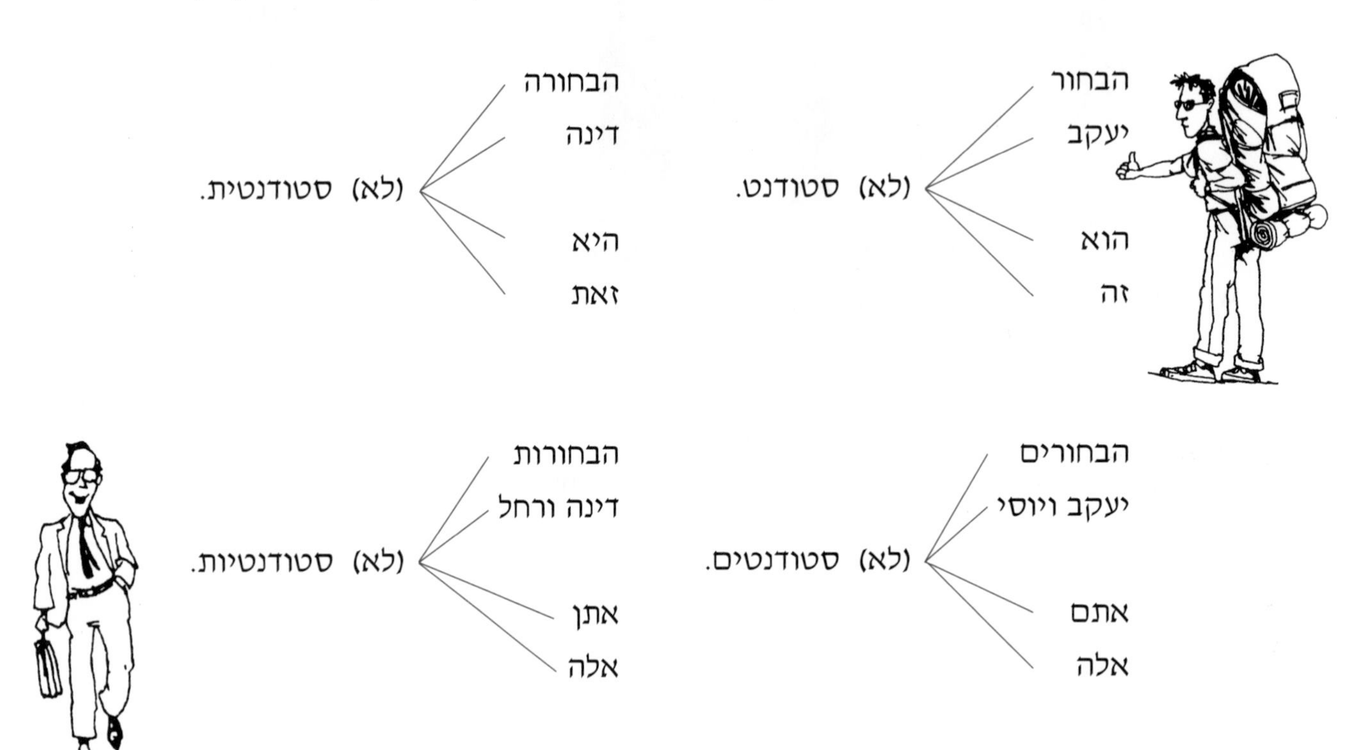

ב. שם עצם מיודע / שם עצם פרטי / שם גוף / כינוי רומז + שם תואר

Definite nouns / proper nouns / personal pronouns / demonstrative pronouns + adjectives.

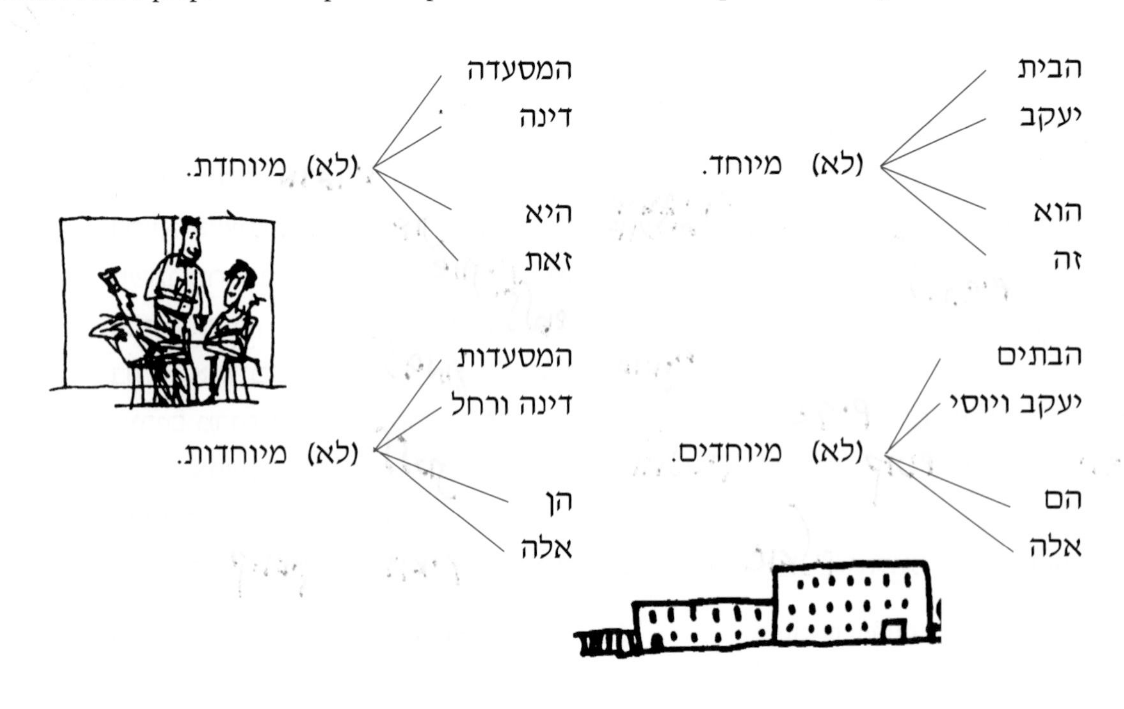

ג. שם עצם מיודע / שם עצם פרטי / שם גוף / כינוי רומז + צירוף יחס

Definite nouns / proper nouns / personal pronouns / demonstrative pronouns + prepositional phrases

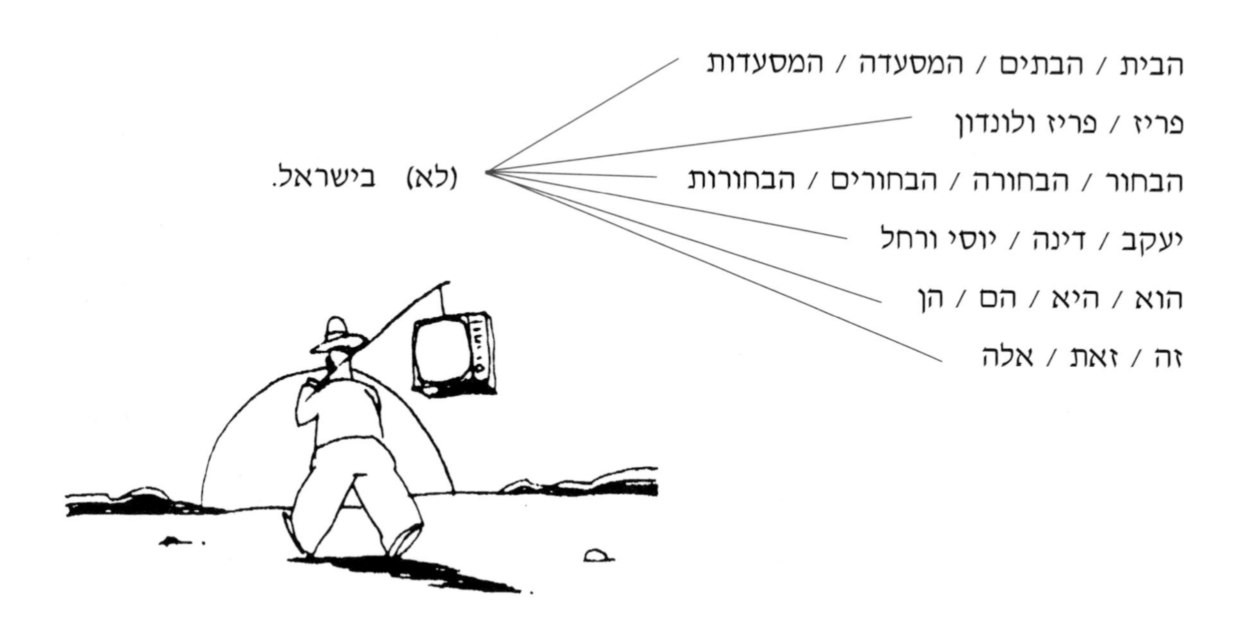

ד. יש / אין + שם עצם

יש / אין + nouns

יש / אין — בעיה. / מים. / אנשים.

- בדגמים א', ו-ב' יש התאמה בין הנושא ובין הנשוא:

In model A and B the subject and the predicate agree:

למשל: את תלמידה. אתם מיוחדים. רינה סטודנטית For example:

ואילו בדגמים ג' ו-ד' אין התאמה.

But in models C and D they do not agree.

האוצר הלשוני — Summary of Topics

א. אוצר המילים — Vocabulary

פעלים — Verbs

יוֹרֵד, לָרֶדֶת	descend / go down

שמות תואר — Adjectives

חַם, חַמָּה	hot
כָּחוֹל, כְּחוּלָה	blue
כָּשֵׁר, כְּשֵׁרָה	kosher
מְשַׁעֲמֵם, מְשַׁעֲמֶמֶת	boring
קַר, קָרָה	cold
קָשֶׁה, קָשָׁה	hard
שָׁקֵט, שְׁקֵטָה	quiet

סלנג — Slang

אַחְלָה מ״ק, מ״ז	great!
בְּכֵּיף מ״ק, מ״ז	with pleasure!
וָואלָה מ״ק, מ״ז	really!? / That's right...

מילים לועזיות — Foreign words

בּוּרֶקַס (ז.)	burekas (kind of food)
טְרֶמְפּ (ז.)	hitchhike
מִינֶרָל (ז.)	mineral
פִּיצָה (נ.)	pizza
פַּסְטָה פֶּסְטוֹ (נ.)	pesto pasta
אֶלֶגַנְטִי, אֶלֶגַנְטִית ש״ת	elegant

שמות עצם — Nouns

בֵּית קָפֶה (ז.), בָּתֵּי קָפֶה	café
גְלוּיָה (נ.)	postcard
דֶּרֶךְ (נ.) , דְרָכִים	way
חוֹלֶה (ז.), חוֹלָה (נ.)	ill / sick
חוֹרֶף (ז.)	winter
חַלוֹן (ז.), חַלוֹנוֹת	window
חֶשְׁבּוֹן (ז.), חֶשְׁבּוֹנוֹת	bill / check
מִדְבָּר (ז.), מִדְבָּרִיּוֹת	desert
מֶלְצָר (ז.), מֶלְצָרִית (נ.)	waiter
מַעְיָן (ז.), מַעְיָינוֹת	(water) spring
נוֹף (ז.)	view
שָׂפָה (נ.)	language
תַּרְגִיל (ז.)	exercise
תַּיָּיר (ז.), תַּיֶּירֶת (נ.)	tourist

שונות — Miscellaneous

בְּאֶמְצַע ת״פ	in the middle (of)
בְּעוֹד מ״ח	in a...(exp. In a month...)
הַבַּיְתָה ת״פ	homewards
חוּ״ל = חוּץ לָאָרֶץ (ז. ר. 0)	abroad
כְּבָר ת״פ	already
לִבְרִיאוּת! ב.	Bless you!
מַה פִּתְאוֹם?! ב.	No way!
פִּתְאוֹם ת״פ	suddenly
תָּמִיד ת״פ	always
תַּגִּיד! (ז.)	tell!
תַּגִּידִי! (נ.)	tell!
תַּגִּידוּ! (ז.נ.ר.)	tell!

ב. הנושאים הלשוניים
Grammatical topics

צורות: פועל: בניין קל, גזרת פ״י, שם הפועל

Morphology:
Verbs: basic stem, פ״י (פָּעַל) verb type, infinitive form

לָ◻ֶ◻ֶת דוגמה: לָשֶׁבֶת
לָ◻ַ◻ַת לָדַעַת

תחביר: התאמה במשפט שמני במין ובמספר

Syntax:
Gender and number agreement in nominal clauses

דוגמה: השיעור קשה.
הספרייה גדולה.
הספרים ישנים.
הכיתות קטנות.

משפטי שלילה + שום דבר

Negative clauses + שום דבר

סיכום לשוני: דגמי משפטים שמניים

Grammatical summary: nominal clause models

ג. הערות לשוניות
Grammatical notes

1. צירוף של שם עצם מיודע ושם תואר לא מיודע יוצר משפט בעברית, למשל:

שם עצם	שם תואר
הבית	גדול.

יש לשים לב להתאמה במין ובמספר בין שם העצם ובין שם התואר.

The combination of definite nouns and indefinite adjectives creates sentences in Hebrew, for example: .

Adjective	noun
גדול.	הבית

Note the agreement of nouns and adjective in gender and number.

2) בפועל **להגיד** לא משתמשים בזמן הווה.

The present tense of the verb להגיד is not in use.

שיעור 9

1. **בניין פיעֵל - גזרת השלמים - שם הפועל** פיעֵל conjugation - strong verbs - infinitive form

הווה Present tense	**שם פועל** Infinitive form	
מדבר	**לְדַבֵּר**	לְ◻ַ◻ֵּ◻
מחפש	**לְחַפֵּשׂ**	
מטייל	**לְטַיֵּיל**	
מקבל	**לְקַבֵּל**	
משלם	**לְשַׁלֵּם**	
משחק	**לְשַׂחֵק**	

אתה רוצה לשלם בצ'ק?

אורי אוהב לְטַיֵּיל במדבר.

הוא אוהב לְקַבֵּל מכתבים.

היא אוהבת
לְדַבֵּר בטלפון.

2. א) באוטובוס מתל-אביב למודיעין

רני: לאן אתה נוסע?

יוסף: למודיעין. אני גנן. אני עובד בגינות של אנשים, ואני מְחַפֵּשׂ עבודה. במודיעין יש הרבה בתים עם גינות. נכון?

בונים את העיר מודיעין, 1999

רני: אני לא יודע, אבל אין גינות בתל-אביב?

יוסף: יש, אבל יש גם הרבה גננים. מודיעין היא עיר חדשה, ואולי אין שם הרבה גננים.

רני: איך אתה מחפש עבודה, בעיתון?

יוסף: לא. אני אוהב לטייל ברחובות ולדבר עם האנשים. אולי אתה מכיר מישהו במודיעין?

רני: לא. אני לא מכיר.

יוסף: טוב, לא חָשוּב. הינה כבר מודיעין. אני יורד פה.

רני: בְּהַצְלָחָה.

? למה יוסף אומר לרני "בהצלחה"?

Why did יוסף say "בהצלחה" to רני?

ב) 1) **אמרו / כתבו את השיחה.**

Say / Write down the dialogue.

יוסף בא למודיעין. הוא רואה איש ליד בית עם גינה גדולה.

2) **המחיזו שתי שיחות דומות לשיחה בין רני ויוסף.**

בשיחה אחת רני מדבר עם יורם. יורם הוא מורה לאנגלית.

בשיחה שנייה רני מדבר עם שרה. שרה היא מורה לגיטרה.

Dramatize two dialogues similar to the one between רני and יוסף.
In the first dialogue רני talks to יורם. יורם is an English teacher.
In the second dialogue רני talks to שרה. שרה is a guitar teacher.

3. א) השלימו את הטבלה. Complete the table.

הווה				שם פועל
י.		ר.		
ז.	נ.	ז.	נ.	
מדבר	______	______	______	______
______	מטיילת	______	______	______
______	______	מחפשים	______	______
______	______	______	משלמות	______
______	______	______	______	לקבל

ב) השלימו את שם הפועל. Complete the following sentences using infinitive forms.

דוגמה: המורה מדבר עברית ואנגלית , אבל הוא רוצה ***לדבר*** רק עברית.

1) אבי רוצה__________ עבודה. הוא מחפש בעיתון.

2) יוסף מטייל ברחובות ומדבר עם אנשים. הוא אוהב__________ ברחובות ו__________ עם אנשים.

3) רינה אומרת לרני: תמיד אתה משלם. היום אני רוצה__________ .

4) אני מקבלת מכתבים באינטרנט. אני אוהבת__________ מכתבים מאנשים בכל העולם.

4. סמנו את ההשלמה הנכונה. Check the correct completion of the sentences below.

דוגמה: אני הולכת לשוק,
- ☐ כי אני אוהבת לדבר בטלפון.
- ☑ כי אני לא רוצה לשלם הרבה כסף.
- ☐ כי אני מחפשת מקומות שקטים.

1) אתם מדברים עברית,
- ☐ אבל לא כותבים עברית.
- ☐ אבל אתם ישראלים.
- ☐ אבל אתם משלמים בבנק.

2) אתה אומר לדני "בהצלחה",
- ☐ כי אתה מחפש עבודה.
- ☐ כי הוא מקבל דרישת שלום מהמשפחה.
- ☐ כי הוא מקבל עבודה חדשה.

3) לאן את
- ❑ מחפשת?
- ❑ מטיילת?
- ❑ משלמת?

4) הם באים לאילת בינואר,
- ❑ כי הם מחפשים שמש.
- ❑ כי הם לא אוהבים את הים.
- ❑ כי הם מטיילים ביפן.

5) אנחנו קונות עיתון,
- ❑ כי אנחנו רוצות לקבל גלויה.
- ❑ כי אנחנו רוצות לחפש דירה.
- ❑ כי אנחנו רוצות לדבר עם דני.

מן המקורות

"לְפִיכָךְ אֲנַחְנוּ חַיָּבִים לְהוֹדוֹת, לְהַלֵּל,
לְשַׁבֵּחַ, לְפָאֵר, לְרוֹמֵם, לְהַדֵּר, לְבָרֵךְ,
לְעַלֵּה וּלְקַלֵּס לְמִי שֶׁעָשָׂה לַאֲבוֹתֵינוּ וְלָנוּ
אֶת כָּל הַנִּסִּים הָאֵלֶּה"

(סדר מועד, מסכת פסחים, פרק י', משנה ה')

הארץ אשר נשבע לאבותינו.
לפיכך אנחנו חייבים להודות ל
להלל לשבח להדר לברך
לעלה ולקלס למי שעשה לאבותינו ולנו
את כל הנסים האלה הוציאנו מעבדות
לחרות מיגון לשמחה ומאבל ליום טוב
ומאפלה לאור גדול ומשעבוד לגאולה
ונאמר לפניו שירה חדשה הללו יה.
הללו יה הללו עבדי יי
הללו את שם יי. יהי שם יי מבורך מעתה
ועד עולם. ממזרח שמש עד מבואו מ
מהלל שם יי. רם על כל גוים יי על השמים
כבודו. מי כיי אלהינו המגביהי לשבת
המשפילי לראות בשמים ובארץ. מקימי
מעפר דל מאשפות ירים אביון. להושיבי
עם נדיבים עם נדיבי עמו. מושיבי עקרת
הבית אם הבנים שמחה הללו יה.
בצאת ישראל ממצרים בית יעקב
מעם לועז. היתה יהודה

מתוך הגדה של פסח - פולין, 1719

1) **סמנו במשנה את כל הפעלים בפיעל.**
2) **אמרו מה עושים לפי הכתוב: מודים לקדוש ברוך הוא, מהללים, ... את הקדוש ברוך הוא.**

1) Underline all the verbs in the פיעל conjugation in the Mishnah passage.
2) According to the passage, say what one has to do. (Use the present tense)

5. יום שישי בישראל

בישראל סוף שבוע הוא יום שישי ושבת. הרבה ישראלים עובדים חמישה ימים בשבוע ולא עובדים ביום שישי. הם הולכים, לַשוק או לַקַנְיוֹן. בקניון יש מסעדות, בָּתֵי קפה, והרבה חנויות. האנשים אוהבים לטייל בקניון, לשבת בבית קפה, לדבר עם חברים ולקנות אוכל. הם מחפשים חלות מתוקות לשבת או לחם טוב. הם קונים חומוס וטחינה, קפה ותה, עוגות ושוקולד. הם קונים גם פרחים ועיתונים - עיתון אחד, שניים או שלושה.

שוק מחנה יהודה בירושלים, 1999

הישראלים אומרים: אנחנו מקבלים את השבת בשירים, בפרחים ובעיתונים.
בהרבה מקומות יש ביום שישי בבוקר סרטים, קונצרטים וטיולים. באוניברסיטה, בסינמטק, במוזאון ובמקומות אחרים יש קורסים מיוחדים של יום שישי בבוקר. בקורסים האלה לומדים פילוסופיה סינית, יידיש או ערבית, מוזיקה עתיקה ועוד.
אבל הרבה אנשים אומרים: אנחנו לא רוצים ללמוד ביום שישי. אנחנו רוצים לראות חנויות יפות, לפגוש אנשים, לקנות, לקנות ולקנות.
אולי גם הקניון הוא "אוניברסיטה"? לא לומדים שם היסטוריה או מוזיקה, אבל לומדים על החיים. בשוק ובקניון רואים את הסרט של החיים.

מה אומרים בטקסט על:

א) עוגות, חומוס וקפה
ב) עיתונים, שירים ופרחים
ג) יידיש, מוזיקה עתיקה ופילוסופיה סינית
ד) סרטים, קונצרטים וטיולים

Feminine numbers

.6 מספרים בנקבה 11 - 20

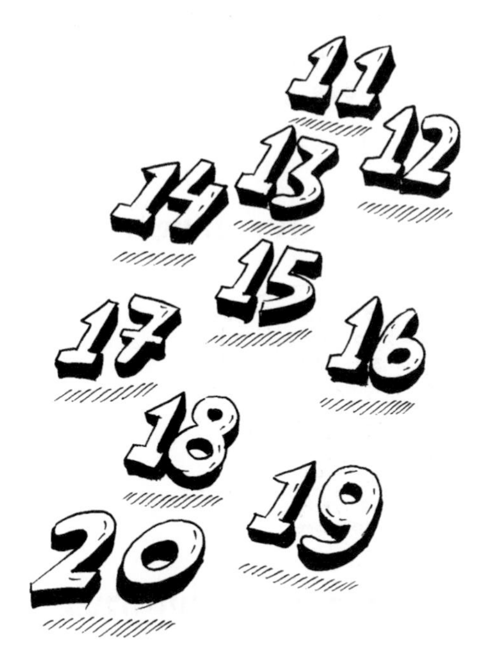

11	**אַחַת עֶשְׂרֵה**	תלמידות
12	**שְׁתֵּים עֶשְׂרֵה**	מורות
13	**שְׁלוֹשׁ עֶשְׂרֵה**	ילדות
14	**אַרְבַּע עֶשְׂרֵה**	בחורות
15	**חֲמֵשׁ עֶשְׂרֵה**	דודות
16	**שֵׁשׁ עֶשְׂרֵה**	חברות
17	**שְׁבַע עֶשְׂרֵה**	תיירות
18	**שְׁמוֹנֶה עֶשְׂרֵה**	מוכרות
19	**תְּשַׁע עֶשְׂרֵה**	סטודנטיות
20	**עֶשְׂרִים**	משפחות

.7 כָּל הָ"עֶשְׂרֵה"

א) קראו ואמרו את המספרים.

Read the numbers and say them.

ארוחה גדולה

בבית של וַשְׁתִּי, האישה של אחשוורוש, יש היום מְסִיבָּה. 20 חברות באות לדירה של ושתי, והיא עושה ארוחה גדולה.

היא שׂמה על השולחן 15 פיתות עם פלאפל, 16 פיצות עם זֵיתִים ו-13 פיצות עם עגבניות, 14 לחמניות עם טוּנָה, 18 לחמניות עם גבינה ו-12 חלות עם מרגרינה.

וַשְׁתִּי עושה סלט גדול. בסלט יש 11 עגבניות, תִּשְׁעָה עָשָׂר זיתים וסֶלֶרִי. היא עושה גם סלט פֵּרוֹת. היא שׂמה בסלט 17 בננות והרבה תפוזים.

ושתי חושבת: מה החברות רוצות לאכול? מה אין על השולחן?

מה אתם חושבים? מה עוד החברות רוצות לאכול, וכמה?

What do you think? What else do the friends want to eat, and how much?

ב) **פתרו את התרגילים ואמרו אותם.** Solve the math problems and say them out loud.

כמה זה? *דוגמה:* 14 = 11+3 *אחת עשרה ועוד שלוש הם ארבע עשרה.*

1) =19-7
2) = 9+8-3
3) = 10+9-6
4) = 14+3-3
5) = 18+0-1
6) = 20-16+11

8. מה השעה? (IV)

בטלוויזיה - הכול בעברית

13:17	זמן לעברית
15:13	שירים עבריים
16:30	העברית של התנ"ך
17:16	רגע של עברית
19:18	אוֹפֶּרָה בעברית
22:15	שיעור בעברית
23:46	חדשות בעברית קלה

9. בֶּן כַּמָה? בַּת כַּמָה?

- בן כמה אתה, יוסי?
- אני בן שלוש עשרה.

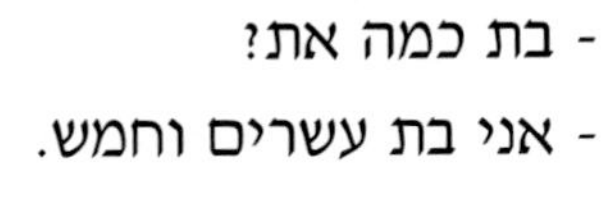

- בת כמה את?
- אני בת עשרים וחמש.

קראו והשלימו: Read and complete:

דוגמה: - בן כמה הילד?
- *הוא בן חמש.*

1) - בת כמה נועה?
- ______________ .

2) - ______ אברהם?
- ______ .

3) - בת כמה רחל?
- ______ .

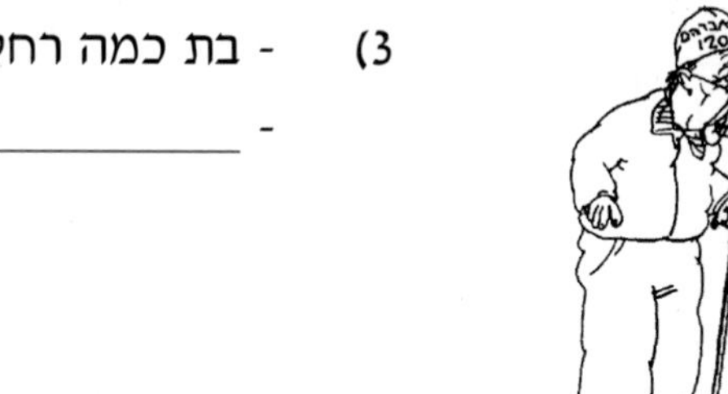

מן המקורות

> בֶּן חָמֵשׁ שָׁנִים לַמִּקְרָא
> בֶּן עֶשֶׂר לַמִּשְׁנָה
> בֶּן שְׁלוֹשׁ עֶשְׂרֵה לַמִּצְווֹת
> בֶּן חָמֵשׁ עֶשְׂרֵה לַגְּמָרָא
> בֶּן שְׁמוֹנֶה עֶשְׂרֵה לַחֻפָּה (אבות, ה', כ"ה)

10. קראו ואמרו את המספרים. Read the numbers and say them.

ומה את אוכלת?

אחשוורוש: יש אוכל בבית?
וַשְׁתִּי: יש.
אחשוורוש: מה יש?
ושתי: יש סלט יְרָקוֹת וסלט פֵּרוֹת.
אחשוורוש: אני לא אוהב סלט. יש פיצה?
ושתי: אתה אוכל 14 פיצות בשבוע, אחשוורוש. זה לא בָּרִיא.
אחשוורוש: אולי יש פיתה עם חומוס?
ושתי: אתה אוכל 11 פיתות ביום, אחשוורוש. זה לא טוב.
אחשוורוש: ומה את אוכלת?
ושתי: היום אני אוכלת 13 עַגְבָנִיּוֹת.
אחשוורוש: ושתי, אולי יש בבית קצת צ'יפס?
ושתי: אחשוורוש!!

1) מה ושתי אוכלת? 2) מה אחשוורוש אוכל?

אז יאללה, ביי!

כל אלה הילדים שלך?
כן.
כמה?
12 בנות ובן אחד.
כל הכבוד!
בן כמה אתה?
בן 99.
כל הכבוד!
איזה פרחים יפים! הם מהגינה שלכם?
כן.
כל הכבוד!

מה הציון שלך בבחינה במתמטיקה?
100.
כל הכבוד!

Summary of Topics

האוצר הלשוני

א. אוצר המילים — Vocabulary

שמות עצם / Nouns

גְּבִינָה (נ.)	cheese
גַּנָּן (ז.)	gardener
זַיִת (ז.), זֵיתִים	olive
יֶרֶק (ז.), יְרָקוֹת	vegetable
מְסִיבָּה (נ.)	party
עַגְבָנִיָּה (נ.)	tomato
פֶּרַח (ז.), פְּרָחִים	flower
פְּרִי (ז.), פֵּרוֹת	fruit
קַנְיוֹן (ז.)	shopping mall
שׁוּק (ז.), שְׁוָקִים	market

שונות / Miscellaneous

בְּהַצְלָחָה! ת״פ, ב.	Good luck!
בֶּן כַּמָּה? (ז.)	How old...?
בַּת כַּמָּה? (נ.)	How old...?
לֹא חָשׁוּב	Never mind (lit.: not important)
סוֹף שָׁבוּעַ (ז.)	weekend

שמות תואר / Adjectives

בָּרִיא, בְּרִיאָה	healthy
מָתוֹק, מְתוּקָה	sweet

פעלים / Verbs

מְקַבֵּל, לְקַבֵּל	receive
מְשַׁלֵּם, לְשַׁלֵּם	pay
שָׂם, לָשִׂים	put

מילים לועזיות / Foreign words

אוֹפֶּרָה (נ.)	opera
טוּנָה (נ.)	tuna
סֶלֶרִי (ז. ר. 0)	celery
צֶ׳ק (ז.)	check

מספרים / numbers

שְׁלוֹשׁ עֶשְׂרֵה	thirteen	שְׁבַע עֶשְׂרֵה	seventeen
אַרְבַּע עֶשְׂרֵה	fourteen	שְׁמוֹנֶה עֶשְׂרֵה	eighteen
חֲמֵשׁ עֶשְׂרֵה	fifteen	תְּשַׁע עֶשְׂרֵה	nineteen
שֵׁשׁ עֶשְׂרֵה	sixteen	עֶשְׂרִים	twenty

ב. הנושאים הלשוניים — Grammatical topics

צורות: פועל: בניין פִּיעֵל, גזרת השלמים, שם הפועל

Morphology: Verbs: פִּיעֵל conjugation, strong verbs, infinitive form

לְ□ַ□ֵּ□ דוגמה: לְדַבֵּר

שונות: מספרים מונים בנקבה 20-11

Miscellaneous: Feminine cardinal numbers

מה השעה? (IV)

בן כמה? / בת כמה?

שיעור 10

1. **בניין הִפְעִיל - גזרת השלמים - זמן הווה** הִפְעִיל conjugation - strong verbs - present tense

מה קרה?

	ז. m.	נ. f.
י. s.	**מַרְגִישׁ** **מַ□ְ□ִי□**	**מַרְגִישָׁה** **מַ□ְ□ִי□ָה**
ר. pl.	**מַרְגִישִׁים** **מַ□ְ□ִי□ִים**	**מַרְגִישׁוֹת** **מַ□ְ□ִי□וֹת**

וגם: מַזְמִין, מַסְבִּיר, מַפְסִיק, מַצְלִיחַ, מַתְחִיל

ג'וֹגִינג

יוסי רץ כל בוקר חמישה קילומטרים, גם בַּקַּיִץ וגם בחורף.
איך הוא מַצְלִיחַ לעשות את זה?
הוא מַסְבִּיר: "ביום ראשון אני רץ רק חצי קילומטר. כָּךְ אני מַתְחִיל.
ביום שני אני רץ קילומטר וחצי ומַפְסִיק. אַחֲרֵי שבוע אני רץ
חמישה קילומטרים ומַרְגִישׁ נֶהְדָּר.
גם אתם רוצים לרוץ? אני מַזְמִין את כולם לרוץ מָחָר בשש בבוקר.

2. **שנו כל פעם את ההשלמה ואמרו את כל המשפט.**

Complete the sentences in several different ways, and say them.

דוגמה: אני מתחיל ללמוד / לעבוד / לדבר / לחשוב /

אני מתחיל ללמוד. אני מתחיל לעבוד.

אני מתחיל לדבר. אני מתחיל לחשוב.

1) הוא מתחיל • את השיעור / את העבודה / את הטיול / את הדיאטה /
2) היא מפסיקה • לשאול / לשיר / לקרוא / לשתות /
3) הם מפסיקים • את הקונצרט / את הסרט / את הארוחה / את הקורס /
4) אתה מזמין • את יוסי / את החברים / את כולם / את הרַב /
5) את מזמינה • ספר בספרייה / קפה בקפטריה / מקום ב"אל-על" / כרטיס לקונצרט /
6) אנחנו מזמינים חברים • למסיבה / לטיול / לבית קפה / לסרט /
7) אני מזמין את יוסי • לשתות קפה / לרקוד / לטייל בהרים / לאכול פיצה /
8) אתם מסבירים • את התרגיל / את השיר / את הבעיה / את השיעור /
9) הן מסבירות את הדרך • להורים / לחברים / לתלמידים / לתיירים /
10) היא מסבירה • איך הולכים לסינמטק / מה קרה / למה הוא לא לומד / איך עושים עוגה /
11) אנחנו מרגישות • מצוין / כָּכָה כָּכָה / טוב מאוד / בסדר /
12) הוא מרגיש • כמו ילד / כמו גדול / כמו בבית / כמו בסרטים /
13) אתה מצליח • באוניברסיטה / באולפן / בחיים / בקריירה /
14) אתן מצליחות • ללמוד עברית / לרוץ 5 קילומטרים / לשבת בשקט / לעשות את התרגיל הזה.

3. א) **מסיבה**

1 חנה: הלו?!
יוסי: חנה, הַיי, מה נשמע?
חנה: כָּכָה כָּכָה. לא טוב.
יוסי: מַה קָרָה?
5 חנה: שום דבר.
יוסי: יש היום מסיבה נהדרת. את רוצה לבוא?
חנה: אני לא יודעת. איפה?
יוסי: בבית של דני.
חנה: איפה זה?
10 יוסי: את לא יודעת איפה דני גר? ליד התאטרון.

חנה: מתי זה מתחיל?
יוסי: בעשר.
חנה: מי בא?
יוסי: כולם.
15 חנה: איך נוסעים ל ...
יוסי: אוי, חנה, סליחה, מישהו בַּפֶּלֶאפוֹן. להת..

ב) מצאו בשיחה את השורה המתאימה למשפט ואמרו באיזו שורה אומרים ש...:

Find the lines in the dialogue that correspond to these sentences, and say the line number.

1) חנה מרגישה לא טוב. שוּרָה ...
2) יוסי מסביר לחנה איפה דני גר. שורה ...
3) יוסי מפסיק לדבר עם חנה. שורה ...
4) חנה מתחילה לשאול משהו. שורה ...
5) יוסי מזמין את חנה למסיבה. שורה ...

4. כתבו את הפועל בצורה הנכונה. Complete the sentences using the correct form of the verb.

דוגמה: מתי את ***מתחילה*** ללמוד באוניברסיטה? (להתחיל)

1) הן הולכות הַבַּיְתָה, כי הן לא ___________טוב. • (להרגיש)
2) למה את ___________ ללמוד, את לא אוהבת ללמוד? • (להפסיק)
3) המורה___________ את המילים, אבל אני לא מבין. • (להסביר)
4) חנה ורותי רוצות___________ את כל התלמידים למסעדה. • (להזמין)
5) אני רוצה לגור בטבע, כי שם אני ___________ בריא. • (להרגיש)
6) הבחור הזה לא___________לדבר. הוא מדבר כבר שעה. • (להפסיק)
7) מחר אנחנו___________לעבוד בשש בבוקר, כי יש הרבה עבודה. • (להתחיל)
8) אתן___________את כל המשפחה לארוחה במסעדה? • (להזמין)
9) אני לא___________לעשות דיאטה. • (להצליח)

הווה Present tense	שם פועל Infinitive form
מזמין	לְהַזְמִין לְהַ◻ְ◻ִי◻
מסביר	לְהַסְבִּיר
מפסיק	לְהַפְסִיק
מרגיש	לְהַרְגִּישׁ
מתחיל	לְהַתְחִיל

6. **השלימו את שמות הפועל:** Complete the sentences using the infinitive forms.

להרגיש / להפסיק / להתחיל / להצליח / להזמין / להסביר /

א) בוריס עולה לארץ

בוריס עולה לארץ עם האישה והילדים. הוא רוצה ____ חיים חדשים בישראל. הוא עובד והוא רוצה מאוד____ בעבודה החדשה. בחוֹדָשִים הראשונים בוריס פוגש רק חברים מרוסיה. אחרי כמה חודשים הישראלים כבר רוצים_____ את בוריס למסיבות, והוא מתחיל___ כמו בבית. אחרי שנה הוא כבר יודע ____לישראלים את הפוליטיקה בישראל. אחרי שלוש שנים הילדים של בוריס רוצים ______ לדבר רוסית. הם רוצים לדבר רק עברית. בוריס לא יודע מה לעשות: לדבר עם הילדים ברוסית או בעברית?

ב) **שוחחו זה עם זה על הבעיה של בוריס וכתבו מה דעתכם.**

Discuss the problem that בוריס is facing, and write down your opinion.

7. השלימו את הטבלה. Complete the table.

הווה				שם פועל
י.		ר.		
ז.	נ.	ז.	נ.	
מזמין	______	______	______	______
______	מסבירה	______	______	______
______	______	מתחילים	______	______
______	______	______	מרגישות	______

8. א) שאלו זה את זה. Ask each other the following questions.

- אתה אוהב לקרוא ספרים?
- איזה ספרים אתה אוהב לקרוא?
- מתי אתה קורא?
- איזה ספרים אתה קורא לשיעורים באוניברסיטה?

- את אוהבת לקרוא ספרים?
- איזה ספרים את אוהבת לקרוא?
- מתי את קורֵאת?
- איזה ספרים את קוראת?

ב) החיים בלי ספרים

הרבה אנשים בעולם המודרני מצליחים בחיים בלי לקרוא ספרים. הם לא קוראים ספרים, לא קונים ספרים, לא מזמינים ספרים בספרייה ולא יושבים עם ספר - לא בבית, לא בַּגַן ולא בבית קפה.

גם הילדים בעולם המודרני לא קוראים הרבה ספרים. הם רואים טלוויזיה הרבה שעות בַּיום ומְשחקים בַּמחשב. הם "קוראים" רק באינטרנט.

יורם ברונובסקי, עִיתוֹנַאי ישראלי, כותב: בזמן הָאַחֲרוֹן הוֹרים, מורים, ואִינְטֶלֶקְטוּאָלִים לא יודעים מה לעשות. הם חושבים: אין חיים בלי ספרים! אבל, אומר יורם ברונובסקי, יש חיים בלי ספרים. הספרים הם דבר חדש בהיסטוריה. העולם העתיק הוא עולם בלי ספרים. פִּילוֹסוֹפִים חֲשוּבִים כותבים על חיים אִידֵאָלִיִים בטבע, והחיים בטבע הם חיים בלי ספרים.

אפלטון, הפילוסוף הַיְוָונִי, (347-427), אומר: אנשים מטיילים בטבע, שומעים סיפורים, מדברים עִם חברים, שרים ורוקדים, מרגישים את העולם ומבינים את החיים. הספרים לא מסבירים שום דבר.

"אולי באמת בעולם המודרני (והפוסט-מודרני) אין עָתִיד לספרים? - שואל יורם ברונובסקי, "אולי אנחנו באמת מתחילים לְהָבִין ולהרגיש את העולם-כמו הפילוסופים הגדולים וכמו בעולם העתיק?"

ג) **ענו לפי הטקסט.**

Answer the following questions according to the text.

1. מה חושבים ההורים והמורים?
2. מה חושבים הפילוסופים?

ד) **שוחחו בזוגות:**

Discuss the topic in pairs:

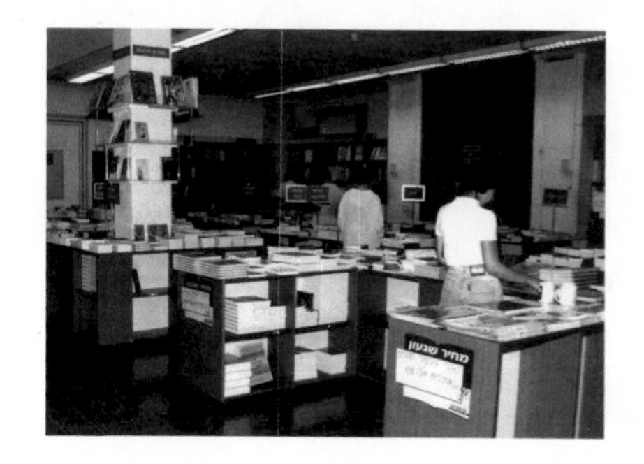

עולם עם ספרים ועולם בלי ספרים?
מה הוא העולם הטוב? למה?

אז יאללה, ביי!

.9 א) **השלימו את המשפטים או סמנו ✓ ליד המשפטים שאתם מסכימים איתם.**

Complete the sentences, or make a check mark by the sentences you agree with.

1) אני מת / אני מתה על הספרים של ....
2) הספרים של ... עושים לי משהו.
3) אין כמו הספרים של ...!
4) אני מכיר / מכירה את כל הספרים של ...
5) אני תמיד קורא את הסֵפֶר האחרון של ...
6) לפעמים אני מתחיל / מתחילה לקרוא את הספר מהסוף.
7) אני לא מפסיק / מפסיקה ספר באמצע.
8) לפעמים אני לא רוצה לדעת את הסוף.
9) כל יום אני קורא / קוראת ספר.
10) אני קורא / קוראת רק עיתונים.

ב) **אמרו זה לזה עוד 3 משפטים בנושא ספרים וכתבו אותם.**

Say three more sentences about books to each other, and then write them down.

.10 כל + שם עצם מיודע ברבים — כל + plural definite nouns

1) כל האנשים אוכלים פלאפל. (לא) כל אחד אוכל פלאפל.

א) קראו ובחרו את המסקנה הנכונה. Read and choose the correct possibility.

1) ישראלי הולך ברחוב ומכיר הרבה אנשים.
- ❑ כל הישראלים הולכים ברחוב.
- ❑ הישראלים מכירים את כל האנשים ברחוב.
- ❑ הישראלים מכירים הרבה אנשים ברחוב.

2) כל השנה באים תיירים לישראל.
- ❑ כל שנה באים תיירים לישראל רק בקיץ.
- ❑ תיירים באים לישראל גם בקיץ וגם בחורף.
- ❑ בקיץ ובחורף אין תיירים בישראל.

3) לא כל יום בישראל יש שמש.
- ❑ בישראל יש ימים בלי שמש.
- ❑ בישראל כל היום יש שמש.
- ❑ אין בישראל ימים בלי שמש.

4) בשבת כל הישראלים קוראים עיתונים.
- ❑ כל ישראלי קורא עיתונים בשבת.
- ❑ הישראלים קוראים את כל העיתונים.
- ❑ הישראלים קוראים עיתונים כל יום.

5) בחנוכה במאה שערים יש חנוכייה על כל חלון.

❏ על כל החלונות במאה שערים יש חנוכיות בחנוכה.

❏ במאה שערים אין חלונות עם חנוכיות בחנוכה.

❏ לא על כל החלונות במאה שערים יש חנוכיות בחנוכה.

6) הישראלים אוהבים ללכת לשוק, כי בשוק משלמים רק 10 שקלים ל-20 פיתות.

❏ כל פיתה בשוק עולה חצי שקל.

❏ כל הפיתות בשוק עולות 20 שקל.

❏ כל ישראלי קונה 20 פיתות בשוק.

7) בהרבה מקומות בישראל אין אוטובוסים בשבת.

❏ בכל מקום בישראל אין אוטובוסים בשבת.

❏ בכמה מקומות בישראל אין אוטובוסים בשבת.

❏ בשבת יש אוטובוסים בכל מקום בישראל.

8) הישראלים שומעים חדשות ברדיו כל חצי שעה.

❏ ברדיו בישראל יש חדשות של חצי שעה.

❏ בישראל כל חצי שעה אומרים בחדשות מה השעה.

❏ בישראל יש חדשות ברדיו בשבע וחצי וגם בשמונה.

.11 א) קראו והשלימו:

Read and complete the sentences:

כל + האנשים • המסיבות • הסיפורים • החדשות • החברים • החברות •

מי לא מכיר את איתן?!

כולם מכירים את איתן. הוא בחור נהדר. *כל הבחורות* אוהבות את איתן. איתן יודע תמיד איפה יש מסיבה, והוא הולך ל______ . הוא הולך לבית קפה ופוגש את ______ החשובים. הוא שומע שם את _____ המעניינים בעיר, והוא מְסַפֵּר לכולם את ______ האַחֲרוֹנוֹת. הוא מזמין תמיד את ______ הביתה, אבל מתי הוא בבית?

ב) בחרו את ההשלמה הכי מתאימה:

Choose the most fitting description of איתן.

איתן הוא:

א. בחור משעמם

ב. בחור פּוֹפּוּלָרִי

ג. איש חשוב

ד. בחור שקט

ג) כתבו סיפור על בחורה דומה או לא דומה לאיתן. השתמשו ב- כל + שמות עצם מיודעים ברבים.

Write a story about a young woman similar or not similar to איתן. Use **כל** + plural definite nouns.

מן המקורות

וְאוֹמֵר עַל רִאשׁוֹן רִאשׁוֹן וְעַל אַחֲרוֹן אַחֲרוֹן. (אבות ה׳, משנה ז׳)

אַחֲרוֹן אַחֲרוֹן חָבִיב (בראשית רבה עח)

Grammatical summary

סיכום לשוני

כָּל

1) **כל** + שם עצם ביחיד — **כל** + Singular noun

כל אחד

כל ספר

כל תלמידה

כל שנה

2) **כל** + שם עצם מיודע ביחיד — **כל** + singular definite noun

כל היום

כל העולם

כל הכיתה

כל הספר

3) **כל** + שם עצם מיודע ברבים — **כל** + plural definite noun

כל הספרים

כל המורות

כל החיים

כל הבחורות

הפועל מתאים לשם העצם: — The verb agrees with the noun:

כל תלמיד מצליח.

כל בחורה עובדת.

כל הילדים לומדים.

כל המשפחות באות.

א. אוצר המילים Vocabulary

פעלים Verbs

מֵבִין, לְהָבִין	understand
מַזְמִין, לְהַזְמִין	invite
מַסְבִּיר, לְהַסְבִּיר	explain
מְסַפֵּר, לְסַפֵּר	tell
מַפְסִיק , לְהַפְסִיק	stop
מַצְלִיחַ, לְהַצְלִיחַ (ב...)	succeed
מַרְגִּישׁ, לְהַרְגִּישׁ	feel
מַתְחִיל , לְהַתְחִיל (ב...)	start / begin

שמות עצם Nouns

גַּן (ז.)	garden / park
חוֹדֶשׁ (ז.)	month
עִיתוֹנַאי (ז.), עִיתוֹנָאִית (נ.)	newspaper reporter
עָתִיד (ז. ר. 0)	future
פֶּלֶאפוֹן (ז.)	cellphone
קַיִץ (ז.) , קֵייצִים	summer

מילים לועזיות Foreign words

אִינְטֶלֶקְטוּאָל (ז.), אִינְטֶלֶקְטוּאָלִית (נ.)	intellectual
ג׳וֹגִינְג (ז. ר. 0)	jogging
פּוֹסְט מוֹדֶרְנִי, פּוֹסְט מוֹדֶרְנִית ש״ת	postmodern
פִּילוֹסוֹף (ז.), פִּילוֹסוֹפִית (נ.)	philosopher
פּוֹפּוּלָרִי, פּוֹפּוּלָרִית ש״ת	popular

שמות תואר Adjectives

אַחֲרוֹן, אַחֲרוֹנָה	last
חָשׁוּב, חֲשׁוּבָה	important
יְוָונִי, יְוָונִית	Greek
נֶהְדָר, נֶהְדֶרֶת	wonderful

שונות Miscellaneous

אַחֲרֵי מ״י	after
כָּךְ ת״פ	this is how.../ so
מַה קָרָה?	What happened?

סלנג Slang

כָּכָה כָּכָה ת״פ	so so

ב. הנושאים הלשוניים

Grammatical topics

צורות: פועל: בניין הִפְעִיל, גזרת השלמים, זמן הווה ושם פועל

Morphology: Verb: הִפְעִיל conjugation, strong verb, present tense and infinitive form

דוגמה: מלאין
מלאינה
להלאין

תחביר: כל + שם עצם מיודע ברבים -

Syntax: כל + plural definite noun

דוגמה: כל הילדים

סיכום לשוני: כל + שם עצם

Grammatical summary: כל + noun

ג. הערות לשוניות

Grammatical notes

1) שם עצם ברבים אחרי המילה **כל** מיודע תמיד.

Following the word **כל**, plural nouns are always definite.

שיעור 11

1. **בַּדּוֹאַר**

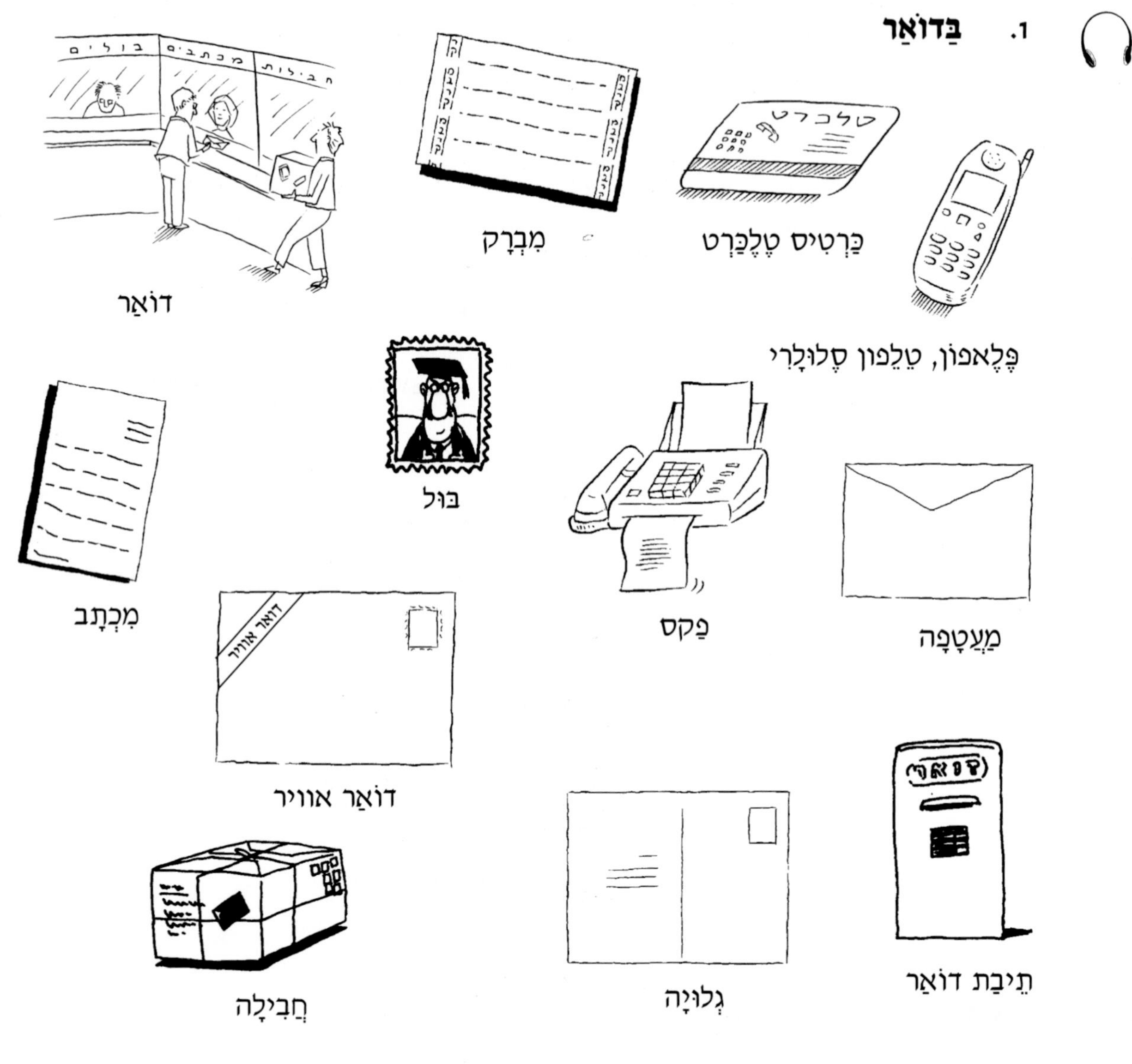

פֶּלֶאפוֹן, טֶלֶפוֹן סֶלוּלָרִי · כַּרְטִיס טֶלֶכַּרְט · מִבְרָק · דוֹאַר

מַעֲטָפָה · פַּקְס · בּוּל · מִכְתָּב

דוֹאַר אוויר

תֵּיבַת דוֹאַר · גְּלוּיָה · חֲבִילָה

2. **מספרים בזכר 11 - 20**

Masculine numbers

11	**אַחַד עָשָׂר**	בולים
12	**שְׁנֵים עָשָׂר**	מכתבים
13	**שְׁלוֹשָׁה עָשָׂר**	פקסים
14	**אַרְבָּעָה עָשָׂר**	טלפונים
15	**חֲמִישָּׁה עָשָׂר**	מברקים
16	**שִׁישָּׁה עָשָׂר**	כרטיסים
17	**שִׁבְעָה עָשָׂר**	פלאפונים
18	**שְׁמוֹנָה עָשָׂר**	שקלים
19	**תִּשְׁעָה עָשָׂר**	צ׳קים
20	**עֶשְׂרִים**	פְּקִידִים

אֶחָד מִי יוֹדֵעַ?

פִּזְמוֹן: אֶחָד אֲנִי יוֹדֵעַ: אֶחָד אֱלֹהֵינוּ שֶׁבַּשָּׁמַיִם וּבָאָרֶץ.

אֶחָד אֱלֹהֵינוּ שֶׁבַּשָּׁמַיִם וּבָאָרֶץ

שְׁנֵי לוּחוֹת הַבְּרִית

שְׁלוֹשָׁה אָבוֹת

אַרְבַּע אִמָּהוֹת

חֲמִשָּׁה חֻמְשֵׁי תוֹרָה

שִׁשָּׁה סִדְרֵי מִשְׁנָה

שִׁבְעָה יְמֵי שַׁבַּתָּא

שְׁמוֹנָה יְמֵי מִילָה

תִּשְׁעָה יַרְחֵי לֵדָה

עֲשָׂרָה דִבְּרַיָּא (דִּבְּרוֹת)

אַחַד־עָשָׂר כּוֹכְבַיָּא (כּוֹכָבִים)

שְׁנֵים־עָשָׂר שִׁבְטַיָּא (שְׁבָטִים)

שְׁלוֹשָׁה עָשָׂר מִדַּיָּא (מִדּוֹת הַקָּבָּ"ה)

(מתוך הגדה של פסח)

3. א) בדואר - בולים, גלויות, מכתבים

פָּקִיד: בוקר טוב.

רבקה: בוקר טוב. תן לי בול לגלויה, בבקשה.

פקיד: לאן את רוצה לִשְׁלוֹחַ את הגלויה?

רבקה: לברזיל. כמה זה עולה?

פקיד: שני שקלים.

רבקה: וכמה עולה מעטפה למכתב?

פקיד: עשׂר אֲגורות.

רבקה: תודה. כמה זה ביחד?

פקיד: .....

תֵן לי
תְני לי

כמה רבקה משלמת בדואר?

How much is רבקה paying at the post office?

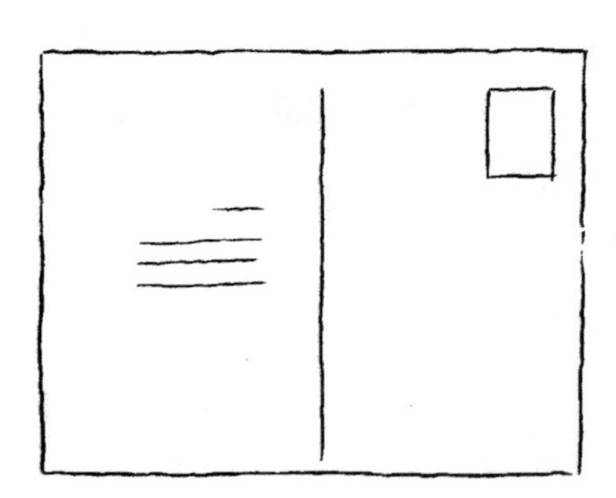

פקידה: שלום.

רחל: שלום. אני רוצה לשלוח ציור במעטפה גדולה לחֵיפָה. כמה זה עולה?

פקידה: שלושה שקלים וחצי.

רחל: אני רוצה גם שלוש גלויות יפות.

פקידה: בדואר יש רק גלויות פְּשוטות.

רחל: טוב, אז שלוש גלויות פשוטות, וגם שלושה בולים למכתב בארץ. כמה עולה בול?

פקידה: בול למכתב בארץ עולה שקל וחצי.

רחל: אז כמה אני משלמת?

פקידה: .....

כמה רחל משלמת בדואר?

How much is רחל paying at the post office?

ב) בדואר - מברקים

למשפחת כהן
רחוב הזית 8
אילת

מזל טוב!

פקיד: בוקר טוב!

יצחק: בוקר טוב. אני רוצה לשלוח שלושה מברקים.

פקיד: לאן?

יצחק: לְהוֹנוֹלוּלוּ, לְזַנְזִיבָּר ולאֵילת. כמה זה עולה?

פקיד: מברק לחו"ל עולה עשרה שקלים ובארץ שני שקלים.
איזה מברקים אתה רוצה לשלוח?

יצחק: אני רוצה לשלוח מברק אחד של "מזל טוב" לְילד, מברק אחד
של "מזל טוב" לילדה ומברק אחד של "מזל טוב" לילד ולילדה.

פקיד: אז שניים לחוץ לארץ ואחד בארץ?

יצחק: כן. הינה הכסף. תודה רבה. יום טוב!

פקיד: יום נעים!

כמה יצחק משלם בדואר?

How much is יצחק paying at the post office?

ג) המברקים של יוסי

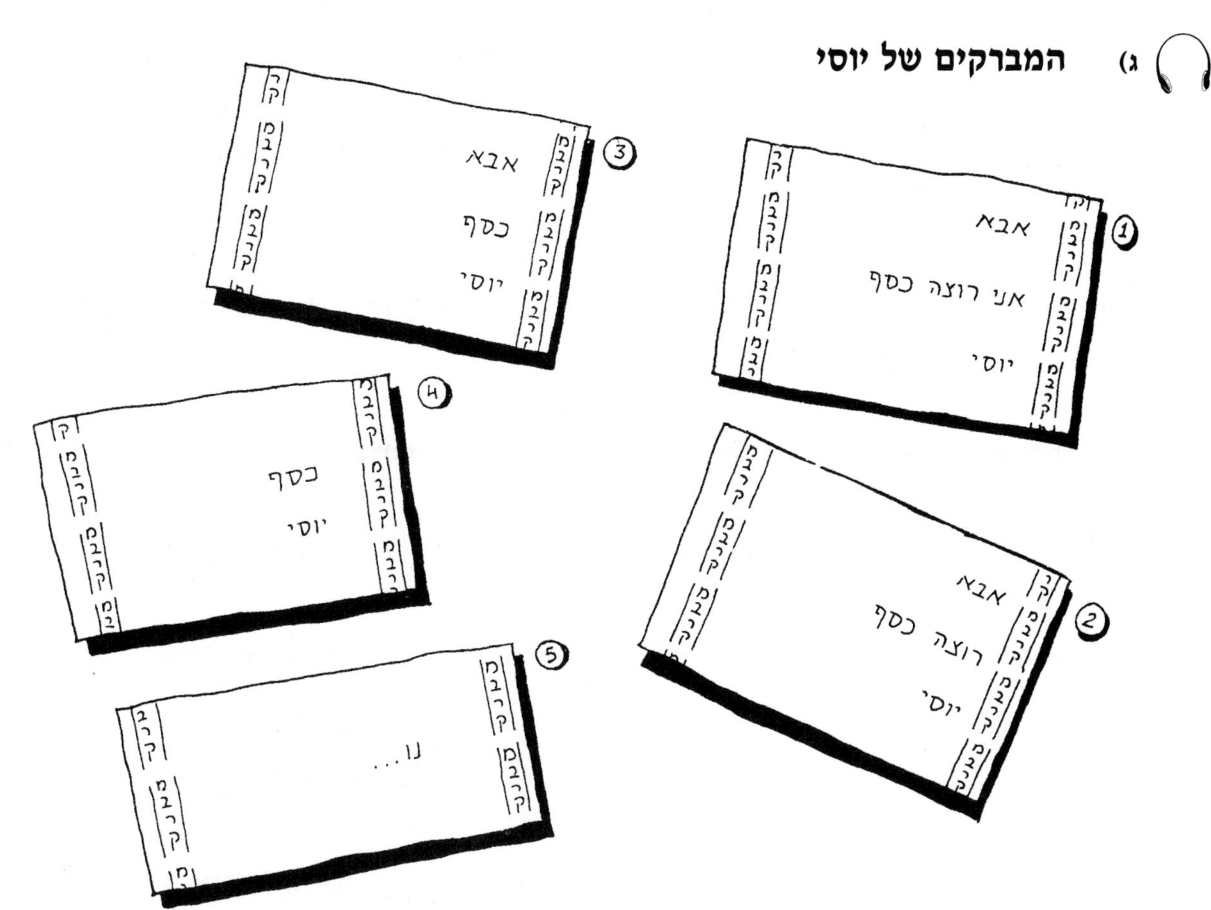

ד) בדואר - חבילות

פקידה: ערב טוב.

חנן: ערב טוב. אני רוצה לשלוח חבילה לדֶנְמַרק.

פקידה: בדואר אוויר?

חנן: כן.

פקידה: הינה. חמישה בולים של שקל וחצי ועשרה בולים של עשר אגורות.

חנן: תודה.

פקידה: .... שקלים בבקשה.

כמה חנן משלם בדואר?

How much is חנן paying at the post office?

ה) 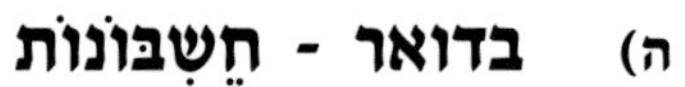

בדואר - חֶשְׁבּוֹנוֹת

דינה: שלום, אני רוצה לשלם הרבה חשבונות. זה בסדר?

פקיד: אין בעיה.

דינה: טוב. הינה - מים, גָז, אוניברסיטה.

פקיד: זהו? זה לא הרבה.

דינה: רגע, רגע, זה לא הכול, גם טלפון ואינטרנט.

פקיד: איך את משלמת?

דינה: בצ'קים.

פקיד: או קיי.

כמה חשבונות דינה משלמת?

How many bills is דינה paying?

ו) **המחיזו עוד שיחה בדואר:** אתם רוצים לשלוח מכתב, מברק או חבילה ולשלם חשבונות.

Dramatize a similar dialogue in a post office: you want to send a letter, a telegram, or a package and pay your bills.

.4 א) **שוחחו זה עם זה על:** מכתבים, פקסים, אי-מיילים.

Discuss: letters, faxes, e-mails:

- כמה זה עולה?
- כמה זמן מִפֹּה לשם?
- במה כותבים?
- איך שולחים?

ב) מכתב, פַקס או אִי-מֵייל?

היום הרבה אנשים כבר לא שולחים מכתבים, או גלויות. עכשיו שולחים פקס או אי-מייל בדואר אלקטרוני. הפקס והאי-מייל פּוֹפּוּלָרִיים מאוד בכל העולם וגם בישראל. בסלנג הישראלי כבר יש פּוֹעַל חדש - לְפַקְסֵס: "רותי מפקססת לדני, ודני מפקסס לרותי". לאי-מייל עוד אין פועל. אומרים: לשלוח אי-מייל.

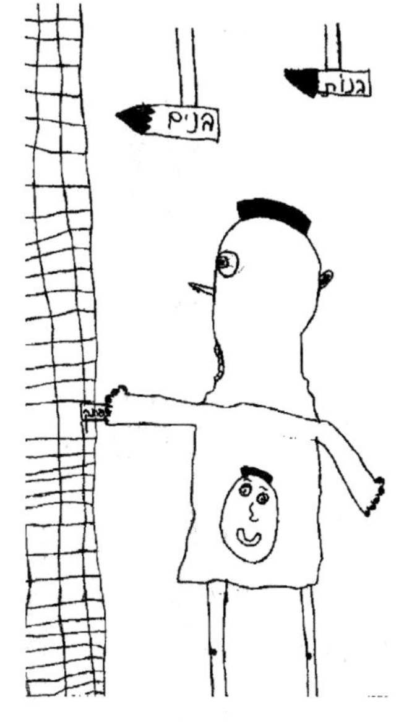

נועם חבקין, בן 8
מכתב בכותל בירושלים

מה מיוחד בפקס או באי-מייל?
אנשים שולחים את הפקס או את האי-מייל מהבית בלי לקום מהכיסא, ומקבלים תְשוּבוֹת מהר מאוד.
האי-מיילים לפעמים קצרים מאוד, כי הם כמו שִׂיחות של חברים.
לפעמים יש באי-מיילים שׂפה מיוחדת והומור מיוחד,
למשל = (: אני שָׂמֵחַ, או): = אני עָצוּב.
אי-מיילים ופקסים שולחים גם לחנויות - קונים ומשלמים בפקס.
פקסים שולחים גם לעבודה, למורים, לתלמידים, לחברים, לרדיו ולאֱלוֹהִים.
ליד הכותל המערבי בעיר העתיקה בירושלים יש מִשְׂרָד מיוחד. מכל העולם שולחים פקסים למשרד הזה, ומישהו מהמשרד שָׂם את הפקסים בכותל.

מאין כותבים פקסים? מי מקבל פקסים?
מה אתם חושבים: למה לכותל שולחים פקסים ולא אי-מיילים?

Where are the faxes sent from? Who receives them? What do you think: why do people send faxes to the כותל and not e-mail.

ג) כתבו: מה אתם אוהבים לכתוב ולקבל? פקס, אי מייל או מכתב בתוך מעטפה עם בול? למה?

Write: what do you like to write and receive? Faxes, e-mail, or regular letters? Why?

ד) 1) מכתבי ילדים לאלוהים

שלום אלוהים,
אני רוצה להיות
חברה של רינה
מה לעשות,
אלוהים?

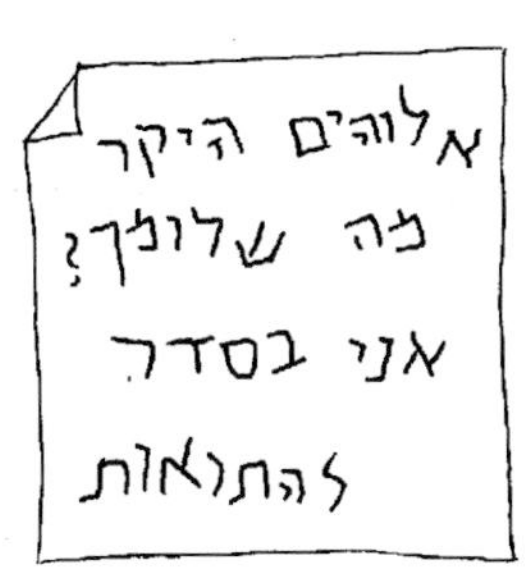
אלוהים היקר
מה שלומך?
אני בסדר
להתראות

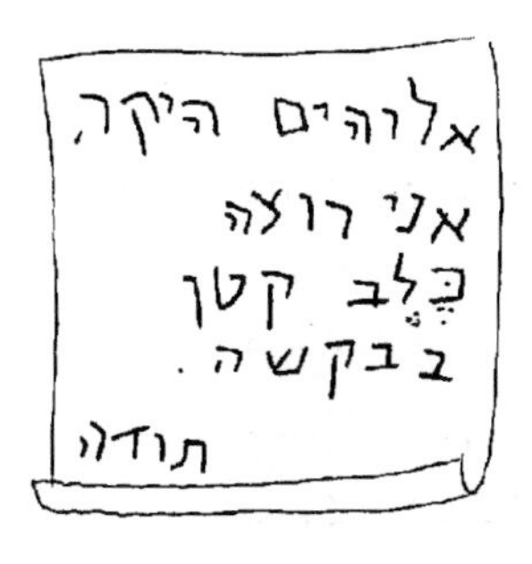
אלוהים היקר,
אני רוצה
כֶּלֶב קטן
בבקשה.
תודה

2) כתבו גם אתם פקס לכותל.

Write a fax to the כותל .

אל יאללה, ביי!

א) התאימו את ביטויי הפתיחה לביטויי הסיום במכתבים.

ב) כתבו אילו ביטויים מתאימים למכתבים פורמליים ואילו למכתבים אישיים.

a) Match the opening greetings with the ending greetings in the letters below.

b) Write: which greetings fit formal letters and which greetings fit personal letters.

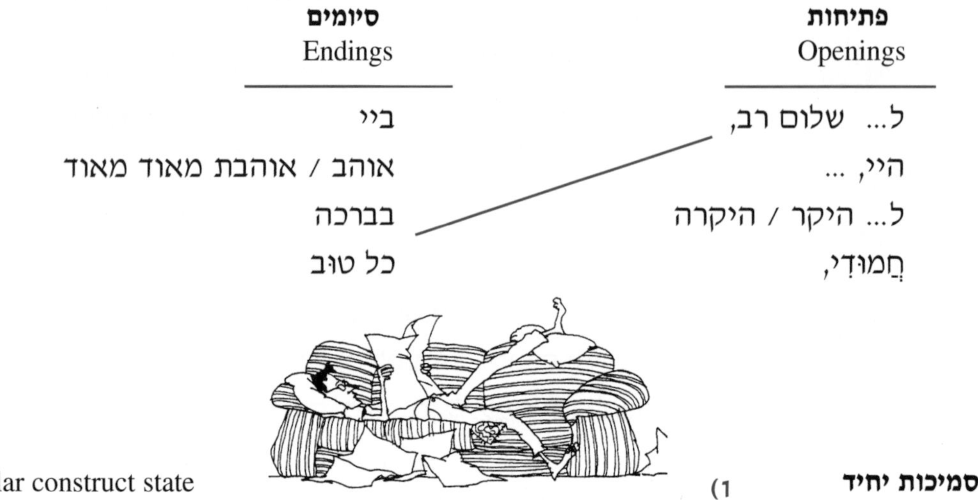

פתיחות Openings	**סיומים** Endings
ל... שלום רב,	ביי
היי, ...	אוהב / אוהבת מאוד מאוד
ל... היקר / היקרה	בברכה
חֲמוּדִי,	כל טוב

5. סמיכות יחיד — Singular construct state

1)

א) אומרים:

שיעור בהיסטוריה	או	שיעור היסטוריה
שיר על אהבה	או	שיר אהבה
ספר לילדים	או	ספר ילדים
מיץ מתפוזים	או	מיץ תפוזים
חבילה של מרגרינה	או	חבילת מרגרינה
בקבוק עם יין	או	בקבוק יין

ז. m.	**עץ תפוזים**	עץ	עץ ...
נ. f.	**עוגת תפוזים**	עוגה	עוגת ...
		◻ה	◻ת ...

ב) התאימו את הסמיכויות בטור 1 לצירופים בטור 2.

Match the construct states in column 1 to the corresponding expressions in column 2.

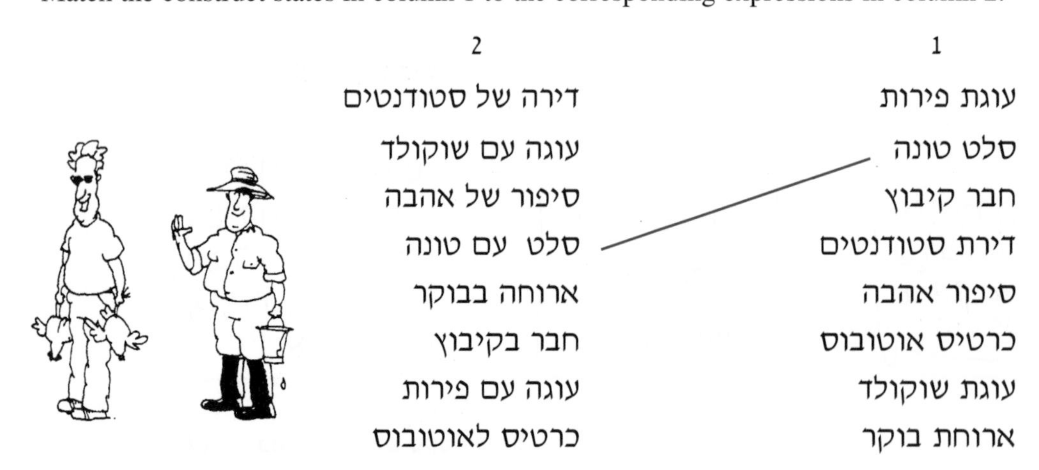

1	2
עוגת פירות	דירה של סטודנטים
סלט טונה	עוגה עם שוקולד
חבר קיבוץ	סיפור של אהבה
דירת סטודנטים	סלט עם טונה
סיפור אהבה	ארוחה בבוקר
כרטיס אוטובוס	חבר בקיבוץ
עוגת שוקולד	עוגה עם פירות
ארוחת בוקר	כרטיס לאוטובוס

Say the construct states and write them down. **ג) אמרו וכתבו את הסמיכויות.**

דוגמה: עיתון / ערב - *עיתון ערב*

סלט / טחינה	עוגה / גבינה
מספר / טלפון	שיעור / גיאוגרפיה
אוטובוס / תיירים	חברה / קיבוץ
פסטיבל / סרטים	ארוחה / צהריים
תיבה / דואר	מדבר / יהודה
חנות / בגדים	שיר / ילדים

6. סמיכות רבים
Plural construct state

ז. m.	**עצי תפוזים**	עצים ← עצֵי ... ☐ים ← ☐ֵי ...
נ. f.	**עוגות תפוזים**	עוגות ← עוגות ... ☐ות ← ☐ות ...

Write the plural form. **א) כתבו ברבים.**

דוגמה: ספר פיזיקה - *סִפרי פיזיקה*

מסיבת סטודנטים - *מסיבות סטודנטים*

שיעור היסטוריה	חברת כנסת
דירת סטודנטים	בֵּית חולים
טיול בוקר	שיחת טלפון
שיר אהבה	עיתון ערב
כלב רחוב	חנות ספרים

ב) קראו וסמנו את הסמיכויות.

Read the text and underline the construct states.

שרון

שרון גרה בדירת סטודנטים. כל יום היא קמה ועושה טיול בוקר. היא הולכת לגן ליד האוניברסיטה. שקט בבוקר בגן. לפעמים עובר שם כלב רחוב, אמבולנס לבית חולים או אוטובוס תיירים. היא יושבת בגן ורוצה לכתוב משהו. היא חושבת וחושבת וכותבת משהו: ספר ילדים, או סיפור אהבה ואולי שיר אהבה. היא כותבת ושמה במעטפה. בדרך הביתה היא שמה את המעטפה בתיבת דואר ושולחת.

מה אתם חושבים: מה שרון כותבת? למי היא כותבת?

What do you think: what is שרון writing? Who is she writing to?

.7 א) קראו את צירופי הסמיכות.

Read the following construct states.

צירופי סמיכות

שיעורי בית

בֵּית ספר

דואר אוויר

תפוח עץ

בֵּית כנסת

מזג אוויר

יום הולדת

בֵּית קפה

ב) קראו את המשפטים ואמרו: מה זה או איפה זה.

Read the following sentences and answer: what is it or where is it.

בית כנסת • בית ספר • שיעורי בית • יום הולדת • בית חולים •
מזג אוויר • תפוח עץ • בית קפה • דואר ~~אוויר~~

דוגמה: בדואר הזה מקבלים מכתבים, גלויות או חבילות מחו"ל אחרי שבוע. *דואר אוויר*

1) ביום הזה האנשים שמחים עושים מסיבה ומקבלים מתנות.
2) קוראים שם בתורה ביום שני, ביום חמישי ובשבת.
3) שותים שם ואולי גם אוכלים עוגה או סנדוויץ'.
4) יש שם תלמידים ומורים.
5) יש שם אנשים לא בריאים.
6) אוכלים את זה וגם עושים מזה עוגה.
7) מקבלים מהמורה בשיעור, ועושים את זה בבית.
8) חם, קר, יפה או נעים.

8. א)

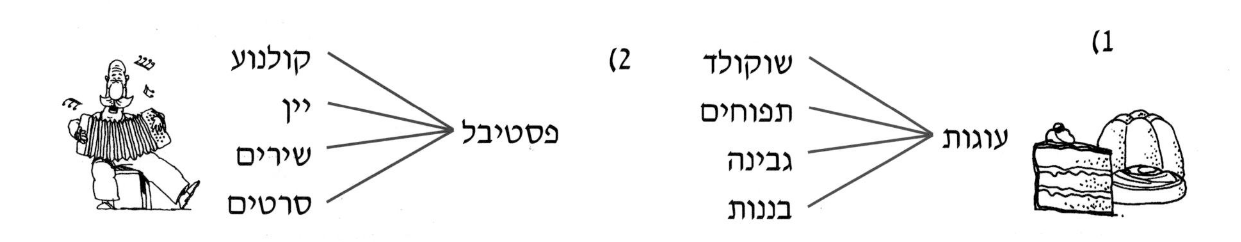

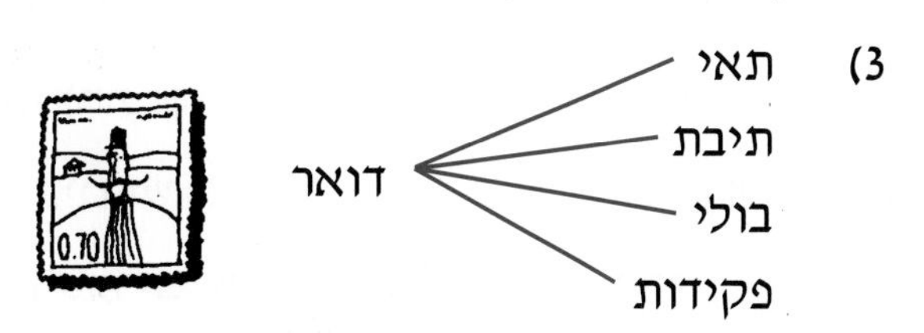

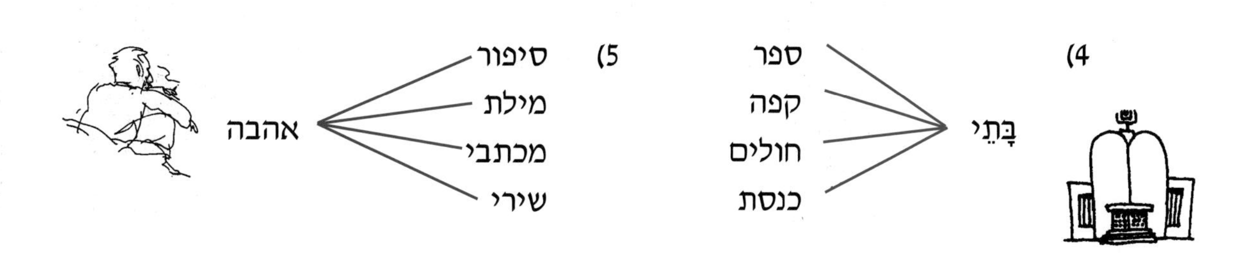

ב) כתבו עוד סמיכויות כרצונכם.

Write down a few more construct states.

1)

בגדי — חורף / ילדים

2)

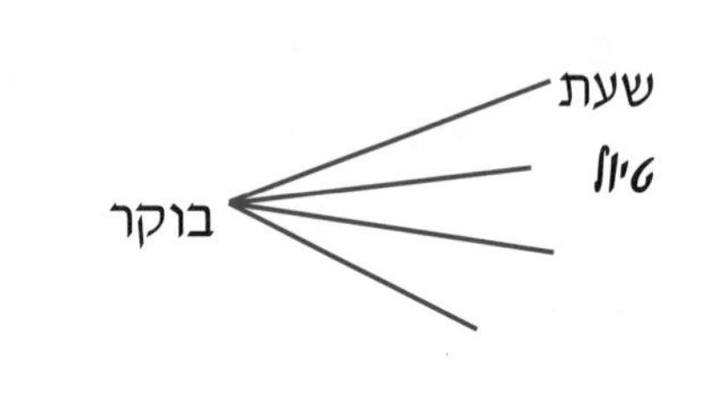

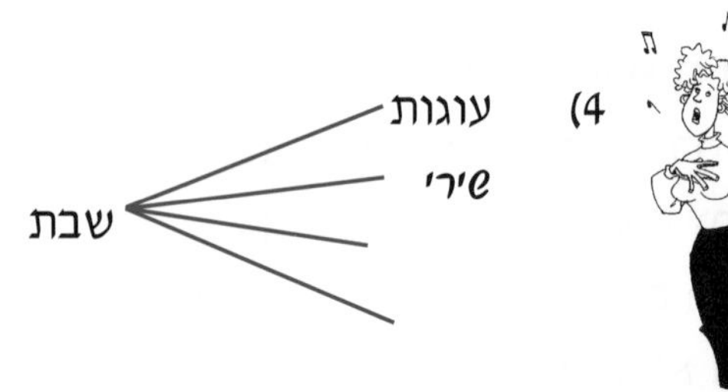

חנויות — בגדים / אוכל

3) בוקר — שעת / טיול

4) שבת — עוגות / שירי

ג) כתבו במשפטים את הסמיכויות המתאימות.

Use the correct construct states given below to complete the sentences.

אלה הסמיכויות: יום הולדת / מזג אוויר / סיפור אהבה / סלט טונה / בתי חולים / דואר אוויר / בתי כנסת / עוגת גבינה / חבילות שוקולד /

1) הסלטים טובים מאוד. תן לי בבקשה עוד קצת ______ .

2) יש שם ______ נהדר. לא חם ולא קר.

3) לא, תודה. אני לא רוצה לאכול ______ אני בדיאטה.

4) מזל טוב! יש לך ______ היום: נכון?

5) בסרט הזה יש ______ של בחורה ישראלית ובחור רוסי.

6) אני שולחת את המכתב לאוסטרליה ב ______.

7) בירושלים יש חמישה ______ גדולים, אבל אין מספיק מקום לכל החולים.

8) במאה שערים יש הרבה ______ . הרבה אנשים באים לשם כל יום.

9) אני קונה ארבע ______ , כי אני עושה שתי עוגות שוקולד.

Summary of Topics — האוצר הלשוני

א. אוצר המילים — Vocabulary

פעלים — Verbs

מְפַקְסֵס, לְפַקְסֵס	fax
עוֹבֵר, לַעֲבוֹר	pass
שׁוֹלֵחַ, לִשְׁלוֹחַ	send

שמות תואר — Adjectives

יָקָר, יְקָרָה	dear / expensive
עָצוּב, עֲצוּבָה	sad
פָּשׁוּט, פְּשׁוּטָה	simple
קָצָר, קְצָרָה	short
שָׂמֵחַ, שְׂמֵחָה	happy

שונות — Miscellaneous

תֵּן לִי! (ז.)	give me! / allow me!
תְּנִי לִי! (נ.)	

מילים לועזיות — Foreign words

גָּז (ז.)	gas
אֶלֶקְטרוֹנִי (ז.), אֶלֶקְטרוֹנִית (נ.) ש"ת	electronic
טֶלֶכַּרְט (ז.)	telecard (phone card)
טֵלֵפוֹן סֶלוּלָרִי, פֶּלֶאפוֹן	cell phone
פַּקְס (ז.)	fax

שמות עצם — Nouns

אֲגוֹרָה (נ.)	agora (1/100 of a shekel)
אֱלוֹהִים (ז. ר.)	god
בּוּל (ז.)	stamp
בֵּית חוֹלִים (ז.), בָּתֵּי חוֹלִים	hospital
בַּקְבּוּק (ז.)	bottle
דוֹאַר (ז. ר. 0)	mail / post
דוֹאַר אֲוִויר (ז. ר. 0)	air mail
חֲבִילָה (נ.)	package
יוֹם הוּלֶדֶת (ז.)	birthday
כֶּלֶב (ז.), כַּלְבָּה (נ.)	dog
מִבְרָק (ז.)	telegram
מֶזֶג אֲוִויר (ז. ר. 0)	weather
מַעֲטָפָה (נ.)	envelope
מִשְׂרָד (ז.)	office
פָּקִיד (ז.), פְּקִידָה (נ.)	clerk
שִׂיחָה (נ.)	conversation
שִׁיעוּרֵי בַּיִת (ז. ר.)	homework
תֵּיבַת דוֹאַר (נ.)	mailbox
תַּפּוּחַ עֵץ (ז.), תַּפּוּחֵי עֵץ	apple
תְּשׁוּבָה (נ.)	answer

דקדוק — Grammar

פּוֹעַל (ז.), פְּעָלִים	verb

Grammatical topics — ב. הנושאים הלשוניים

Syntax: — תחביר: סמיכות לא מיודעת, יחיד ורבים -

Singular and plural indefinite construct state

דוגמה: עץ תפוחים, עוגת תפוחים

עצי תפוחים, עוגות תפוחים

Miscellaneous: Masculine cardinal numbers — שונות: מספרים מונים בזכר 20-11

Grammatical notes — ג. הערות לשוניות

1. סמיכות היא צירוף של שני שמות עצם (או שלושה) המביעים מושג אחד. בין שני שמות העצם אין מילת יחס, והקשר ביניהם יכול להיות מסוגים שונים (ראו תרגיל 5. א).
בדרך כלל נשמרת משמעות שמות העצם בצירוף הסמיכות ולא תמיד אפשר למצוא את הצירוף כולו במילון, אך יש שהסמיכות היא אידיומטית ומשמעות המושג שהיא מביעה אינה חיבור המשמעויות של שמות העצם מהן היא מורכבת (ראו תרגיל 7. א).
את הסמיכויות האידיומטיות אפשר למצוא במילון לפי ערך המילה הראשונה (הנסמך).

Construct state is a combination of two (or three) nouns comprising one expression. No preposition is used between the nouns, and there may be different connections between them (see exercise 5 א).
The meaning of the different nouns in the construct state is usually kept and therefore the construct state cannot always be found in the dictionary. Sometimes the construct state is an idiom and the meaning it conveys is not the combination of the separate meanings of the nouns comprising it (see exercise 7 א).
The idiomatic construct states can be found in the dictionary under the first word.

שיעור 12

1. **בניין הִתְפַּעֵל - גזרת השלמים - זמן הווה** — הִתְפַּעֵל conjugation, strong verbs, present tense

	ז. m.	נ. f.
י. s.	**מִתְלַבֵּשׁ**	**מִתְלַבֶּשֶׁת**
	מִתְ□ַ□ֵ□	**מִתְ□ַ□ֶ□ֶת**
ר. pl.	**מִתְלַבְּשִׁים**	**מִתְלַבְּשׁוֹת**
	מִתְ□ַ□ְ□ִים	**מִתְ□ַ□ְ□וֹת**

וגם: מִתְחַתֵּן, מִתְפַּלֵּל, מִתְרַגֵּשׁ, מִתְרַחֵץ

א) מה הם עושים?

הם מִתְחַתְּנִים.

הוא מִתְפַּלֵּל.

הן מִתְרַחֲצוֹת.

היא מִתְרַגֶּשֶׁת.

הם מִתְלַבְּשִׁים.

ב) **השלימו את הפעלים בצורה הנכונה.**

Complete the sentences using the correct form of the verbs.

דוגמה: אתה מתלבש מהר. את **מתלבשת מהר.**

אנחנו **מתלבשים מהר.**

אנחנו **מתלבשות מהר.**

1) אני מתפלל בבית הכנסת. אתה ....

הן ....

את ....

2) הוא מתחתן היום. היא ....

אתם ....

אנחנו ....

3) היא לא מתרחצת עכשיו. הוא ....

אתן ....

אני ....

4) את מתרגשת לִפְנֵי בחינות. הם ....

אנחנו ....

אתה ....

ג) **השלימו את הפעלים המתאימים לפי ההקשר בצורה הנכונה.**

Complete the sentences using the correct verbs according to the context.

חתונה בכותל

רותי: חנה, את רוצה ללכת לסרט?

חנה: לא תודה, אני רצה לכותל.

רותי: למה את רצה? בכותל ______ כל היום וכל הלילה.

חנה: אבל היום יש חתונה בכותל. עכשיו אני הולכת הביתה,

______ , ______ ורצה לשם לחתונה.

רותי: מי ______ ?

חנה: החבר של הבַּעַל של המורה של יוסי.

רותי: את מכירה את הֶחָתָן?

חנה: לא.

רותי: את הַכַּלָּה?

חנה: לא, אבל אני ______ כָּל כָּךְ!

הווה Present tense	**שם פועל** Infinitive form
מתחתן	**לְהִתְחַתֵּן** לְהִתְ□□□
מתלבש	**לְהִתְלַבֵּשׁ**
מתפלל	**לְהִתְפַּלֵּל**
מתרגש	**לְהִתְרַגֵּשׁ**
מתרחץ	**לְהִתְרַחֵץ**

א) מה פתאום?

קראו את השאלה, ענו עליה ושבצו את הביטוי מה פתאום.

Read the questions and answer them using the expression מה פתאום.

דוגמה: אבא: יוסי, מחר הבחינה הגדולה. אתה מתפלל?
יוסי: *מה פתאום להתפלל לפני בחינה?*

1) אימא: שמוליק, מתי אתה קם? כבר שבע וחצי! אתה לא מתרחץ?
2) רחל: רני, מחר החתונה. אתה מתרגש?
3) אבא: דני, אתה כבר בן 26! מתי אתה מתחתן?
4) דודה רחל: היום יש מסיבת יום הולדת לדויד משה. אתם מתלבשים יפה?

ב) השלימו את שם הפועל המתאים באחד הפעלים בהתפעל לפי ההקשר.

Use the correct infinitive verb in the התפעל conjugation, according to the context.

1) אין מים חמים. אני לא אוהב __________ במים קרים.
2) המורה למוזיקה אומרת לדני לא _____ לפני הקונצרט, אבל הוא מתרגש מאוד.
3) יעלי רק בת עשר, אבל היא אוהבת __________ כמו אישה - "כמו גדולה".
4) דינה בת 25, ויש לה חבר כבר חמש שנים. הם רוצים לגור ביחד, אבל הם לא רוצים __________ בגיל צעיר כל כך.
5) - אני מתרגש נוֹרָא. תגיד, מה לעשות?
- __________, ואז הכול בסדר.

ג) השלימו את הטבלה.

Complete the table.

הווה				שם פועל
י.		ר.		
ז.	נ.	ז.	נ.	
מתרגש	______	______	______	______
______	מתרחצת	______	______	______
______	______	מתחתנים	______	______
______	______	______	מתלבשות	______
______	______	______	______	להתפלל

3. אבא, מה הוא עושה?

לכתוב - **להתכתב**   ללבוש - **להתלבש**   לרחוץ - **להתרחץ**

4. יש בעיה? זה לא נוֹרָא!

בישראל, כמו בהרבה מקומות אחרים, אנשים כותבים מכתבים לעיתון. למשל, מכתבים לפסיכולוג של העיתון. במכתבים האלה האנשים שואלים את הפסיכולוג מה לעשות והוא כותב תשובות קצרות. לפעמים יש בתשובות קצת הומור.

קראו את המכתבים שנכתבו לעיתונים שונים וכתבו, כרצונכם, את התשובות שקיבלו האנשים למכתבים אלה.

Read the letters sent to the different newspapers and write the answers.

1) שלום דניאלה,
אני בת 30. יפה, נחמדה ועם הרבה אהבה לעולם. אז למה אני לא מתחתנת?

2) רות היקרה,
אני אימא לילד בן חמש. הוא ילד טוב, נעים ואִינְטֶלִיגֶנְטִי, אבל הוא לא רוצה להתרחץ. מה לעשות?

3) שלום רַב,
אני בחור דתי ומתפלל כל יום, אבל לפעמים אני לא חושב על המילים של התְּפִילָה, ואני מתחיל לחשוב על המשפחה ועל העבודה וגם על הכסף בבנק. זה נורמלי? זה בסדר?

4) הי זיגמונד,
אני סטודנטית באוניברסיטה. אני לומדת מצוין, אבל אני מתרגשת תמיד לפני בחינות. גם בכיתה אני מתרגשת. אני לא מדברת בשיעורים ולא שואלת שאלות. מה לעשות?

5. א) קצת על מאה שערים

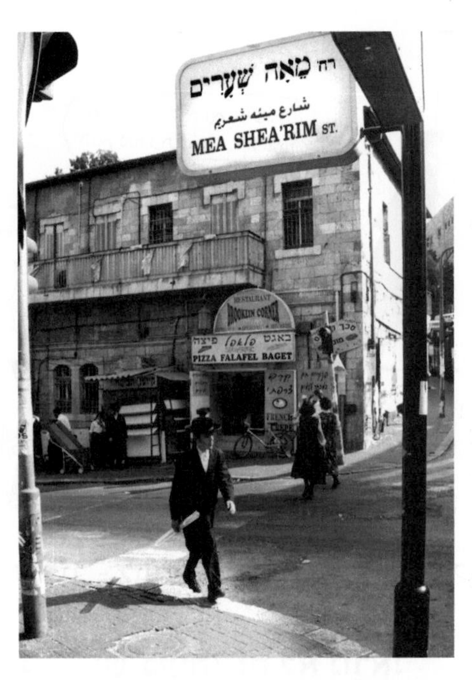

מאה שערים, 2000

מאה שערים היא מהשכונות הראשונות בירושלים. היא קמה ב-1874. גרים שם יהודים דתיים מאוד. האנשים במאה שערים מתלבשים כמו היהודים באירופה במאה ה-18 ובמאה ה-19.

בשכונה יש בתי כנסת רַבִּים. הגברים מתפללים שם שלוש פְּעָמִים ביום. ליד הרבה בתי כנסת יש מִקְוֶה. הגברים מתרחצים במקווה לפני שבת ולפני חַג והנשים מתרחצות שם בזמנים אחרים. במאה שערים יש גם הרבה יְשִיבוֹת. בישיבות לומדים ילדים ובחורים.

הבחורות הצעירות לומדות בבית ספר עד גיל שבע עשרה או שמונה עשרה ומתחתנות. בחורה בת עשרים היא כבר אימא עם שניים או שלושה ילדים.

גם הבחורים מתחתנים בְּגִיל צָעִיר - בני שמונה עשרה או תשע עשרה, ומַמְשִיכִים ללמוד גם אחרי החתונה.

ברחובות של מאה שערים יש הרבה חנויות מיוחדות. תיירים באים לחנויות האלה וקונים ספרים כמו: תנ״ך, משנה, תלמוד. הם קונים גם מְזוּזוֹת, טַלִיתוֹת ועוד.

ברחובות של השכונה יש תמיד הרבה מוֹדָעוֹת. המודעות בעברית, אבל לפעמים יש מילים ביידיש. האנשים קוראים את המודעות האלה כמו עיתון ויודעים מה חדש בשכונה. למשל: חנות כובעים מזמינה את כולם לבוא ולראות את הכובעים החדשים לפסח. או: מְבַקְשִים מבחורים ומבחורות לא לטייל בשכונה ביחד. או: רבנים מזמינים את כולם לבוא להתפלל לְגֶשֶם.

מודעות במאה שערים

ב) קראו ואמרו: נכון / לא נכון **לפי הטקסט.**

Read the sentences and say נכון / לא נכון according to the text.

במאה שערים -

1) האנשים לובשים בגדים מודרניים.
2) גם גברים וגם נשים מתרחצים במקווה.
3) יש הרבה בתי כנסת וישיבות.
4) הבחורות מתחתנות לפני גיל 20.
5) אין חנויות בגדים וחנויות כובעים.
6) הבחורים לא לומדים אחרי החתונה.
7) במודעות ברחובות יש חדשות מהשכונה.

6. סמיכות + שם תואר

Construct state + adjective

(1

חבר כנסת חשוב	חבר**ת** כנסת חשוב**ה**
חברי כנסת חשוב**ים**	חברות כנסת חשוב**ות**

א) כתבו ליד כל איור את הצירוף המתאים לו. Write the correct expression next to each illustration.

1) שיעור מתמטיקה קשה / שיעור מתמטיקה קל
2) עיתון ערב משעמם / עיתון ערב מעניין
3) סיפור אהבה עצוב / סיפור אהבה שמח
4) בית כנסת עתיק / בית כנסת מודרני
5) ספר ילדים חדש / ספר ילדים ישן

_________ ☐ _________

דוגמה:

ספר ילדים ישן ______ *ספר ילדים חדש* ______ _________

5

☐

_________ _________ _________ _________

☐

☐

ב) אמרו את הצירופים בתרגיל א) ברבים.

Say the expressions from exercise א) in their plural form.

דוגמה: שיעורי מתמטיקה קשים

ג) קראו את המילים וכתבו מהם משפטים. Create complete sentences from the words below.

1) קר / שותה / תפוזים / הוא / מיץ /
2) נעים / יש / בחורף / מזג אוויר / איפה / ?
3) ירקות / בוקר / אוכלת / היא / כל / סלט / בריא /
4) סרטים / נהדר / בירושלים / פסטיבל / יש / באפריל / בסינמטק /
5) לא / קשים / אני / שיעורי בית / ולא / אוהב / קלים /
6) קצר / הם / בוקר / הולכים / לטיול /
7) יושבות / בבית קפה / הסטודנטיות / שקט /
8) יודעת / עוגת / לעשות / את / פשוטה / גבינה / ?

אז יאללה, ביי!

א)

ב) **המורה אומר על כל תלמיד שני משפטים. סמנו קו ביניהם ובין איורי התלמידים.**

The teacher says two sentences about each student. Draw a line between the sentences and the students' illustrations.

איזה תלמיד הוא?

האוצר הלשוני

א. אוצר המילים Vocabulary

פעלים Verbs

מְבַקֵּשׁ, לְבַקֵּשׁ	ask
מַמְשִׁיךְ, לְהַמְשִׁיךְ	continue
מִתְחַתֵּן, לְהִתְחַתֵּן (עם)	marry (with)
מִתְכַּתֵּב, לְהִתְכַּתֵּב (עם)	correspond
מִתְלַבֵּשׁ, לְהִתְלַבֵּשׁ	dress
מִתְפַּלֵּל, לְהִתְפַּלֵּל (ל...)	pray (for)
מִתְרַגֵּשׁ, לְהִתְרַגֵּשׁ (מ...)	get excited
מִתְרַחֵץ, לְהִתְרַחֵץ	bathe / wash oneself
רוֹחֵץ, לִרְחוֹץ	wash

שמות תואר Adjectives

דָּתִי, דָּתִיָּה	religious
צָעִיר, צְעִירָה	young
רַב, רַבָּה	many / much
שָׁחוֹר, שְׁחוֹרָה	black

מילים לועזיות Foreign words

פְּסִיכוֹלוֹג (ז.), פְּסִיכוֹלוֹגִית (נ.)	psychologist
אִינְטֶלִיגֶנְטִי, אִינְטֶלִיגֶנְטִית ש״ת	intelligent

שמות עצם Nouns

גִּיל (ז.)	age
גֶּשֶׁם (ז.), גְּשָׁמִים	rain
חַג (ז.)	holiday / feast
חֲתוּנָּה (נ.)	wedding
חָתָן (ז.)	groom
טַלִּית (נ.), טַלִּיתוֹת	tallith (prayer shawl)
יָד (נ.), יָדַיִים	hand
יְשִׁיבָה (נ.)	yeshiva (Talmudic college)
כַּלָּה (נ.)	bride
מוֹדָעָה (נ.)	notice / ad
מְזוּזָה (נ.)	mezuzah (religious Jewish doorpost)
מִקְוֶוה (ז.), מִקְוָואוֹת	miqwe (ritual bathing place)
פַּעַם (נ.), פְּעָמִים	once
תְּפִילָּה (נ.)	prayer

שונות Miscellaneous

כָּל כָּךְ ב.	so / such / so much
לִפְנֵי מ״י	before
נוֹרָא ת״פ	very / terrible

ב. הנושאים הלשוניים
Grammatical topics

צורות: פועל: בניין הִתְפַּעֵל, גזרת השלמים, זמן הווה ושם פועל

Morphology:

Verb: הִתְפַּעֵל conjugation, strong verb, present tense and infinitive form.

דוגמה: מתלבש
להתלבש

תחביר: סמיכות + שם תואר

Syntax: Construct state + Adjective.

דוגמה: חבר כנסת חשוב, חברת כנסת חשובה
חברי כנסת חשובים, חברות כנסת חשובות

ג. הערות לשוניות
Grammatical notes

1) שם התואר הצמוד לסמיכות מתאים בדרך כלל במין ובמספר לנסמך, שם העצם הראשון.
אבל יש מקרים שבהם הוא מתאים לסומך, שם העצם השני.

The adjective following the construct state usually agrees with the first noun, but in some cases it agrees with the second.

דוגמה: מיץ תפוזים קר, בקבוק מים קרים

זוּשָׁא בנביאים

1. א) - יאללה, הולכים לשתות יין וללמוד תורה.
- רגע, ללמוד או לשתות?
- גם וגם.
- איפה?
- ב- **"זוּשָׁא בנביאים"**

שי אל עמי ב"זושא בנביאים"

מנגנים, שרים, מדברים ואוכלים ב"זושא"

בירושלים, ברחוב הנביאים, יש פַּאב מיוחד - "זושא בנביאים".
המקום הזה הוא גם פאב, גם מסעדה כשרה וגם מקום לבוא ולדבר על תורה, על עבודה ועל פוליטיקה. בפאב הזה רואים את כל הַמִי וָמִי של ירושלים. פוגשים שם סטודנטיות וסטודנטים צעירים, אנשים ממאה שערים, פרופסורים מהאוניברסיטה ואנשים חשובים בפוליטיקה הירושלמית.
אנשים באים לפאב הזה ומפסיקים לרוץ עם החיים המודרניים. הם אוכלים לאט, שומעים מוזיקה יהודית, שותים יין, שרים ולומדים תלמוד. ב"זושא" יש אוכל יהודי כמו "גֶפילטֶע פיש" ו"קוּגֶל". ב"זושא" מדברים על שפינוזה, על התנ"ך, על היומיום ושואלים שאלות גדולות וקטנות על החיים.
שַׁי אֶל-עַמִי הוא "אבא" של המקום. הוא אומר: הפאב הזה הוא כמו בית יין יהודי ישן בעיר קטנה בפולין, ברוסיה, בהונגריה או במקומות אחרים באירופה. עם אוכל טוב ועם מוזיקה טובה אנשים אוהבים את העולם ואת האנשים האחרים. בפאב שלי כולם חברים. כולם חיים בשלום ובאהבה.

(לפי עיתון "מעריב", אוקטובר 1998)

Write two dialogues taking place in: "זושא בנביאים" **כתבו שתי שיחות ב:** ב)

1) מלצר מדבר עם בחור ובחורה צעירים.
2) תלמיד ישיבה וסטודנט באוניברסיטה.

Circle the unrelated word. **סמנו מה לא שייך.** .2

דוגמה: לחמנייה / ~~חומוס~~ / לחם / חלה / פיתה /

1) אוהל / בית / חדר / דואר / דירה /
2) ספה / משרד / מיטה / ארון / שטיח /
3) שוק / קניון / פרח / בית קפה / מסעדה /
4) עגבנייה / ביצה / גבינה / פרי / תפוח עץ /
5) נהדר / נעים / מצוין / יפה / משעמם /
6) נוסע / רץ / הולך / מצטער / מטייל /
7) עם / על / של / גר / את /
8) מזמין / מסביר / מצליח / להתחיל / מרגיש /
9) להתחתן / להתפלל / מתרגש / להתלבש / להתרחץ /
10) מלצר / עיתונאי / מורה / גנן / בריא /
11) שבעה עשר / אחת עשרה / ארבע עשרה / שש עשרה / תשע עשרה /
12) בול / בקבוק / גלויה / מעטפה / טלכרט /

Choose the correct completion. **בחרו את ההשלמה הנכונה.** .3

דוגמה: המים בים המלח **מלוחים**. (מלוח / ~~מלוחים~~ / המלוחים)

1) רוני אומר לרותי ________, כי היא הולכת לבחינה. (מזל טוב / באמת / בהצלחה)
2) דויד משלם למלצר במסעדה את ה________. (השולחן / האוכל / החשבון)
3) דני שם ________ על המעטפה ושולח את המכתב. (שני הבולים / הבול / בול)
4) רבקה מתלבשת יפה, כי היא הולכת ל________. (החתונה / את החתונה / חתונה)
5) רחל גרה ב________, כי היא סטודנטית. (מעונות / מעיינות / מעטפות)
6) אורי לא אוהב מזג אוויר________. (קרה / קר / קרים)
7) היא לא מפסיקה לדבר, כי היא ________ מאוד. (מזמינה / מרגישה / מתרגשת)
8) הם קונים כיסאות ושולחנות ________ לבית. (חדשים / חדש / חדשות)
9) הפירות והירקות בישראל________. (הזולים / זולים / זולות)
10) הוא לא מצליח ללמוד, כי הוא חושב כל הזמן ________ הבעיות בחיים. (של / על / ב...)

4. סדרו את המילים למשפטים.

Arrange the words into complete sentences.

1) כמה / בת / דינה / דני / את / היא / שואל /
2) להבין / החדשות / את / עוזר / המורה / לתלמידים /
3) וחבילות / לדואר / רות / מכתבים / ושולחת / לחו״ל / שבוע / הולכת / כל /
4) הערב / כי / שרה / מתרגשת / מתחתנת / היא /
5) לאכול / ולשתות / בישראל / קורנפלקס / בבוקר / הילדים / שוקו / אוהבים /
6) שבועות / ושניים / יש / חמישים / בשנה /
7) הרבה / באילת / יש / בחורף / במלונות / תיירים /
8) הוא / לבית חולים / כי / נוסע / לא טוב / מרגיש / הוא /
9) המסעדות / אנחנו / את / מכירים / כל / הטובות / בעיר /
10) נותן / זמן / ולהבין / טוב / לחשוב / לסטודנטים / מורה /

5. א) כתבו את השאלות.

Write the questions.

דוגמה: אלף שקלים. *כמה זה עולה?*

1) אנחנו מרגישים לא רע.
2) הם קונים שולחן וכיסאות לחדר הילדים.
3) אני מתחילה לעבוד בשמונה בבוקר.
4) אני לא הולך למסיבה, כי יש מחר בחינה בהיסטוריה.
5) אני מתפלל תמיד בבית כנסת ליד הבית.
6) כן, אני חולה.
7) היא בת מאה ועשרים.
8) גם הוא בן מאה ועשרים.
9) אני יורד עכשיו לעיר לקנות בגדים.
10) יש מזג אוויר מצוין היום.

״עד מאה ועשרים״

ב) כתבו עוד 5 שאלות ותשובות.

Write five more questions and answers.

6. **א) קראו והשלימו את המילים החסרות.** Read the excerpt and complete the missing words.

להיות מורה או לעשות קריירה?

בבית ספר בישראל יש הרבה מורות ורק מעט מורים:
המורֶה להיסטוריה - מורָה. המורֶה לתנ"ך - מורָה, גם המורֶה
למתמטיקה - מורָה, רק המורֶה לפיזיקה - מורֶה.
נשים-אימהות אוהבות לעבוד בבית ספר, כי שם הן
עובדות רק ב_______.
בצהריים ובערב הן עם המשפחה. הן אוכלות עם
המשפחה, משחקות עם ה_______ הקטנים וגם
פוגשות חברים וחברות או קוראות ספרים.
הן לא _______ בחגים וגם לא בקיץ.
הגברים בישראל לא רוצים להיות מורים,
כי מורים בישראל לא מקבלים הרבה _______.
גם אישה קַרְיֶירִיסְטִית לא רוצה להיות מורה.
היא רוצה _______ דוקטור או פרופסור באוניברסיטה, או אולי עיתונאית חשובה.
היא רוצה לעבוד במחשבים או בבנק. שם היא _______ הרבה כסף, אבל היא עובדת
מהבוקר עד הערב, ולפעמים גם בשבת ובחג. גם בבית היא חושבת על העבודה ולפעמים
מדברת בטלפון הרבה זמן בקשר ל_______. היא לא רואה הרבה את המשפחה.
הילדים של ה_______ האלה לא רואים את אימא בצהריים ולפעמים גם לא בערב.

? כך זה בישראל. ואיך זה במקומות אחרים בעולם?

ב) מלאו את הטבלה לפי הטקסט. Complete the table according to the text.

	מורה	**קרייריסטית**
שעות וימים		עובדת מבוקר עד ערב ולפעמים גם בשבת ובחג.
כסף		
משפחה וילדים		

שיעור 13

1. א) **בוקר טוב!**

אימא: יוסי, בוקר טוב.
יוסי: הממ...
אימא: יוסי, אתה קם?
יוסי: כן. כ...ן,
אימא: יוסי, קַמְתָּ כבר?
יוסי: אני קם.
אימא: נו, יוסי, קמת? מְאוּחָר!
יוסי: כן, כן, קמתי. זה בסדר.

ב) **כתבו שיחה דומה בין אבא ודינה.** Create a similar dialogue between אבא and דינה.

2. **בניין פָּעַל - גזרת ע"ו - זמן עבר** פָּעַל conjugation - weak verb type - past tense

	הפועל **לָקוּם** בזמן עבר			**לָ□ וּ□**		
	ז.	ז./ נ.	נ.	ז.	ז./ נ.	נ.
י.		(אני) **קַמְתִּי**			**□ַ□ְתִּי**	
	(אתה) **קַמְתָּ**		(את) **קַמְתְּ**	**□ַ□ְתָּ**		**□ַ□ְתְּ**
	הוא **קָם**		היא **קָמָה**	**□ָ□**		**□ָ□ָה**
ר.		(אנחנו) **קַמְנוּ**			**□ַ□ְנוּ**	
	(אתם) **קַמְתֶּם**		(אתן) **קַמְתֶּן**	**□ַ□ְתֶּם**		**□ַ□ְתֶּן**
		הם / הן **קָמוּ**			**□ָ□וּ**	

וגם: בָּא, גָר, טָס, נָח, רָץ, שָׁר.

3. **מן העיתון**

1) **הקיסר וִילְהֶלְם השני בא לעיר העתיקה בירושלים.**

1898

2) **ילדה מארגנטינה גָּרָה שלוש שנים בג'וּנְגֶל.**

1910

3) **צֶ'רְצִ'יל טָס לפריז לדבר עם דֶה-גוֹל.**

1944

4) **שני ילדים בני 10 רצו השבוע במָרָתוֹן תל-אביב.**

1965

5) **מְדוּרָה שרה אתמול בפָּארק הַיַּרְקוֹן.**

2 ביולי 1997

6) **סאדאת: באתי לישראל כי אנחנו רוצים שלום.**

נובמבר 1977

7) **פסיכולוגים מכל העולם באו לפני שבוע לקוֹנְגְרֶס בירושלים.**

30 בנובמבר 2008

4. א) **אמרו וכתבו את הפעלים בזמן עבר.**

Say the verbs in past tense, and then write them down.

אני	אתה	את	הוא	היא	אנחנו	אתם	אתן	הם / הן
קמתי	קמת	קמת	קם	קמה	קמנו	קמתם	קמתן	קמו
רצתי	רצת	רצת	רץ	רצה	רצנו	רצתם	רצתן	רצו
באתי	באת	באת	בא	באה	באנו	באתם	באתן	באו
שרתי	שרת	שרת	שר	שרה	שרנו	שרתם	שרתן	שרו
טסתי	טסת	טסת	טס	טסה	טסנו	טסתם	טסתן	טסו
נחתי	נחת	נחת	נח	נחה	נחנו	נחתם	נחתן	נחו
גרתי	גרת	גרת	גר	גרה	גרנו	גרתם	גרתן	גרו
קמתי	קמת	קמת	קם	קמה	קמנו	קמתם	קמתן	קמו
רצתי	רצת	רצת	רץ	רצה	רצנו	רצתם	רצתן	רצו

ב) **עכשיו אתם יודעים את הנטייה של עוד פעלים בקבוצה הזאת. למשל:**

Now you know the conjugation of other verbs in this group. For example:

(אני) גרתי , (את) ______ , הם ______ , היא ______ , שם הפועל ______

(אני) ______ , הוא צם , (אתן) ______ , (אנחנו) ______ , שם הפועל ______

ג) **חפשו במילון את משמעות הפעלים בתרגיל ב) והתאימו בין המשפט ובין האיור.**

Look up the meaning of the verbs in exercise (ב in the dictionary, and match the sentence to the illustration.

- אני לא זז מפה.
- אני צם היום.

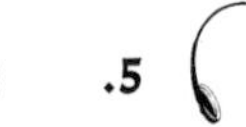

5. א) **גלויה מטבריה**

רינה יקרה,
אנחנו בטבריה. אני פה עם כולם.
רק שמואל לא בא, כי הוא טס
אתמול לאילת. אתמול שרנו כל
הלילה. בבוקר קמנו ורצנו לים.
בצהריים נחנו, ואחרי הצהריים
שוב רצנו לים. כיף פה.
ד"ש מרחל.
להתראות
תמי.

טבריה והכינרת, 2000

ב) **כתבו גלויה לחבר. השתמשו בפעלים: לגור, לבוא, לטוס, לרוץ, לקום, לנוח.**

Write a postcard to a friend. Use the verbs: לגור, לבוא, לטוס, לרוץ, לקום, לנוח.

6. **השלימו את המשפטים בזמן עבר בגוף הנתון.**

Complete the sentences in past tense in the given person.

דוגמה: גרתם בחיפה.	ההורים ***גרו בחיפה.***
1) טסתי ב"אל-על".	המשפחה ....
2) המשפחה באה לישראל.	(אנחנו) ....
3) שרנו במקלחת.	הוא....
4) הוא לא נח בצהריים.	(את) ....
5) קמת מאוחר היום.	אבא....
6) למה הוא לא רץ מהר?	למה (אתה) ....
7) שרת יפה.	הילדה ....
8) היא באה לדואר לשלוח מכתב.	(אני) ....
9) גרתי באילת שלוש שנים.	הן ....
10) הן צמו ביום כיפור.	הם ....

7. **השלימו את הפעלים בזמן עבר.**

Complete the sentences with past tense verbs.

דוגמה: כל בוקר אני רצה ארבעה קילומטרים. אתמול ***רצתי*** בערב, כי קמתי מאוחר.

1) יוסי טס היום לאיטליה. אתמול דינה ___ לצרפת. גם רינה ושושי ___ אתמול.

2) אימא נחה כל יום בצהריים, גם אתמול היא ___ .

3) רינה אוהבת לשיר. אתמול היא ___ הרבה שירים במסיבה. לא רק היא ___, כולם ___ .

4) - חנה, למה את לא קמה?

- מה את רוצה?! ___ כבר לפני שעה.

5) ההורים של חנה גרים עכשיו בעיר. לפני שנה הם ___ בקיבוץ.

6) כל יום עשרה סטודנטים באים לעבוד בקפטריה של האוניברסיטה, אבל אתמול ___ רק חמישה.

8. א) רוקי רוק

לפני שבוע בא רוקי רוק לישראל. אתמול הוא קם בשש ורץ ליד הים.
בתשע הוא בא לפַארק היַרקון ושר עד שתיים בצהריים. משתַיים עד
ארבע הוא נח ואחרי הצהריים הוא שר שוב עד שמונה בערב. בתשע
בערב הוא טס ללונדון לשיר שם בקונצרט רוק.

ב) אמרו וכתבו: רוקי רוק מספר לחבר בטלפון מה הוא עשה אתמול.

Say and then write: **רוקי רוק** tells a friend over the telephone, what he did yesterday.

אתמול קמתי בשש ...

9. חיפוש מילון

א) כתבו את הערך המילוני של הפעלים המודגשים בקטע (גוף שלישי, זכר, עבר).

ב) מצאו במילון את משמעות הפעלים וכתבו את ההשלמות במקומות המתאימים.

a. Copy down the dictionary definitions of the verbs highlighted in the text below (third person, masculine, past tense).

b. After you have looked up the meaning of the verbs in the dictionary, fill in the blanks with the words and expressions given below.

ההשלמות: כמה דגים / במלון או באכסניה / השעות והימים / הביתה /
בשאלות חשובות / במים השקטים /

טיול לכינרת

תמי מספרת:

בטיול לכינרת לא **דנתי** עם יורם *בשאלות חשובות* של פילוסופיה, כי בטיול שואלים רק: איפה יש
מלון או אכסניה? מה לאכול? מתי ללכת לים?

ליד הכינרת יש הרבה מלונות לתיירים, אבל אנחנו
לא אוהבים **ללון** ____. אנחנו אוהבים להיות ליד הים,
ליד המים.

יוסי ורפי **שטו** ____ של הכינרת, ויוסי **דג** ____ לארוחת
ערב.

הכינרת נהדרת. ____ **"עפו"** כמו חלום. אחרי שלושה
ימים **שבנו** ____, וכל הדרך שרנו שירי אהבה לכינרת.

טבריה — הרמן שטרוק

ג) הסבירו את הפעלים החדשים בעזרת פעלים שאתם מכירים. כתבו את שמות הפועל של הפעלים המודגשים בקטע "טיול לכינרת" ליד שמות הפועל המוכרים לכם.

Explain the new verbs using the verbs that you already know. Write the infinitive form of the verbs highlighted in the excerpt טיול לכינרת next to the infinitive verbs that are known to you.

דוגמה: לדבר - *לדון*

1) לנסוע ....

2) לטוס ....

3) לחזור ....

4) לקחת ....

5) לגור ....

.10 מספרים סודרים — Ordinal numbers

רִאשׁוֹן - רִאשׁוֹנָה		הָאַחַד עָשָׂר	- הָאַחַת עֶשְׂרֵה
שֵׁנִי - שְׁנִיָּיה		...	...
שְׁלִישִׁי - שְׁלִישִׁית		הָעֶשְׂרִים	- הָעֶשְׂרִים
רְבִיעִי - רְבִיעִית		הָעֶשְׂרִים וְאֶחָד	...
חֲמִישִׁי - חֲמִישִׁית		...	
שִׁשִּׁי - שִׁשִּׁית			
שְׁבִיעִי - שְׁבִיעִית			
שְׁמִינִי - שְׁמִינִית			
תְּשִׁיעִי - תְּשִׁיעִית			
עֲשִׂירִי - עֲשִׂירִית			

א) **קראו את המודעה והשלימו אותה כרצונכם.**

Read the advertisement and complete it as you will.

מַחֲנֶה קיץ לילדים - חודש של כיף

בשבוע הראשון נוסעים לים.

בשבוע השני מטיילים בהרים.

בשבוע השלישי רואים סרטים.

בשבוע הרביעי טסים לאילת.

בשבוע החמישי ...

בשבוע ה...

ב) **הסתכלו על האיורים של האנשים העומדים זה אחר זה ואמרו משפט על כל אחד מהם כמו בדוגמה.**

Look at the illustrations of the people standing one after the other, and say a sentence about each of them, as in the example below.

דוגמה: *האיש השלישי מדבר עם חבר.*

האישה החמישית עושה מדיטציה.

היעזרו במילים: שמח / עצוב / מתפלל / לובש כובע / מדבר עם חבר / שותה קפה / מדבר בפלאפון / אוכל עוגה / קורא ספר

Use these words:

ג) **כתבו על טיול או על חופשה של שבועיים או על דיאטה של שבועיים.**

מה עושים ביום הראשון, ביום השני ...

Write about a two week trip, vacation or diet. What do you do on the first day, the second day...

11. א) יְהוּדֵי אֶתְיוֹפְּיָה

מאות שנים גרים יהודים באתיופיה. לפי הַמָּסוֹרֶת של היהודים באתיופיה, היהודים הראשונים באו לשם לפני יוֹתֵר משלושת אלפים שנה עם מַלְכַּת שְׁבָא. לפי המסורת הזאת מלכת שבא היא האישה של שְׁלֹמֹה הַמֶּלֶךְ. התיירים הראשונים מאירופה באו לבקר את יהודי אתיופיה לפני מָאתַיִים שנה. מֵאָז יודעים על החיים היהודיים שם:
היהודים גרים בִּכְפָרִים קטנים בהרים ליד המדבר. הם מדברים בְּשָׂפָה שֵׁמִית - אַמְהָרִית ומתפללים בְּשָׂפָה העתיקה - גֶעְז. אין הרבה יהודים בערים הגדולות. בכפרים עובדים היהודים בחקלאות.

בכל כפר יש בית כנסת עם ספר תורה. היהודים מתפללים בבית הכנסת, קוראים בתורה בשבת, צמים ביום כיפור ושׁוֹמְרִים על החגים היהודיים. הם לומדים מִסְפָּרִים של רבנים בשפת הגעז (כמו למשל: "הספר של אבא אליהו", "ספר התלמידים" וְעוֹד).
עד 1984 לא באו הרבה יהודים אתיופים לארץ, אבל הם תמיד שרו באהבה על ירושלים ועל ארץ ישראל. ב"מִבְצָע משה" (1984 - 1985) וב"מבצע שלמה" (1991) באו לישראל עשרים ושניים אלף יהודים מאתיופיה.

ב"מבצע משה" הם באו למדבר בסוּדָן בדרך קשה מאוד ומשם טסו לישראל. הרבה ילדים באו בלי הורים, נשים בלי בעלים ובעלים בלי נשים.
ב"מבצע שלמה" באו היהודים לְמַחֲנוֹת גדולים ליד אָדִיס אָבֶּבָּה. הם גרו שם עד מאי 1991, ואז הם טסו לישראל במטוסים מיוחדים של "אל-על".
הם באו לישראל - ארץ התנ"ך - ארץ הַחֲלוֹמוֹת. פה הם מחפשים דרך חדשה. הם לומדים עברית, עובדים קשה, מסבירים את הַיַּהֲדוּת של היהודים באתיופיה ורוצים להיות ישראלים, להרגיש בבית.

ב) **כתבו ליד כל משפט את התאריכים המתאימים לפי הטקסט.**

Write the correct dates by each sentence, according to the text.

התאריכים: 1000- , עד 1984 , 1984 , מ-1984 , 1991

1) באתי לישראל בלי ההורים.
2) באנו לאתיופיה עם מלכת שבא.
3) אנחנו עובדים בחקלאות.
4) אנחנו לומדים יהדות בגעז, השפה האתיופית.
5) גרנו בכפר בהרים.
6) טסנו לישראל מהמדבר בסודן.
7) אנחנו בונים חיים חדשים בישראל.
8) גרנו במחנות ליד אדיס אבבה.
9) טסנו מאדיס-אבבה לישראל.

עבודות אומנות של יהודי אתיופיה

.12 א) איشה טובה - סיפור אתיופי

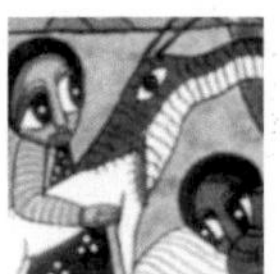
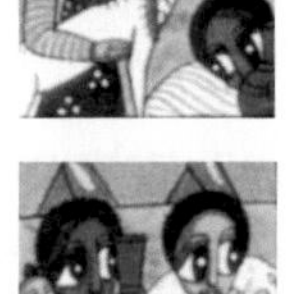
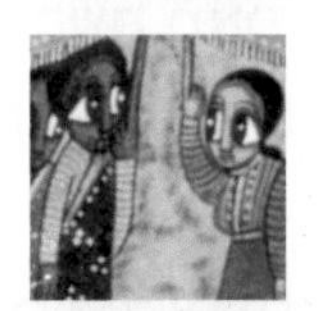

מתוך: שלמה ומלכת שבא

יום אחד באים שבעה בחורים צעירים לְכְפָר אחד לחפש להם כלות. בכפר הזה גרות שבע בחורות צעירות.

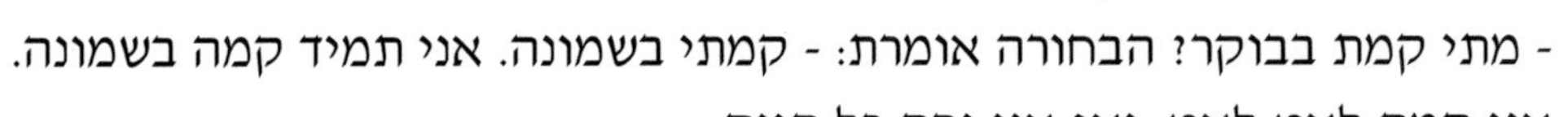

בחור אחד בא לבית קטן בכפר ורואה בחורה יושבת ונחה. הוא שואל את הבחורה:
- מתי קמת בבוקר? הבחורה אומרת: - קמתי בשמונה. אני תמיד קמה בשמונה. אני קמה לאט לאט, ואז אני נחה כל היום.

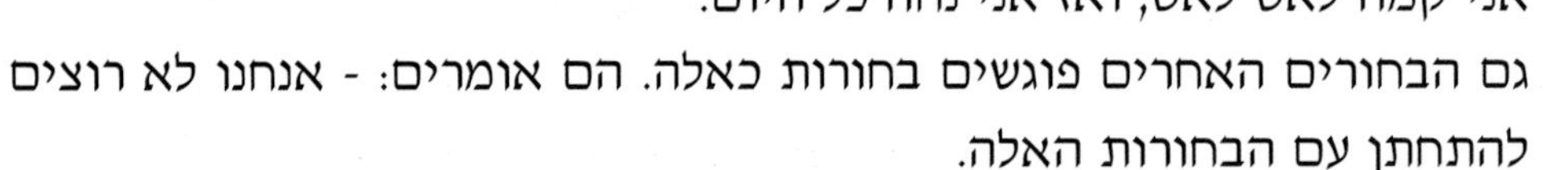

גם הבחורים האחרים פוגשים בחורות כאלה. הם אומרים: - אנחנו לא רוצים להתחתן עם הבחורות האלה.

רק הבחור השביעי פוגש בחורה אחרת. הוא בא לבית קטן בכפר ורואה בחורה צעירה עובדת ושרה. הוא שואל את הבחורה: - מתי קמת בבוקר? והיא אומרת:
- קמתי בשש ולא נחתי כל היום.

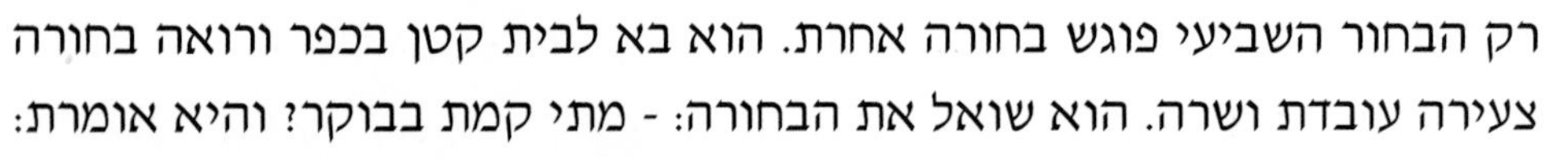

הבחור מבקש מהבחורה קצת מים והיא נותנת לו מים טובים מהמעיין ליד הכפר. הבחור אומר תודה, שׂם מַקֵל עם שבעה חוֹרים ליד הדֶלֶת של הבית והולך.

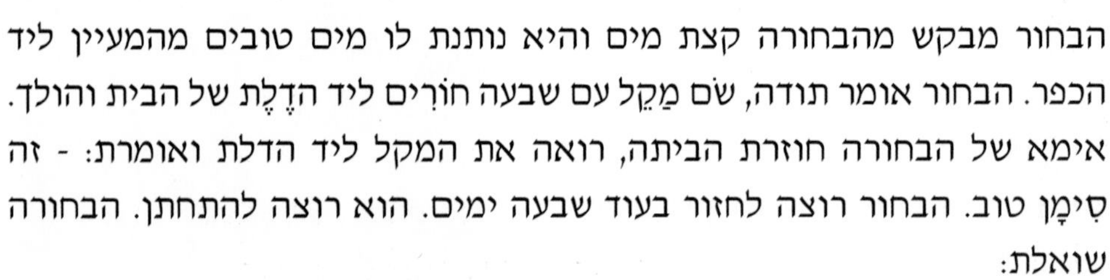

אימא של הבחורה חוזרת הביתה, רואה את המקל ליד הדלת ואומרת: - זה סִימָן טוב. הבחור רוצה לחזור בעוד שבעה ימים. הוא רוצה להתחתן. הבחורה שואלת:
- ומי הכלה? אומרת האימא: אַת הכלה.

הבחור באמת חוזר אחרי שבעה ימים. הם מתחתנים וכולם שרים, רוקדים ושמחים.

(לפי סיפורי ביתא ישראל, דב נוי)

ב) סמנו את המשפטים הנכונים לפי הסיפור:

Underline the correct sentences according to the story.

- אישה טובה לא עושה שום דבר.
- אישה טובה אוהבת לנוח.
- אישה טובה עובדת כל היום.
- אישה טובה קמה בבוקר לעבוד.

ג) ענו על השאלות.

Answer the following questions.

1) איפה **גרו** הבחורות?
2) למה הבחורים **באו** לכפר?
3) מתי קמו שש הבחורות הראשונות, ומתי **קמה** הבחורה השביעית?
4) מתי **נחו** שש הבחורות הראשונות ומתי **נחה** הבחורה השביעית?
5) מה **שׂם** הבחור השביעי ליד הדלת?

ד) כתבו: מה אתם חושבים על הסיפור?

Tell each other a folk story you know.

ה) ספרו זה לזה סיפור עם אחר שאתם מכירים.

Write: what do you think about the story?

13. יידוע הסמיכות

Definiteness of the construct state.

מוכר **ה**ירקות	מוכרת **ה**ירקות
מוכרי **ה**ירקות	מוכרות **ה**ירקות

פירות וירקות

גִ'רִי: סליחה, יש פה חנות פירות?

אבי: חנות פירות? בישראל קונים פירות בחנות ירקות.

ג'רי: וחנות ירקות יש פה?

אבי: כן. יש שתיים - חנות הירקות של חיים וחנות הירקות של יצחק.

ג'רי: איפה החנויות האלה?

אבי: החנות של חיים ליד בית החולים, ושל יצחק ליד בית הכנסת.

ג'רי: איזו חנות יותר קְרוֹבָה?

אבי: של חיים.

ג'רי: ואיזו חנות טובה יותר?

אבי: תפוחי העץ של חיים נהדרים, אבל בחנות של יצחק יש גם סלטים. סלט העגבניות מצוין.

ג'רי: תודה רבה.

המחיזו שיחה דומה על חנות ספרים ועיתונים.

Dramatize a similar conversation about a book store.

העוגה נהדרת.

עוגת **ה**גבינה נהדרת.

14. א) **בקפטריה**

דויד: אני לא יודע איזה עוגה לאכול.

ניר: יש פה שתי עוגות - עוגת שוקולד ועוגת גבינה.

מיכל: עוגת השוקולד לא טְעִימָה כל כך, אבל עוגת הגבינה נהדרת.

שְׁכוּנָה טובה

אני גר בשכונה נהדרת. יש פה הכול. יש פה בית ספר מצוין, בית כנסת יפה ומֶרְכַּז ספורט חדש. יש פה גם קניון מודרני ושוק ירקות קטן. אני קונה פה הכול. יש פה גינות פרחים יפות, בית קפה נעים, חנות ספרים נחמדה ומסעדת דגים מיוחדת. יש בשכונה כְּבִישִׁים חדשים וגדולים ואנשים באים מכל העיר לשכונה לקנות, לאכול ולעשות חיים.

ב) **השלימו לפי הקטע.** Complete according to the text.

1) מה יש בשכונה? *בית ספר*, ...

2) מה אומרים על השכונה? דוגמה: *בית הספר מצוין*.

ג) **כתבו על עיר או על שכונה אחרת שאתם מכירים כמו בתרגיל ב) 2.**

Write about a city or neighborhood you know, as in exercise ב) 2.

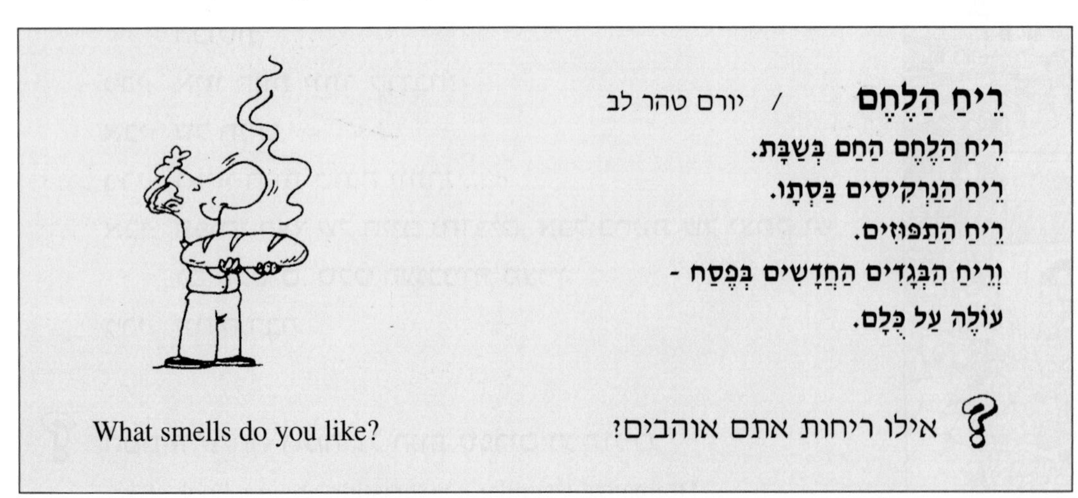

רֵיחַ הַלֶּחֶם / יורם טהר לב

רֵיחַ הַלֶּחֶם הַחַם בְּשַׁבָּת.
רֵיחַ הַנַּרְקִיסִים בַּסְּתָו.
רֵיחַ הַתַּפּוּזִים.
וְרֵיחַ הַבְּגָדִים הַחֲדָשִׁים בְּפֶסַח -
עוֹלֶה עַל כֻּלָּם.

אילו ריחות אתם אוהבים? What smells do you like?

Summary of Topics האוצר הלשוני

א. אוצר המילים Vocabulary

פעלים Verbs

זָז, לָזוּז	move
טָס, לָטוּס	fly
מְבַקֵּר, לְבַקֵּר	visit
נָח, לָנוּח	rest
צָם, לָצוּם	fast
שׁוֹמֵר, לִשְׁמוֹר	observe / keep

שמות תואר Adjectives

טָעִים, טְעִימָה	tasty / delicious
קָרוֹב, קְרוֹבָה	close / near
שֵׁמִי, שֵׁמִית	Semitic

מילים לועזיות Foreign words

ג'וּנְגֶל (ז.)	jungle
מָרָתוֹן (ז.)	marathon
סְפּוֹרט (ז. ר. 0)	sports
פַּארְק (ז.)	park
קוֹנְגְרֶס (ז.)	congress

שמות עצם Nouns

אַמְהָרִית (נ. ר. 0)	Amharic (lang.)
גֶעֶז (נ. ר. 0)	Ge'ez (lang.)
דָּג (ז.)	fish
דֶּלֶת (ז.)	door
חוֹר (ז.)	hole
חֲלוֹם (ז.), חֲלוֹמוֹת	dream
יַהֲדוּת (נ. ר. 0)	Judaism
כְּבִישׁ (ז.)	road
כְּפָר (ז.)	village
מַחֲנֶה (ז.), מַחֲנוֹת	camp
מָטוֹס (ז.)	airplane
מֶלֶךְ (ז.), מַלְכָּה (נ.)	king, queen
מָסוֹרֶת (נ.)	tradition
מַקֵּל (ז.), מַקְלוֹת	stick
מֶרְכָּז (ז.)	center
סִימָן (ז.)	sign
שְׁכוּנָה (נ.)	neighborhood

סלנג Slang

כֵּיף	fun

מספרים סודרים Ordinal Numbers		
רִאשׁוֹן	רִאשׁוֹנָה	first
שֵׁנִי	שְׁנִיָּיה	second
שְׁלִישִׁי	שְׁלִישִׁית	third
רְבִיעִי	רְבִיעִית	fourth
חֲמִישִׁי	חֲמִישִׁית	fifth
שִׁישִׁי	שִׁישִׁית	sixth
שְׁבִיעִי	שְׁבִיעִית	seventh
שְׁמִינִי	שְׁמִינִית	eighth
תְּשִׁיעִי	תְּשִׁיעִית	ninth
עֲשִׂירִי	עֲשִׂירִית	tenth
הָאַחַד עָשָׂר - הָאַחַת עֶשְׂרֵה		the eleventh
הָעֶשְׂרִים - הָעֶשְׂרִים		the twentieth
הָעֶשְׂרִים וְאֶחָד - הָעֶשְׂרִים וְאַחַת		the twenty-first

שונות Miscellaneous	
אֶתְמוֹל ת״פ	yesterday
דָ״שׁ (דְרִישַׁת שָׁלוֹם)	regards (give regards to...)
יוֹם כִּיפּוּר (ז.)	Yom Kippur (Day of atonement)
יוֹתֵר (מ...)	more (than)
מְאוּחָר ת״פ	late
מְאוּחָר, מְאוּחֶרֶת ש״ת	late
מֵאָז ת״פ	since
מָאתַיִים ש״מ	two hundred
״מִבְצָע מֹשֶׁה״ (ז.)	"Moses Operation"
״מִבְצָע שְׁלֹמֹה״ (ז.)	"Solomon Operation"
שׁוּב ת״פ	again

ב. הנושאים הלשוניים — Grammatical topics

צורות: פועל: בניין פָּעַל, גזרת ע״ו, זמן עבר — Morphology:

Verb: basic stem (פָּעַל conjugation), ע״ו verb type, past tense

דוגמה: גרתי — Example:

תחביר: יידוע הסמיכות — Syntax:

Definiteness of the construct state

דוגמה: חבר הכנסת, חברת הכנסת — Example:

סמיכות מיודעת כנושא במשפט שמני

Definite construct state as the subject of nominal clause

דוגמה: צלחת הגבינה נהדרת. — Example:

שונות: מספרים סודרים — Miscellaneous: Ordinal numbers

שיעור 14

1.

מילת היחס ל... בנטייה

The conjugations of the preposition ...ל.

	ז.	ז./נ.	נ.
י.		לִי	
	לְךָ		לָךְ
	לוֹ		לָהּ
ר.		לָנוּ	
	לָכֶם		לָכֶן
	לָהֶם		לָהֶן

2. קפה, קפה, קפה

א) מלצר: מה אני נותן לָךְ לשתות?
תמי: אני רוצה לשתות קפה, בבקשה.

ב) מלצר: מה אני נותן לָךְ?
אבי: אני שותה קפה. תודה.

ג) מלצר: מה לָכֶם?
יעל ואורי: לנו? קפה.

ד) מלצר: וְלָכֶן?
רחל ודינה: קפה.

3. א) מסיבה

רותי: דויד, תן ליוסי קפה, בבקשה.
דויד: הוא לא רוצה קפה. אני נותן לו תה.
רותי: מה חנה רוצה?
דויד: היא לא רוצה שום דבר. שׂרה, מה לך?
שׂרה: רותי נותנת לי מיץ. תודה.
רותי: אתה נותן לאיציק משהו?
דויד: כן, אני עושׂה לו קוֹקְטֵיְל.
יעל: קוקטיל? אז אולי גם לי?
דויד: בבקשה. זה נהדר!
רותי: משה ודינה, מה אני נותנת לכם, יין או שמפניה?
משה: לנו? אולי קצת שַמְפַּנְיָה.
רותי: סליחה, אבל אין שמפניה, יש רק יין.
דינה: גם טוב. תודה.

 כמה אנשים יש במסיבה? 

How many people are at the party?

ב) **הסתכלו בטבלה ואמרו משפטים לפי השיחה.**

Look at the table and say sentences, according to the dialogue above.

מי נוֹתֵן למי מה?

			יעל	מיץ
			משה	קפה
	נותן		דינה	קוקטיל
דויד	לא נותן	ל...	יוסי	תה
רותי	נותנת		חנה	שמפניה
	לא נותנת		שרה	יין
			איציק	שום דבר

דוגמה: רותי נותנת לאיציק קוקטיל. היא לא נותנת לו מיץ.

4. א) **שחקו במשחק "טלפון שבור".**

Play the game "telephone".

ב) מִשְׂחָק - טלפון שָׁבוּר

אני אומר לך מילה בשקט.
אתה יושב ליד יעקב. אתה אומר לו את המילה הזאת בשקט.
יעקב יושב ליד שולה. הוא אומר לה את המילה בשקט.
שולה יושבת ליד דן ותמי. היא אומרת להם את המילה בשקט.
הם אומרים לי את המילה, ואני אומר את המילה לכולם.

5. א) **קראו את המשפטים והשלימו אותם בעזרת: לי, לך, לו ...**

Read the sentences and complete them with: ...לי, לך, לו

כל מִשְׁפָּט - מִשְׂחָק

דוגמה: אני אומר *לך* מילה, למשל בָּאוֹת בֵּית - בחור,

ואת אומרת *לי* עוד שתי מילים באות הזאת - בית, בחינה.

1) היא אומרת ____ שֵׁם, למשל באות דלת - דינה,
   ואתה אומר ____ עוד שני שמות באות הזאת: דני, דויד.
2) אנחנו אומרים ____ שתי מילים של דואר - בול, מעטפה,
   ואתם אומרים ____ עוד שתי מילים של דואר: חבילה, תיבת דואר.
3) הם אומרים ____ מילה בְּיָחִיד, למשל - שולחן,
   ואתן אומרות ____ את המילה הזאת בְּרַבִּים: שולחנות.
4) הן אומרות ____ פּוֹעַל ביחיד, למשל - קורא,
   והוא אומר ____ את הפועל הזה ברבים: קוראים.
5) הוא אומר____ מילה באנגלית, למשל - post,
   והיא אומרת ____ את המילה בעברית: דואר.
6) אני אומר ____ שֵׁם עֶצֶם בְּזָכָר, למשל - תלמיד,
   והם אומרים ____ את שם העצם בִּנְקֵבָה - תלמידה.
7) אתן אומרות ____ שם עצם, למשל - חלב,
   ואני אומר ____ את שֵׁם הַתּוֹאַר משם העצם הזה - חלבי.

ב) **בחרו משחק אחד מתרגיל א) (משפט אחד), הסבירו אותו לכיתה ושחקו אותו.**

Choose one game from exercise א (one sentence), explain it to the class and act it out.

6.  א) **חתונה יהודית**

בחור ובחורה, איש ואישה רוצים לבנות יחד משפחה חדשה. הם רוצים להתחתן. איך מתחתנים? בעולם יש חתונות דָתִיוֹת ויש חתונות לא דתיות, אבל תמיד יש טֶקֶס.

אחרי הטקס עושים בְּדֶרֶךְ כְּלָל מסיבה גדולה ומזמינים בני משפחה וחברים. במסיבה אוכלים, שותים, רוקדים ושרים. כולם מְבָרְכִים את החתן ואת הכלה ונותנים להם מַתָּנוֹת.

הטקס היהודי של החתונה הוא טקס דתי. בכל חתונה יהודית יש רב. הרב קורא לכלה את הכְּתוּבָּה. הוא גם מברך את החתן ואת הכלה לאהבה, למַזָּל ולחיים טובים ביחד. החתן נותן לכלה טַבַּעַת ואומר לה: "הֲרֵי את מְקוּדֶשֶׁת לי כְּדַת משה וישראל." ואז הרב מְקַדֵּשׁ על היין ונותן לזוג הצעיר לשתות מהיין.

בחתונות קוֹנְסֶרְבָטִיבִיּוֹת וְרֶפוֹרְמִיּוֹת גם הכלה נותנת לחתן טבעת ואומרת לו: "הרי אתה מקודש לי כדת משה וישראל." לפעמים הם קוראים משהו מיוחד - הוא לה והיא לו: מהתנ"ך או מהמשנה, שיר אהבה, סיפור או מכתב.

ב) סמנו V במשבצת המתאימה לפי הטקסט.

Make a check mark in the correct column, according to the text.

	חתונה יהודית אורתודוכסית	חתונה יהודית קונסרבטיבית או רפורמית
הרב קורא כתובה.		
החתן נותן טבעת לכלה.		
הכלה נותנת טבעת לחתן.		
החתן אומר לכלה: "הרי את מקודשת לי..."		
הכלה אומרת לחתן: "הרי אתה מקודש לי..."		
החתן וכלה קוראים שירים בַּחתונה.		

ג) מִנְהֲגֵי חתונה יהודיים

בספרד - החתן נותן לכלה מתנות והכלה נותנת לחתן בגדים מיוחדים. האימא של החתן נותנת לו כסף, ובכסף הזה הוא "קונה" את הכלה.

בטריפולי - אנשים נותנים לחתן ולכלה דגים, לחם ומים, למזל טוב ולהרבה ילדים.

בכורדיסטאן - האימא של החתן נותנת לכלה דְּבַשׁ למזל טוב.

בתימן - הנשים נותנות לכלה חִינָה אֲדוּמָה ושׂמות לה את החינה על הַיָּדַיִים למזל טוב.

לחם מסורתי לטקס חתונה

ספרו על עוד מנהגי חתונה.

Tell about additional wedding customs.

כתובה מסורתית

טקס חינה תימני

מן המקורות

אֲנִי לְדוֹדִי וְדוֹדִי לִי (שיר השירים ו 3)

ד) קראו את ההזמנות לחתונה וחברו אותן בקו לאיור המתאים.

Read the wedding invitations and draw lines connecting them to the correct illustrations.

הזמנות לחתונה

בע"ה

נעלה את ירושלים על ראש שמחתנו

בסימן טוב ובמזל טוב

הבת **לאה** והבן **יעקב**

מתחתנים

החתונה אי"ה ביום ה',

ל"ג בעומר, בשעה 19:00

הורי הכלה הורי החתן

גיל וגילה

יהו, אנחנו ביחד!

אנחנו רוצים לראות את כל החברים בחתונה.

החתונה ביום חמישי 5.5 בשעה 5:00

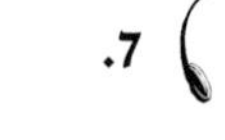

.7

רוֹעֶה וְרוֹעָה / מ. שלם

אֵי שָׁם הַרְחֵק בֵּין הֶהָרִים
רוֹעֶה וְרוֹעָה לְבֵין עֲדָרִים.

הִיא לוֹ, הוּא לָהּ,
שְׁתֵּי עֵינַיִם אַהֲבָה,
הִיא לוֹ, הוּא לָהּ,
שְׁתֵּי עֵינַיִם לֶהָבָה.

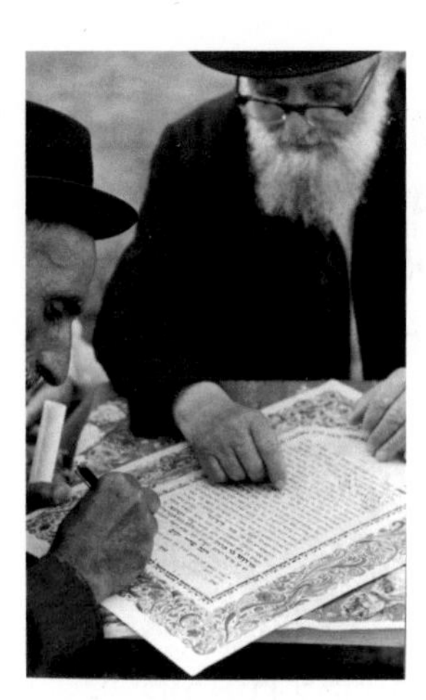

חותמים על הכתובה.

מן המקורות

סִימָן טוֹב וּמַזָּל טוֹב
מַזָּל טוֹב וְסִימָן טוֹב
יְהֵא לָנוּ וּלְכָל בֵּית יִשְׂרָאֵל.
(שיר חתונה יהודי)

קוֹל שָׂשׂוֹן וְקוֹל שִׂמְחָה
קוֹל חָתָן וְקוֹל כַּלָּה
(ירמיהו ז 34)

8. שבצו - לי, לך, לו , ... במשפטים האלה.

Place - ... לי, לך, לו in these sentences.

דוגמה: אני רוצה קפה. תן *לי* קפה, בבקשה.

1) אנחנו קונים למרים ספר. אנחנו קונים ______ גם דיסק חדש.
2) אנחנו פה והיא שם. היא כותבת ______ מכתבים.
3) דני: אבא מספר לי סיפור כל ערב.
אורי: הוא מספר ______ את הסיפור בעברית?
4) רותי אומרת לדני: "למה אתה לא אומר ______ "בוקר טוב"?
5) אימא: רחל, מי שולח ______ פרחים? חבר חדש?
6) מירה: מה הָאִי מֵייל של יַעֲקב? אני רוצה לשלוח ______ מכתב.
7) שרה, את רואה את רחל ואת לאה היום? אני רוצה לתת ______ משהו.
8) אתם לא רוצים לראות את הסרט הזה? אני אומר ______ , זה סרט מצוין!
9) למה המורה נותנת ______ הרבה שיעורי בית? זה לא בסדר, אתן עובדות ואין ______ זמן לעשות שיעורי בית.
10) התלמידים אוהבים את המורה כי הוא נותן ______ חופש לחשוב.

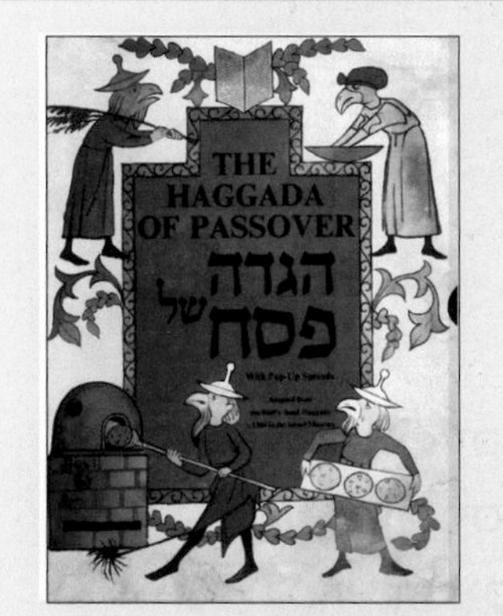

הגדת "ראשי הצפרים", גרמניה, 1300

מן המקורות

כִּי לוֹ נָאֶה כִּי לוֹ יָאֶה

אַדִּיר בִּמְלוּכָה בָּחוּר כַּהֲלָכָה גְּדוּדָיו יֹאמְרוּ לוֹ
לְךָ וּלְךָ, לְךָ כִּי לְךָ, לְךָ אַף לְךָ, לְךָ יי הַמַּמְלָכָה
כִּי לוֹ נָאֶה כִּי לוֹ יָאֶה

.9 לי, לי, לי

דוּגְלִי, בִּיסְלִי, קִינְלִי, מִיצְלִי, פְּרִילִי - את הַדְּבָרִים האלה קונים היום בסופרמרקט הישראלי.
לִיאוֹר, לִיאָת, לִיבִּי, שִׁירְלִי, נֶטַעלִי, גָלִי, הִילִי, רוֹנְלִי, מִילִי - אלה שמות מודרניים של ילדים ישראלים.
למה יש כל כך הרבה שמות עם 'לי'?
אולי היום אנחנו יותר אֶגוֹאִיסְטִים וחושבים רק על ה"אני"?
אולי בעולם הישראלי המודרני האנשים אִינְדִיבִידוּאָלִיסְטִים יותר?
אולי ה'לי' בסוף השם בא מהשמות ביידיש. ההורים נותנים לילדים שם אחד אבל קוראים להם בשם אחר. למשל, לאה - לאהלֶה, משה - משהלֶה?
ואולי שְׁתֵי הַתֵּאוֹרְיוֹת האלה לא נְכוֹנוֹת? אולי אנשים אוהבים את השמות האלה, כי הם פשוט נחמדים ונעימים?

1) מצאו עוד 3 שמות עם 'לי'.
2) מה אתם חושבים, למה יש בישראל הרבה שמות עם 'לי'?

1) Find three more names with 'לי' .
2)What do you think, why are there many Israeli names with 'לי' ?

.10 קוראים ל...

איך קוראים לך?

Ask each other the following questions.

שאלו זה את זה.

- איך קוראים לך במשפחה?
- איך קוראים לך החברים?
- למה קוראים לך... ?
- אתה אוהב את השם הזה?

Say and write: **11. אמרו וכתבו:**

מה הוא אומר לה? מה היא אומרת לו? מה הוא אומר להם?

א) 

ב) 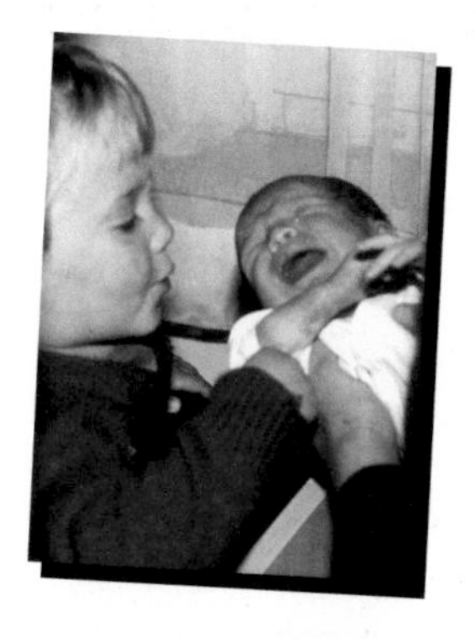

ג) 

ד) 

ה) 

ו) 

אז יאללה, ביי!

סיפור אהבה

א) רחל: יפה, תגידי לי, רותי אוהבת את דני?
יפה: מה, את לא רואה? היא כל הזמן עושה לו עיניים.
רחל: הולך לה?

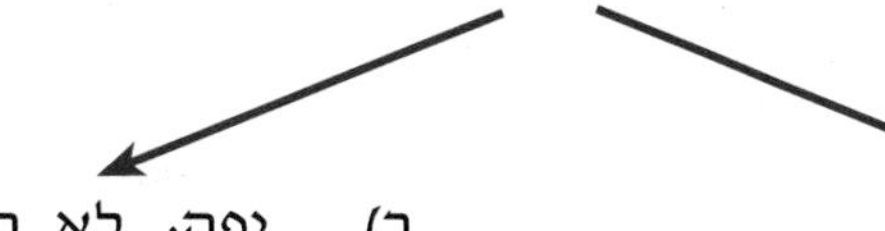

ב) יפה: כן. הם ביחד.
רחל: יופי להם. הם זוג מהשמים.

ב) יפה: לא. הוא עושה לה בעיות.
רחל: איזה בעיות?
יפה: הוא לא נותן לה חופש.
הוא לא נותן לה לדבר עם חברות.

ג) **סוף סיפור האהבה**

השלימו כרצונכם את השיחה בין בני הזוג שנפרדו.
Complete the conversation between the separated couple.

12. א) ליד עץ התפוזים

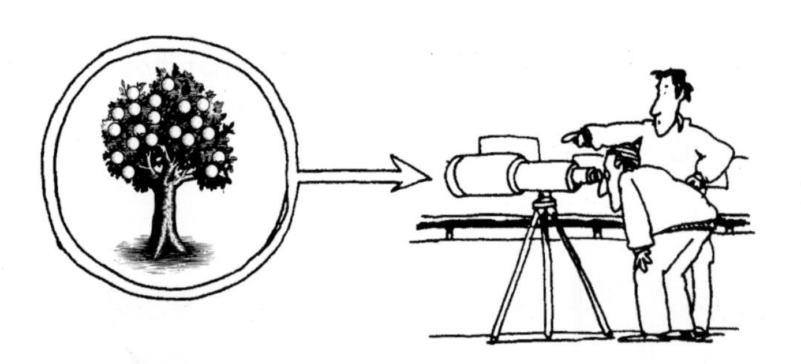

שלום: אתה רואה את אסתר?
יעקב: לא. איפה?
שלום: שם, ליד העץ.
יעקב: איזה עץ? איפה?
שלום: עץ התפוזים. אתה לא רואה?
יעקב: לא.
שלום: אתה רואה את בית הכנסת?
יעקב: כן.
שלום: אתה רואה את חנות הספרים ליד בית הכנסת?
יעקב: כן.
שלום: אתה רואה את בית החולים ליד חנות הספרים?
יעקב: כן.
שלום: ליד בית החולים יש עץ תפוזים?
יעקב: כן.
שלום: אז שם אסתר עומדת, ליד עץ התפוזים.
יעקב: אה, כן. עכשיו אני רואה את אסתר.

אני רואה את **ה**עץ.
אני רואה את **עץ התפוזים**.

איפה עץ התפוזים? Where is the orange tree?

ב) **אמרו שאלות ותשובות מהטבלה.** Say questions and answers from the table.

איפה אני (לא) רואה את	חנות הנעליים מרכז הספורט חנות הבגדים מסעדת הדגים שוק הירקות תיבת הדואר בית הקפה

דוגמה: - איפה חנות הנעליים?
- אני (לא) רואה את חנות הנעליים.

כאשר הסומך (=המילה האחרונה בסמיכות) הוא שם עצם פרטי, הסמיכות תמיד מיודעת ולא מוסיפים את ה"א היידוע.

The construct state will always be definite, and the definite article ה"א will not be added, when the nomen regens (= the last word of the construct state) is a proper noun.

דוגמות: משפחת כהן, בְּנֵי ישראל, רחובות תל-אביב, מִדְבַּר יְהוּדָה

אנשי	**ה**עיר
אנשי	ירושלים

13. שבצו את הסמיכויות במשפטים המתאימים. ידעו את הסמיכות בכל מקום שאפשר.

Place the construct states in the correct sentences. Whenever possible, make the construct states definite.

הסמיכויות: ~~בית ספר~~ / מזג אוויר / מדבר יהודה / עיתוני בוקר / עוגות שבת / רחובות תל אביב /

דוגמה: רינה גרה בעיר, אבל היא לומדת ב**בית הספר** של הקיבוץ.

1. דני עובד כל היום. הוא קורא את ________ רק בערב.
2. אני אוהבת מאוד את ________ של אימא.
3. מהר הצופים רואים את הנוף של ________ ואת האוהלים של הבדווים.
4. תיירים מכל העולם באים בחורף לאילת, כי הם אוהבים את ________ שם.
5. בשבת אחרי הצהריים רואים הרבה אנשים מטיילים ב ________ .

14. א) קראו וסמנו את הסמיכויות.

Read and underline the construct states.

מה אני אוהב בירושלים?

(צ'רלי בוקהולץ, תלמיד מתחיל באוניברסיטה העברית בירושלים בשנת 1994)

זאת שאלה מַצְחִיקָה, כי בירושלים אני אוהב את כולם ואת הכול. אני אוהב לשבת בבית קפה ולשתות מיץ תפוזים. לפעמים אני אוהב לשבת ברחוב ולראות את האנשים והילדים. הם מדברים מהר מהר. אני לא מבין איך ילדים קטנים מדברים עברית טוב כל כך, ואני סטודנט בן 23, אבל לא יודע שום דבר.

מה אני אוהב עוד? אני אוהב את מזג האוויר ואת נוף המדבר, את חנויות הספרים, חנויות הבגדים וחנויות הנעליים בעיר. אני אוהב גם להתפלל בבתי הכנסת וליד הכותל. בשבת אני אוהב ללכת לטייל. אני נועל נעלי ספורט, או נעלי שבת והולך לטייל בעיר. נעלי העברית גדולות עכשיו, אני הולך ונופל, הולך ונופל, אבל גם את זה אני אוהב, כי אני בירושלים.

מה אתם חושבים: מי זה צ'רלי?

ב) כתבו מה אתם אוהבים בירושלים או במקום אחר.

Write what you like about Jerusalem or any other place.

Summary of Topics

האוצר הלשוני

א. אוצר המילים Vocabulary

פעלים Verbs

מְבָרֵךְ, לְבָרֵךְ (על)	bless
מְקַדֵּשׁ, לְקַדֵּשׁ (על)	bless / sanctify
נוֹעֵל, לִנְעוֹל	wears shoes
נוֹפֵל, לִיפּוֹל	fall
נוֹתֵן, לָתֵת (ל...)	give
עוֹמֵד, לַעֲמוֹד	stand
קוֹרֵא, לִקְרוֹא (ל...)	call

שמות עצם Nouns

אוֹת (נ.), אוֹתִיּוֹת	letter
בֵּן (ז.), בָּנִים,	son / boy
בַּת (נ.), בָּנוֹת	girl / daughter
בְּרָכָה (נ.)	blessing
דָּבָר (ז.), דְּבָרִים	thing
דְּבַשׁ (ז. ר. 0)	honey
זוּג (ז.), זוּגוֹת	couple
חוֹפֶשׁ (ז.)	freedom / vacation
טַבַּעַת (נ.)	ring
טֶקֶס (ז.), טְקָסִים	ceremony
כְּתוּבָּה (נ.)	marriage contract
מַזָּל (ז.), מַזָּלוֹת	luck, sign of the zodiac
מְכוֹנִית (נ.)	car
מִנְהָג (ז.)	custom
מִשְׂחָק (ז.)	game
נַעַל (נ.), נַעֲלַיִים	shoe

שמות תואר Adjectives

אָדוֹם, אֲדוּמָּה	red
מַצְחִיק, מַצְחִיקָה	funny

מילים לועזיות Foreign words

אֶגוֹאִיסְטִי, אֶגוֹאִיסְטִית ש״ת	egoist
חִינָּה (נ.)	henna (Henna party)
קוֹנְסֶרְבָטִיבִי, קוֹנְסֶרְבָטִיבִית ש״ת	conservative (Jew)
קוֹקְטֵיְל (ז.)	cocktail
שַׁמְפַּנְיָה (נ.)	champagne
תֵּאוֹרְיָה (נ.)	theory

דקדוק Grammar

זָכָר (ז.)	masculine/male
נְקֵבָה (נ.)	feminine/female
יָחִיד (ז.), יְחִידָה (נ.)	singular
רַבִּים (ז. ר.)	plural
שֵׁם עֶצֶם (ז.)	noun
שֵׁם תּוֹאַר (ז.)	adjective

שונות
Miscellaneous

God willing	א״ה = אִם יִרְצֶה הַשֵּׁם
usually	בְּדֶרֶךְ כְּלָל
with God's help	בע״ה = בְּעֶזְרַת הַשֵּׁם
family member	בֶּן מִשְׁפָּחָה (ז.), בַּת מִשְׁפָּחָה (נ.)
succeed with	הוֹלֵךְ ל... , לָלֶכֶת ל...
"telephone" (game)	טֶלֶפוֹן שָׁבוּר (ז.)
The 33rd day of the Omer count (Jewish holiday)	ל״ג בָּעוֹמֶר
ogle (someone)	עוֹשֶׂה ל... עֵינַיִים, לַעֲשׂוֹת ל... עֵינַיִים
Thou art betrothed unto me	״הֲרֵי אַתְּ מְקוּדֶּשֶׁת לִי
according to the law of Israel	כְּדַת מֹשֶׁה וְיִשְׂרָאֵל״
Thou art betrothed...	הרי אתה מקודש לי ...

ב. הנושאים הלשוניים — Grammatical topics

צורות: מילת היחס ל... בנטייה — Morphology:

The conjugations of the preposition ל...

דוגמה: לי, לך ...

תחביר: סמיכות מיודעת כמושא — Syntax:

Definite construct state as the object of the sentence

דוגמה: אני רואה את צוף התפוזים.

סמיכות שבה הסומך שם עצם פרטי

Construct state in which the second noun is a proper noun

דוגמה: אנשי ירושלים

שיעור 15

1. אוזן, אוזניים

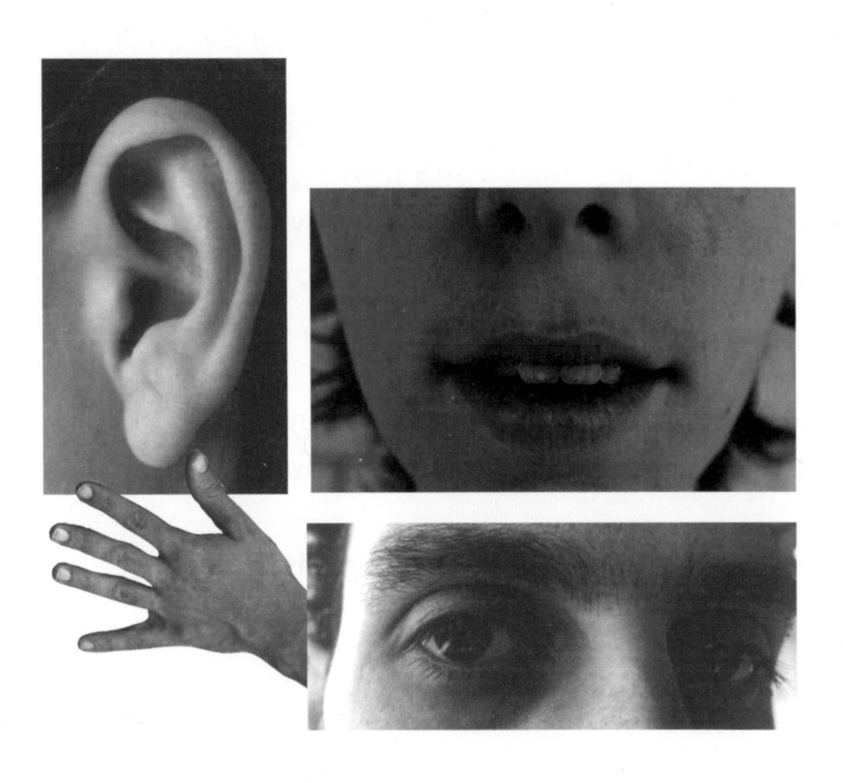

- ● אוֹזֶן, אוֹזְנַיִים
- אַף
- ● בֶּטֶן
- גַּב
- גוּף
- ● יַד, יָדַיִים
- לֵב
- ● עַיִן, עֵינַיִים
- פֶּה
- צַוָּאר
- רֹאשׁ
- ● רֶגֶל, רַגְלַיִים
- ● שֵׁן, שִׁינַּיִים
- ● שֵׂעָר, שְׂעָרוֹת

כל המילים עם הסימן ● הן בנקבה.

All the words with the symbol ● are feminine.

מן המקורות

"אֶחָד בַּפֶּה וְאֶחָד בַּלֵּב" (בבא מציעא מ"ט, ע"א)

2. אמרו מה אתם רואים בתמונות.

Say what you see in the pictures.

דוגמה: אני רואה ציון.

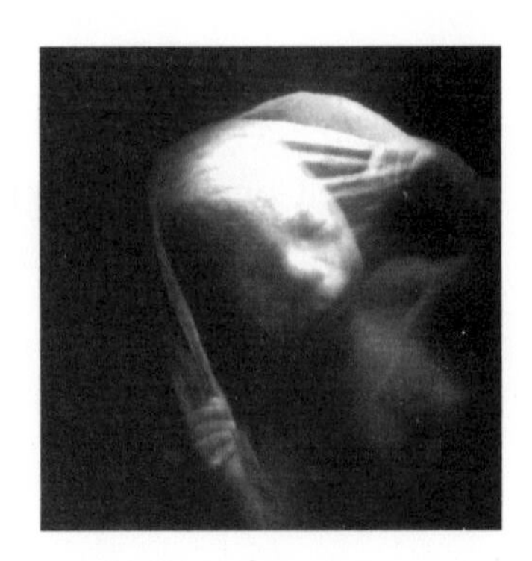

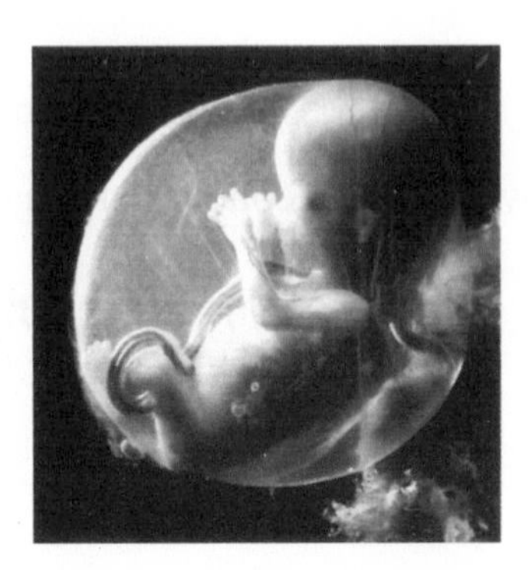

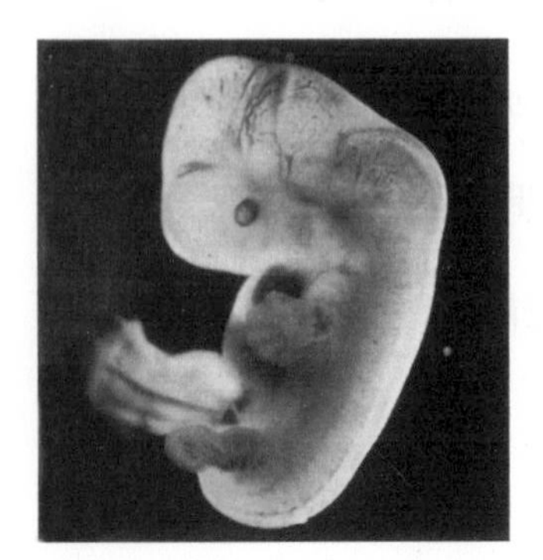

3. **אמרו את איברי הגוף לפי הציורים כמו בדוגמה.**

Say the names of the body limbs as shown in the illustrations.

מן המקורות

קראו את הפסוקים מספר תהילים וסמנו את אברי הגוף המוזכרים בפסוקים.

Read the verses from Psalms and underline the body limbs mentioned in them.

עֲצַבֵּיהֶם כֶּסֶף וְזָהָב
מַעֲשֵׂה יְדֵי אָדָם׃
פֶּה־לָהֶם וְלֹא יְדַבֵּרוּ
עֵינַיִם לָהֶם וְלֹא יִרְאוּ׃
אָזְנַיִם לָהֶם וְלֹא יִשְׁמָעוּ
אַף לָהֶם וְלֹא יְרִיחוּן׃
יְדֵיהֶם ׀ וְלֹא יְמִישׁוּן
רַגְלֵיהֶם וְלֹא יְהַלֵּכוּ
לֹא־יֶהְגּוּ בִּגְרוֹנָם׃

(תהילים קט"ו 4-7)

4. **אמרו / כתבו את החסר.**

Complete the sentences: say them and then write them down.

מה יש בגוף?

1) שתי _______ לעבודה.
2) שתי _______ לטיול.
3) שלושים ושתיים _______ בפה לאוכל.
4) שתי _______ למוזיקה.
5) _______ לשיחות ולארוחה.
6) _______ לפרחים ולתבלינים.
7) _______ אחד למתמטיקה ולתלמוד.
8) _______ אחד לאהבה.
9) הרבה _______ על הראש להיות יפֶה או יפָה.

מתוך:

מַה בְּרַגְלַיִם? ע. הילל

- מַה בְּרַגְלַיִם?
- הוֹלְכִים, הוֹלְכִים!
- וּמַה בָּרֹאשׁ?
- כּוֹבַע

חוֹבְשִׁים
מִתַּחַת
חוֹשְׁבִים
עַל כָּל מִינֵי דְּבָרִים (דֵּי חֲשׁוּבִים).

אמרו וכתבו לפי השיר: במה הולכים?
במה חושבים?

Say and then write down according to the verse:

5. שאלו זה את זה.

Ask each other:

- במה שומעים?
- במה רואים?
- במה אוכלים?
- במה אתה אוהב / את אוהבת, בראש, בלב או בבטן?
- במה אתה עובד / את עובדת, בראש או בידיים?
- אתה נח / את נחה על הגב או על הבטן?

מן המקורות

קראו את הפסוקים משיר השירים וסמנו את איברי הגוף המוזכרים בפסוקים.

Read the verses from the Song of Songs and underline the body limbs mentioned in them.

הוא: **הִנָּךְ יָפָה רַעְיָתִי הִנָּךְ יָפָה עֵינַיִךְ יוֹנִים׃** (א 15)
מִבַּעַד לְצַמָּתֵךְ שַׂעְרֵךְ כְּעֵדֶר הָעִזִּים שֶׁגָּלְשׁוּ מֵהַר גִּלְעָד׃ (ד 1)
שִׁנַּיִךְ כְּעֵדֶר הַקְּצוּבוֹת שֶׁעָלוּ מִן־הָרַחְצָה (ד 2)
כְּמִגְדַּל דָּוִיד צַוָּארֵךְ בָּנוּי לְתַלְפִּיּוֹת (ד 4)
אַפֵּךְ כְּמִגְדַּל הַלְּבָנוֹן צוֹפֶה פְּנֵי דַמָּשֶׂק׃ (ז 5)
רֹאשֵׁךְ עָלַיִךְ כַּכַּרְמֶל (ז 6)

היא: **יִשָּׁקֵנִי מִנְּשִׁיקוֹת פִּיהוּ** (א 2)
רֹאשׁוֹ כֶּתֶם פָּז קְוֻצּוֹתָיו תַּלְתַּלִּים (ה 11)
עֵינָיו כְּיוֹנִים עַל־אֲפִיקֵי מָיִם (ה 12)
יָדָיו גְּלִילֵי זָהָב מְמֻלָּאִים בַּתַּרְשִׁישׁ (ה 16)

אל יאללה, ביי!

שבצו את ביטויי הסלנג המתאימים לפי ההקשר.

Complete the sentences using the correct slang expressions according to the context.
Expressions:

הביטויים: ראש גדול / ראש קטן / שם לי רגל / בטן-גב / בראש אחד / אוכל את הלב /

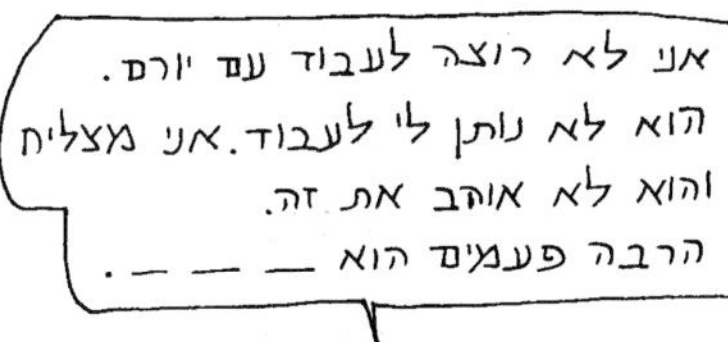

מן המקורות

שְׁלוֹשָׁה דְבָרִים הֵם בִּרְשׁוּתוֹ שֶׁל אָדָם: הַפֶּה וְהַיָּדַיִים וְהָרַגְלַיִים,
וּשְׁלוֹשָׁה אֵינָם בִּרְשׁוּתוֹ: הָעֵינַיִם, וְהָאוֹזְנַיִים וְהָאַף.
(תנחומא תולדות)

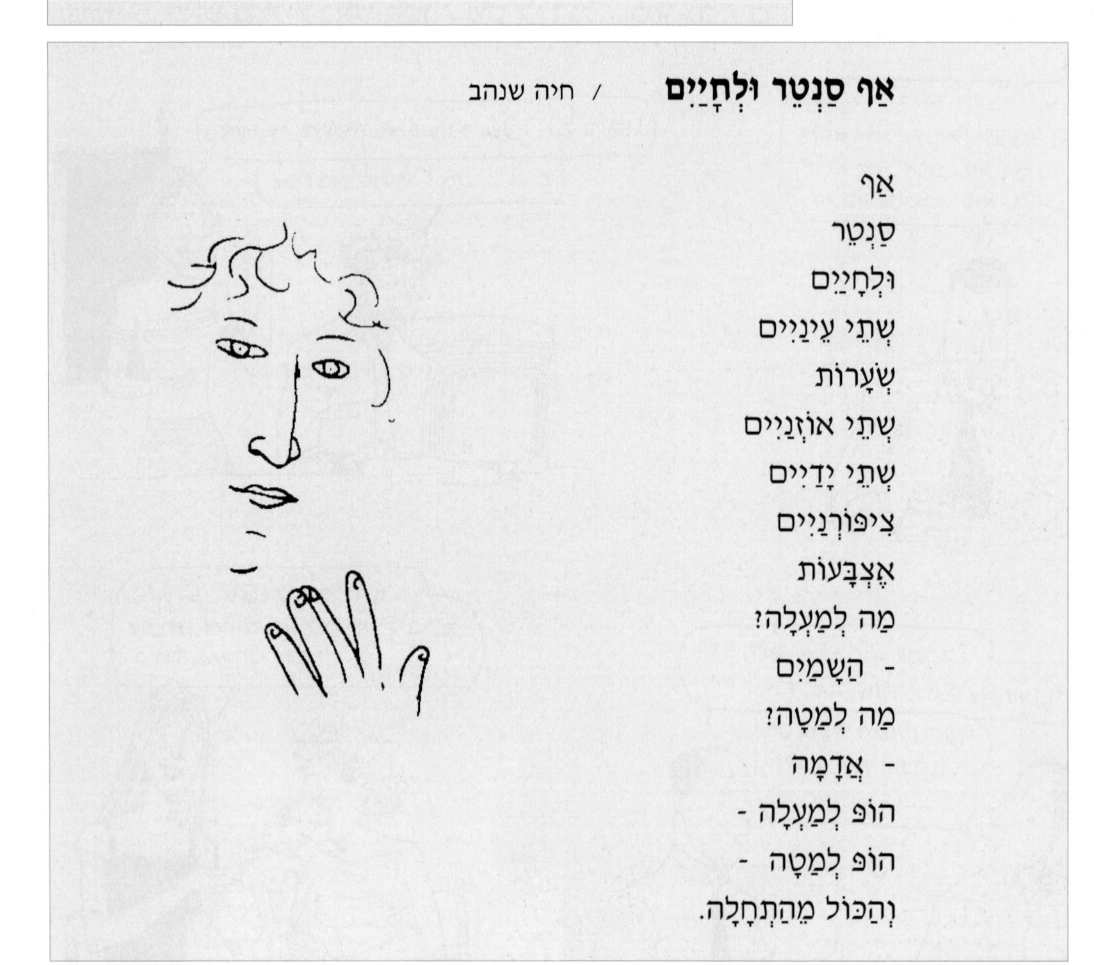

אַף סַנְטֵר וּלְחָיַיִם / חיה שנהב

אַף
סַנְטֵר
וּלְחָיַיִם
שְׁתֵי עֵינַיִים
שְׂעָרוֹת
שְׁתֵי אוֹזְנַיִים
שְׁתֵי יָדַיִים
צִיפּוֹרְנַיִים
אֶצְבָּעוֹת
מַה לְמַעְלָה?
- הַשָּׁמַיִם
מַה לְמַטָּה?
- אֲדָמָה
הוֹפּ לְמַעְלָה -
הוֹפּ לְמַטָּה -
וְהַכּוֹל מֵהַתְחָלָה.

6. **משפט ושייכות**

לדני יש ספר. או **יש לדני ספר.**
לדני אין ספר. או **אין לדני ספר.**

ל... יש / אין ... או **יש / אין ל... ל...**

קראו את המשפטים וסמנו את המשפט המתאים לאיור.
Read the sentences and make a check mark by the sentence that fits the illustration.

דוגמה: א) לרינה אין זמן.
ב) לחנה ולשרה יש זמן.

א) 

ב) 

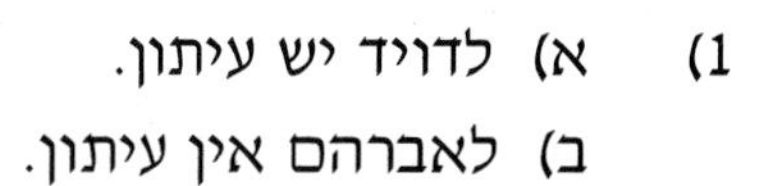

1) א) לדויד יש עיתון.
ב) לאברהם אין עיתון.

2) א) ליצחק ולחנן יש הרבה דברים.
ב) לסבתא חנה אין הרבה דברים.

3) א) ליעקב יש עוגה גדולה
ב) לאברהם ולחנה אין עוגה גדולה.
ג) לדן ולדינה יש עוגות גדולות.

7. א) **משפטי שייכות עם ל... בנטייה**

	לִי		
יש	לְךָ	לָךְ	**חבר**
	לוֹ	לָהּ	**חברה**
	לָנוּ		**חברים**
אין	לָכֶם	לָכֶן	**חברות**
	לָהֶם	לָהֶן	

ב) **אמרו משפטים מהטבלה.**

Say sentences from the table below.

		מזל
		יום הולדת באפריל
	לי	עיניים יפות
	לך / לך	שערות שחורות
יש / אין	לו / לה	שיניים קטנות
	לנו	משפחה גדולה
	לכם / לכן	חברה טובה
	להם / להן	פלאפון חדש
		כסף לקנות דירה
		עבודה בבנק

דוגמה: יש לי חברה טובה.

ג) **ספרו מה יש להם ומה אין להם.**

Say: what they have and what they do not have.

אוספי מוזאון ישראל

8. אמרו וכתבו את ההפך.

Say and then write below the opposite of the sentences.

דוגמה: יש לי דירה. אין לי דירה.

אין לו עבודה טובה. יש לו עבודה טובה.

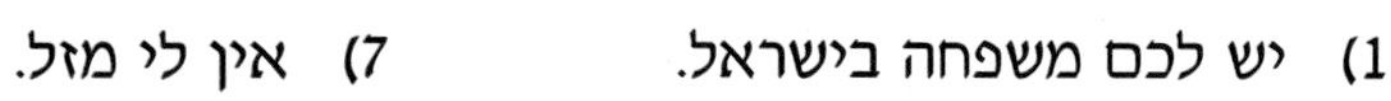

1) יש לכם משפחה בישראל.
2) אין לך מעטפה?
3) יש לך טלכרט חדש?
4) יש להם ספרים של עגנון.
5) אין לנו משפחה בישראל.
6) יש להן כסף.
7) אין לי מזל.
8) יש לה בעל.
9) אין לו אישה.
10) יש לנו חיים טובים.
11) אין להן פקס.

9. א) הסיפור על יוסף והדָג

ליוסף כהן יש אישה ועשרה ילדים. הם גרים בדירה קטנה מאוד.
אין ליוסף עבודה. אין לו כסף. יש לו רק צָרות.
יוסף הולך לים ופתאום הוא רואה דג. הוא מספר לדג על הצרות בבית, והדג נותן לו הרבה דברים. הוא נותן לו בית חדש, טלוויזיה, מחשב, מכונית, וידאו, רהיטים ... יוסף לוֹקֵחַ את הכול. עכשיו הוא שמח.
אחרי שבוע יוסף הולך שוּב לים. הוא מבקש מהדג עוד דברים, אבל עכשיו הדג לא רוצה לתת לו יותר. הדג לוקח את כל הדברים לים. יוסף חוזר הביתה, והוא עצוב, כי עכשיו אין לו ...

ב) כתבו את סוף הסיפור.

Write an ending for the story above.

10. א) אמרו / כתבו מה אתם רואים בציור.

Say and write what do you see in the illustration.

ב) ילדים מציירים

ילדים מתחילים ללמוד לְצַיֵּר בגיל שְׁנָתַיִים בְּעֵרֶך. הם מציירים קַו קצר וליד הקו הקצר הרבה קווים אֲרוּכִּים. לפעמים הם מציירים עִיגּוּל ועוד עיגול.
בציורים הראשונים יש קווים ארוכים וקצרים ועיגולים קטנים וגדולים. הילדים משחקים בקווים ובעיגולים. הם לא מציירים את העולם. הם רק משחקים.
בגיל שלוש בערך הילד מתחיל לצייר דברים מהעולם. הוא שוב מצייר קווים ועיגולים, אבל הציורים מתחילים להיות סְמָלִים לדברים בעולם: בית, שמש, עץ, אנשים.
וכך, בגיל ארבע בערך, לאט לאט הילד מצליח לצייר איש מהקווים ומהעיגולים. האיש הזה הוא לא אבא, או אימא או מישהו אחר. הוא סֵמֶל לְאָדָם.
איך ילדים מציירים אדם?
הם מתחילים בציורים של עיגולים קטנים בְּתוֹךְ עיגול גדול ואומרים: זה ראש, ואלה עיניים. הם מציירים עוד קווים ואומרים: אלה ידיים ואלה רגליים. לפעמים בגיל ארבע הילדים מציירים אף, פה ושתי אוזניים, או אף, פה ושתי עיניים. הם מציירים ארבעה דברים, כי הם חושבים על הַסִימֶטְרִיָּה של הציור.
בגיל חמש הם מתחילים לצייר בטן, צוואר, שיניים ועוד דברים, כי הם חושבים יותר ויותר על מי ועל מה הם מציירים. הדרך של הילדים ממשחקים בקווים ובעיגולים לציורים ולסמלים של העולם היא אוּנִיבֶרְסָלִית. בכל העולם ילדים מציירים כך.
בציורים יש סמלים של העולם המיוחד של הילד: הבית והמשפחה של הילד, העצים והפרחים ליד הבית.
מגיל שש או שבע הילדים מציירים גם "דברים מהלב": מישהו חולה או מישהו עצוב, אישה מצחיקה, או אולי שמחה. אז אנחנו יודעים מה הילד מרגיש, ממה הוא פּוֹחֵד, את מי הוא אוהב ואת מי הוא לא אוהב.

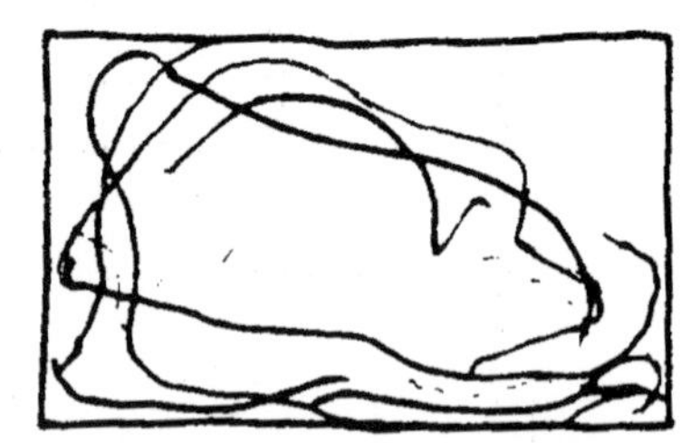

אורן בן 2.11: **שחור**

ע. בת 4.6: **אבא ואימא והתינוק**

ע. בת 3.6: **עיניים**

(מתוך הספר: **ילדים מתחילים לסמל בציור**, מלכה האס)

מה ההבדל בין ציורים של ילדים בגילאים שונים?

What are the differences between the drawings made by children of different ages?

ג)   **סדרו את ציורי הילדים בסדר עולה מגיל 2 - 5.**

Put the childrens' drawings in order from age 2 up to 5.

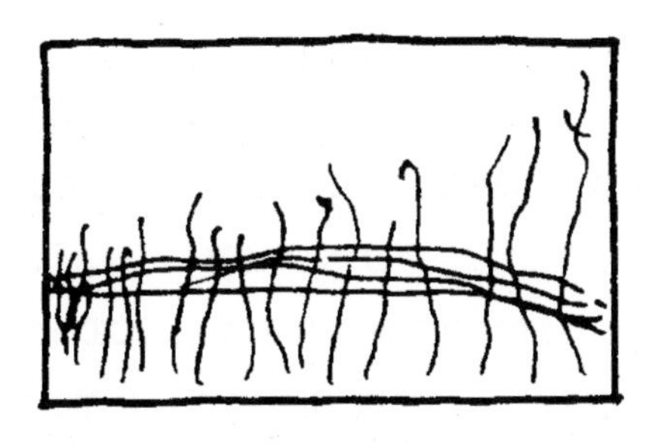

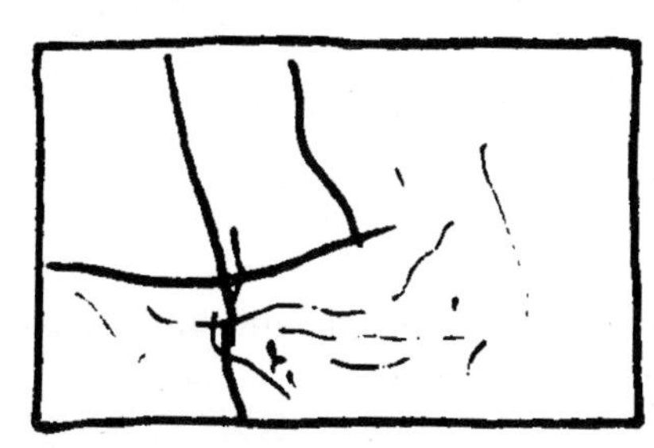

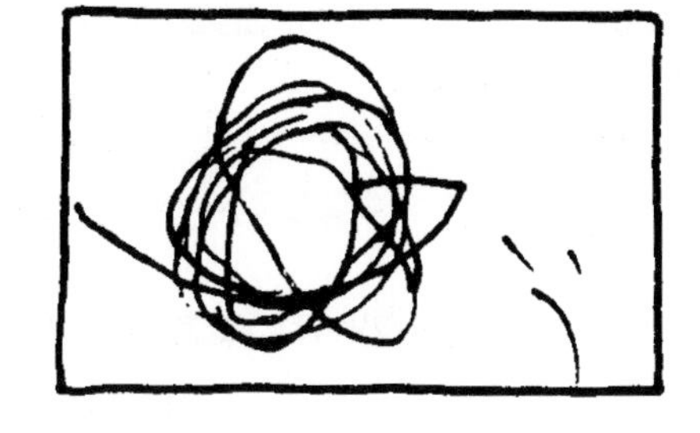

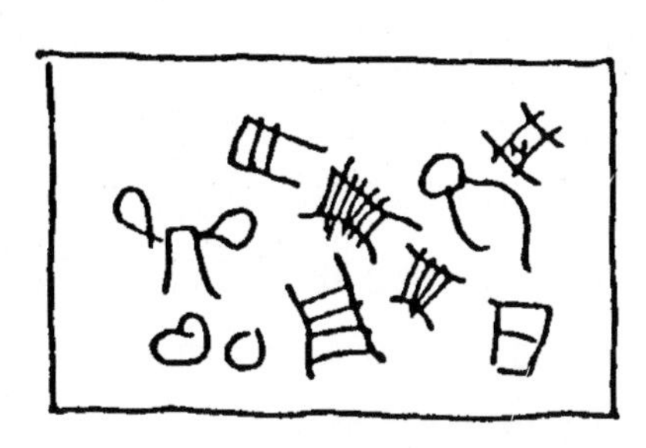

באדיבות **מלכה האס**

מחברת הספר: ***ילדים מתחילים לסמל בציור***

בהוצאת מכללת אורנים.

.11 היומָן של מרסלו

השלימו את השיחה לפי היומן של מרסלו.

Complete the dialogue according to what מרסלו wrote in his diary.

כד אלול	ראשון SUNDAY	24 SEPT.
8:00	לטינית	
9:00	איכל הקפטריה	
10:00	פרופסור מרקוס - חדר 4315 מדעי הרוח	
14:00	יוגה	
18:00	שלום ושלומית - חתונה	
20:00	קונצרט	
22:00	מסיבה	

מתי יש לך זמן?

שמואל: מרסלו, יש לך זמן לשתות קפה היום?

מרסלו: כן. מתי יש לך זמן?

שמואל: בשמונה בערב.

מרסלו: אני מצטער. בשמונה יש לי ...

שמואל: אז אולי בעשר?

מרסלו: לא. ב...

שמואל: אז מתי יש לך זמן?

מרסלו: ...

.12 התאימו טור א לטור ב.

Match column A to column B.

א	ב
יש לו פה גדול.	הוא רוצה הרבה דברים.
אין לו ראש.	הוא לא חושב על אנשים אחרים.
אין לו לב.	הוא אינטליגנטי.
יש לו עיניים גדולות.	הוא מדבר הרבה.
יש לו ראש טוב.	הוא עובד ועושה דברים יפים.
יש לו ידיים טובות.	הוא לא מוזיקלי.
אין לו אוזניים טובות.	הוא לא אינטליגנטי.

.13 קראו וכתבו את סוף הסיפור.

Read the story and write an ending for it.

הזְאֵב והכלב

הזאב הולך לחפש אוכל. הוא רואה בית וליד הבית כלב.

אומר הזאב: - אולי יש לך אוכל? אני רוצה לאכול.

אומר הכלב: - כן, יש לי הרבה אוכל.

שואל הזאב: - מי נותן לך את האוכל?

עוֹנֶה לו הכלב: - יש לי חבר טוב, האדם. יש לי בית בגינה של האדם.

יש לי אוכל לאכול ומים לשתות; האדם נותן לי הכול.

הזאב רואה שַׁרְשֶׁרֶת על הצַוָּואר של הכלב ושואל: - מה יש לך על הצוואר?

אומר הכלב: - זאת שרשרת. אני תמיד ליד הבית.

אומר הזאב: - יש לך אוכל, יש לך בית, אבל ______________________________

Summary of Topics

האוצר הלשוני

א. אוצר המילים Vocabulary

פעלים Verbs

לוֹקֵחַ, לָקַחַת	take
מְצַיֵּיר, לְצַיֵּיר	draw
עוֹנֶה, לַעֲנוֹת (ל...)	answer
פּוֹחֵד, לִפְחוֹד (מ...)	be afraid / fear

שמות תואר Adjectives

אָרוֹךְ, אֲרוּכָּה	long

שונות Miscellaneous

בְּעֶרֶךְ ת״פ	about / around
בְּתוֹךְ מ״י	inside / in
שָׂם לֵב, לָשִׂים לֵב	notice / pay attention
שָׂם ל... רֶגֶל, לָשִׂים לְ... רֶגֶל	tripped (someone) up
שְׁנָתַיִים (נ.ר.)	two years

מילים לועזיות Foreign words

סִימֶטְרִיָּה (נ.)	symmetry
אוּנִיבֶרְסָלִי, אוּנִיבֶרְסָלִית ש״ת	universal
סִימֶטְרִי, סִימֶטְרִית ש״ת	symmetrical

שמות עצם Nouns

אוֹזֶן (נ.), אוֹזְנַיִים	ear
אֱמֶת (נ.)	truth
אַף (ז.)	nose
בֶּטֶן (נ.)	stomach / tummy
גַּב (ז.)	back
גוּף (ז.)	body
זְאֵב (ז.), זְאֵבָה (נ.)	wolf
יוֹמָן (ז.)	diary / log book
לֵב (ז.), לְבָבוֹת	heart
סֵמֶל (ז.)	symbol
עִיגּוּל (ז.)	circle
עַיִן (נ.), עֵינַיִים	eye
פֶּה (ז.), פִּיּוֹת	mouth
צַוָּואר (ז.)	neck
צָרָה (נ.)	trouble / misfortune
קַו (ז.)	line
רֹאשׁ (ז.)	head
רֶגֶל (נ.), רַגְלַיִים	leg / foot
שֵׁן (נ.), שִׁינַּיִים	tooth
שֵׂעָר (ז. י.), שְׂעָרוֹת (נ. ר)	hair
שַׁרְשֶׁרֶת (נ.)	chain / necklace

ב. הנושאים הלשוניים Grammatical topics

Syntax: תחביר: Possessive sentences - משפטי שייכות - יש / אין ל...

Example: דוגמה: יש לדני ספר.

שיעור 16

.1

שׂערות קְצָרוֹת

בחור שָׁמֵן

בחור גָבוֹהַ

שְׂעָרוֹת אֲרוּכּוֹת

בחורה רָזָה

עיניים כְּחוּלוֹת

עיניים יפות

שערות שחורות

בחורה נְבוֹנָה

א) מי מַתְאִים למי?

1)
דוקטור לפילוסופיה
* בת 28
* בלונדינית עם עיניים כחולות
* שערות ארוכות
מחפשת בעל (עד 50)

2)
רַוָּק (26)
- נמוך וחתיך,
- עיניים שחורות
מחפש אקדמאית

3)
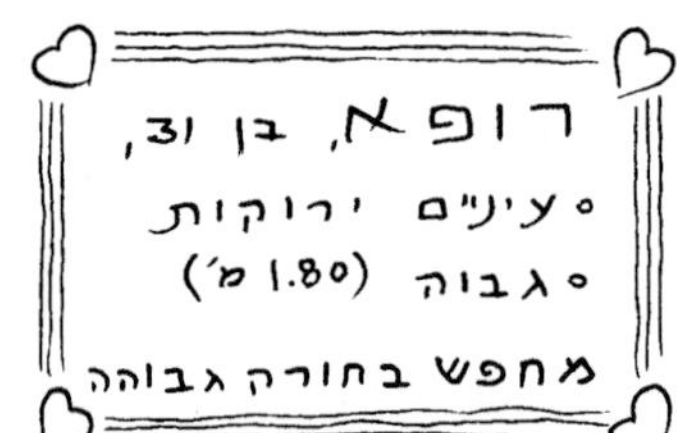
רופא, בן 43,
- עיניים ירוקות
- גבוה (1.80 מ')
מחפש בחורה גבוהה

4)
סטודנטית
בת 30
מקיבוץ בגליל
מחפשת בחור שמח

5)
צעירה (22)
- שערות חומות וקצרות
- פנקיסטית
- גבוהה
מחפשת בחור יפה

6)
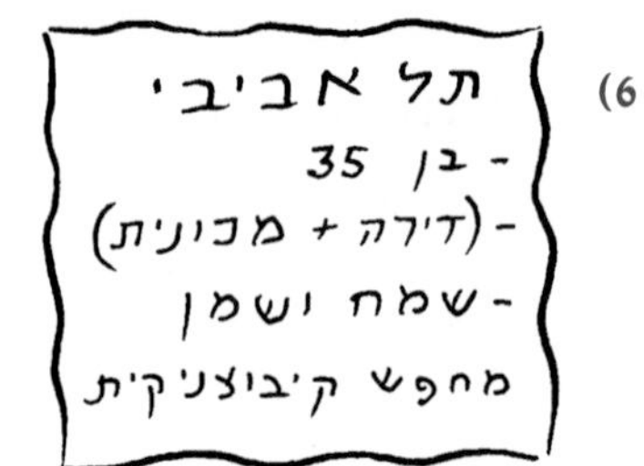
תל אביבי
- בן 35
- (דירה + מכונית)
- שמח ושמן
מחפש קיבוצניקית

ב) **אמרו לפי המודעות מי מתאים למי ולמה.** According to the ads say who fits who and why.

***דוגמה:* הרופא (מספר 3) מתאים לצעירה (מספר 5), כי היא גבוהה.**

ג) **כתבו עוד שתי מודעות שידוכין.** Write two more "Personals" ads.

2. מי הוא מי?

א) **נחשו מי זה:** Guess who is who:

גוּלִיבֶר, הַמּוֹנָלִיזָה, מִיקִימָאוּס, פִּינוֹקְיוֹ, שִׁלְגִיָּיה או סִינְדֶּרֶלָה

1) יש לה עיניים חומות וקטנות. יש לה שערות חומות.
יש לה מקום טוב במוזאון הלובר בפריז.
2) יש לו גוף גדול ולב טוב. הוא גבוה.
3) יש לה שערות שחורות. יש לה שבעה חברים קטנים.
4) יש לו ראש גדול וגוף קטן. יש לו אישה קטנה. יש לו בית בדיסנילנד.
5) אין לה אימא. יש לה חיים קשים. יש לה רגל קטנה. יש לה סוף טוב.
6) יש לו אף ארוך. יש לו אבא טוב. הוא לא תמיד אומר את האמת.

ב) **אמרו את החידות ב- א) עם התבנית: ל... יש ...**
Say the riddles in exercise א) using the form: **ל... יש ...**

דוגמה: למונליזה יש עיניים חומות וקטנות.

ג) **כתבו עוד שתי חידות.** Write two more riddles.

ד) **תארו מישהו שאתם אוהבים.** Describe someone you love.

3. א) צְבָעִים

כָּחוֹל

צָהוֹב

לָבָן

אָדוֹם

סָגוֹל

חוּם

שָׁחוֹר

יָרוֹק

ב) השלימו את הטבלה. Complete the table.

ז.	נ.	ז. ר.	נ. ר.
יָרוֹק	יְרוּקָה	יְרוּקִים	יְרוּקוֹת
אָדוֹם	אֲדוּמָּה	______	______
צָהוֹב	______	צְהוּבִּים	______
כָּחוֹל	______	______	כְּחוּלוֹת
סָגוֹל	______	______	______
שָׁחוֹר	שְׁחוֹרָה	______	______
חוּם	חוּמָּה	______	______
לָבָן	לְבָנָה	______	______

.4 מי אני (איזה צֶבַע אני)?

1) אני הצבע של השלום, אני הצבע של כל הצבעים, אני הצבע של הגבינות הישראליות.
2) אני הצבע של העַגְבָנִיָּה. של האַהֲבָה, של הקוֹמוּנִיזְם.
3) אני הצבע של פרח הלִילָך, של המלכים, של העיניים של אֶלִיזָבֶּט טֵיילוֹר.
4) אני הצבע של הים ושל השמים ביום יפה.
5) אני הצבע של הלילה, של כסף לא לֵגָלִי, של שוק לא לגלי ושל קפה.
6) אני הצבע של האשכולית, של השמש בציורים של ואן גוך ושל הטַקְסִי בניו-יורק.
7) אני הצבע של האבוקדו, של דולרים, של אירלנד ושל האֶקוֹלוֹגִים. אני כחול + צהוב.
8) אני הצבע של שוקולד ושל מוֹקָה. אני אדום + צהוב וקצת שחור.

.5 אמרו וכתבו אילו צבעים יש בדגלים אלה: Say then write what are the colors of these flags:

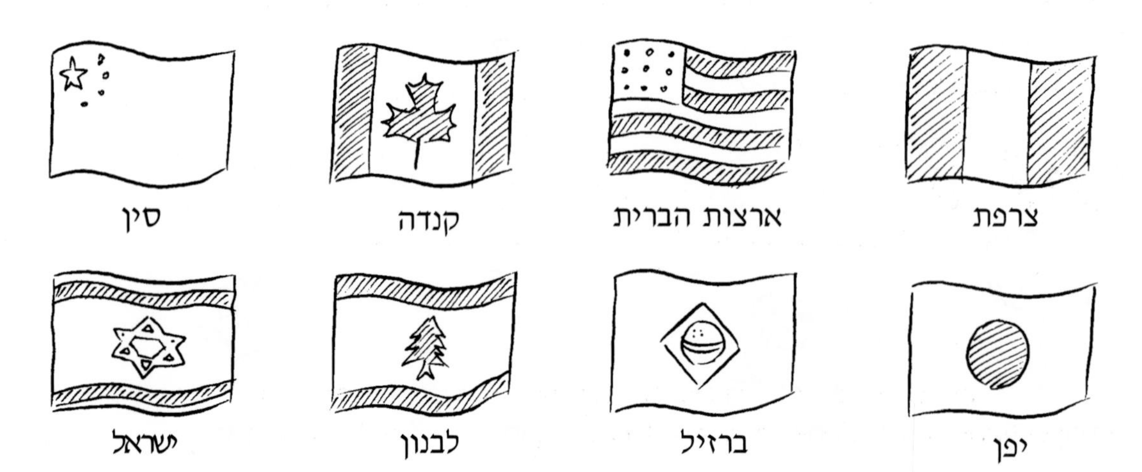

.6 השלימו את המשפטים.

Complete the sentences.

דוגמה: תֵיבוֹת הדואר בישראל **אדומות וצהובות.**

הבננות ______ . החלב ______. הלימון ______. המלח ______. ים המלח ______.

המיונז ______. הסֶלֶרִי ______. השמש ______. המרגרינה ______. הפלאפל ______.

השמים ______. השוקו ______. העגבנייה ______.

.7 שאלו זה את זה.

Ask each other the following questions.

- מה הצבע של הבוקר / של הצהריים / של הערב / של הלילה?
- איזה צבע אתה אוהב / את אוהבת?
- איזה צבע אתה לא אוהב / את לא אוהבת?

אל יאללה, ביי!

מספיק להיות צהובים לֶה לֶה

אנחנו חושבים ירוק!

כתבו עוד שתיים - שלוש סיסמאות למדבקות המבוססות על פתגמים וביטויים עם צבעים.

Write two or three more sticker-slogans based on sayings and expressions with colors.

8. א) **ארבע עוֹנוֹת בשנה - אָבִיב, קיץ, סְתָיו, חורף.**

התאימו את שמות העונות לאיורים. Match the seasons' names with the illustrations.

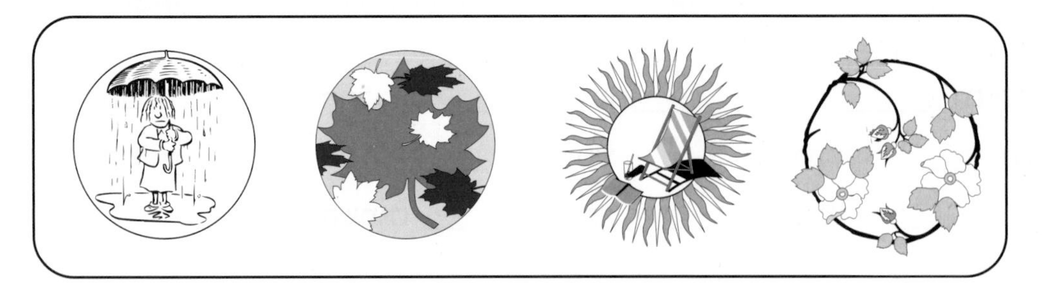

שאלו זה את זה: איזו עונה אתה אוהב? למה? Ask each other:

ב) סְתָיו

באירופה ובאמריקה מדברים על אוקטובר הצהוב ועל הסתיו האדום. בסתיו בהרבה מקומות בעולם העצים האדומים והצהובים הם כמו אֵש יפה.

באירופה כותבים שירים עצובים על אהבה, ובאמריקה שרים על סוף הימים היפים והשמחים של הקיץ. הימים של הסתיו באמריקה ובאירופה קצרים, הטֶמְפֶּרָטוּרוֹת נמוכות והאנשים יושבים בבית.

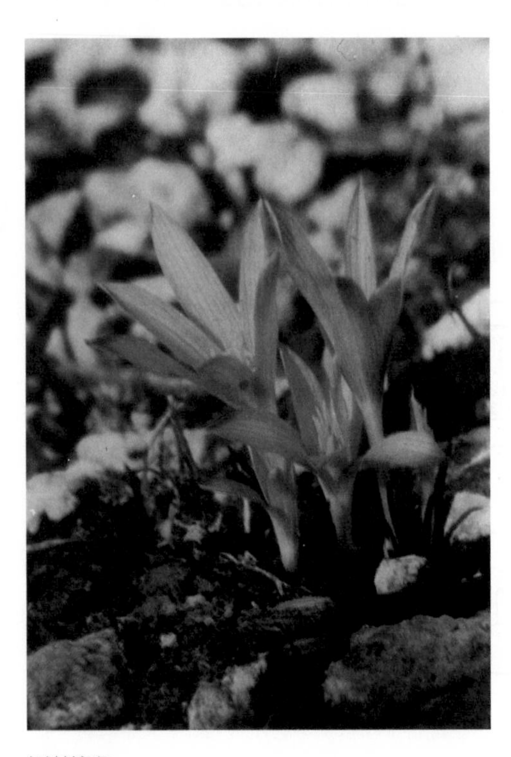

סִתְוָונִית

בישראל יש סתיו אחר. יש שמים כחולים ויש שמש צהובה וטובה. לפעמים חם מאוד ואנשים הולכים לים כמו בקיץ, ולפעמים קצת קר. ימי הסתיו קרירים ונעימים והחורף בא לאט לאט. האֲדָמָה חומה או צהובה, כי אין כִּמְעַט גשם.

חָצָב

בסתיו יש פרח קטן מיוחד ויפה - סִתְוָונִית.

קצת לפני הסתיו עולה מן האדמה פרח לבן וגבוה כמו נֵר יפה - החָצָב.

בשוק יש פירות של סתיו בהרבה צבעים: צהובים ואדומים מסוף הקיץ, ופירות ירוקים כי החורף מתחיל.
בסתיו מתחילה השנה החדשה והאנשים אומרים: הכול חדש וטוב - גם הַשָּׁנָה.

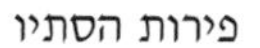
פירות הסתיו

רימון

אגס

תמר

תפוח

ג) אמרו לפי הקטע איפה אומרים את המשפטים האלה - באירופה, בישראל או בשני המקומות.
Say according to the text where these sentences are being said - Europe, Israel or both.

1) יורד גשם. קר.
2) יש חצב בגינה.
3) איזה שמים כחולים!
4) העצים בצבעים נהדרים.
5) אני הולך לים. להתראות!
6) כבר לא חם כל כך. קריר ונעים.
7) עצוב. אין שמש. אני יושב בבית כל היום.

ד) כתבו על עונה אחרת - אביב, קיץ או חורף.
Write about a different season - Spring, Summer, or Winter.

שיר ילדים ש. בס, ע. עמירן
הַקַּיִץ עָבַר, הַחוֹם הַגָּדוֹל.
שָׁנָה חֲדָשָׁה בָּאָה לַכּוֹל.
רוּחוֹת מְנַשְּׁבוֹת, נוֹדְדוֹת צִיפּוֹרִים.
הוֹלְכִים וּבָאִים הַיָּמִים הַקָּרִים.

.9 כתבו את הצבעים המתאימים. Complete the sentences using the correct color names.

דִילֶמוֹת קטנות וגדולות

לפעמים לא יודעים במה לבחור. למשל, הולכים לשוק ולא יודעים איזה תפוחי עץ לקנות: *אדומים או ירוקים.*

במסיבה, איזה יין לשתות: __________.

בסופרמרקט, איזה סוכר לקנות: __________, איזה לֶחם: __________

וגם איזו גלידה: __________.

עוברים לדירה חדשה, איזה רהיטים לקנות: __________.

הולכים לקונצרט, איזה בגדים ללבוש: __________,

וַאֲפִילוּ איזה פרחים לקנות לחברה ליום הולדת: __________.

שִׁיר עֶרֶשׂ לַצְּבָעִים / נעמי שמר

יָרוֹק הוּא הַבְּרוֹשׁ וְתָכוֹל הוּא הַיָּם.
אָדוֹם הוּא הַתּוּת וְאָפוֹר הֶעָנָן.
חוּמָה אֲדָמָה וְזָהוֹב הוּא הַחוֹל.
הַדֶּגֶל שֶׁלָּנוּ לָבָן וְכָחוֹל,
וְשָׁחוֹר הוּא הַחוֹשֶׁךְ אֲבִי הַחֲלוֹם
הָאוֹמֵר לַצְּבָעִים לֵיל מְנוּחָה וְשָׁלוֹם.

1) אילו צבעים יש בשיר? 1) What colors appear in the song?

2) כתבו שיר אחר על צבעים. 2) Write your own song about colors.

Vocabulary אוצר המילים

פעלים Verbs

choose	בּוֹחֵר, לִבְחוֹר
fit / be appropriate	מַתְאִים, לְהַתְאִים

שמות תואר Adjectives

tall / high	גָבוֹהַ, גְבוֹהָה
short / low	נָמוּךְ, נְמוּכָה
cool	קָרִיר, קְרִירָה
thin / skinny	רָזֶה, רָזָה
fat	שָׁמֵן, שְׁמֵנָה

מילים לועזיות Foreign words

dilemma	דִילֶמָה (נ.)
temperature	טֶמְפֶּרָטוּרָה (נ.)
taxi	טַקְסִי (ז.)
mocha	מוֹקָה (ז. ר. 0)
(a) punk	פַּנְקִיסְט (ז.), פַּנְקִיסְטִית (נ.)
communist	קוֹמוּנִיזְם (ז. ר. 0)
academic	אֲקָדֶמַאי, אֲקָדֶמָאִית ש״ת
ecological	אֶקוֹלוֹגִי, אֶקוֹלוֹגִית ש״ת
blond	בְּלוֹנְדִינִי, בְּלוֹנְדִינִית ש״ת
legal	לֵגָלִי, לֵגָלִית ש״ת

סלנג Slang

good looking (man/woman)	חֲתִיךְ (ז.), חֲתִיכָה (נ.)

שמות עצם Nouns

spring	אָבִיב (ז.)
earth / ground / land	אֲדָמָה (נ. ר. 0)
fire	אֵשׁ (נ. ר. 0)
squill (flower)	חָצָב (ז.)
candle	נֵר (ז.), נֵרוֹת
end	סוֹף (ז.)
colchicum (flower)	סִתְוָנִית (נ.)
autumn	סְתָיו (ז.)
season	עוֹנָה (נ.)
color	צֶבַע (ז.), צְבָעִים
single man / woman	רַוָק (ז.), רַוָקָה (נ.)
doctor (physician)	רוֹפֵא (ז.), רוֹפְאָה (נ.)

צבעים Colors

brown	חוּם, חוּמָה
green	יָרוֹק, יְרוּקָה
white	לָבָן, לְבָנָה
purple	סָגוֹל, סְגוּלָה
yellow	צָהוֹב, צְהוּבָּה

שונות Miscellaneous

even	אֲפִילוּ מ״ח
this year	הַשָּׁנָה ת״פ
to each other	זֶה לָזֶה ב.
almost	כִּמְעַט ת״פ

שיעור 17

1. בספרייה

אתמול יָשַׁבְנוּ בספרייה. יוסי לָמַד לבחינה, ואורי עָזַר לו. רינה כָּתְבָה מכתב לְחברה, משה ורמי קָרְאוּ עיתונים, ואני חָשַׁבְתִּי על החיים - שָׁאַלְתִּי שאלות גדולות ולא מָצָאתִי תשובות.

בניין פָּעַל - גזרת השלמים - זמן עבר פָּעַל conjugation - strong verb type - past tense

	הפועל **לִכְתּוֹב** בזמן עבר			**לִ☐ְ☐וֹ☐**		
	ז.	ז./נ.	נ.	ז.	ז./נ.	נ.
י.		(אני) **כָּתַבְתִּי**			**☐ָ☐ַ☐ְתִּי**	
	(אתה) **כָּתַבְתָּ**		(את) **כָּתַבְתְּ**	**☐ָ☐ַ☐ְתָּ**		**☐ָ☐ַ☐ְתְּ**
	הוא **כָּתַב**		היא **כָּתְבָה**	**☐ָ☐ַ☐**		**☐ָ☐ְ☐ָה**
ר.		(אנחנו) **כָּתַבְנוּ**			**☐ָ☐ַ☐ְנוּ**	
	(אתם) **כְּתַבְתֶּם**		(אתן) **כְּתַבְתֶּן**	**☐ְ☐ַ☐ְתֶּם**		**☐ְ☐ַ☐ְתֶּן**
		הם / הן **כָּתְבוּ**			**☐ָ☐ְ☐וּ**	

וגם: אָהַב, אָכַל, אָמַר, בָּחַר, הָלַךְ, חָזַר, חָשַׁב, יָדַע, יָרַד, יָשַׁב, לָבַשׁ, לָמַד, לָקַח, מָצָא, נָסַע, נָעַל, נָפַל, נָתַן, עָבַד, עָזַר, עָמַד, פָּגַשׁ, פָּחַד, קָרָא, רָחַץ, רָקַד, שָׁאַל, שָׁלַח, שָׁמַע, שָׁמַר,

למה כולם אומרים: כְּתַבְתֶּם ולא כָּתַבְתֶּם
וגם כְּתַבְתֶּן ולא כָּתַבְתֶּן?

שימו לב: לָתֵת - נָתַתִּי, נָתַתָּ, נָתַתְּ, נָתַנּוּ, נְתַתֶּם, נְתַתֶּן, נָתַן, נָתְנָה, נָתְנוּ.

.2 בחרו את צורת הפועל הנכונה.

Choose the correct form of the verb.

דוגמה: רינה *פגשה* אתמול את רחל. (לפגוש / פגשו / (פגשה) / פגשתי)

1) דני, מתי ____ את החבילה? (לשלוח / שלחת / שולחת / שולח)

2) יוסי ורותי, איפה ____ לפני שנה? (עבדו / עבדה / עבדתן / עבדתם)

3) מה הם ____ לך? (אמרו / לומר / אומר / אמרת)

4) יורם, מה ____ בגן היום? (לומד / למדה /ללמוד / למדת)

5) מה ____ במסעדה האיטלקית? (אכלתם / אכל / לאכול / אוכל)

6) חנה, למה ____ הביתה ב-12:00 בלילה? (חזרו / לחזור / חזרת / חוזר)

7) רומיאו ____ את יוליה, ויוליה ____ את רומיאו. (אהבה / אהב / אוהב / אוהבים)

8) המורה ____ עם התלמידים בכיתה אחרי (ישבה / לשבת /ישבו / ישב)
השיעור, ו ____ להם להבין את התרגיל הקשה. (עוזרת / לעזור / עזרה / עזרו)

9) דויד, עד מתי ____ אתמול בלילה? (קורא / קראת / קוראים / לקרוא)

10) יוסי וטלי נסעו לברזיל, ועד אתמול
לא ____ איפה הם. (ידע / ידעה / יודעים / ידענו)

11) ____את התיק ליד הדלת ושאלתי של מי הוא. (מוצאים / מצא / מצאתי / למצוא)

12) הוא אוהב את רינה, אבל הוא לא ____ לה את זה. (אמר / אמרה / לומר / אמרתי)

.3 א) כתבו את הפעלים בטבלה בזמן עבר.

Complete the verbs in the table, in past tense.

אני	אתה	את	הוא	היא	אנחנו	אתם	אתן	הם / הן
כתבתי	____	____	____	____	____	____	____	____
____	למדת	____	____	____	____	____	____	____
____	____	פגשת	____	____	____	____	____	____
____	____	____	חשב	____	____	____	____	____
____	____	____	____	פחדה	____	____	____	____
____	____	____	____	____	הלכנו	____	____	____
____	____	____	____	____	____	שאלתם	____	____
____	____	____	____	____	____	____	קראתן	____
____	____	____	____	____	____	____	____	עזרו

ב) אמרו וכתבו עוד פעלים שאתם מכירים בקבוצה זו בזמן עבר.

Say, and write additional verbs you know of this group in past tense.

דוגמה: עבדתי, עבדת...

ג) אמרו / כתבו את הפועל לכעוס בזמן עבר, כמו שאר הפעלים בקבוצה זו.

Say / write the verb לכעוס in past tense, the same as the other verbs of this group.

(אני) **כעסתי** , (אתה) ______, (את) ______, הוא ______, היא ______,

(אנחנו) ______, (אתם) ______, (אתן) ______, הם / הן ______.

4. א) פְּגִישָׁה בים המלח

רחל: אהלן רינה, בוקר טוב, מה נשמע?

רינה: טוב מאוד. רק עכשיו חזרתי מטיול, ואני כל כך עֲיֵיפָה.

רחל: לאן נסעת?

רינה: לים המלח.

רחל: איך נסעת?

רינה: באוטובוס עד עֵין גֶּדִי. שם פגשתי את אורי, והלכנו יחד לאכול.

רחל: איפה אכלתם?

רינה: במסעדה ליד הים. ישבנו שם הרבה זמן. את יודעת את מי פגשנו שם?

רחל: את מי?

רינה: את אילנה מקיבוץ עין גדי. היא עזרה לנו מאוד. לא ידענו לאן ללכת, והיא אמרה לנו.

רחל: נו, והלכתם הרבה?

רינה: איזו שאלה!? את יודעת, אורי אוהב ללכת בָּרֶגֶל, והוא כל כך אוהב את המדבר. אז הלכנו, והלכנו, והלכנו ... אני לא מבינה מה הוא מחפש במדבר הזה.

רחל: גם אילנה באה?

רינה: לא. היא עבדה במסעדה של הקיבוץ.

רחל: את יודעת, גם יוסי נסע לים המלח.

רינה: כן. פגשנו את יוסי בערב, ירדנו ביחד לחוף ושמענו שם קונצרט רוק. ישבנו ליד המים ושרנו כל הלילה. אני כל כך עייפה עכשיו.

רחל: אז לילה טוב, רינה. להתראות מחר.

ב) כתבו מי לפי השיחה.

According to the dialogue, write who did what.

דוגמה: *רחל, אורי ויוסי* ישבו על חוף הים כל הלילה.

1) __________ עזרה לרינה ולאורי.
2) __________ ישבו במסעדה הרבה זמן.
3) __________ חזרה מטיול.
4) __________ שרו כל הלילה.
5) __________ אכלו במסעדה ליד ים המלח.
6) __________ נסעה לים המלח.
7) __________ שמעו קונצרט רוק.
8) __________ פגשו את אילנה.
9) __________ עבדה במסעדה.
10) __________ פגשה את אורי.
11) __________ הלכו ברגל במדבר.
12) __________ פגשו את יוסי.
13) __________ הלכו יחד לאכול.

5. השלימו את המשפטים.

Complete the sentences.

דוגמה: הוא אהב את השיר החדש. (אתה) .... היא ....

אהבת את השיר החדש.

היא אהבה את השיר החדש.

1) הם קראו וחקרו ספרים עתיקים. הוא .... (את) ....
2) המתנדבים עבדו בחקלאות. (אתן) .... (אני) ....
3) המורים כתבו תרגילים לתלמידים. (אתם) .... היא ....
4) חזרתי הביתה. (אנחנו) .... הם ....
5) הם לא שלחו את המכתבים. (אתה) .... (אתן) ....
6) הוא לא אכל כל היום. (אני) .... (אנחנו) ....
7) היא שאלה הרבה שאלות. (את) .... (אתם) ....
8) מתי הן ירדו לאילת? הוא .... (אתן) ....
9) לא ידעתי שום דבר. הם .... (אתם) ....
10) פגשתי את רחל. הן .... (את) ....
11) מה אמרת? הוא .... היא ....
12) הוא מצא אישה טובה. (אני) .... (אתה) ....

מן המקורות

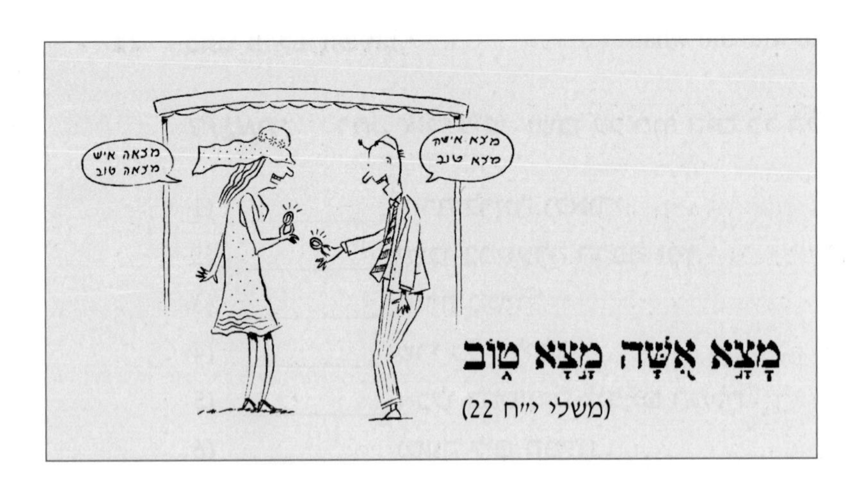

6. חיפוש במילון

א) סמנו את הפועל במשפט וכתבו את הערך המילוני שלו (גוף שלישי זכר יחיד בזמן עבר), ואת שם הפועל.

ב) בחרו מרשימת הפעלים שאתם כבר מכירים את הפועל הקרוב במשמעות לפועל שמצאתם במילון וכתבו שוב את המשפט בעזרתו.

a) Underline the verb in the sentence and copy down its dictionary definition (singular, masculine, third person, in past tense) and its infinitive form.

b) Choose the verb closest in meaning to the verb you looked up in the dictionary, from the verb list you already know, and write the sentence again using this verb.

הפעלים: ללכת / לכעוס / לקחת / לרחוץ / ~~למצוא~~ / לתת Verbs:

דוגמה: א) הארכיאולוגים <u>חשפו</u> עיר עתיקה.

במילון - חשף (in the dictionary) שם הפועל - לחשוף (inf.)

ב) הפועל הקרוב - למצוא (the closest verb)

המשפט החדש - הארכיאולוגים מצאו עיר עתיקה. (new sentence)

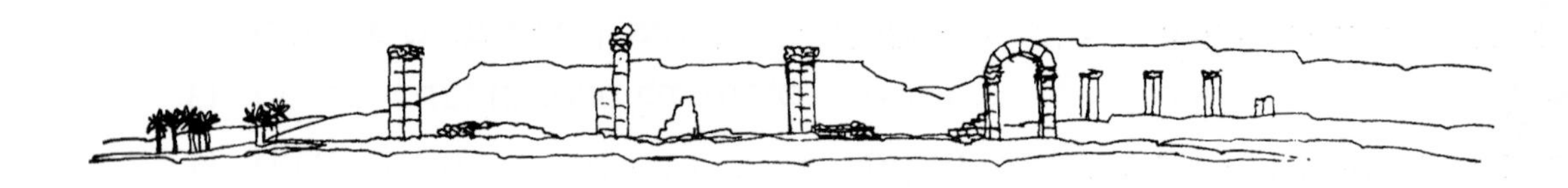

1) רגזנו על הבחינה הקשה.

א) במילון .... שם הפועל ....

ב) הפועל הקרוב .... המשפט החדש ....

2) צעדתי עם כולם ברחובות העיר.

3) למה אתן לא שוטפות ידיים לפני האוכל?

4) מתי היא מסרה לך את התרגיל?

5) סחבנו את כל הדברים מהשוק.

7. א) מְגילות ים המלח

מגילות ים המלח הן ספרים עתיקים. כתבו את המגילות לפני אַלְפַּיים שנה. ב-1947 מצאו את המגילות במְעָרוֹת בקוּמרָן ליד ים המלח.

במגילות יש ספרי תנ״ך. למשל, מגילת ישעיהו היא ספר ישעיהו מהתנ״ך, אבל יש במגילות גם ספרים אחרים, לא מהתנ״ך. מהספרים האלה לומדים על החיים ועל הפילוסופיה של אנשי קומרן: הם גרו בקוֹמוּנה, עבדו יחד בחקלאות, אכלו יחד, באו לְהִתְפַּלֵל יחד כל יום, למדו וכתבו ספרים. אנשי קומרן שמרו על החגים היהודיים וצמו הרבה ימים בשנה.

מגילה אחת מספרת על ״מִלְחֶמֶת בני אור בבני חושך״. לפי הספר הזה יש בעולם בני אור ובני חושך. בני האור טובים, ובני החושך רָעִים. כל אדם נוֹלָד או בן אור או בן חושך, ולבני האור יש תמיד מלחמה עם בני החושך.

מגילה אחרת היא מגילת הנְחוֹשֶת. במגילה זו יש אִינְפוֹרְמַצְיָה על האוֹצָרוֹת של בֵּית הַמִקְדָש. לפי המגילה הזאת, אחרי שנת שבעים לַסְפִירָה שמו את הַזָהָב ואת הכסף מבית המקדש בשישים וארבעה מקומות במדבר יהודה וליד ירושלים.

קטע ממגילת מלחמת בני אור בבני חושך

פִּילוֹלוֹגִים, הִיסְטוֹריוֹנִים, ארכֵאולוגים ותֵאוֹלוֹגִים חוקרים את המגילות. יש להם הרבה שאלות על כל אחת מהמגילות: הפילולוגים שואלים מה מיוחד בשפה של כל מגילה; היא כמו העברית של התנ״ך או של המשנה, או אולי היא שפה אחרת.

ההיסטוריונים שואלים מתי כתבו את הספרים האלה; בזמן בית המקדש? לפני שנת שבעים, או אחרי שנת שבעים?

התאולוגים שואלים מי כתב כל מגילה; יהודים, נוֹצְרים או אולי אנשים אחרים? הם שואלים מה האנשים האלה חשבו על אלוהים ומה הם אמרו על אלוהים.

הארכֵאולוגים שואלים איפה אנשי קומרן גרו, מה הם אכלו ואיפה הם עבדו. ואנחנו שואלים מה הם ידעו על החיים ואנחנו לא יודעים, או אולי מה אנחנו יודעים על החיים והם לא ידעו.

מן המקורות

וַיִּקְרָ֨א אֱלֹהִ֤ים׀ לָאוֹר֙ י֔וֹם וְלַחֹ֖שֶׁךְ קָ֣רָא לָ֑יְלָה (בראשית א 5)

ב) **ענו** נכון / לא נכון **לפי הקטע.** Answer נכון / לא נכון (true / false) according to the text.

1) מצאו את מגילות ים המלח בקומרן לפני 2000 שנה.
2) אנשי קומרן אמרו: יש בעולם מלחמה בין בני האור ובני החושך.
3) אנשי קומרן חשבו: כל אדם הוא גם בן אור וגם בן חושך.
4) לפי מגילת הנחושת יש זהב וכסף ב-64 מקומות בארץ.
5) רק היסטוריונים חוקרים את המגילות.
6) לפי התאולוגים, נוצרים כתבו את המגילות.
7) השאלות על השפה של המגילות הן שאלות של פילולוגים.

8. כתבו את השאלות. Write the questions.

דוגמה: היסטוריונים וארכיאולוגים חקרו את המגילות.

מי חקר את המגילות?

1) החוקרים קראו את הטקסטים העתיקים.
2) מהמגילות לומדים על החיים בקומרן לפני אלפיים שנה.
3) אנשי קומרן גרו בקומונה ליד ים המלח.
4) כתבו את המגילות לפני אלפיים שנה.
5) אנשי קומרן צמו הרבה ימים בשנה.
6) ארכאולוגים באו לקומרן לחפש עוד מגילות.

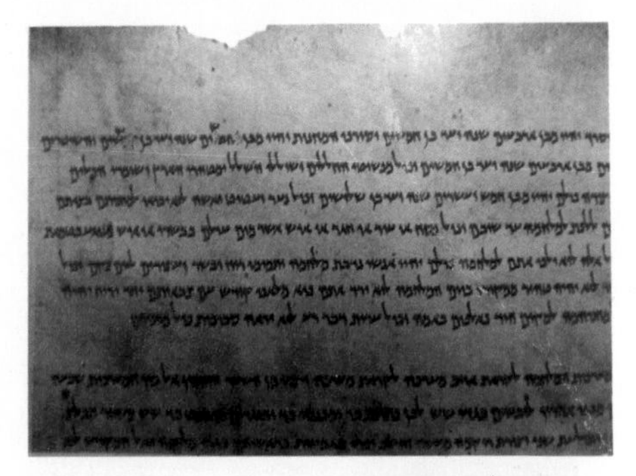

דף ממגילת הנחושת

9. קראו את הקטע והשלימו את המילים החסרות. Read the excerpt and complete the missing words.

מגילת הנחושת

בשנת 1966 שמע וֶנדֶל ג'וֹנס מְטֶקְסָס על מגילת הנחושת ובא לישראל.

הוא ________ : אני רוצה למצוא את אוצרות בית המקדש.

אנשים בארץ אמרו לו: הסיפור במגילת הנחושת על ה________ הוא פַנְטַזְיָה. אין אמת ב________ הזאת.

ג'ונס כעס. הוא חשב: האנשים האלה לא ________ נכון את המגילה. הוא חזר לטקסס. שם הוא קרא על המגילות של מדבר יהודה. הוא ________ גאוגרפיה והיסטוריה של ארץ ישראל, ואחרי כמה שנים הוא נסע שוב ל________ לחפש את האוצרות: את הזהב ואת הכסף מבית המקדש.

אנשים בארצות הברית שמעו על וונדל ג'ונס וחשבו: הסיפור הזה מעניין מאוד. כמה מהם באו לישראל לעבוד עם וונדל. הם ________ כל יום מהבוקר עד הערב. הם גרו במדבר, קמו כל בוקר ב-5:00, לא נחו וחשבו כל הזמן איפה האוצרות של ________ .

עד היום גם הם וגם אנשים אחרים מחפשים את האוצרות. הם לא ________ איפה האוצר, אבל הם ממשיכים לחפש________.

אל יאללה, ביי!

ילדים אומרים

(לפי: מפי הטף)

Summary of Topics — האוצר הלשוני

א. אוצר המילים — Vocabulary

פעלים — Verbs

חוֹקֵר, לַחֲקוֹר	research
כּוֹעֵס, לִכְעוֹס (על)	be angry
מוֹצֵא, לִמְצוֹא	find / discover
מְסַדֵר, לְסַדֵר	arrange
נוֹלָד, לְהִיוָולֵד	be born
עוֹזֵר, לַעֲזוֹר (ל...)	help

שמות עצם — Nouns

אוֹצָר (ז.), אוֹצָרוֹת	treasure
אוֹר (ז.), אוֹרוֹת	light
בֵּית הַמִקְדָש (ז.)	The Temple
זָהָב (ז.)	gold
חוֹף (ז.)	beach / shore
חוֹשֶׁךְ (ז. ר. 0)	darkness
מְגִילָה (נ.)	scroll
מְעָרָה (נ.)	cave
נוֹצְרִי (ז.), נוֹצְרִיָיה (נ.)	Christian
נְחוֹשֶׁת (נ. ר. 0)	copper
פְּגִישָׁה (נ.)	meeting

מילים לועזיות — Foreign words

אִינְפוֹרְמַצְיָה (נ.)	information
הִיסְטוֹריוֹן (ז.), הִיסְטוֹרְיוֹנִית (נ.)	historian
פִּילוֹלוֹג (ז.), פִּילוֹלוֹגִית (נ.)	philologist
פַנְטַזְיָה (נ.)	fantasy
קוֹמוּנָה (נ.)	commune
תֵאוֹלוֹג (ז.), תֵאוֹלוֹגִית (נ.)	theologian

שמות תואר — Adjectives

עָיֵיף, עֲיֵיפָה	tired
רַע, רָעָה	bad / mean

שונות — Miscellaneous

בָּרֶגֶל ת״פ	by foot / on foot
לַסְפִירָה	A.D. (of a date)

ב. הנושאים הלשוניים — Grammatical topics

צורות: פועל: בניין פָּעַל, גזרת השלמים, זמן עבר

Morphology: Verb: basic stem (פָּעַל conjugation), strong verb type, past tense

דוגמה: כתבתי, כתבת ...

Example: כתבתי, כתבת ...

שיעור 18

.1

מילת היחס שֶׁל בנטייה

Conjugation of the preposition שֶׁל.

	ז.	ז./ נ.	נ.
		שֶׁלִּי	
י.	**שֶׁלְּךָ**		**שֶׁלָּךְ**
	שֶׁלּוֹ		**שֶׁלָּהּ**
		שֶׁלָּנוּ	
ר.	**שֶׁלָּכֶם**		**שֶׁלָּכֶן**
	שֶׁלָּהֶם		**שֶׁלָּהֶן**

לִישׁוֹן

	ז.	נ.
י.	**יָשֵׁן**	**יְשֵׁנָה**
ר.	**יְשֵׁנִים**	**יְשֵׁנוֹת**

.2 אמרו משפטים מהטבלה. כתבו 5 מהם. (זכרו להתאים בין שם העצם ובין שם התואר).

Say sentences from the table. Write 5 of them (remember that nouns and adjectives must agree with each other).

החיים	שלי		נחמד
השולחן	שלך		משעמם
הגינה	שלך		שמח
המסיבה	שלו		שחור
אימא	שלה	(לא)	טעים
המשפחה	שלנו		צעיר
הכלבים	שלכם		עתיק
הדירות	שלכן		ירוק
הבגדים	שלהם		מודרני
החלומות	שלהן		קשה

דוגמה: *החיים שלו קשים.*

מן המקורות

אַרְבַּע מִדּוֹת בָּאָדָם. הָאוֹמֵר: שֶׁלִּי - שֶׁלִּי, וְשֶׁלָּךְ - שֶׁלָּךְ, זוֹ מִדָּה בֵּינוֹנִית, וְיֵשׁ אוֹמְרִים זוֹ מִדַּת סְדוֹם. שֶׁלִּי - שֶׁלָּךְ, וְשֶׁלָּךְ - שֶׁלִּי, עַם הָאָרֶץ. שֶׁלִּי - שֶׁלָּךְ, וְשֶׁלָּךְ - שֶׁלָּךְ, חָסִיד. שֶׁלָּךְ - שֶׁלִּי, וְשֶׁלִּי - שֶׁלִּי, רָשָׁע.

(אבות ה, י)

.3 א) חֵן

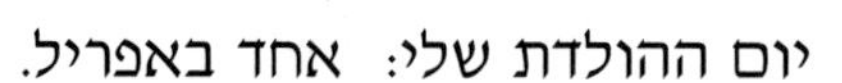

יום ההולדת שלי: אחד באפריל.

החלום שלי: לראות את יו טו בלונדון.

הצבע שלי: סגול.

המוזיקה שלי: יו טו, מטליקה.

האוכל שלי: סלט מְלָפְפוֹנִים עם יוגורט.

השעה שלי: 5:00 אחרי הצהריים ליד הים.

הכיף שלי: בטן-גב על החוף.

הפילוסופיה שלי: אני חַיָּה כאן ועכשיו ולא שואלת למה.

החג שלי: פּוּרִים.

הספּוֹרט שלי: אֵירוֹבִּיקָה.

הספר שלי: "הַנָּסִיךְ הקטן" של סנט אכזופרי.

הבעיה שלי: יש לי הרבה יְדִידִים, אבל אין לי חבר.

ב) **שאלו זה את זה שאלות על חן לפי הקטע, וענו על השאלות.**

Ask each other questions about חן, and answer them.

דוגמה: - מתי יום ההולדת שלה?

- באחד באפריל.

ג) **הסתכלו בתמונות ואמרו מי לדעתכם, רוצה להיות החבר של חן?**

Look at the photos and indicate who do you think wants to be חן boy friend.

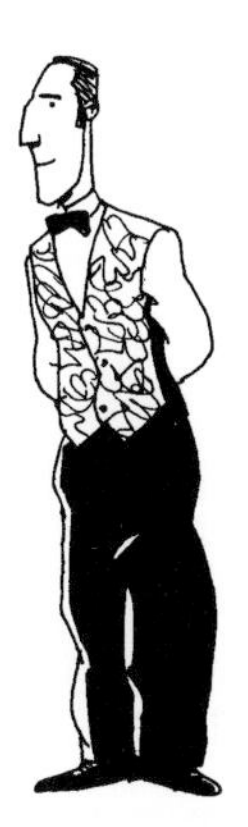

ד) **כתבו על כל אחד מהטיפוסים לפי ההתחלות והוסיפו משפטים כרצונכם.**

Complete the sentences about each of the characters, and create new sentences.

1) בחור ישיבה - החלום שלו...
הצבע שלו ...
המוזיקה שלו...
החג שלו ...
ה...

2) סְפּוֹרְטָאִיּוֹת - האוכל שלהן ...
הבעיה שלהן ...
החלום שלהן ...
הכיף שלהן ...
ה...

3) תיירים בכל העולם - החלום שלהם ...
הפילוסופיה שלהם ...
הכיף שלהם ...
הספרים שלהם ...
ה...

ה) שאלו זה את זה.

Ask each other:

- מה החלום שלך?
- מה הכיף שלך?
- מה הפילוסופיה שלך?
- מה ...

ו) כתבו על עצמכם או על חבר או חברה שלכם.

Write about yourselves or about a friend of yours.

דוגמה: *יום ההולדת שלי ...*

החלום שלו ...

הצבע שלה ...

4. מקום חדש

דני עבר לגור במקום חדש בעיר אחרת. הוא בא הביתה ופוגש את ההורים ואת החברים. הם שואלים על החדר החדש שלו, והוא מצייר את החדר, ומסביר להם איפה כל דבר.

המחיזו שיחה בין דני ובין החברים שלו ובני המשפחה שלו לפי האיור.

Role play: dramatize a dialogue between דני and his friends and family according to the illustration.

דוגמה: *- איפה המחשב שלך?*

- המחשב שלי על השולחן.

5. **אמרו / כתבו מה הייתה השאלה. השתמשו ב-** *שלי, שלך, שלו, שלה ...*

Say / write what were the questions to these answers.

דוגמה: - לא. זאת לא הבת שלי.

- זאת הבת שלך?

1) - כן, אלה הידידים שלנו.
2) - לא, אלה לא הכֵּלִים שלנו ולא הכלים שלהם.
3) - כן, זאת האוֹרַחַת שלי.
4) - כן, אני יודע איפה הטבעת שלך.
5) - כן, אלה הכיסאות שלנו.
6) - לא, לקחנו רק את התיקים שלהם.
7) - לא, אני לא יודע מתי החברה שלי באה.
8) - לא, אבא שלי לא בבית. הוא בעבודה עכשיו.

אל יאללה, ביי!

6. משפחה

א) **ענו לפי הציור.** Answer according to the illustration.

דוגמה: מי אבא של שרה? *אברהם.*

1) מי אימא של שרה?
2) מי ההורים של אדם, שמרית ואלון?
3) מי הַבַּת של שרה ויונתן?
4) כמה ילדים יש לשרה וליונתן?
5) כמה בָּנִים? כמה בָּנוֹת?
6) מי הבעל של רות?
7) מי האישה של נוֹעם?
8) מי האָחוֹת של אלון?
9) מי סַבָּא וסָבְתָא של יובל?
10) כמה נְכָדִים יש לרות ולדן?
11) כמה אַחִים יש לשמרית?
12) אלון נָשׂוּי?
13) לשמרית יש ילדים?
14) מי הדודה של יובל?

בַּת - בָּנוֹת

נָשׂוּי - נְשׂוּאָה

ב) **שאלו זה את זה את השאלות האלה והוסיפו שאלות כרצונכם.**
Ask each other these questions, and add new ones.

- המשפחה שלך גדולה?
- יש לך אח או אחות?
- האח שלך נשוי?
- ...

7. א) יעקב אבינו

אבא של יעקב - יצחק, ואימא - רבקה.
יש ליעקב סבא וסבתא - אברהם ושרה. הם ההורים של יצחק.
ליעקב יש שתי נשים: רחל ולאה, ויש לו אח - עֵשָׂו.
יש לו שנים עשר בנים: דן, נפתלי, יוסף, בנימין, ראובן, שמעון, לֵוִי,
יהודה, יִשָּׂשכָר, זבולון, גד, אָשֵׁר ובת אחת - דינה.

שבטי ישראל על בולי ישראל

ב) ציירו את עץ המשפחה של יעקב.

Draw Jacob's (יעקב) family tree.

מן המקורות

סמנו את הפירוש הנכון למשפטים מלשון חז"ל.

Underline the correct interpretations of the חז"ל proverbs.

1) **"בְּנֵי בָנִים הֵם כְּבָנִים."** (יבמות סב:) (כְּ... = כמו)

א. הילדים הם הבנים.
ב. הילדים הם כמו האבות.
ג. הנכדים הם כמו הילדים.
ד. סבא לא מכיר את בני הבנים.

2) **"תַּלְמִידוֹ שֶׁל אָדָם נִקְרָא בְּנוֹ."** (ויקרא רבא יא) (תלמידו = התלמיד שלו) (בנו = הבן שלו)

א. כל בן לומד מאבא שלו.
ב. תלמיד הוא כמו בן.
ג. לתלמיד אין בן.
ד. לכל אדם יש תלמיד.

3) **"אִישָּׁה טוֹבָה - מַתָּנָה טוֹבָה."** (יבמות סג:)

א. אישה טובה נותנת מתנות טובות.
ב. אישה טובה היא כמו מתנה טובה.
ג. אישה טובה יודעת לקנות מתנות טובות.
ד. אישה טובה רוצה רק מתנה טובה.

4) **"בֵּיתוֹ זוֹ אִשְׁתּוֹ."** (יומא ב.) (ביתו = הבית שלו, אשתו = האישה שלו)

א. אישה צריכה משפחה.
ב. אין משפחה בלי אישה.
ג. האישה תמיד בבית.
ד. האיש בונה בית לאישה.

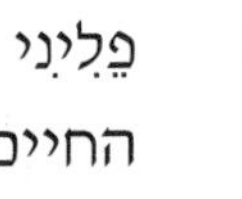

8. א) פֶלִינִי וּבֶרְגְמַן הם בַּמַאים חשובים וּמְפוּרְסָמִים. בסרטים של ברגמן רואים את החיים של משפחות בִּשְׁוֶדְיָה, ובסרטים של פליני רואים את החיים של משפחות באיטליה. גם בישראל יש משפחות כמו משפחת ברגמן ומשפחות כמו משפחת פליני.

משפחת "בסדר" - משפחת ברגמן הישראלית

במשפחה הזאת יש אימא, אבא וילד אחד. לפעמים יש שני ילדים ואולי שלושה. בבית של משפחת "בסדר" כל המשפחה יושבת ליד השולחן לאכול את הארוחות, ותמיד בזמן. הם אוכלים בשקט ולא מדברים הרבה בזמן הארוחה. כל אחד יודע איפה הוא יושב ליד השולחן בשבת, בחג וגם בארוחות של יומיום. שְׁעָתַיִים לפני הארוחה מְסַדְּרִים את הכֵּלִים על השולחן ואימא עושה את האוכל. כולם יודעים תמיד מה אוכלים ומתי: הַמָּרָק לפני הבָּשָׂר. הסלט לפני תַּפּוּחֵי הָאֲדָמָה ובסוף שותים תמיד משהו חם.

בני המשפחה, אבא והילדים, עוזרים לאימא לפני הארוחה. הם עושים סלט ירקות, או סלט פירות ושמים את הכלים על השולחן. יש צַלַּחַת מיוחדת לסלט, צלחת למרק, צלחת לגלידה וצלחת לעוגה.

לפעמים באים אוֹרְחִים. לא תמיד ולא הרבה. גם האורחים לא מדברים הרבה. הם קצת צוֹחֲקִים, קצת כועסים, קצת מְרַכְלִים וקצת מתרגשים. הכול "בחצי פֶּה". השיחות הָרְגִילוֹת הן על מזג האוויר, או על הַלִּימוּדִים של הילדים. לפעמים הם מדברים על פוליטיקה. אָז שומעים משפטים כמו: "מה אתה אומר?" או: "או! באמת?! לא שמעתי על זה." או: "זה נכון, אבל... " גם אז אומרים כולם הרבה פעמים: "סליחה", "תודה", "בבקשה".

לא שומעים שם הרבה: "איזה יופי!" או: "אני מצטער מאוד מאוד מאוד!" או: "מה פתאום? לא נכון!", אבל שומעים: "אולי", "כן", "אני חושב", "אני לא בָּטוּחַ".

בבית הזה לא מדברים ליד השולחן על בעיות קשות, על צרות, על קונפליקטים. לא מספרים מה מרגישים באמת. בסוף הארוחה הולכים האורחים הביתה, ושוב כל בני המשפחה עוזרים לאימא. הם

קרל לרסון - שוודיה

שמים את הכלים במטבח, רוחצים את הכלים ומְנַקִים את השולחן. גם אז לא מדברים הרבה ולא מרכלים על האורחים. גוֹמְרִים את העבודה בשקט, אומרים "לילה טוב" והולכים לִישון.

(לפי מאמר בעיתון "הארץ" מרס, 1999)

ב) שוחחו על משפחת פליני האיטלקית, שהיא כמו משפחת "רק רגע" הישראלית.

Discuss in class about the Italian Fellini family, which is similar to the Israeli "רק רגע" family.

ג) אמרו איפה אומרים את המשפטים האלה, במשפחת "בסדר" - משפחת ברגמן הישראלית, או במשפחת "רק רגע" - משפחת פליני הישראלית.

Say: where are the following sentences being said, in the "בסדר" family - the Israeli Bergman family, or in the "רק רגע" family - the Israeli Fellini family?

1) כולם צריכים להיות בבית בזמן, לפני הארוחה.

2) מה פתאום? אין דבר, ככה זה בחיים!

3) אבא, אני לוקח את המכונית שלך. אני לא יודע מתי אני חוזר.

4) זאת לא הצלחת הנכונה. זאת צלחת לעוגה, ואנחנו אוכלים עכשיו גלידה.

5) - אימא, החברים שלי באים עכשיו. הם רוצים לאכול ארוחת ערב. בסדר?
- אין בעיה, תמיד יש מקום ליד השולחן.

6) רק רגע, לא אוכלים תפוחי אדמה לפני הסלט.

7) - אתם שומעים מה קרה לי?
- יורם, עכשיו אוכלים. לא מדברים בזמן האוכל.
- סליחה.

ד) המחיזו שיחה מסביב לשולחן במשפחת "בסדר" או במשפחת "רק רגע".

Role play: create a dialogue around the dinner table of the "בסדר" family or of the "רק רגע" family.

ה) לאיזו משפחה דומה המשפחה שלכם? כתבו על המשפחה שלכם.

Which of the families is similar to your family? Write about your family.

מן המקורות

שְׁלֹשָׁה מַרְחִיבִים דַּעְתּוֹ שֶׁל אָדָם: דִּירָה נָאָה וְאִשָּׁה נָאָה וְכֵלִים נָאִים.
(ברכות נז.)

9. א) **הכבישים האלה**

רַבִּי מֶנְדֶל אמר: אוי, הכבישים, הכבישים האלה... עכשיו נוסעים ביום ובלילה, כי יש כבישים גדולים וטובים. פעם האנשים לא נסעו בלילה, כי הם פחדו.
הם נסעו רק ביום, ובלילה הם באו למלון. במלון הם ישבו ביחד, קראו תנ"ך, אכלו משהו, שאלו אחד את השני - מה נשמע, ושמעו סיפורים מעניינים. עכשיו כולם נוסעים ונוסעים. נוסעים ביום, ונוסעים בלילה ולא נחים.

(מתוך סיפור חסידי ב-**אור הגנוז**, מ. בובר)

מה אתם חושבים על הדברים של רבי מנדל?

What do you think about Rabbi Mendel's words?

ב) **כתבו עוד סיפור:** *אוי, הטלוויזיה, הטלוויזיה הזאת ... פעם ...*

Write another story:

אוי, הטלפון, הטלפון הזה ... פעם ...

אוי, המחשב, המחשב הזה ... פעם ...

א) **קצת סְטָטִיסְטִיקָה על משפחות בישראל ב-1998**

1. • מספר הילדים במשפחה ישראלית 2.9 בִּמְמוּצָע. (. = נקודה)
   • ב-1950 מספר הילדים במשפחה 3.9 בממוצע.
   • ל-14.4% מהמשפחות בישראל יש ילד אחד. (% = אָחוּז)
   • ל-27.9% מהמשפחות יש שני ילדים.
   • ל-6.4% יש יותר משבעה ילדים.
2. • הגיל לְנִישׂוּאִים:
   • נשים יְהוּדִיוֹת: 24.5 בממוצע.
   • נשים מוּסְלְמִיוֹת: 21.4 בממוצע.
   • גברים יהודים: 26.6 בממוצע.
   • גברים מוסלמים: 25.3 בממוצע.
3. • גיל הנישואים המינימלי בישראל הוא 17.
4. • האישה הזְקֵנָה בישראל מֵתָה בשנת 1981 בת 125.
5. • ב-78% מהמשפחות בישראל עם הוֹרֶה אחד, ההורה הוא אישה.
6. • ב-44% מהבתים בישראל גר בכל חדר איש אחד מקסימום.
   • ב-6.1% מהבתים בישראל יש שני אנשים בחדר מינימום.

ב) **כתבו 5 שאלות ששאלו כדי להגיע לסטטיסטיקה הזאת.**

Write five of the questions asked in order to get to this statistical information.

ג) **שאלו 5 שאלות נוספות שמעניינות אתכם על סטטיסטיקה בישראל.**

Ask five more questions about statistical facts about Israel that interest you.

Summary of Topics — האוצר הלשוני

א. אוצר המילים — Vocabulary

פעלים — Verbs

גוֹמֵר, לִגְמוֹר	finish
חַי, לִחְיוֹת	live
יָשֵׁן, לִישׁוֹן	sleep
מְנַקֶּה, לְנַקּוֹת	clean
מְרַכֵל, לְרַכֵל (על)	gossip
צוֹחֵק, לִצְחוֹק (על)	laugh

שמות עצם — Nouns

אוֹרֵחַ (ז.), אוֹרַחַת (נ.)	guest
אָח (ז.), אָחוֹת (נ.), אֲחָיוֹת	brother, sister
בַּמַאי (ז.), בַּמָאִית (נ.)	director
בָּשָׂר (ז.)	meat
חוּלְצָה (נ.)	shirt
יָדִיד (ז.), יְדִידָה (נ.)	friend
כְּלִי (ז.), כֵּלִים	dish / instrument
לִימוּדִים (ז. ר.)	studies
מְלָפְפוֹן (ז.)	cucumber
מָרָק (ז.)	soup
נֶכֶד (ז.), נֶכְדָה (נ.)	grandchild, granddaughter
סַבָּא (ז.) סָבְתָא (נ.)	grandfather, grandmother
צַלַּחַת (נ.)	plate
תַּפּוּחַ אֲדָמָה (ז.), תַּפּוּחֵי אֲדָמָה	potato

שמות תואר — Adjectives

בָּטוּחַ, בְּטוּחָה	sure / safe
מְפוּרְסָם, מְפוּרְסֶמֶת	famous
נָשׂוּי, נְשׂוּאָה	married
רָגִיל, רְגִילָה	regular / usual

מילים לועזיות — Foreign words

אֵירוֹבִּיקָה (נ. ר. 0)	aerobics
יוֹגוּרְט (ז.)	yogurt
סְפּוֹרְטַאי (ז.), סְפּוֹרְטָאִית (נ.)	athlete

שונות — Miscellaneous

כָּאן ת״פ	here
פּוּרִים (ז.ר.)	Purim (holiday)
רַבִּי ש״ת	rabbi
שְׁעָתַיִים (נ.ר.)	two hours

ב. הנושאים הלשוניים — Grammatical topics

צורות: נטיית מילת היחס שֶׁל — Morphology: Conjugation of the preposition

דוגמה: שלי, שלך, — Example:

פסק זמן ד

1. א) **משפחה גדולה, משפחה קטנה**

יונתן: יש לך משפחה בארץ?
שׂרה: יש לי פה דודה.
יונתן: איפה היא גרה?
שׂרה: באשקלון.
יונתן: ואיפה ההורים שלך?
שׂרה: בלונדון.
יונתן: יש לך אחים ואחיות?
שׂרה: כן, יש לי אח אחד. הוא גר עם ההורים בלונדון? ולך יש אחים ואחיות?
יונתן: כן. יש לי אח מבוגר. יש לו אישה וחמישה ילדים. הם גרים בחיפה.
שׂרה: יש לך עוד אחים ואחיות?
יונתן: כן. יש לי גם אחות. יש לה, ברוך השם, עשרה ילדים; תשע בנות ובן.
שׂרה: יופי. אני אוהבת משפחות גדולות.
יונתן: גם אני.

מה אתם יודעים על המשפחות של יונתן ושל שׂרה?

ליונתן יש ..., יש לו גם ...

2. **סדרו את המילים וכתבו משפטים.** Arrange the words into complete sentences.

1) יין / לשתות / שמפניה / רוצה / אתה / או / ?
2) יוסי / לבמאי / נשואה / של / האחות / מפורסם /
3) מכל / תיירים / באים / הכותל המערבי / העולם / לראות / את /
4) מלך / טס / אחרי הצהריים / אתמול /ירדן / לאירופה /
5) הם / ללכת / ולקום / מאוחר / לישון / אוהבים / מאוחר /
6) מזג האוויר / אנשים / כי / באילת / הרבה / אוהבים / את / שָׁם / חם /

3. **סמנו את המילה המתאימה.**

Underline the appropriate word.

מה זה? מי זה?

דוגמה: הוא אבא של אימא או של אבא. — בן / אחות / <u>סבא</u> / אח

1) היא הבת של הבן, או הבת של הבת. — אורחת / מלכה / מלצרית / נכדה
2) הם חיים רק במים. — זוגות / דגים / זיתים / כלבים
3) הם נוסעים לבקר בארצות אחרות. — ספורטאים / תיירים / מבוגרים / לימודים
4) כותבים שָם מה עושים כל יום. — גב / פה / יומן / דלת
5) הוא פוגש כל יום אנשים חולים. — תאולוג / חתן / צבע / רופא
6) אין לו אישה. — נשוי / קיבוצניק / רווק / אקדמאי
7) שָם קונים בולים ושולחים חבילות. — דגל / דואר / מעונות / שוק
8) הוא עובד בבית קפה או במסעדה. — מלצר / זוג / מתנדב / פקיד
9) מקום בלי עצים ובלי מים. — נוף / כפר / אוהל / מדבר
10) הוא עושה סרטים. — חוקר / היסטוריון / חבר כנסת / במאי
11) הוא בא לבקר משפחה או חברים. — אורח / נוצרי / אינטלקטואל / ספורטאי

4. א) **אתם נמצאים רחוק מהבית, אתם רוצים לצלצל הביתה, ואין לכם טלכרט.**
מה אתם עושים? המחיזו את הסיטואציה.

You are far away from home, you want to call home but you don't have a phone card.
What do you do? Dramatize this situation.

ב) **טֶלֶכַּרְט וּפֶלֶאפוֹן**

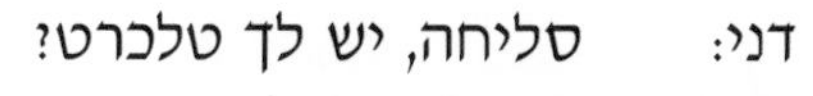

דני: סליחה, יש לך טלכרט?

מוכר: למה, אני דואר? יש פה דואר ליד הסוּפֶּר, אבל עכשיו לא עובדים בדואר.

דני: אוי, מה אני עושה?

מוכר: יש לי פלאפון. אתה רוצה?

דני: תודה. תודה רבה. כמה זה עולה?

מוכר: שום דבר.

דני: תודה. באמת תודה.

5. סמנו את ההגדרה הכי מתאימה. Underline the most appropriate definition.

דוגמה: נמוך = לא רזה / לא שמן / לא קצר / לא גבוה /

1) זית = עץ / פרח / נר / אבן /
2) נעים = בריא / מתוק / נחמד / חכם /
3) ירוק = לבן ושחור / אדום וסגול / חום ולבן / צהוב וכחול /
4) עצוב = לא פשוט / לא קצר / לא שׂמח / לא יקר /
5) אֲמֶהָרִית = שׂפה / משׂחק / מסורת / מגילה /
6) סתיו = פרי / ירק / אביב / עונה /
7) צלחת = מצליח / מרק / כלי / מערה /

6. א) **בית השעונים**

ליד השוק בירושלים, שוק מחנה יהודה, יש בית מעניין. הירושלמים קוראים לו בית השעונים.

ההיסטוריה של בית השעונים מתחילה ב-1905. רבי שמואל לוי בא מאמריקה לארץ ישראל וגר בירושלים. הוא ראה שהרבה אורחים באים לירושלים ואין להם איפה לגור. רבי שמואל לוי נתן כסף לבנות בית גדול - בית כנסת ומלון לאורחים. הרבה אורחים באו לירושלים, וגרו במלון הזה בלי לשלם.

בית השעונים גבוה. על הקיר של הבית יש שעון שמש גדול ושני שעונים קטנים, רגילים. שעון השמש עזר ליהודים לדעת מתי להתפלל; לפי שעון השמש יודעים מתי היום מתחיל - השמש עולה, ואז מתחילים להתפלל. ליד שעון השמש יש גם שני שעונים רגילים, כי בימי החורף לא תמיד רואים את השמש.

בית השעונים, ירושלים

ב) **ענו לפי הקטע.** Answer the questions according to the passage.

1) איפה בית השעונים?
2) מתי בא רבי שמואל לוי לארץ ישראל ומאין הוא בא?
3) איך עזר רבי שמואל לוי לאנשים בירושלים ולמה הוא עזר להם?
4) כמה שעונים יש על הבית?

ג) בכל מלון יש ספר אורחים, ואנשים מכל העולם כותבים בספר הזה את השם שלהם וכמה מילים של תודה. הינה שתי דוגמות מספר האורחים של המלון בבית השעונים:

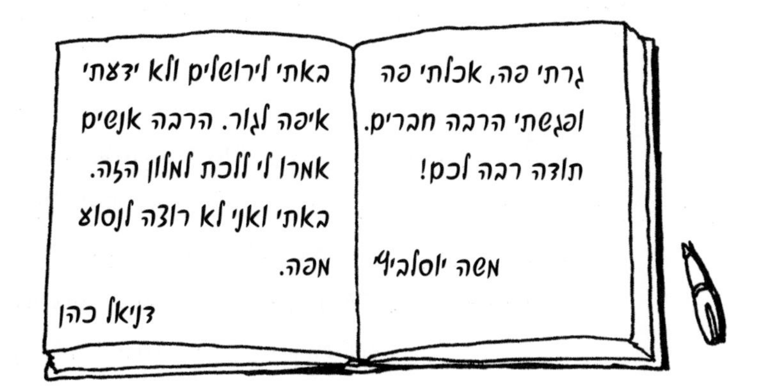

ד) **גם אתם גרתם במלון מעניין. מה כתבתם בספר האורחים?**

You also stayed at an interesting hotel. What did you write in the guest book?

7. בחרו את מילת היחס וכתבו אותה בנפרד או בנטייה במשפט המתאים -

Choose a preposition or preposition particle, in the simple or conjugated form, and write it in the appropriate sentence.

את, ב..., ל..., מ..., על, עם, של

דוגמה: ההורים *של* יונתן גרים בישראל. גם סבא וסבתא *שלו* גרים בארץ.

1) בבית שלנו הילדים עוזרים ___ הורים. למשל, אחרי הארוחה הם תמיד רוחצים___ הכלים.
2) יעקב לא מתפלל ___ בית הכנסת. הוא מתפלל בבית ___ תשעה חברים.
3) למה אתה כועס ___ כל העולם?
4) פרופ' כץ חוקר ___ ההיסטוריה של היהודים ___ אתיופיה.
5) לדינה יש שני ילדים קטנים, והיא עובדת. ההורים ___ עוזרים ___. בבוקר היא הולכת לעבודה, ואז אימא שלה שומרת ___ הילדים. בערב היא הולכת לאוניברסיטה, ואז אבא ___ משחק ___ הילדים.
6) כל השבוע אני רץ ___ מקום ___ מקום, אבל בשבת אני נח ומבקר ___ החברים ___.
7) היום יש לחנהלֶה יום הולדת. אני רוצה לקנות ___ מתנה יפה.
8) אני מצטער. לא שמעתי מה אמרת ___.
9) כל ערב אני יורד ___ ים, ואחרי שעה אני חוזר___ הים הביתה.
10) אני לא אוהבת את הבגדים של דני ורותי. הבגדים ___ מודרניים, אבל לא יפים.
11) בכל מקום אנשים מתפללים ___ שלום.
12) רחל מרכלת ___ כל העולם.

8. בחרו בצורה הנכונה. Choose the correct form.

דוגמה: הוא קרא את המגילה **העתיקה**. עתיקה / ~~העתיקה~~

1)	המלך כעס על האיש _______ .	רע / הרע
2)	יש לו אחות_______.	נשואה / הנשואה
3)	מייקל ג׳ורדן הוא ספורטאי _______.	מפורסם / המפורסם
4)	בקיבוץ יש רק שלושה בחורים _______.	רווקים / הרווקים
5)	מאין הירקות _______ האלה?	טעימים / הטעימים
6)	מגיל 12 עד 16 כתבתי _______.	יומן / היומן
7)	ילדים אוהבים לצייר _______ או עץ.	בית / הבית
8)	היא יפה. יש לה שערות שחורות ו_______ כחולות.	עיניים / העיניים
9)	אתמול הם רקדו בדיסקוטק כל _______.	לילה / הלילה
10)	הילד שלי חולה. הוא _______ כל הזמן.	עייף / העייף

9.
1) **מיינו את הצירופים הבאים וכתבו אותם בשתי רשימות:**
האחת - סמיכויות והשניה - שמות עצם + שמות תואר.
2) **כתבו כל צירוף ברבים.**
3) **הוסיפו ה״א היידוע בכל צירוף.**

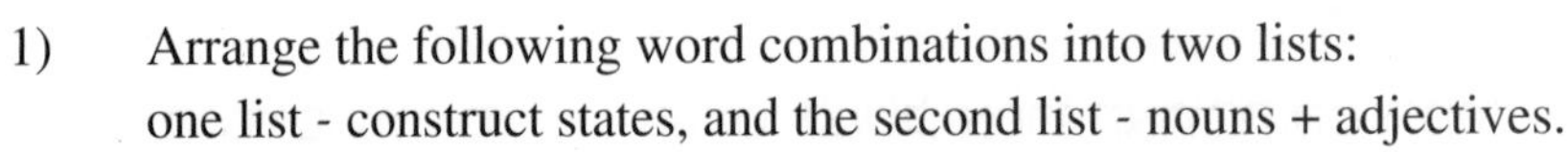

1) Arrange the following word combinations into two lists:
one list - construct states, and the second list - nouns + adjectives.
2) Write each of the word combinations in the plural form.
3) Add the definite article ה״א היידוע to each combination.

הצירופים:

אורח מבוגר / בן נשׂוּי / דג זהב / חבר כנסת / חבר קרוב / חלום נעים /
חנות פירות / סיפור מעניין / מסעדת דגים / מרכז קניות / נעל ספורט /
ספורטאי צעיר / פגישת חברים / קונגרס משעמם / אורח מפורסם /
רופא חכם / רופא ילדים / שׂפה שמית / תיבת דואר / תפוח אדמה /

דוגמה:

שם עצם +שם תואר	רבים	+ ה״א היידוע
אורח מבוגר	*אורחים מבוגרים*	*האורחים המבוגרים*

סמיכות	רבים	+ ה״א היידוע
דג זהב	*דגי זהב*	*דגי הזהב*

10. בחרו את המילה המתאימה.

Choose the appropriate word.

דוגמה: הוא עייף כי הוא עבד קשה כל היום. ~~עייף~~ / רע / חכם / בטוח /

1) סבתא הולכת לטייל עם ה________ שלה. מטוס / נכד / מסורת / כפר /
2) רינה, לאן ________ אתמול אחרי הצהריים? ידעת / אמרת / שמרת / הלכת /
3) היא תמיד קונה ב________ הקטן ליד הבית.
מזג האוויר / מרכז הקניות / עוגת הגבינה / מדבר יהודה /
4) יש לו ________ מצוין. הוא חכם ואינטליגנטי. צוואר / ראש / אוזן / רגל /
5) הוא בחור שמח. הוא כל הזמן ________. צוחק / שומר / רוחץ / לוקח /
6) סבא שלי לא אוהב לנסוע באוטובוס. הוא תמיד הולך ________.
בערך / בלי / ברגל / בתוך /
7) בבתים באנגליה רואים ________ יפים במטבח. אבנים / חלומות /חופים / כלים /

11. קראו את השיחות והשלימו את המילים החסרות.

Read the dialogues and complete the missing words.

שלושה ימי הולדת

א. **דני'לֶה בן ________: מסיבה בגן הילדים**

אימא: דנילה, בוקר טוב חמוד שלי. בבקשה לקום. יש לך היום ________.
מזל טוב!

דנילה: אני יודע. יש בגן ________.

אימא: אבא ואני באים לגן שלך בשעה עשׂר למסיבת יום ההולדת.
יש כבר ________ שוקולד גדולה עם השם שלך.

דנילה: ויש ________ על העוגה?

אימא: בטח. יש חמישה נרות. אתה רוצה לראות?

דנילה: כן. ויש בַּלוֹנים?

אימא: יש הרבה בלונים בארבעה ________: אדומים, ירוקים, צהובים וכחולים.

דנילה: ומתנות?

אימא: בטח. אנחנו ________ לך אוטו גדול, וסבתא נותנת לך ספר עם ציורים.

דנילה: איזה כיף!

היום יום הולדת, היום יום הולדת, היום יום הולדת לדנילה.
חג לו שמח וזֵר לו פּוֹרֵחַ.
היום יום הולדת לדנילה.

ב) **דני בן ________: לדיסקוטק עם חברים**

אימא: דני, מתוק, בבקשה לקום. כל ה________ שלך פה.
חבר: יום הולדת לדני, יום הולדת לדני ....
דני: הי, מה העניינים?
חבר: אנחנו בסדר. אתה עוד במיטה? הולכים לדיסקוטק.
דני: אבל רק עכשיו באתי מהצבא. אני ________. אני רוצה לישון
חבר: לישון? עכשיו? היום יש לך ________, לא? כולם כבר בחוץ,
במכוניות, עם העוגה ועם כל ה________.
דני: עוגה? מתנות? כולם? מי זה כולם?
חבר: כולם זה אנחנו והבנות.
דני: טוב, טוב, אני כבר בא.

ג) **דן בן ________: טיול עם הנכדים**

ציפורה: דן, בבקשה לקום. יש לך היום ________.
דן: יום הולדת? בגיל שלי?
ציפורה: למה לא? החברים בעבודה שלחו לך פרחים - שישים פרחים
אדומים ופרח אחד לבן.
דן: באמת? אני לא מבין. איך הם יודעים ________ כמה אני?
ציפורה: הם יודעים. וכולם כבר באו. כולם רוצים לתת
לך ________, לשיר לך שירי יום הולדת
ולצאת לטיול.
דן: לשיר? טיול? כולם? מי זה כולם?
ציפורה: כולם זה אני, הילדים וה________.
דן: הנכדים? איפה הנכדים שלי? אני בא. אני כבר בא.

.12 שאלו זה את זה. Ask each other.

- מה עושים ביום הולדת בארץ שלכם?
- איזה מתנות נותנים? איזה מתנות אתם אוהבים לתת ליום הולדת?
- מה אתם אוהבים או לא אוהבים לקבל ליום ההולדת?
- אתם אוהבים ימי הולדת? למה?

.13 א) אימא של ג'וני חושבת ואומרת:

ג'וני בישראל עכשיו, ואני לא יודעת איפה הוא גר, מה הוא אוכל, כמה כסף יש לו, איך הוא לומד, מי המורים שלו, אילו חברים יש לו, לאן הוא הולך בערב, מתי הוא חוזר הביתה...
אני לא יודעת מה הוא מחפש שם, ואני לא מבינה למה הוא שם ולא פה.

ב) כתבו את המכתב של ג'וני לאימא שלו. Write the letter **ג'וני** wrote to his mother.

אימא, את בטח רוצה לדעת איפה אני גר. אני גר ב...

שיעור 19

1. **צריך + שם עצם**

צריך + noun

אני אתה הוא	**צָרִיךְ**	שֶׁמֶן
		קֶמַח
אני את היא	**צְרִיכָה**	סוכר
		ביצים
אנחנו אתם הם	**צְרִיכִים**	מזל
		אהבה
אנחנו אתן הן	**צְרִיכוֹת**	……

א) שְׁכֵנוֹת

רבקה: נועה, אני נוסעת לסופרמרקט עכשיו. אולי את צריכה משהו?

נועה: כן. יש לי היום אורחים, ואני רוצה לעשות עוגת שוקולד. יש לי בבית רק שֶׁמֶן וחלב, ואין לי זמן ללכת לסוּפֶּר. אני צריכה ביצים, קִילוֹ סוכר ושוקולד חלב.

רבקה: את צריכה עוד משהו?

נועה: אה... כן. אני צריכה גם קילו קֶמַח. ו... זהו. זה הכול.

רבקה: מרגרינה את לא צריכה?

נועה: לא, לעוגה הזאת אני לא צריכה מרגרינה. תודה.

רבקה: אין בְּעַד מה. אני חוזרת עוֹד מְעַט. להתראות!

1) מה נועה צריכה לעוגה?
What does נועה need for the cake.

2) בחרו שני משפטים נכונים לפי השיחה.
Choose two correct sentences according to the dialogue.

- נועה אגואיסטית.
- לנועה יש לב טוב.
- רבקה אגואיסטית.
- לרבקה יש לב טוב.

ב) המחיזו 2 שיחות דומות. במקום עוגה אתם רוצים לעשות:

Dramatize two similar dialogues. Instead of a cake you want to make:

1) מרק ירקות   2) סלט ישראלי   3) עוגת תפוזים

השתמשו במילים: Use the words: שמן, קמח, תפוחי אדמה, ביצים, מלח, זיתים, סלרי, תפוזים, עגבניות, מרגרינה, בָּצָל, סוכר, שוקולד, מלפפונים, פִּלְפֵּל, ...

.2 א) הוסיפו את המילים צריך / צריכה / צריכים / צריכות **והשלימו את המשפטים כרצונכם.**

Add the words צריכות / צריכים / צריכה / צריך and complete the sentences as you wish.

דוגמה: אנחנו הולכים לטיול. *אנחנו צריכים כובע, מים ואוכל.*

1) אין לו רהיטים בבית. הוא ...
2) הם רוצים לשלוח מכתב. הם ...
3) היא טסה לחוץ לארץ. היא ...
4) הן לומדות באולפן. הן ...

ב) מה בן אדם צריך?

- מה בן אדם צריך?
- אוכל, מים, בית ו... אהבה.

- מה צֶמַח צריך?
- מים, הרבה שמש, שיחה בעברית כל יום, סַבְלָנוּת ו... אהבה.

צבר
opunita ficus-indica
קצת מים
הרבה שמש
שיחה בעברית כל בוקר

ג) שאלו זה את זה. Ask each other.

- מה צריך מורה?
- מה צריך פנקיסט?
- מה אתם צריכים לחיים אידאליים?
- מה צריכים תלמידים?
- מה צריך מישהו כמו רובינזון קרוזו?

3. שכנים

שלום: לאן אתה הולך?

יהודה: לשוק.

שלום: למה?

יהודה: אני צריך פירות וירקות.

שלום: יופי, גם אני צריך כמה דברים.

יהודה: מה אתה צריך?

שלום: אני צריך תפוחי אדמה, עגבניות, מלפפונים, פלפל, גֶזֶר, אבוקדו.

יהודה: זה הכול?

שלום: לא. גם קצת פירות - אשכוליות, לימונים, תפוזים ותפוחי עץ.

יהודה: בסדר. אין בעיה.

שלום: ואיך אתה נוסע הביתה עם כל הדברים?

יהודה: מה פתאום לנסוע?! אני הולך ברגל.

שלום: אתה מְשוּגָע?!

1) מה שלום צריך?

2) בחרו שני משפטים נכונים לפי השיחה.

Choose two correct sentences according to the dialogue.

- יהודה אֶגוֹאִיסט.
- ליהודה יש לב טוב.
- שלום אגואיסט.
- לשלום יש לב טוב.

4. צריך + שם פועל

צריך + infinitive form

אני, אתה, הוא	**צָרִיך**	לעבוד
אני, את, היא	**צְרִיכָה**	לאכול
אנחנו, אתם, הם	**צְרִיכִים**	ללמוד
אנחנו, אתן, הן	**צְרִיכוֹת**	ללכת
		לעזור
		לרוץ
		......

כתבו מי אמר את המשפטים -
Write down who said these sentences - ~~**גנן**~~ / **אימא** / **מורה** / **פסיכולוג** / **פוליטיקאי**

דוגמה: אתם צריכים לתת מים לצְמָחִים. - גנן

1) הם צריכים לדבר עם הילדים בסבלנות.
2) את צריכה להתחתן! אני רוצה להיות סבתא.
3) אתם צריכים לחשוב איזו דמוקרטיה אתם רוצים.
4) הן צריכות ללמוד את כל הפעלים לבחינה.

5. **א) הגן הבוֹטָנִי**

חממה בגן הבוטני, גבעת רם

באוניברסיטה העברית בירושלים יש גן בוטני גדול. בגן הזה יש צמחים רבים מכל העולם: מאסיה, מאירופה, מאפריקה, מאמריקה וגם מאוסטרליה. בגן יש צמחים מיוחדים, למשל: צמחים טרופיים, צמחי מדבר, צמחי תבלין, צמחי מים ועוד.
העצים הטְרוֹפִּיים צריכים הרבה מים והרבה אור. צמחי המדבר כמעט לא צריכים מים, אבל הם צריכים טמפרטורה גבוהה, וצמחי המים לא צריכים אדמה.
בגן הבוטני עובדים חוֹקְרִים וסטודנטים לבּוֹטָנִיקָה. הסטודנטים לבוטניקה עובדים ולומדים בגן. הם באים לגן כמו ל"כיתה ירוקה": יש להם עבודה מעניינת, כי הם חוקרים את הצמחים המיוחדים ומחפשים צמחים חדשים לחקלאות ולגינות בארץ.
לחוקרים ולסטודנטים יש קשרים עם חוקרים אחרים באוניברסיטאות בחו"ל. כך הם מקבלים אינפורמציה חשובה על צמחים בארצות אחרות.
עם הסטודנטים ועם החוקרים לבוטניקה עובדים גם מתנדבים. הם צריכים לתת מים לעצים ולפרחים, לבדוק את הטמפרטורה, לְנַקּוֹת את הגן ולהסביר למבקרים ולאורחי הגן על הצמחים בגן.
הרבה אנשים מבקרים בגן כל יום; קְבוּצוֹת של תלמידים מבתי ספר בכל הארץ, תיירים מהארץ ומחו"ל וגם משפחות עם ילדים.

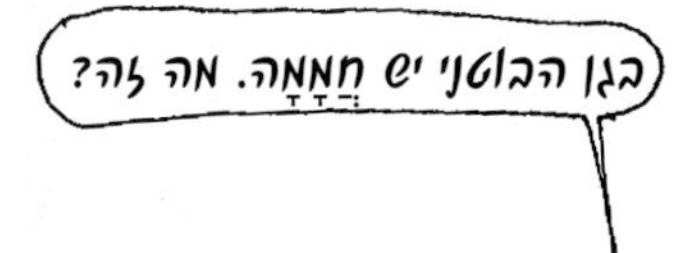

ב) **ענו לפי הקטע.** Answer according to the excerpt.

1) איפה הגן הבוטני?
2) מאין הצמחים בגן הבוטני?
3) מה צריכים העצים הטרופיים?
4) מי עובד בגן? מה הם עושים שם?

ג) **סמנו נכון או לא נכון לפי הקטע.** Write נכון / לא נכון (true/false) according to the excerpt.

1) בגן הבוטני אין מקום לילדים.
2) בגן הבוטני עובדים גם סטודנטים לבוטניקה.
3) צמחי התבלין לא צריכים אדמה.
4) בגן הבוטני יש צמחים מיוחדים.
5) יש צמחים טרופיים בגן הבוטני בירושלים.
6) רק המתנדבים צריכים לעבוד בגן.
7) החוקרים רוצים ללמוד על צמחים בארצות אחרות.

ד) יוסי, סטודנט למתמטיקה, משוחח עם ג׳וני, מתנדב בגן הבוטני.
כתבו שיחה ביניהם בגן הבוטני.
יוסי a math student, talks to ג׳וני , a volunteer in the botanical garden. Create a dialogue between them in the botanical garden.

דוגמה: להתחלת השיחה: Example of a dialogue beginning:

יוסי: *סליחה, אתה אולי יודע מה השם של הצמח הזה?*
ג׳וני: *אני צריך לבדוק בספר. רק רגע ...*

דוגמה: לסוף השיחה: Example of a dialogue ending:

ג׳וני: *אתה רואה? יש פה הרבה מה לעשות, נכון? אולי אתה רוצה לבוא לעבוד פה?*
יוסי: *לא, תודה.*

6. **כתבו - צריך / צריכה / צריכים / צריכות + שם פועל מתאים.**

Write - צריכות / צריכים / צריכה / צריך + the correct infinitive form.

דוגמה: היום באים הרבה אורחים לבית. רותי עושה עוגות.

היא *צריכה לעשות* כמה עוגות.

1) כל בוקר הוא פותח את הדלתות של המוזאון. הוא ______ את הדלתות בשעה שמונה.
2) היום דני מנקה את הבית. מחר חנה ______ את המטבח.
3) אני רץ כל יום שני קילומטרים. גם היום אני ______ .
4) למה אתה כועס? אתה לא ______ כל כך.
5) המורה בודק את העבודות של הסטודנטים. הוא ______ מאה עבודות בשבוע.
6) הסטודנטיות עוד לא מצאו דירה. הן __ דירה עד סוף החודש, כי אז מתחילים הלימודים.
7) אנשים בריאים צוחקים המון. הרופאים אומרים שכולם ______ הרבה.
8) למה אתם מרכלים על כל העולם? אתם לא ______ על החברים שלכם.

7. א) **קראו את הסיפור על משפחת כץ והשלימו** צריך + **שם פועל מהרשימה.**

Read the story about משפחת כץ and fill the blanks with צריך + an infinitive verb from the list given below.

ב) **לסיפור יש "סופים" שונים. כתבו 2-3 משפטים ב"סוף" מספר 1 וב"סוף" מספר 2 לפי האיורים. השתמשו ב-** צריך+שם פועל **מהרשימה.**

The story has two different endings. Write 2-3 sentences in ending no. 1 and ending no. 2, according to the illustrations. Use צריך + an infinitive verb from the list.

שמות הפועל:

לעזור / לשתות / ללמוד / לרוץ / ללכת / לטוס / לעשות / לאכול / לישון / לכתוב

א) הסיפור על משפחת כץ

למשפחת כץ יש שמונה ילדים. השעה שתיים וחצי בצהריים. אימא אומרת מה כל אחד מבני המשפחה צריך לעשות:

קובי, אתה *צריך ללמוד* לבחינה. רינה, את ________ ארוחת צהריים. איציק ושמוליק, אתם ________ לשיעור גִיטָרָה. אבי, אתה חולה. אתה לא יוֹצֵא מהבית. אתה ________ תה וללכת לישון. נעמי ורבקה, אתן ________ לי לְנַקוֹת את הבית.

רחלי, את ______ שיעורי בית למחר.

ב) **הסופים השונים**

קוֹדֶם - אַחַר כָּךְ

8. א) **חיים קשים**

הלו, כן, רותי מדברת. מי? אה, חנה, מה שלומך?
לא, אני מצטערת. אני צריכה לָצֵאת עכשיו. אין לי זמן לשתות קפה.
יש לי שבוע משוגע. היום אני צריכה לעשות הָמון דברים. קוֹדֶם אני צריכה ללכת לדואר. אַחַר כָּךְ יש לי שיעור יוגה. אחרי הצהריים אני צריכה לבקר את אילנה. את יודעת, היא בבית חולים. מחר בבוקר אני רוצה ללכת למוזאון ובערב יש לי קונצרט. ביום שישי בערב אנחנו הולכים לשמוע את האופרה החדשה, וביום רביעי אנחנו צריכים לבקר חברים. אה, כן, ביום רביעי בבוקר אני צריכה לשתות קפה עם גברת כהן. את יודעת מי זאת? היא עובדת עם דני ויש לה המון בעיות. מה את שואלת? מה שלום דני? הוא בסדר. יש לו קצת בעיות בעבודה. אוי, היום יש לו יום הולדת. אני צריכה לקנות לו עוגה.
סליחה, חנה, אני צריכה לרוץ. להת.

? אמרו מה רותי עוֹשה. Say what רותי is doing.

1) היום 2) מחר 3) ביום רביעי 4) ביום שישי

ב) **גם לכם יש "שבוע משוגע". המחיזו שיחת טלפון עם חבר או עם חברה.**

You also have a "crazy" week. dramatize a telephone conversation between you and one of your friends.

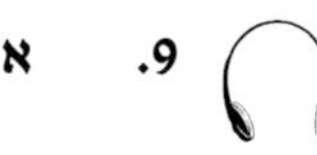

9. א) גן החיות בירושלים

תיבת נוח בגן החיות בירושלים

תוֹכְנית עבודה של המתנדבים

בוקר

8:00 ג'וני פותח את שַׁעֲרֵי גַן הַחַיּוֹת.

8:30 דינה נותנת אוכל לקוֹפִים ולגִ'ירָפוֹת.

צהריים

12:00 סוזי מטיילת עם השִׁימְפַּנְזִים.

13:00 אברהם נותן מים לֶזֶבְּרוֹת ולהִיפּוֹפּוֹטָם.

ערב

19:00 חנן בודק את הטמפרטורה של המים באַקְוַורְיוּם.

19:30 רינה ורחל מנקות את פארק הקופים.

לילה

22:00 יונתן מספר סיפור לאַרְיֵה.

22:40 שולה שרה לדגים.

לוח מודעות

16:00 - דוקטור דוּלִיטל - על אהבה ומשפחה בחיי הקופים שיחה עם עובדי גן החיות

20:00 - פרופסור לאגוּזוּ - מה המוזיקה עושה לחַיּוֹת? שיעור לסטודנטים ולמתנדבים

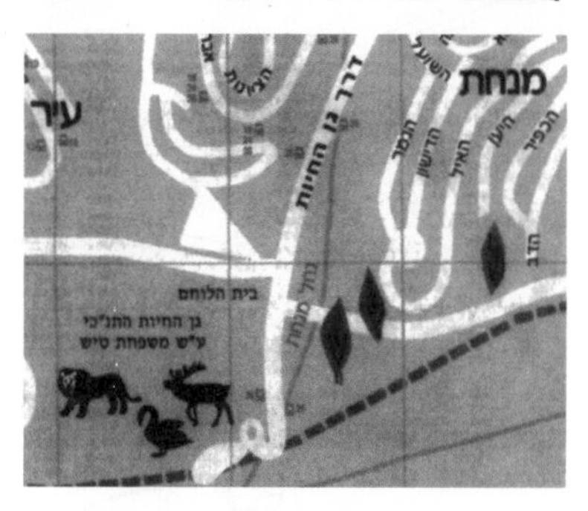

מפת הכבישים ליד גן החיות בירושלים

ב) כתבו קטע על גן החיות בירושלים לפי המודל של הקטע על הגן הבוטני - 5 א). שאבו אינפורמציה מלוחות המודעות ב- 9 א).

Write a paragraph about the zoo in Jerusalem based on the excerpt about the botanical garden in - (א 5. Use the information on the bulletin board in (א 9.

בירושלים, בשכונת מנחת, ליד ...

ג) כתבו משפטים עם המילים קודם, אחר כך לפי האינפורמציה ב- 9 א).

Create sentences with the words קודם, אחר כך based on the information in (א 9.

דוגמה: קודם ג'וני פותח את גן החיות, אחר כך דינה נותנת אוכל לקופים.

ד) כתבו מה אתם עושים קודם ואחר כך כל בוקר.

Write what you do every morning קודם and אחר כך .

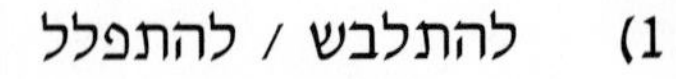

דוגמה: להתרחץ / להתלבש - *קודם אני מתרחץ ואחר כך מתלבש.*

1) להתלבש / להתפלל
2) לקום / לראות חדשות בטלוויזיה
3) לאכול ארוחת בוקר / לצאת מהבית
4) ללכת לעבודה / לשתות קפה
5) לסדר את המיטה / לנעול נעליים
6) לקרוא עיתון / לתת מים לצמחים

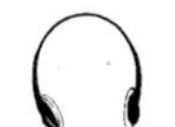

אף יאללה, ביי!

העבירו קו בין האיורים ובין המשפטים המתאימים.

Draw a line between the illustrations and the correct sentences.

1) הוא חי חיי כלב.
2) הוא כמו קוף אחרי בן אדם.
3) הוא מרגיש כמו דג במים.
4) הוא קר כמו דג.
5) הוא חיה רעה.

Summary of Topics

הָאוֹצָר הַלְּשׁוֹנִי

א. אוֹצַר הַמִּילִים Vocabulary

פְּעָלִים Verbs

בּוֹדֵק, לִבְדּוֹק	check
יוֹצֵא, לָצֵאת	go out / exit
פּוֹתֵחַ, לִפְתּוֹחַ	open

מִילִּים לוֹעֲזִיּוֹת Foreign words

אַקְוַורְיוּם (ז.)	aquarium / fish bowl
בּוֹטָנִי, בּוֹטָנִית ש״ת	botanical
בּוֹטָנִיקָה (נ.ר. 0)	botany
גִּיטָרָה (נ.)	guitar
גִ׳ירָפָה (נ.)	giraffe
הִיפּוֹפּוֹטָם (ז.)	hippopotamus
זֶבְּרָה (נ.)	zebra
טְרוֹפִּי, טְרוֹפִּית ש״ת	tropical
קִילוֹ (ז. ר. 0)	kilo
שִׁימְפַּנְזֶה (נ.)	chimpanzee

שְׁמוֹת עֶצֶם Nouns

אַרְיֵה (ז.), אֲרָיוֹת	lion
בָּצָל (ז.), בְּצָלִים	onion
גֶּזֶר (ז.), גְּזָרִים	carrot
גַּן חַיּוֹת (ז.), גַּנֵּי חַיּוֹת	zoo
חוֹקֵר (ז.), חוֹקֶרֶת (נ.)	researcher
חַיָּה (נ.)	animal
סַבְלָנוּת (נ. ר. 0)	patience
פִּלְפֵּל (ז.)	pepper
צֶמַח (ז.), צְמָחִים	plant
קְבוּצָה (נ.)	group
קוֹף (ז.)	monkey
קֶמַח (ז. ר. 0)	flour
קֶשֶׁר (ז.), קְשָׁרִים	connection / tie
שָׁכֵן (ז.), שְׁכֵנָה (נ.)	neighbor
שֶׁמֶן (ז.), שְׁמָנִים	oil
שַׁעַר (ז.), שְׁעָרִים	gate
תוֹכְנִית (נ.), תוֹכְנִיּוֹת	program / plan

שׁוֹנוֹת Miscellaneous

אַחַר כָּךְ ת״פ	later
אֵין בְּעַד מָה ב.	you're welcome (after "thank you")
הָמוֹן ש״ת	a lot / many
עוֹד מְעַט ת״פ	soon / in a little while
צָרִיךְ	need / have to
קוֹדֶם ת״פ	first / before

ב. הנושאים הלשוניים

Grammatical topics

תחביר: **צריך** + שם עצם

Syntax: **צריך** + noun

דוגמה: הוא צריך אהבה :Example

צריך + שם פועל

צריך + infinitive form

דוגמה: הוא צריך ללמוד :Example

שונות: קודם - אחר כך

Miscellaneous:

שיעור 20

1. **דיבור עקיף: משפט בעבר / הווה / עתיד + שֶ... + משפט בעבר / הווה / עתיד**

Indirect speech: A sentence in the past / present / future tense **+ ...שֶ** + a sentence in the past / present / future tense.

1)

אני אומר **אתה חושב** **הן ידעו** **אתן שמעתן** **אומרים**	**שֶראש הממשלה נוסע ל....** **שֶראש הממשלה נסע ל...**

חדשות מהעיתון

2. **אמרו לפחות עשרה משפטים מהטבלה.**

Say at least ten sentences from the table.

היא שומעת	**ש**ישראל שלחה השנה 12 טון תפוזים לאירופה.
אתה אומר	**ש**יש פסטיבל מוזיקה בגליל.
הם יודעים	**ש**חוקרים ישראלים טסו לאפריקה השבוע.
אנחנו חושבים	**ש**לפני שנה פתחו באוניברסיטה קורס לשפות שמיות עתיקות.
את אומרת	**ש**פַּעַם רחל אהבה את יוסי.

3. א) **הספר החדש של א. גִימֶל**

שאלנו אנשים ברחוב מה הם יודעים ומה הם חושבים על הספר החדש של א. גימל - **אני ואתה**.

עִיתוֹנַאי: זה ספר טוב ומיוחד.
סטודנט: הספר מעניין, אבל קשה.
מלצרית: אני אוהבת את הספר הזה. הספר מסביר מה אנחנו צריכים לעשות בארץ.
ספורטאי: אין לי סבלנות לקרוא את הספר הזה.
אישה ברחוב: שמעתי שזה ספר טוב, אבל אין לי זמן לקרוא.
חַיָּיל: רק עכשיו אני מתחיל לקרוא את הספר, ואני לא יודע איך הוא.
רופאה: קראתי את הספר, אבל אני לא זוֹכֶרֶת על מה זה.
פרופסור: לא שמעתי על הספר הזה.
מורה: כולם צריכים לקרוא את הספר הזה.

ב) **אמרו מה אמר כל אחד מהאנשים על הספר.**

Say what each of the people said about the book.

דוגמה: העיתונאי אמר שזה ספר טוב ומיוחד.

אמיר גלבע

הוֹרֵיתִי לָהּ בְּאֶצְבַּע שָׁם
אָמְרָה לִי לֹא כִּי פֹּה
אָמַרְתִּי פֹּה אֵינִי רוֹאֶה דָּבָר
אָמְרָה וּמָה אַתָּה רוֹאֶה שָׁם
אָמַרְתִּי בֶּאֱמֶת שָׁם אֵינִי רוֹאֶה דָּבָר
אָמְרָה וַאֲנִי רוֹאָה מָה שָׁם
אָמַרְתִּי וּמָה אַתְּ רוֹאָה שָׁם
אָמְרָה שָׁם אֲנִי רוֹאָה שׁוּם דָּבָר וָרֵיק
אָמַרְתִּי וּמָה אַתְּ רוֹאָה פֹּה
אָמְרָה פֹּה אֲנִי רוֹאָה אֲנַחְנוּ

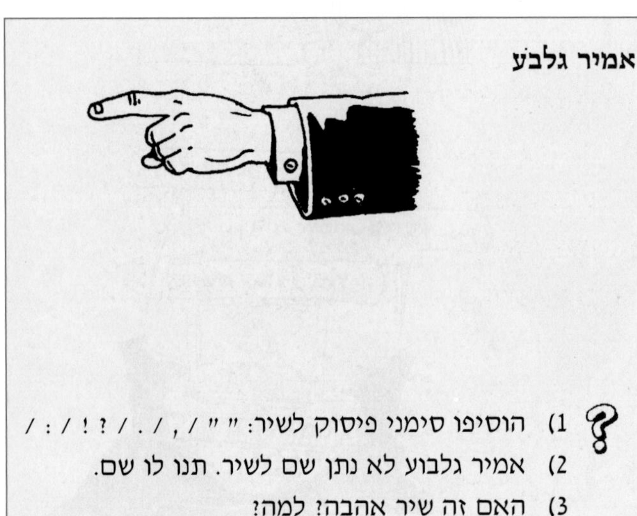

1) הוסיפו סימני פיסוק לשיר: " " / , / . / ? / ! / : /
2) אמיר גלבוע לא נתן שם לשיר. תנו לו שם.
3) האם זה שיר אהבה? למה?

4. **השלימו את המשפטים.** Complete the sentences.

דוגמה: הם אומרים: אנחנו לא פוחדים בלילה.

הם אומרים שהם לא פוחדים בלילה.

כשהופכים דיבור ישיר לדיבור עקיף צריך לפעמים לשנות את שם הגוף.

Sometimes the personal pronoun must be changed when direct speech is changed into indirect speech.

1) דויד אומר: אין לי עבודה.
2) היא אומרת: עבדתי במלון גדול.
3) את אומרת: זאת המשפחה שלי.
4) משה אומר: גמרתי את העבודה.
5) הרופאים אומרים: אנחנו לא מפסיקים את השביתה.
6) הוא אומר: כל שנה אני מבקר בירושלים.
7) ראש הממשלה אומר: כולם רוצים שלום.
8) אתה אומר: לא כעסתי ולא פחדתי.
9) רינה אומרת: נפלתי.
10) אני אומר: אני צריך ללמוד.
11) הן אומרות: לא ידענו, לא שמענו, לא אמרנו.

5. א) **הֶרְצֵל 1860 - 1904**

הרצל נולד בבודפשט בשנת 1860. הוא היה עיתונאי חשוב וכתב כמה ספרים. אחד הספרים המפורסמים שלו הוא "מדינת היהודים".
הרצל כתב שמדינה יהודית היא התשובה לאַנְטִישֵׁמִיּוּת. הרצל חשב שהיהודים צריכים לבנות להם מדינה. הוא אמר שכל המדינות צריכות לעזור ליהודים לבנות מדינה. הרצל ידע שכל השנים היהודים שמרו על קֶשֶׁר מיוחד לארץ ישראל. הרצל חשב שהיהודים מכל העולם צריכים לבוא למדינה היהודית.

ב) בחרו שני אנשים מפורסמים מהרשימה וכתבו קטע דומה - מה הם אמרו, חשבו, כתבו, ידעו.
Choose two famous people from the list and write a similar passage - what did they say, think, write, and know.

בן גוריון, לנין, אפלטון, ג'ון לנון, צ'רצ'יל, אינדירה גנדי, ג'יין פונדה, וירג'יניה וולף, גולדה מאיר, או מישהו אחר.

6. מילת היחס אֶת בנטייה The conjugation of the preposition **אֶת**

	ז.	ז./נ.	נ.
י.		**אוֹתִי**	
	אוֹתְךָ		**אוֹתָךְ**
	אוֹתוֹ		**אוֹתָהּ**
ר.		**אוֹתָנוּ**	
	אֶתְכֶם		**אֶתְכֶן**
	אוֹתָם		**אוֹתָן**

אתה אוהב אותי?

תמר: אמנון, אתה אוהב אותי?
אמנון: כן. בטח. אני אוהב אותך מאוד. את יודעת את זה.
תמר: באמת? אתה לא אוהב את רותי?
אמנון: מה פתאום את רותי? לא. אני לא אוהב אותה.
תמר: אבל פעם אהבת אותה, ואני חושבת שאתה אוהב גם את הבחורות מהעבודה, והן אוהבות אותך. הן כל הזמן מחפשות אותך בטלפון.
אמנון: תמר, על מה את מדברת? אני לא אהבתי אותן ואני לא אוהב אותן. אני אוהב רק אותך ואת חנה'לה הקטנה שלנו. רק אתכן אני אוהב.
תמר: ואנחנו אוהבות רק אותך.

את מי אמנון אוהב? Who does אמנון love?

7. השלימו - *אותי, אותך, אותו, ...* - Complete the sentences

א) אין קשר

1) לזכור את ...

יעל: אורי, אתה זוכר ______?

אורי: לא, אני לא זוכר ______.

יעל: איך לא? רקדנו יחד בחתונה של חנה.

אורי: של מי???

2) לשמוע את ...

שולה: הלו, רמי?

רמי: אני לא שומע ______.

שולה: אבל אני שומעת ______ מצוין. מה שלומך?

רמי: מה?

שולה: אוף!

3) לשאול את ... , לשכוח את...

פרופ. לוי: מה שם הספר האחרון שלך?

פרופ. כץ: כבר שאלת ______ את השאלה הזאת.

פרופ. לוי: כן, אני זוכר ששאלתי, ואני זוכר גם שאמרת לי את שם הספר, אבל שָׁכַחְתִּי ______. מה לעשות?

4) לאהוב את ... , להבין את...

איציק ושרה: יש לנו בעיה גדולה. אנחנו חושבים שההורים שלנו לא אוהבים ______.

הפסיכולוג: ההורים לא אוהבים ______? כל ההורים אוהבים את הילדים שלהם.

איציק: באמת? אני חושב שגם אתה לא מבין ______.

5) להכיר את ...

דויד: מיכל, פגשתי היום את יוסי ורחל. הם באים לארוחת ערב. טוב?

מיכל: יוסי ורחל? מי הם? אני לא מכירה ______.

דויד: יוסי מחיפה, ורחל מאשקלון.

מיכל: דויד, אני מצטערת, אני לא מכירה, לא ______ ולא ______.

ב) יש קשר

בשיחות שקראתם למעלה לא שומעים, לא זוכרים, לא מבינים, לא מכירים.
כתבו שיחות אחרות, שבהן כן מכירים, זוכרים, שומעים ומבינים.

In the dialogues above the people don't hear, don't remember, don't understand, don't know.
Write different dialogues in which they do know, remember, hear, and understand.

דוגמה: הם: הַיי, אנחנו מהאולפן. אתן זוכרות אותנו?
הן: כן, בטח אנחנו זוכרות אתכם. למדנו ביחד בקיץ בכיתה א' עם המורה חנה.

8. **השלימו:** אותי, אותך, אותו, ... Complete the sentences

דוגמה: הלו, אבי? אני מדבר מהפלאפון. אתה שומע **אותי**?

1) דויד, יש לך זמן? אני רוצה לשאול ______ משהו.
2) רינה ודני, אתם בבית היום בערב? אנחנו רוצים לבקר ______.
3) דינה, מתי את בבית? יוסי רוצה לפגוש ______.
4) אנחנו אוהבים לדבר בשקט. אתה שומע ______?
5) הוא בונה בית. הוא בונה ______ כבר שנה וחצי.
6) יש לך חבילה בדואר. אתה צריך לקחת ______.
7) בשיעור הזה למדנו עשר מילים חדשות. בבקשה ללמוד ______ בבית.
8) אורי ואני חברים כבר חצי שנה. אני אוהבת ______ והוא אוהב ______.
9) היא חושבת שהוא לא מבין ______.
10) יש לי חברים טובים בחיפה. אני נוסע לבקר ______ פעם בחודש.
11) אני קורא עכשיו ספר חדש ומעניין. קראתי ______ כל הלילה.

9. פִּרְסוֹמוֹת

א) חפשו פרסומות - בעיתון, ברדיו, ברחוב, או ב... וכתבו אותן במחברת.

Look for ads in the newspapers, on the radio, on the street, or... and copy them down to your notebook.

ב)

עולם של פרסומות

העולם המודרני הוא עולם של פרסומות. אנחנו "פוגשים" אותן ברחוב, באוטובוס, בבנק, בסופרמרקט, בכל מקום. אנחנו שומעים אותן ברדיו, רואים אותן בטלוויזיה וקוראים אותן בעיתון יום יום.

אנחנו חַיִּים עם הפרסומות: קמים בבוקר עם הפרסומות והולכים לישון עם הפרסומות.

הפרסומות "מחפשות" אותנו ומוצאות אותנו שוב ושוב.

הרבה פעמים אנחנו הולכים לקנות כמה דברים קטנים בסופרמרקט וחוזרים עם המון דברים. אנחנו באמת צריכים את כל הדברים האלה?

באנו לקנות סבון ואנחנו קונים גם שַׁמְפּוֹ, באנו לקנות לחם ואנחנו קונים גם גבינה. למה? כי קראנו פרסומת לשמפו חדש ושמענו פרסומת לגבינה חדשה.

אנחנו חושבים שאנחנו קונים, כי אנחנו צריכים את הדברים, אבל באמת אנחנו קונים, כי הפרסומות אומרות לנו לקנות ולפרסומות יש כּוֹחַ.

אנחנו באים לחנות, רואים פרסומת יפה, מפסיקים לחשוב וקונים, קונים, קונים.

ג) **סמנו את המשפט הנכון לפי הקטע.** Mark the correct sentence according to the passage.

א. 1) יש פרסומות רק ברדיו.
2) יש פרסומות גם ברדיו וגם בטלוויזיה.
3) אין פרסומות בטלוויזיה.
4) באוטובוס אין פרסומות.

ב. 1) הפרסומת אומרת לנו לקנות שמפו ולא גבינה.
2) אנחנו לא צריכים סבון, אבל אנחנו צריכים שמפו.
3) אנחנו לא צריכים שמפו וגבינה, אבל אנחנו קונים אותם.
4) אנחנו לא קונים לחם וגבינה, כי אנחנו לא רעבים.

ג. השמפו והגבינה הם דוגמה ל...
1) שיר של פרסומת. 3) הכוח של הפרסומת.
2) פרסומת מעניינת. 4) פרסומת לא טובה.

ד. בשורה 5 כתוב: "מוצאות אותנו".
אותנו - 1) המוכרים 3) הדברים
2) הקונים 4) הפרסומת

10. א) **מה זאת פרסומת טובה?**

שאלנו אנשים ברחוב מה זאת פרסומת טובה, והם אמרו לנו:

פּוֹלִיטִיקָאִית: פרסומת טובה צריכה להיות קצרה ופשוטה. היא לא צריכה להיות נכונה.

גְרָפִיקָאִי: פרסומת טובה צריכה להיות יפה ומעניינת.

סוֹצְיוֹלוֹג: אנשים צריכים לדעת מַהֵר מה רוצים למכור להם.

פסיכולוגית: הפרסומת צריכה לדבר עם הקוֹנֶה. היא צריכה לְהַגִּיד לו: אוהבים אותך. רוצים אותך. לא שוכחים אותך.

ילד: פרסומת טובה צריכה להיות יפה, עם הרבה צבעים ועם מוזיקה.

ב) **מה אמר כל אחד מהאנשים ששאלנו מה זאת פרסומת טובה.**
What did each of the people answer to the question - what is a good ad.

הפוליטיקאי אמר ש...

ג) **כתבו פרסומות:** Write ads for:

א) לשוקולד, למיץ, או ל...
ב) לאולפן, לאוניברסיטה, או ל...
ג) לראש הממשלה, לראש העיר, או ל...

אל יאללה, ביי!

התאימו בין האיורים והמשפטים.

Match the sentences to the illustrations.

1) א) זוז קצת. לא רואים אותך.

ב) איפה אתה? למה לא רואים אותך?
לא שומעים אותך?
(= לא פגשנו אותך הרבה זמן.)

2) א) — איפה הפיצה?
— אכלתי אותה.
— לבריאות!

ב) אכלתי אותה!
(= קרה לי משהו לא טוב, ואין מה לעשות.)

3) א) הוא משחק טניס.

ב) הוא משחק אותה בגדול.
(= הוא מצליח מאוד בכל דבר.)

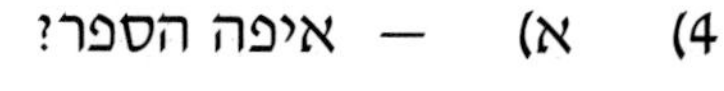

4) א) — איפה הספר?
— שמתי אותו במקום.
— אה, תודה.

ב) שמתי אותו במקום.
(עכשיו הוא רואה שאני יותר גדול ויותר חשוב.)

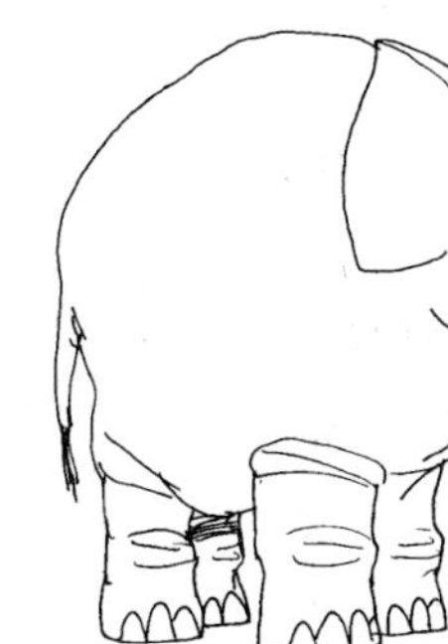

Summary of Topics

האוצר הלשוני

א. אוצר המילים Vocabulary

פעלים Verbs

זוֹכֵר, לִזְכּוֹר	remember
לְהַגִּיד	say / tell
סוֹגֵר, לִסְגּוֹר	close / shut
שׁוֹכֵחַ, לִשְׁכּוֹחַ	forget

שמות תואר Adjectives

רָעֵב, רְעֵבָה	hungry

מילות חיבור Coordinators

שֶ...	that

שונות Miscellaneous

הַשָּׁבוּעַ ת"פ	this week
פַּעַם ת"פ	once

שמות עצם Nouns

חַיָּיל (ז.), חַיֶּילֶת (נ.)	soldier
כּוֹחַ (ז.), כּוֹחוֹת	power / force / strength
מְדִינָה (נ.)	state/ country
מֶמְשָׁלָה (נ.)	government
נָשִׂיא (ז.), נְשִׂיאָה (נ.)	president
פִּרְסוֹמֶת (נ.)	advertisement / commercial
קוֹנֶה (ז.), קוֹנָה (נ.)	buyer
רֹאשׁ מֶמְשָׁלָה (ז./ נ.)	prime minister
רֹאשׁ עִיר (ז./ נ.)	mayor
שְׁבִיתָה (נ.)	strike

מילים לועזיות Foreign words

אַנְטִישֶׁמִיּוּת (נ. ר. 0)	Anti-Semitism
גְרָפִיקַאי (ז.), גְרָפִיקָאִית (נ.)	graphic artist
טוֹן (ז.), טוֹנוֹת	ton
סַבּוֹן (ז.)	soap
סוֹצְיוֹלוֹג (ז.),סוֹצְיוֹלוֹגִית (נ.)	sociologist
פּוֹלִיטִיקַאי (ז.), פּוֹלִיטִיקָאִית (נ.)	politician
שַׁמְפּוֹ (ז. ר. 0)	shampoo

ב. הנושאים הלשוניים — Grammatical topics

צורות: מילת היחס אֶת בנטייה — Morphology:

The conjugation of the preposition - את

דוגמה: אותי — Example:

תחביר: משפטי מושא - דיבור עקיף — Syntax:

Object clauses - indirect speech.

דוגמה: הוא אמר, שהוא בא. — Example:

ג. הערות לשוניות — Grammatical notes

1) הזמן בפסוקית בדיבור עקיף לא משתנה לפי הזמן במשפט העיקרי (כמו באנגלית, למשל) אלא נשאר כמו בדיבור הישיר של אותו משפט.

למשל:

הוא אמר: "אני **אוהב** את דינה."	הוא אומר: "**למדתי** כל הלילה."
הוא אמר שהוא **אוהב** את דינה.	הוא אומר שהוא **למד** כל הלילה.

In indirect speech clauses, the tense does not change according to the tense in the main clause (as opposed to other languages. e.g. English). See examples above.

1. יכול/לא יכול   יָכוֹל + שם פועל   יָכוֹל + infinitive form

כינוי גוף	יָכוֹל	שם פועל
אני, אתה, הוא	יָכוֹל	לנסוע
		לצחוק
אני, את, היא	יְכוֹלָה	לישון
		ללכת
אנחנו, אתם, הם	יְכוֹלִים	לקרוא
		ליפול
אנחנו, אתן, הן	יְכוֹלוֹת	....

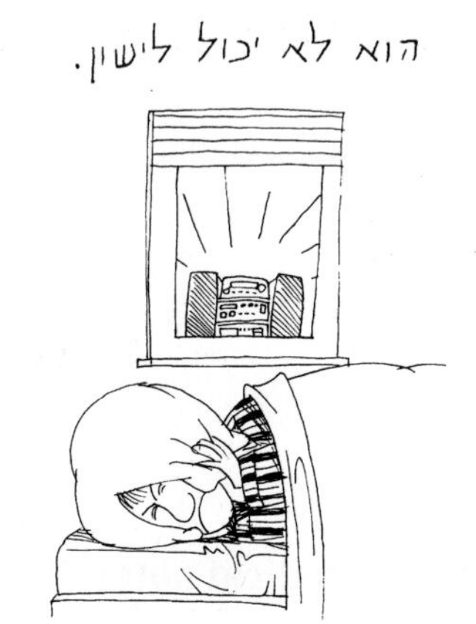

א) בקיץ

רן: יובל, חם נורא היום. אתה בא לים?

יובל: אה... אני רוצה לבוא אבל...

רן: מה הבעיה?

יובל: אני לא יכול לבוא לים, כי לאבא שלי יש היום יום הולדת, ואנחנו עושים לו מסיבה.

רן: אז מה?! המסיבה בטח בערב, לא? עכשיו אתה יכול לבוא לים.

יובל: אני מצטער. אני לא יכול לנסוע לים היום, אבל אתה יכול לשאול את מיכל. אולי היא יכולה.

רן: זה רַעְיוֹן!

חוף תל אביב

ב) סכמו את השיחה של רן ויובל ב-4 משפטים מתוך הטבלה.

Summarize the dialogue above with four sentences from the table.

רן יובל	(לא)	רוצה יכול	ללכת לים.

ג) המחיזו את השיחה בין רן ובין מיכל.

Dramatize a dialogue between רן and מיכל .

מיכל, את יכולה לבוא ...

2. **מצאו בטור ב את ההשלמות המתאימות לטור א ואמרו משפטים.**

Find the correct completion of the sentences in column א, in column ב.

א	**ב**
את לא יכולה להבין מה הוא אומר, **כי ...**	היא עייפה.
הילדים לא יכולים לחזור הביתה אחרי 12:00 בלילה, **כי ...**	זאת חנות ספרים.
היום אנחנו לא יכולות ללמוד בספרייה באוניברסיטה, **כי ...**	הם פוחדים.
הילדה לא יכולה לשחק במחשב, **כי ...**	הוא מדבר מהר מאוד.
אתם לא יכולים לקנות כאן פירות וירקות, **כי ...**	יש מחר בחינה ואנחנו צריכות ללמוד.
אנחנו לא יכולות לבוא למסיבה בערב, **כי ...**	אין לי מספיק אור.
אני לא יכול לקרוא עכשיו, **כי ...**	יש שביתה באוניברסיטה.

דוגמה: את לא יכולה להבין מה הוא אומר, כי הוא מדבר מהר מאוד.

3. א)

אוי, הטלפון הזה!

— "בֶּזֶק" שלום, מדברת דניאלה.
— שלום. הטלפון שלי לא בסדר. אני מדבר מטלפון ציבורי. מתי אתם יכולים לבוא?
— מה המספר שלךָ?
— 3456123.
— סליחה, אני לא יכולה לשמוע אותך. מה המספר?
— 3456123. אוי, משהו לא בסדר גם בטלפון הציבורי.
— זה בסדר. אנחנו יכולים לבוא מחר בבוקר.

סמנו אילו משפטים נכונים לפי השיחה.

Mark the correct sentences according to the conversation.

- הטלפון של דניאלה לא עובד.
- טלפון מספר 3456123 לא בסדר.
- יש בעיה בטלפון הציבורי.
- הטלפון של דניאלה בסדר.

ב) טָעוּת במספר

— הלו...
— כן?
— אני יכול לדבר עם שמואל או אריה?
— אין פה לא שמואל ולא אריה.
— זה לא מוזאון ישראל?
— לא.
— סליחה, טעות.

ג) שאלו במודיעין 144 מה מספר הטלפון של חברים בישראל.

Ask the telephone directory service 144 for telephone numbers of friends in Israel.

אתם יכולים להגיד: *אתה יכול להגיד לי מה המספר של ...*

או: *אני יכול לקבל את מספר הטלפון של ...*

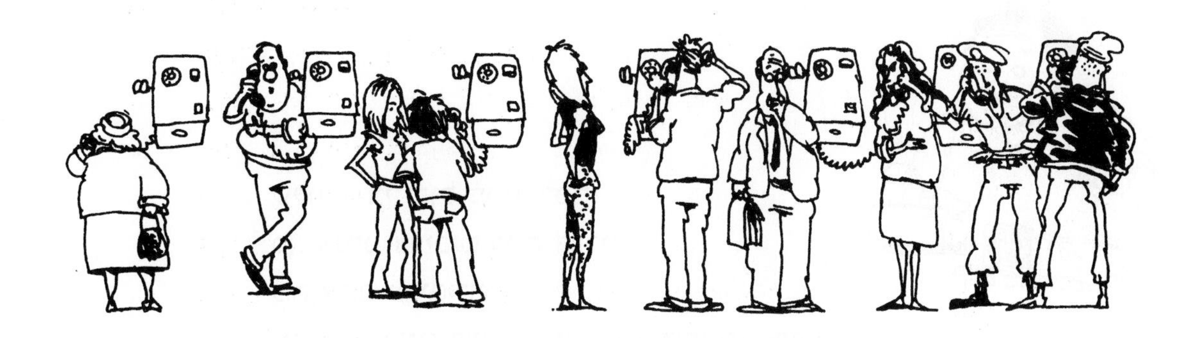

4. בשוק

א) קראו את השיחות בין הקונים ובין המוכרים בשוק. מצאו על איזה מאכל חושבים הקונים בכל שיחה והשלימו את השיחות. היעזרו בחלק מהמאכלים שברשימה:

Read the conversations between the shoppers and the vendors in the market. Find in every conversation the kind of food the shoppers are thinking about, and complete the conversations accordingly. Use some of the foods on the list below.

סלט ~~טחינה~~, סלט טונה, סלט פסטה, בשׂר עם תפוחי אדמה,
סלט פירות, עוגת שוקולד,

דוגמה:
מוכר: שלום. מה אני יכול לעזור לך?
דינה: אני צריכה כמה דברים.
מוכר: מה את צריכה?
דינה: אני צריכה לימון, מלח, פטרוזיליה, פלפל שחור ו...
מוכר: את צריכה גם *טחינה*, לא?
דינה: נכון. אני לא יכולה לעשות *סלט טחינה* בלי *טחינה*.

1)

– שלום. אני יכול לעזור לך?
– כן. אני צריך כמה דברים.
– מה אתה צריך?
– אני צריך עגבניות, בצל, שמן, מלח, אוֹרֶגָנוֹ, בָּזִילִיקוּם ו...
– אתה צריך גם ______, לא?
– אוי, נכון. אני לא יכול לעשות ______ בלי ______.

2)

– שלום. אני יכול לעזור לכם?
– כן. אנחנו צריכים כמה דברים.
– מה אתם צריכים?
– אנחנו צריכים חלב, קמח, סוכר, ביצים, מרגרינה ו ...
– אתם צריכים גם ______, לא?
– כן. נכון. אנחנו לא יכולים לעשות ______ בלי ______.

3)

— שלום. אני יכול לעזור לכן?

— כן. אנחנו צריכות כמה דברים.

— מה אתן צריכות?

— אנחנו צריכות מיונז, חַסָה, לימון, מלח, סלרי ו...

— אתן צריכות גם _______, לא?

— אוי, כן. אנחנו לא יכולות לעשות _______ בלי _______.

ב) **המחיזו שיחות דומות לשיחות אלה.** Dramatize similar conversations.

5. **כתבו מה אומרים האנשים בציורים, השתמשו ב"יכול"/ "לא יכול".**
Write what the people in the illustrations are saying, use **לא יכול / יכול.**

דוגמה:

1)

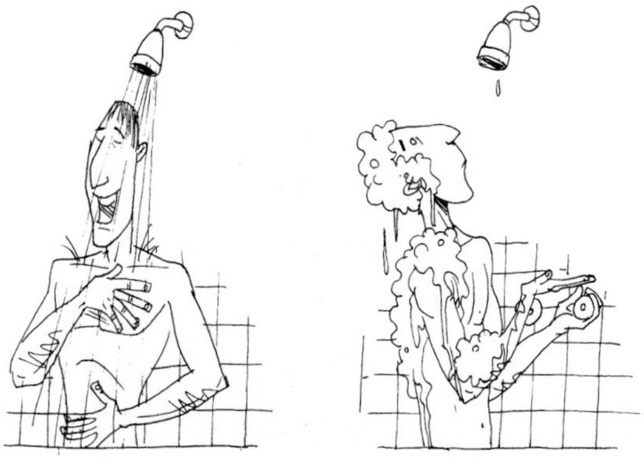

2)

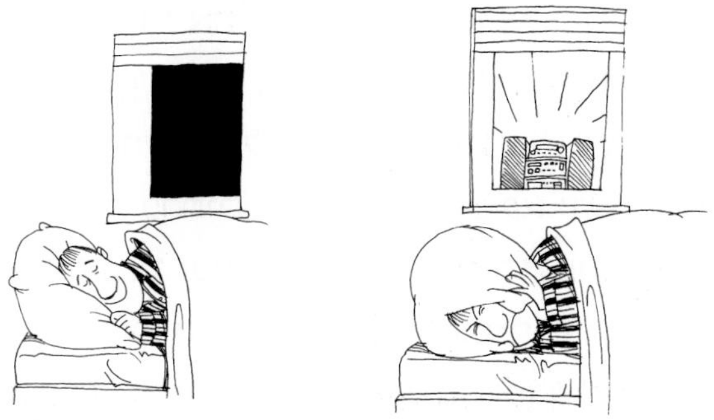

3)

Ask each other the following questions and answer them. **6. שאלו זה את זה וענו.**

1) כמה זמן אתה יכול / את יכולה לא לאכול?
2) מה אתה לא יכול / את לא יכולה לאכול או לשתות?
3) כמה שעות אתה יכול / את יכולה לשבת בספרייה וללמוד?
4) כמה זמן אתה יכול / את יכולה לא לדבר?
5) לאיזה מקומות בעולם אתה לא יכול / את לא יכולה לנסוע?
6) מה אתה לא יכול / את לא יכולה להבין?
7) עם מי אתה יכול / את יכולה לדבר הרבה זמן?
8) כמה זמן אתה יכול / את יכולה לדבר בטלפון?

כמה פעמים אתה יכול להגיד?

- שָׂרָה שָׁרָה שִׁיר שָׂמֵחַ, שִׁיר שָׂמֵחַ שָׁרָה שָׂרָה.
- גַּנָּן גִּידֵּל דָּגָן בַּגַּן, דָּגָן גָּדוֹל גָּדַל בַּגַּן.
- אֲנִי לֹא מְהַמְמַהֲרִים.
- נָחָשׁ נָשַׁךְ נָחָשׁ.

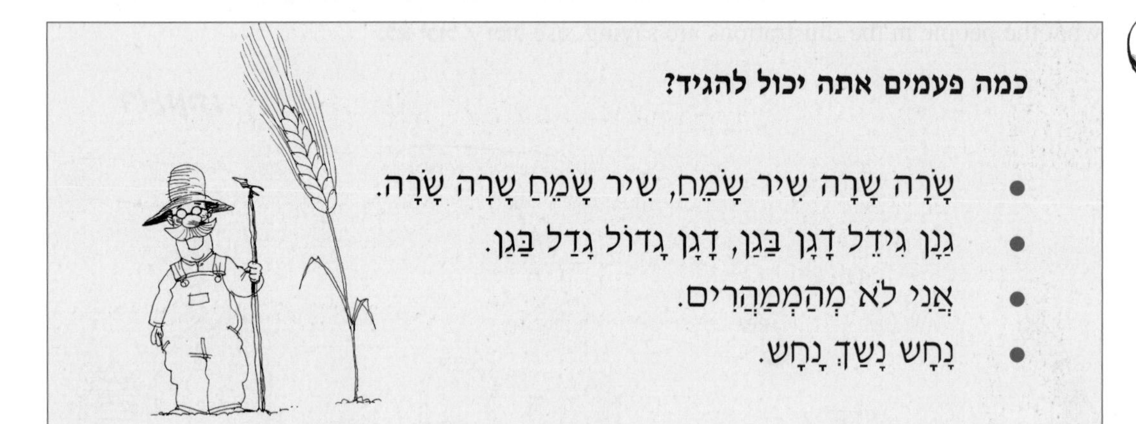

7. נְאוֹת קְדוּמִים

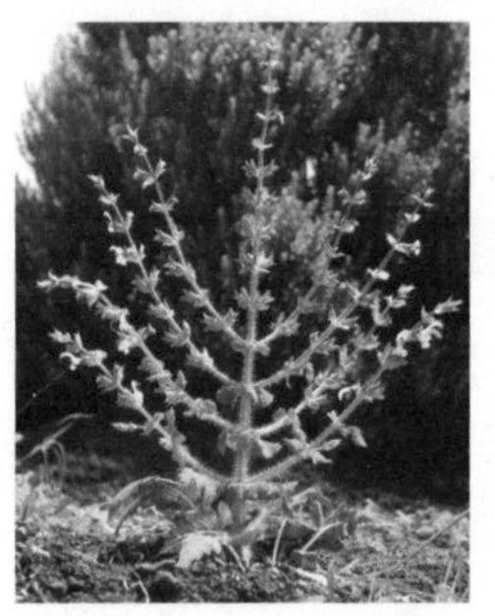
מרווה

ליד העיר מודיעין, בין ירושלים ובין תל אביב יש פארק גדול וירוק - נאות קדומים. בנאות קדומים יש הרבה פרחים ועצים ארץ ישראליים. שם יכולים לראות את הטבע בארץ ישראל בזמן התנ״ך. שם יכולים גם לראות איך עבדו בחקלאות בארץ ישראל. הרבה שנים אנשים למדו את התנ״ך בלי לְהַכִּיר את הטבע של ארץ ישראל. הם קראו בתנ״ך שְׁמוֹת של פרחים ועצים, אבל הם לא ידעו מה הם הצמחים האלה. היום אנחנו יכולים לבוא לנאות קדומים, לראות את הנוף של ארץ התנ״ך ולקרוא את הפְּסוּקִים על הנוף התנ״כי ועל הצמחים מן התנ״ך. אנחנו יכולים לטייל שם ״בתוך״ סיפורי התנ״ך: ללכת בהרים כמו דויד המלך, לשבת ליד עץ התָּמָר כמו דבורה הַנְּבִיאָה, לשתות מים ממעיין כמו בני ישראל וללכת בין עצי התַּפּוּחַ כמו בשיר השירים. בגן יש צמחים ארץ ישראליים מעניינים, למשל: המַּרְוָה, התְּאֵנָה והתפוח. מהמרווה אולי ״נולדה״ המנורה של בית המקדש; מהתאנה אולי לקחו אדם וחווה את הבגדים הראשונים ומהתפוח אולי אכלו אדם וחווה בגַּן-עֵדֶן.

1) מה יכולים לראות בנאות קדומים? 2) מה יכולים לעשות בנאות קדומים?

מן המקורות

1) וּמֵעֵץ הַדַּעַת טוֹב וָרָע לֹא תֹאכַל מִמֶּנּוּ (בראשית ב 17)

2) אֶתֵּן בַּמִּדְבָּר אֶרֶז שִׁטָּה וַהֲדַס וְעֵץ שָׁמֶן אָשִׂים בָּעֲרָבָה בְּרוֹשׁ תִּדְהָר וּתְאַשּׁוּר יַחְדָּו׃ (ישעיהו מא 19)

3) וְאִכְלוּ אִישׁ־גַּפְנוֹ וְאִישׁ תְּאֵנָתוֹ (מלכים ב יח 31)

4) וְעָשִׂיתָ שֻׁלְחָן עֲצֵי שִׁטִּים (שמות כה 23)

5) בָּנֶיךָ כִּשְׁתִלֵי זֵיתִים סָבִיב לְשֻׁלְחָנֶךָ׃ (תהילים קכח 3)

6) וָאֹמַר מַקֵּל שָׁקֵד אֲנִי רֹאֶה׃ (ירמיהו א 11)

7) גַּם־בְּרוֹשִׁים שָׂמְחוּ לְךָ אַרְזֵי לְבָנוֹן (ירמיהו א 11)

8. איך מגיעים?

א) קראו את השיחות, הסתכלו במפות וסמנו את הדרך בחיצים.

Read the dialogues, look at the maps, and draw arrows to mark the routes.

1) ממלון הילטון בירושלים לספרייה הלאומית (בית הספרים הלאומי).

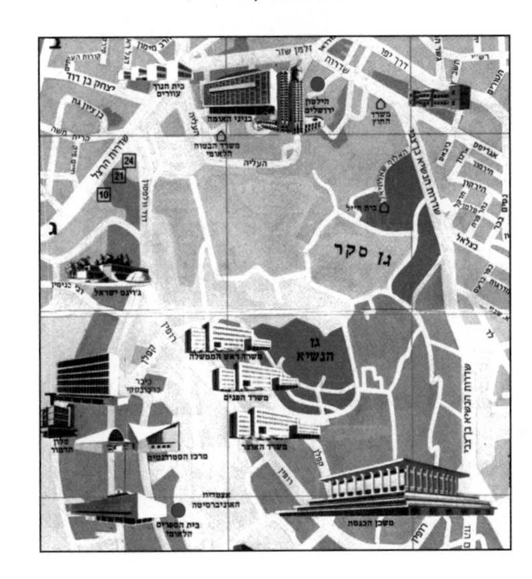

– סליחה, איך אני יכול לְהַגִּיעַ לספרייה?

– אתה יכול ללכת ברגל.

זה עשרים דקות בערך.

– אבל יש גם אוטובוס?

– כן. נוסעים באוטובוס 9. יורדים בתחנה ליד הכנסת. אתה יכול לשאול את הַנֶּהָג איפה לרדת. עוברים את הַכְּבִישׁ, פונים שׂמאלה והולכים ישר.

– תודה רבה.

– אין בעד מה.

2) מהתחנה המרכזית בחיפה לבית הגפן

– סליחה, האוטובוס הזה מגיע לבית הגפן?
– כן. אני חושבת שכן.
– ואיפה יורדים?
– את נוסעת עד מרכז הָדָר, יורדת ברחוב הנביאים. את הולכת ברחוב יבנה עד רחוב פרץ. עוברת את הכביש והולכת ישר לרחוב קסריה, פונה שמאלה, והולכת ישר עד לבית הגפן.
– תודה.
– עַל לֹא דָבָר, באמת אין בעד מה.

3) מהתחנה המרכזית בתל אביב לחוף הים

– סליחה, את יכולה להגיד לי איך נוסעים לים?
– כן, באוטובוס 4.
– ואיפה יורדים?
– בתחנה הראשונה ברחוב בן-יהודה. עוברים את הכביש, חוזרים לרחוב אלנבי, פּוֹנִים ימינה והולכים עד סוף הרחוב. עוברים את רחוב הירקון ומגיעים לים.
– תודה. המון תודה.
– בבקשה.

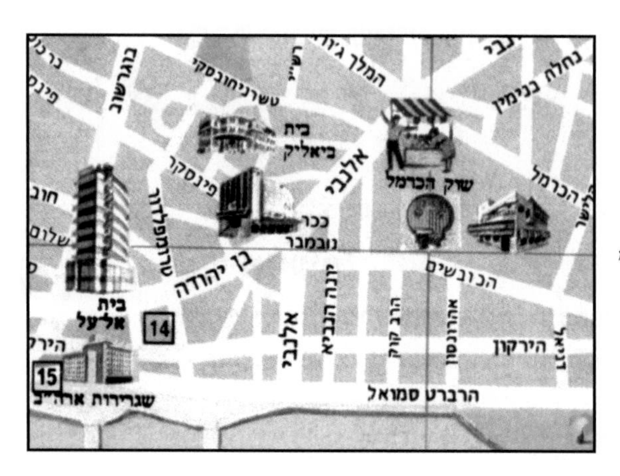

ב) **ציירו מפה קטנה של חלק מעיר שאתם מכירים. סמנו שני מקומות במפה ואת הדרך ביניהם. חבר בכיתה יתאר איך מגיעים ממקום אחד למקום השני.**

Draw a small map of part of a city you know. Mark two places on the map and the route between them. One of your classmates will describe how to get from one place to the other.

9. ילדי ירושלים הַחֲכָמִים

קראו את הסיפור וכתבו לו סוף.

Read the story and write an ending for it.

איש אחד הלך מאַתּוּנָה לירושלים. הוא הלך בדרך, והינה הוא רואה ילד קטן.
האיש נתן לילד כסף ואמר לו: - יש לך בֵּיצִים וגבינות? אני רוצה לאכול.
הילד הלך וחזר עם ביצים וגבינות.
האיש אמר לילד: - תגיד לי, בבקשה איזו גבינה היא של עֵז שחורה ואיזו גבינה היא של עז לבנה?
הילד חשב ואמר: - אתה איש חכם. אולי אתה תגיד לי_____

(לפי איכה רבה, א)

חכם ש״ת
חוכמה ש״ע

10. חוכמת ילדי ירושלים

אדם אחד מאתונה שביוון בא לירושלים. הוא פגש ילד קטן, נתן לו אגורה אחת ואמר לו: ״בכסף זה תמצא לי, בבקשה, משהו לאכול, לשׂבוע וגם לקחת לדרך.״
הילד הלך וחזר עם מלח.
אמר לו האיש: ״אמרתי לך למצוא לי אוכל. למה אתה נותן לי מלח?!״
אמר לו הילד: ״רק מלח אתה יכול לאכול, לשׂבוע וגם לקחת לדרך״.

(לפי איכה רבה, א)

לִשְׂבּוֹעַ - לאכול ולא להיות רעב

? למה הילד חכם, ולמה האתונאי טיפש?

א. אוצר המילים Vocabulary

פעלים Verbs

לְהַכִּיר	know
מַגִּיעַ, לְהַגִּיעַ	arrive
פּוֹנֶה, לִפְנוֹת	turn

שמות תואר Adjectives

חָכָם, חֲכָמָה	smart
מֶרְכָּזִי, מֶרְכָּזִית	central

שונות Miscellaneous

גַּן-עֵדֶן (ז.)	garden of Eden / Heaven
בְּנֵי יִשְׂרָאֵל	The people of Israel
זְהִירוּת!	Be careful!
יָכוֹל	is able / can
כְּלוּם	nothing
עַל לֹא דָּבָר	You're welcome
עֵץ הַדַּעַת (ז.)	The Tree of Knowledge
מַרְוָה (נ.)	sage (plant)
שִׁיר הַשִּׁירִים	The Song of Songs
תְּאֵנָה (נ.)	fig
תָּמָר (ז.)	date (fruit / tree)

שמות עצם Nouns

בֵּיצָה (נ.), בֵּיצִים	egg
חַסָּה (נ.)	lettuce
טָעוּת (נ.)	mistake
מַדָּע (ז.)	science
מְנוֹרָה (נ.)	lamp (Mennora)
נָבִיא (ז.), נְבִיאָה (נ.)	prophet
נֶהָג (ז.), נַהֶגֶת (נ.)	driver
עֵז (נ.), עִיזִים	goat
פָּסוּק (ז.), פְּסוּקִים	verse
רַעֲיוֹן (ז.), רַעֲיוֹנוֹת	idea
תַּחֲנָה (נ.)	station
תַּפּוּחַ (ז.)	apple
תַּרְנְגוֹל (ז.), תַּרְנְגוֹלֶת (נ.)	rooster, hen

מילים לועזיות Foreign words

אוֹרֶגָנוֹ (ז.)	oregano
בָּזִילִיקוּם (ז.)	basil
דּוֹלָר (ז.)	dollar
וִיזָה (נ.)	visa
פֶּטְרוֹזִילְיָה (נ.)	parsley

ב. הנושאים הלשוניים Grammatical topics

תחביר: יָכוֹל, יְכוֹלָה, יְכוֹלִים, יְכוֹלוֹת + שם פועל

Syntax: יָכוֹל, יְכוֹלָה, יְכוֹלִים, יְכוֹלוֹת + an infinitive form

דוגמה: הוא יכול לקרוא.

שיעור 22

1. משפטים שמניים בעבר Past tense nominal sentences

דוגמות:

- היום העיר גדולה, אבל לפני מאה שנה העיר הייתה קטנה.
- דני ומיכל לא בכיתה. גם אתמול הם לא היו שם.
- עכשיו יוסי נהג אוטובוס. לפני שנה הוא היה מורה.

הוא	**(לא) היה בספרייה.**
היא	**(לא) הייתה מְאושֶרֶת.**
הם	**(לא) היו חברים.**
הן	**(לא) היו כָּאן.**

2. א) נוֹסְטַלְגְיָה

סבא וסבתא שלי גרו בבית הזה.

החדרים בבית היו גדולים מאוד. השולחן היה גדול והכיסאות היו נוחים. השעון בחדר הגדול היה עתיק והספרים היו בגרמנית וביידיש. המטבח לא היה מודרני, אבל היה תמיד נקי מאוד.

סבתא הייתה "יִידִישֶע מַאמֶע". היא הייתה הרבה שעות במטבח, והאוכל שלה היה טעים מאוד.

הגינה לא הייתה גדולה, אבל היא הייתה תמיד ירוקה, והפרחים בגינה היו יפים.

בחוּפְשַׁת הקיץ, בשבתות ובחגים כל המשפחה הייתה בבית של סבא וסבתא. סבא היה בחדר הגדול עם הספרים ועם הרדיו, סבתא הייתה עם הנְכָדִים בגינה, וכולם היו מְאוּשָׁרִים.

ב) השלימו לפי הקטע: טור א - שמות העצם בזכר, טור ב - בנקבה וטור ג - ברבים.

Complete according to the passage: column א - masculine nouns, column ב - feminine, and column ג - plural.

א	ב	ג
השולחן היה גדול.	סבתא הייתה במטבח.	החדרים היו גדולים.
השעון ...	היא ...	הכיסאות ...

ג) **אמרו את הקטע בהווה.**

Say the passage in present tense.

סבא וסבתא שלי גרים בבית הזה. החדרים בבית גדולים.

ד) **כתבו קטע נוסטלגיה על מקום אחר.**

Write a "nostalgia" passage about a different place.

.3 **כתבו בעבר.**

Write the following sentences in past tense.

דוגמה: הוא במשרד.

אתמול הוא לא היה במשרד.

1) הספרים על השולחן.
2) הן בחופְשָה.
3) החורף קל והקיץ קשה.
4) השוקולד בארון.
5) השכונה חדשה.
6) הסטודנטים בקפטריה.
7) התשובה לא נכונה.
8) ההורים לא בבית.
9) הירקות לא טְרִיִים.
10) הם חברים טובים.
11) זה לא בית גבוה.
12) התרגיל הזה לא קשה.

.4 **מכתבים**

א)

לחנה שלום,

יוני 2008

גמרתי ללמוד. חֲבָל!

החברים בכיתה היו נחמדים. המורים היו מצוינים.

השיעורים לא היו משעממים. הספרייה הייתה נוחה.

הבחינות לא היו קשות, והאוכל בקפטריה היה טעים.

להתראות אחרי הבחינות,

אורי

ב) **חנה לא אוהבת את הלימודים כמו אורי. היא שמחה לגמור ללמוד.**
כתבו את המכתב שלה.
השתמשו ב- 1) היה, הייתה, היו 2) שמות התואר: קשה, לא מעניין, ארוך, רע,...

חנה doesn't like her studies as much as **אורי** does. She is happy to finish her studies.
Write her letter.

Use: 1) **היה, הייתה, היו** 2) the adjectives – **קשה, לא מעניין, ארוך, רע, ...**

5. בוטיק יפית - חנות בגדים

מִכְנָסַיִים קְצָרִים / מִכְנָסַיִים אֲרוּכִּים / חוּלְצָה / שִׂמְלָה / חֲצָאִית / סְוֶודֶר /
מְעִיל / כּוֹבַע / נַעֲלַיִים / סַנְדָלִים / בֶּגֶד יָם /

א) אמרו מה יש בבוטיק יפית.

Say what clothes boutique ״יפית״ has.

ב) אמרו לפי התמונות:

Say according to the pictures:

מה הוא לובש?

מה היא לובשת?

ג) מה לובשים הבחורים בכיתה?

מה לובשות הבחורות בכיתה?

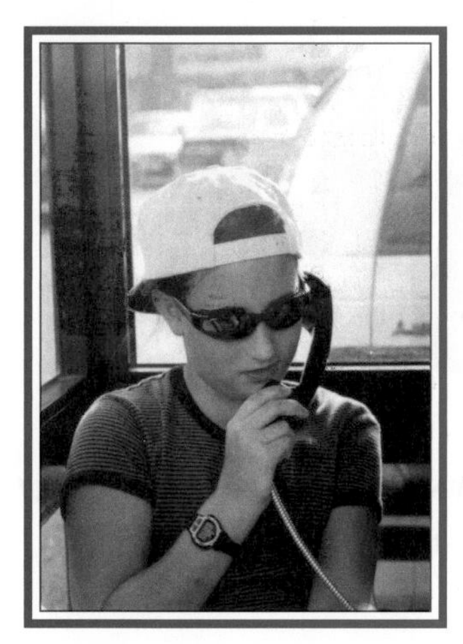

.6 בנו סמיכויות מהמילים ב"עננים". אמרו אותן גם ביחיד וגם ברבים והתאימו אותן לאיורים.

Create construct states from the words in the "clouds" say them in singular and in plural and match them to the illustrations.

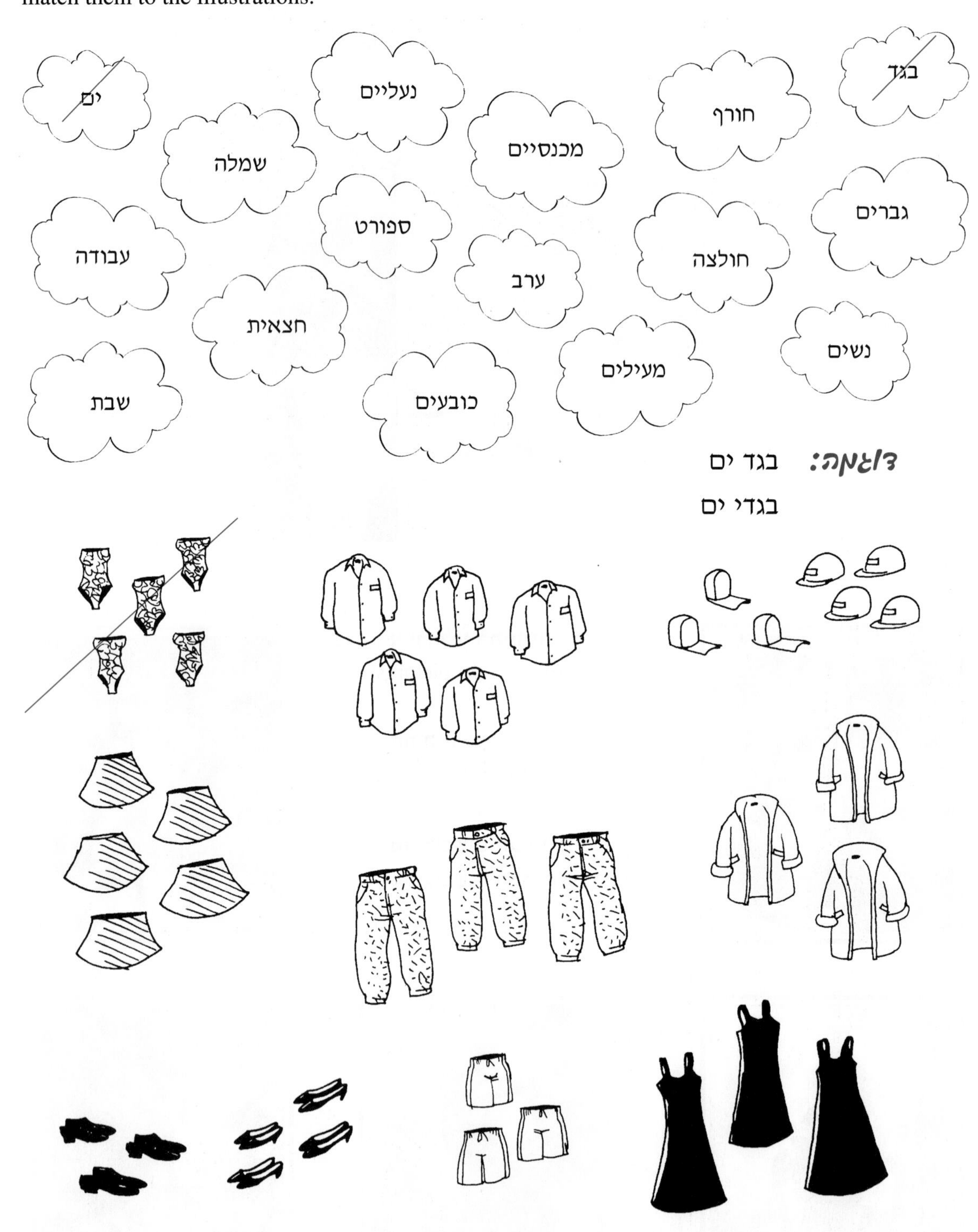

.7 המחיזו שיחה בין אימא ובן בחנות בגדים לפני נסיעה למקום רחוק.

Dramatize a dialogue between a mother and her son in a clothing shop, taking place prior to a trip to some faraway place.

8. א) בעיה קשה

אף אחד לא אוהב אותי. אף אחד לא מבין אותי.

אף אחד לא רוצה לבוא לבית שלי. אף אחד לא רוצה להיות חבר שלי...

(1

מה אתם חושבים: מה הפסיכולוג אומר?

ב) העבירו קו בין האיור ובין המשפט המתאים.

Draw a line between the illustration and the correct sentence.

דוגמה: אף אחד לא לובש סוודר.

1) אף אחד לא לובש שמלה.
2) אף אחת לא לובשת חצאית
3) אף אחד לא לובש מעיל.
4) אף אחד לא לובש מכנסיים קצרים.
5) אף אחד לא נועל נעליים.

9. א) כובע טֶמְבֶּל וסנדלים תנ"כיים

בארץ ישראל של שנות העשרים והשלושים הרבה אנשים בקיבוצים ובמוֹשָׁבִים עבדו בחקלאות. הם עבדו בשמש, ובזמן העבודה הם הלכו עם כובע טמבל - כובע גדול, נוח ופשוט בצבע חָאקִי, כובע מתאים לשמש החֲזָקָה בימים החמים בישראל.

שׂרוליק

ישראלים עם כובע טמבל בשנות ה-50

בשנות החמישים עבר הכובע מהקיבוצים ומהמושבים גם לערים בישראל - תל אביב, חיפה וירושלים. אָז כובעי הטמבל היו קטנים יותר ובהרבה צבעים - לבן, כחול ואדום.

כולם הלכו אז עם כובע טמבל: ילדים, בחורים ובחורות צעירים ואפילו ראש הממשלה. אנחנו יכולים לראות את כובע הטמבל בקָרִיקָטוּרוֹת של העיתונים משנות החמישים על הראש של שְׂרוּלִיק.

שְׂרוּלִיק היה סמל הַיִשְׂרְאֵלִיוּת - יִשְׂרְאֵלִי קטן, צעיר ואוֹפְּטִימִי. הוא לבש בגדים של ישראלי בשנות החמישים: המכנסיים שלו היו קצרים, החולצה הייתה לבנה, הסנדלים היו סנדלים תנ"כיים והכובע היה - כובע טמבל.

לסנדלים התנ"כיים, כמו לכובע הטמבל, יש היסטוריה מעניינת. הם "נולדו" לפני אלפיים שנה או יותר. במוזאון ישראל יכולים לראות סנדלים של אנשי המדבר, מקומרן ליד ים המלח. אלה הם סנדלים בני אלפיים. לפי המוֹדֶל של הסנדלים האלה עושים גם היום את הסנדלים התנ"כיים - סנדלים פשוטים, נוֹחִים ומתאימים גם לגבר וגם לאישה. אנשים חושבים שגם הסנדלים, כמו כובע הטמבל, הם סמל של הישראלים הצעירים, אבל הישראלים אומרים: אנחנו אוהבים כובעים מודרניים עם הרבה צבעים וסנדלים מודרניים מאיטליה או מפריז.

היום רק תיירים מחו"ל אוהבים לטייל בישראל עם סנדלים תנ"כיים על הרגליים וכובע טמבל על הראש.

שׂרוליק של דוֹש

ב) **בחרו את ההשלמה הנכונה לפי הטקסט:**

Choose the correct completion according to the text:

1) כובע הטמבל בשנות העשרים היה (קטן / גדול) **בצבע** (חאקי / לבן / אדום) על הראש של (אנשי קיבוצים ומושבים / תיירים / אף אחד).

2) כובע הטמבל בשנות החמישים היה (קטן / גדול) **בצבע** (חאקי / לבן / אדום) על הראש של (כל הישראלים / תיירים / אף אחד).

3) הבגדים של שרוליק היו: מכנסיים (קצרים / ארוכים)**, חולצה** (לבנה /אדומה)**,** סנדלים (איטלקיים / תנ״כיים) **וכובע** (מודרני / טמבל).

4) שרוליק היה (צעיר / זקן)**,** (קטן / גדול) **ו**(אופטימי / פֶּסִימִי).

ג) **תארו דמות מארץ אחרת שהיא סמל הארץ.**

Describe a character from a different country which is the "symbol" of that country.

10. משפטי תוצאה

Consequence sentences

הספר היה משעמם,	**לָכֵן / וְלָכֵן**	לא קראתי אותו.
משפט,	**לכן / ולכן**	משפט.

א) **אמרו משפטים הגיוניים מהטבלה.**

Create logical sentences according to the table and say them out loud.

לא סגרתם את הדלת,		כולם אכלו אותו.
יש שביתה בבתי הספר,		הוא לא קונה כלום.
הוא אוהב ערים גדולות,	**לכן**	אין היום לימודים.
אין לו מספיק כסף,		קר פה.
הסלט היה טרי,		הוא גר בטוקיו.

דוגמה: *לא סגרתם את הדלת, לכן קר פה.*

ב) כתבו כל משפט בשתי צורות; פעם אחת עם המילה כי **ופעם שנייה עם המילה** לכן.

Write every sentence in two different ways: once with the word כי and a second time with the word לכן .

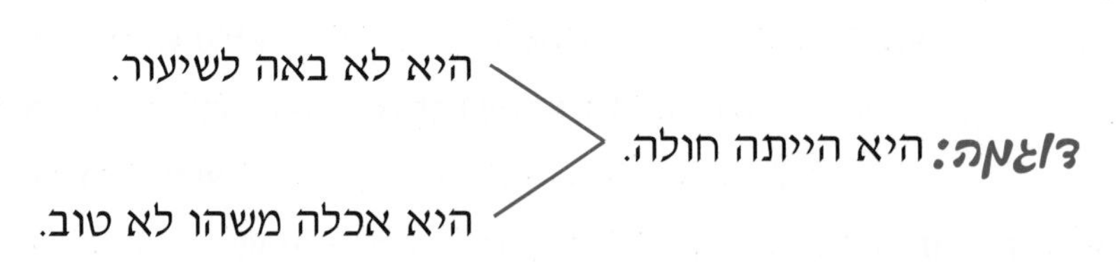

דוגמה: היא הייתה חולה.
- היא לא באה לשיעור.
- היא אכלה משהו לא טוב.

היא הייתה חולה, כי היא אכלה משהו לא טוב.
היא הייתה חולה, לכן היא לא באה לשיעור.

1) הוא לא קורא עיתונים.
- הוא לא יודע מה קרה בעולם.
- אין אור ואין חַשְׁמַל.

2) הוא היה עייף.
- הוא למד כל היום.
- הוא הלך לישון.

3) הירקות היו טעימים.
- הסלט היה מצוין.
- הם היו טריים.

4) אני רוצה לדעת עברית.
- אני רוצה להבין מה אומרים ברדיו.
- באתי ללמוד באולפן.

5) הם עובדים מהבוקר עד הערב.
- אין להם זמן.
- הם צריכים כסף.

11. אני, איפה אני?

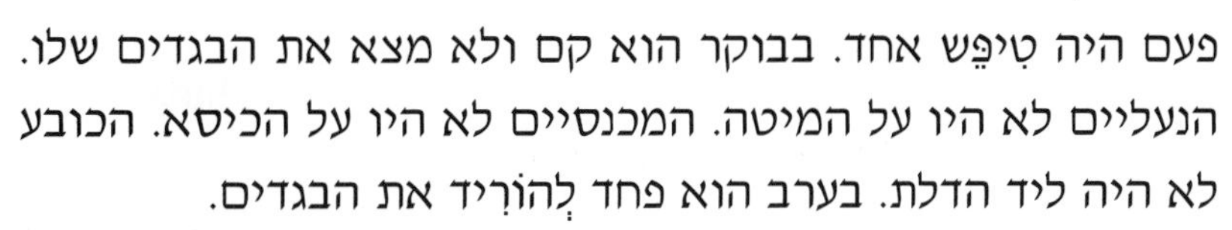

רבי חנוך מאלכסנדר מספר:

פעם היה טִיפֵּש אחד. בבוקר הוא קם ולא מצא את הבגדים שלו. הנעליים לא היו על המיטה. המכנסיים לא היו על הכיסא. הכובע לא היה ליד הדלת. בערב הוא פחד לְהוֹרִיד את הבגדים.

הוא חשב וחשב מה לעשות, ובסוף הוא מצא פִּתְרוֹן: הוא כתב פֶּתֶק: המכנסיים על הכיסא. החולצה על השולחן. הנעליים ליד המיטה, והכובע ליד הדלת.

בבוקר הוא קם וקרא את הפתק. קרא את הפתק ולבש את הבגדים: את המכנסיים, את החולצה, את הנעליים ואת הכובע, ואז הוא שאל: ואני, איפה אני? שאל ושוב שאל, אבל לא מצא את התשובה. גם אנחנו כמו האיש הזה. - אמר רבי חנוך.

(סיפור חסידי מתוך האור הגנוז, מרטין בובר)

סמנו את ההשלמה הנכונה לפי הסיפור. Mark the correct completion according to the story.

הרבי אמר: גם אנחנו כמו האיש הזה.

א) כי אנחנו מחפשים את הבגדים שלנו ליד המיטה.

ב) כי לפעמים אנחנו לא יודעים איפה אנחנו.

ג) כי בערב אנחנו כותבים פתקים ובבוקר קוראים אותם.

ד) כי אנחנו פוחדים ללכת לישון בערב ולקום בבוקר.

אז יאללה, ביי!

המחיזו את השאלות והתשובות והתאימו את התשובות לפרצופים.

Dramatize the questions and the answers, and match the answers to the faces.

איך היה? ככה ... / פנטסטי!

מה היה? לא משהו ... / משהו-משהו!

מי היה? כמעט כולם. / ממש, כו- - -לם. / כל מִינֵי...

אז מה? סת- - - ם ... / חבל שעבר!

א. אוצר המילים Vocabulary

פעלים Verbs

מוֹרִיד, לְהוֹרִיד	take off / decrease

שמות תואר Adjectives

חָזָק, חֲזָקָה	strong
טִיפֵּש, טִיפְּשָה	stupid / dumb
טָרִי, טְרִיָּיה	fresh
מְאוּשָר, מְאוּשֶרֶת	happy
נוֹחַ, נוֹחָה	comfortable
תַּנָ"כִי, תַּנָ"כִית	Biblical

מילות חיבור Coordinator

לָכֵן	therefore

שונות Miscellaneous

אַף אֶחָד	nobody
חֲבָל! מ"ק	It's a pity / It's a shame
"יִידִישֶע מַאמֶע" מ"ז	"Yiddishe Mama" (Jewish Mother)

שמות עצם Nouns

בֶּגֶד יָם (ז.), בִּגְדֵי יָם	swimsuit
חָאקִי (ז.)	khaki
חוּפְשָה (נ.)	vacation
חֲצָאִית (נ.)	skirt
חַשְמַל (ז. ר. 0)	electricity
יִשְׂרְאֵלִיוּת (נ. ר. 0)	"Israeliness"
מוֹשָב (ז.)	settlement
מִכְנָסַיִים (ז. ר. 0)	pants / trousers
מְעִיל (ז.)	coat
פִּתְרוֹן (ז.), פִּתְרוֹנוֹת	solution
פֶּתֶק (ז.), פְּתָקִים	note
שִׂמְלָה (נ.), שְׂמָלוֹת	dress

מילים לועזיות Foreign words

אוֹפְּטִימִי, אוֹפְּטִימִית ש"ת	optimistic
בּוּטִיק (ז.)	boutique
מוֹדֶל (ז.)	model
נוֹסְטַלְגִיָה (נ. ר. 0)	nostalgia
סְוֶודֶר (ז.)	sweater
פֶּסִימִי, פֶּסִימִית ש"ת	pessimistic
קָרִיקָטוּרָה (נ.)	caricature

ב. הנושאים הלשוניים — Grammatical topics

תחביר: משפטים שמניים בעבר — Syntax: Past tense nominal sentences

דוגמה: הוא היה בספרייה.
הם היו חולים.

משפטי תוצאה — Consequence sentences

דוגמה: היא הייתה חולה, לכן היא לא באה לשיעור.

שונות: *אף אחד לא...* — Miscellaneous:

ג. הערות לשוניות — Grammatical notes

1) הצירוף **אף אחד** משמש גם לזכר וגם לנקבה, אולם כאשר יש רק נקבות, אפשר לומר גם: אף אחת, למשל: אף אחת לא באה.

The phrase אף אחד is both masculine and feminine; however, when it is used only for females one may also say: אף אחת , for example: אף אחת לא באה.

שיעור 23

1. א) **בניין פָּעַל - גזרת ל"ה - זמן עבר** — פָּעַל conjugation - ל"ה verb type - past tense

	הפועל **לִקְנוֹת** בזמן עבר				**לִ□ְ□וֹת**	
	ז.	ז./נ.	נ.	ז.	ז./נ.	נ.
י.		(אני) **קָנִיתִי**			**□ָ□ִיתִי**	
	(אתה) **קָנִיתָ**		(את) **קָנִית**	**□ָ□ִיתָ**		**□ָ□ִית**
	הוא **קָנָה**		היא **קָנְתָה**	**□ָ□ָה**		**□ָ□ְתָה**
ר.		(אנחנו) **קָנִינוּ**			**□ָ□ִינוּ**	
	(אתם) **קְנִיתֶם**		(אתן) **קְנִיתֶן**	**□ְ□ִיתֶם**		**□ְ□ִיתֶן**
		הם / הן **קָנוּ**			**□ָ□וּ**	

וגם: בָּנָה, הָיָה, חָלָה, עָלָה, עָנָה, עָשָׂה, פָּנָה, רָאָה, רָצָה, שָׁתָה

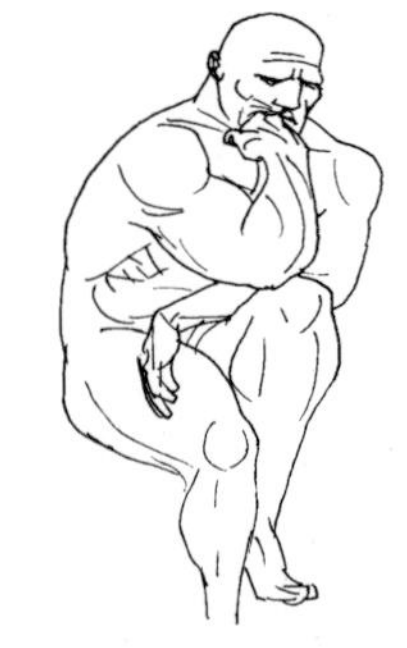

אז למה הישראלים אומרים - קָנִיתֶם ולא קְנִיתֶם, קָנִיתֶן ולא קְנִיתֶן.

ב) **טיול לנגב**

לפני שבוע יצאנו לטיול לנגב. בבאר שבע יוסי ורינה קנו שטיח ותְמוּנָה בשוק הבדווי. אחרי הצהריים עלינו על הר כַּרְכּוֹם וראינו את הנופים הנהדרים של הנגב. אחר-כך יוסי רצה לנסוע לאילת, אבל רינה הייתה קצת חולה, כי היא לא שתתה מספיק. אז חזרנו הביתה.

מכתש רמון בנגב

.2 א) כתבו את הפעלים בטבלה בזמן עבר.

Write down the verbs in the table in past tense.

אני	אתה	את	הוא	היא	אנחנו	אתם	אתן	הם / הן
הייתי	____	____	____	____	____	____	____	____
____	בנית	____	____	____	____	____	____	____
____	____	רצית	____	____	____	____	____	____
____	____	____	עלה	____	____	____	____	____
____	____	____	____	עשׂתה	____	____	____	____
____	____	____	____	____	שתינו	____	____	____
____	____	____	____	____	____	עניתם	____	____
____	____	____	____	____	____	____	ראיתן	____
____	____	____	____	____	____	____	____	פנו

ב) מצאו במילון את הפועל לִטְעוֹת, וכתבו את נטייתו בעבר.

Find the verb לטעות in the dictionary, and write down its past tense conjugation.

.3 מצאו את הפעלים המתאימים בבניין פָּעַל, גזרת ל"ה לפי ההקשר, ושבצו אותם בצורה הנכונה פעמיים - שם הפועל ופועל בעבר.

Find the correct verbs, פָּעַל conjugation, ל"ה verb type, according to the context and fit them correctly into the sentence in two manners - once as an infinitive and once as a past tense verb.

דוגמה: אתה צריך ***לשתות*** כמה כוסות מים עכשיו. לא ***שתית*** כל היום.

1) הם רוצים ______ לישראל. החברים שלהם כבר ______ לארץ לפני שנה.

2) קר בחוץ. אתה לא יכול ______ בחוץ עכשיו. אתמול ______ חולה.

3) לפני שנה אלי ואני ______ בית על הר הכרמל. אני יודעת שגם אילן וחנה רצו ______ שם בית.

4) אין לכם זמן ______ לטלפון? גם אתמול לא ______ לטלפונים.

5) אתמול ______ סרט ישראלי חדש. אני רוצה ______ אותו עוד פַּעַם.

6) - רציתי להגיע לתיאטרון. אמרו לי שאני צריכה ______ ימינה אחרי תחנת האוטובוס. הלכתי כך, אבל לא מצאתי את התאטרון.
- מה את אומרת? ______ ימינה ולא מצאת? זה לא יכול להיות! זה שם!

7) המורה אומרת שאילנה לא צריכה ______ את התרגיל הזה, כי היא ______ אותו כבר אתמול.

8) הסטודנטים יודעים שהם צריכים ______ ספר חדש לשיעור בעברית. אורי כבר ______ אותו לפני שבוע בחנות הספרים של האוניברסיטה.

4. חיפוש במילון

סמנו את הפעלים במשפטים בטור 1, כתבו את הערך המילוני ואת שם הפועל שלהם, חפשו אותם במילון ומצאו את ההשלמה המתאימה, בטור 2.

Underline the verbs in column 1, write down their dictionary definition and their infinitive form, and match the sentences on column 1 to their ending on column 2.

1	2
• סטינו מהכביש ופנינו ימינה כי רצינו ...	• הוא היה עצוב מאוד.
• היא בכתה כל הסרט, כי ...	• הם באו מאוחר.
• תליתי את התמונה של הילדים בבית, כי...	• לראות את הנוף היפה.
• הם טעו בדרך, ולכן ...	• היה לו מזל.
• הוא זכה במִילְיון דולר, כי ...	• היא יפה מאוד.

5. א)

מִשְׁכְּנוֹת שַׁאֲנַנִּים וימין משה

משה מונטיפיורי
1885-1784

עד אמצע המאה ה-19 גרו היהודים בירושלים רק בְּתוֹךְ העיר העתיקה. הַתְּנָאִים בעיר העתיקה היו קשים והמים לא היו נְקִיִּים. הדירות היו קטנות והמשפחות היו גדולות.

משה מונטיפיורי, יהודי עָשִׁיר מאנגליה, אהב את ארץ ישראל אהבה גדולה. הוא בא לבקר בירושלים ב-1860. הוא ראה את המַּצָּב של היהודים בעיר העתיקה ורצה לעזור להם. הוא קנה אדמה ליד חוֹמַת העיר העתיקה ובנה שם שכונה חדשה - משכנות שאננים. זאת הייתה השכונה היהודית הראשונה מִחוּץ לחומות. התנאים במשכנות שאננים היו מצוינים: הדירות היו גדולות והמים היו נקיים, אבל היהודים לא רצו לבוא לגור שם, כי הם פחדו. השכונה החדשה הייתה בהרים, רְחוֹקָה מהעיר העתיקה, ולא הייתה שם חומה.

מה עשה מונטיפיורי? הוא נתן לאנשים כסף, ואז הם באו לגור שם.

בַּהַתְחָלָה רק שמונה משפחות עברו לשכונה החדשה. הם באו לשכונה ביום, ובלילה הם חזרו לעיר העתיקה.

ב-1866 הייתה מַחֲלָה קשה בירושלים - כּוֹלֶרָה, הרבה אנשים חָלוּ ומֵתוּ. רק במשכנות שאננים אף אחד לא חלה. אז ראו יהודי ירושלים שהשכונה מחוץ לחומות טובה יותר.

ב-1891 קמה ליד משכנות שאננים עוד שכונה: ימין משה.

היום יש בשכונה רחובות שקטים ויפים ובתים מיוחדים ויקרים. יש שם גם מרכז חשוב למוזיקה, מסעדות ומלון לאורחים חשובים בירושלים. סוֹפְרִים ואוֹמָנִים מכל העולם באים לבקר ולגור במלון במשכנות שאננים.

המרכבה של משה מונטיפיורי

וַיָּשַׁב עַמִּי בִּנְוֵה שָׁלוֹם וּבְמִשְׁכְּנוֹת מִבְטַחִים וּבִמְנוּחֹת שַׁאֲנַנּוֹת׃
(ישעיהו לב 8)

משכנות שאננים, 1864

ב) **שבצו את הפעלים במשפטים בעבר או בהווה לפי הטקסט וכתבו ליד כל משפט - פעם או היום.**

Complete the sentences using verbs in the past or present tense according to the text, and write by each sentence **פעם** - or **היום**.

דוגמה: להיות
- השכונה הייתה קטנה ורחוקה ממרכז העיר. *פעם*
- השכונה יפה ומיוחדת. *היום*

1) לרצות
- אנשים לא ____ לגור בשכונה, כי היא הייתה מחוץ לחומות.
- אנשים ____ לגור שם, כי זו שכונה יפה ולא רחוקה ממרכז העיר.

2) לראות
- ממשכנות שאננים ____ רק את העיר העתיקה ואת ההרים.
- ממשכנות שאננים ____ בתים וכבישים בעיר החדשה.

3) לכתוב
- יהודים ____ מכתבים למונטיפיורי על התנאים הקשים בעיר.
- סופרים ואומנים ____ ספרים ושירים במשכנות שאננים.

4) לשתות
- אנשים ____ מים לא נקיים במשכנות שאננים וחלו.
- תיירים ____ קפה במסעדה במשכנות שאננים.

5) לבנות
- אנשים ____ בתים יפים וגדולים במשכנות שאננים.
- ____ את הבתים הראשונים מחוץ לחומות העיר העתיקה.

6) לקנות
- משה מונטיפיורי ____ את האדמה ובנה את השכונה.
- אנשים ____ בתים או דירות במשכנות שאננים בהרבה כסף.

7) לפנות, לרצות
- אנשים ____ לראש העיר, כי הם ____ לגור במלון במשכנות שאננים.
- אנשים ____ למונטיפיורי, כי הם ____ לגור בתנאים טובים.

ג) **כתבו שני מכתבים.**

1) אתם גרים בעיר העתיקה בשנת 1857, ואתם כותבים למונטיפיורי על החיים הקשים.
2) אתם גרים בשכונה בשנת 1880, ואתם כותבים מכתב תודה למונטיפיורי.

Write two letters:
1) You are living in the Old City in the year 1857, and you are writing Montefiore about the hard life you lead.
2) You are living in the neighborhood in the year 1880, and you are writing Montefiore a letter of gratitude.

6. א) תיירים בעיר גדולה

מה עושים בעיר גדולה?

עולים על בִּנְיָין גבוה **ורואים** את כל העיר. **שותים** קפה במקום מיוחד. הולכים ברחוב הגדול והארוך בעיר **ופונים** גם לרחובות הקטנים והמיוחדים. מטיילים ליד החנויות **וקונים** מתנות לחברים ולבני המשפחה. שואלים את אנשי העיר באנגלית, בצרפתית, אולי באיטלקית, ותמיד גם בידיים, איך הולכים ולאן. האנשים **עונים** מהר מהר, וגם בידיים. בסוף יודעים ש**רוצים** לחזור לעיר הזאת ו"**בונים**" תוכנית לטיול ארוך יותר לשם.

ב) דני היה בפריז. חנה הייתה בלונדון.
דויד וחנן היו בניו יורק. רינה ורותי היו בירושלים.

ספרו מה הם עשו יום אחד בכל מקום. השתמשו בכל הפעלים שבקטע.

Describe what each person did in every place. Use all the verbs in the passage.

דוגמה: דני היה בפריז. הוא עלה על האייפל...

הָעִירָה = לָעִיר

7. א) בגדים ועוד בגדים

רחל: שולה, למה לא ענית אתמול לטלפון?
שולה: אתמול? מתי? אה, כן, לא הייתי בבית.
רחל: איפה היית?
שולה: בעיר.
רחל: מה עשית בעיר?
שולה: קניתי קצת בגדים.
רחל: מה? אין לך מספיק בגדים?
שולה: רציתי לקנות חוּלְצָה חדשה. קניתי חולצה נהדרת.
רחל: כמה היא עלתה?
שולה: מאה ותשעים שקלים. רציתי לקנות גם שִׂמְלָה, אבל לא ראיתי משהו יפה.
רחל: תגידי, מה את עושה היום?
שולה: אני רוצה לנסוע העירה לקנות כמה בגדים.
רחל: עוד פעם?
שולה: כן. עוד מעט חורף ואני צריכה לקנות מכנסיים ארוכים יפים וסוודר.
גם את רוצה לבוא הָעִירָה?
רחל: אולי. מִזְּמָן לא קניתי לי בגד חדש.
שולה: אז בתשע בבוטיק "יפית". בסדר?
רחל: טוב.
שולה: להת'.

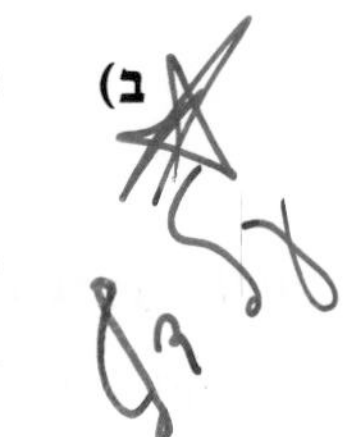

ב) ענו לפי השיחה. Answer the following questions according to the dialogue.

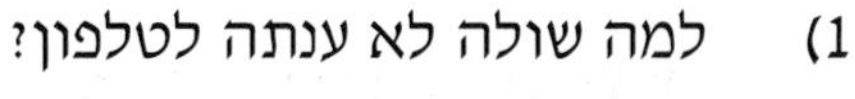

1) למה שולה לא ענתה לטלפון?
2) איפה היא הייתה?
3) מה היא עשתה שם?
4) כמה עלתה החולצה?
5) למה שולה לא קנתה שמלה?
6) מה היא רוצה לעשות היום?
7) מה רחל צריכה לקנות?
8) מתי שולה ורחל הולכות לקנות בגדים?

8. כתבו בעבר. Write the sentences in past tense.

דוגמה: הוא יפה. *הוא היה יפה.*

1) היא נחמדה.
2) הם מפורסמים.
3) אני מורה למוזיקה.
4) בקיץ אנחנו באירופה.
5) למה אתם לא בספרייה?
6) מתי אתם במשרד?
7) אני לא חולה.
8) התמונה במוזאון.

9) הבית לא נקי.
10) אתן שמחות.
11) את ילדה מתוקה.
12) הם שכנים טובים.
13) היא בחדר האוכל.
14) הן לא בבית.
15) הסרט הראשון מצוין.

9. מאה עד אלף (מספרים בזכר ובנקבה)**: 100 - 1000** Feminine and masculine numbers

100	**מֵאָה**	**600**	**שֵׁשׁ מֵאוֹת**
200	**מָאתַיִים**	**700**	**שְׁבַע מֵאוֹת**
300	**שְׁלוֹשׁ מֵאוֹת**	**800**	**שְׁמוֹנֶה מֵאוֹת**
400	**אַרְבַּע מֵאוֹת**	**900**	**תְּשַׁע מֵאוֹת**
500	**חֲמֵשׁ מֵאוֹת**	**1000**	**אֶלֶף**

א) הַפִּיל

הפיל חי באפריקה ובהוֹדוּ. הוא שוֹקֵל ארבעה עד
שבעה טונות.
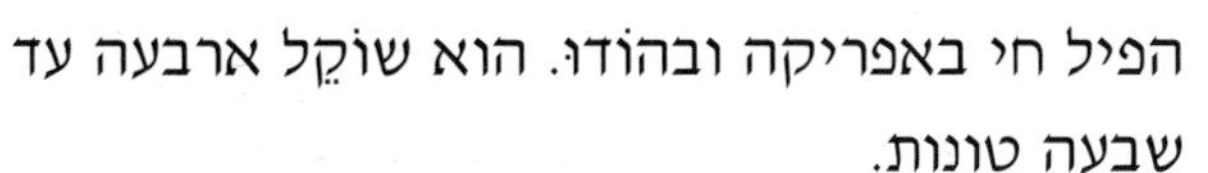
כל יום הוא אוכל מאתיים עד חמש מאות
קילוגרמים של צמחים; הוא לא אוכל בשׂר. יש לו
עשרים ושש שיניים. הוא אינטליגנטי מאוד וסִימְפָּטִי.

ב) תרגילי חשבון

כתבו במילים: Write in words:

דוגמה: 1243 = 1009 + 234 : מאתיים שלושים וארבע ועוד אלף ותשע הם אלף מאתיים ארבעים ושלוש.

1) 560 + 440 =   3) 150 + 670 =   5) 200 + 100 =

2) 920 + 395 =   4) 810 + 777 =

ג) אמרו: מי חי, מתי, כמה שנים? Say: Who lived, when, and for how many years?

דוגמה: כריסטופר קולומבוס 1451 - 1506

כריסטופר קולומבוס נולד באלף ארבע מאות חמישים ואחת ומת באלף חמש מאות ושש. הוא חי חמישים וחמש שנים.

1) גולדה מאיר 1898 - 1978
2) דויד בן גוריון 1886 - 1973
3) לייב טולסטוי 1828 - 1910
4) ז'אן דארק 1412 - 1431
5) מארי קירי 1867 - 1934
6) סלבאדור דאלי 1904 - 1989
7) משה מונטיפיורי 1784 - 1885
8) וולפנג אמדאוס מוצרט 1756 - 1791

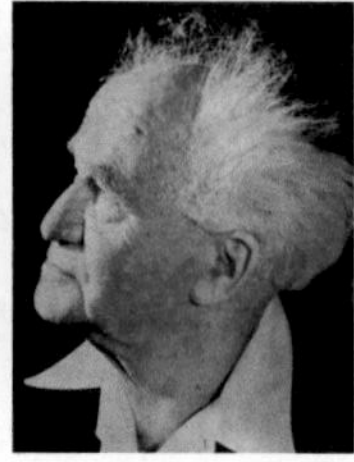

ד) קראו את המשפטים ואמרו את התאריכים במילים. אחר כך אמרו לפני כמה שנים זה היה.
Read the sentences and say the numerical dates in words, and then say how many years ago it happened.

דוגמה: היום הראשון של מלחמת העולם השנייה היה ב- 1.9.1939 .

היום הראשון של מלחמת העולם השנייה היה באחד בספטמבר אלף תשע מאות שלושים ותשע.

1) היום הראשון של מִלְחֶמֶת העולם הראשונה היה ב- 2.8.1914 .
2) ארצות הברית קמה ב-4 ביולי 1776 .
3) יום הבַּסְטִילְיָה היה ב - 14 ביולי 1789 .
4) מדינת ישראל קמה ב-14 במאי 1948 .

אבל הישראלים אומרים: הראשון לתשיעי...

שיעור 23

עברית מן ההתחלה

ה) **אמרו עוד תאריכים חשובים, שאלו זה את זה מה קרה באותו יום ולפני כמה זמן זה היה.**
Say a few more important dates, ask each other what happened on those dates and how long ago it was.

ו) **כתבו 3 תאריכים חשובים בחיים שלכם.** Write down three important dates in your life.

.10 א) **שבצו את המילים החסרות.** Complete the sentences.

שער האריות

בירושלים יש חומה עתיקה. השוּלְטָן הטוּרְקִי, סוּלֵימָן, בנה _______ בשנת 1537. בחומה יש שבעה שערים, ויש סיפורים ואַגָדוֹת על כל אחד מֵה-______ האלה. אגדה אחת מסבירה למה יש אריות בשער האריות: לילה אחד חָלַם השולטן חלום רע. בחלום הוא ____ ארבעה אריות גדולים ורעבים. השולטן פחד מה_______. בבוקר הוא קרא לחכמים ואמר להם שהוא לא מבין את ה________. החכמים אמרו לו שאלוהים כועס, כי ______ חומה מְסָבִיב לירושלים. "אתה ______ שומר על העיר הקדושה", אמרו לו החכמים, "אלוהים אמר לך בחלום שאתה ______ לבנות חומה מסביב לעיר." השולטן בנה את ה_______ ולא שכח את האריות. ליד אחד השערים יש ארבעה אריות מאֶבֶן. גם היום אַתם ________ לראות את האריות; קטנים, שקטים ולא רעבים.

שער האריות בעיר העתיקה בירושלים

ב) **ענו על השאלות לפי הקטע.** Answer the questions according to the passage.

1) מי בנה את החומה מסביב לירושלים העתיקה?
2) מה ראה השולטן בחלום?
3) מה אמרו החכמים לשולטן?
4) איפה האריות היום?
5) מה הם המספרים: 1537, 7, 4, בסיפור?

אז יאללה, ביי!

א)

ב) אתה אחד מהסופרים או מהאומנים המתארחים במלון לאורחים חשובים של העירייה במשכנות שאננים של היום. כתבו מכתב תודה לראש העיר שהזמין אתכם למלון הזה. השתמשו בחלק מביטויי הסלנג כרצונכם.

You are one of the writers or artists staying at the municipality's important guests hotel in today's משכנות שאננים. Write a letter of gratitude to the mayor who invited you to this hotel. Use part of the slang expressions.

כבוד ראש העיר שלום,

עשיתי פה חיים...

Summary of Topics

האוצר הלשוני

א. אוצר המילים Vocabulary

פעלים
Verbs

חוֹלֶה, לַחְלוֹת	be sick
חוֹלֵם, לַחְלוֹם	dream
מֵת, לָמוּת	die
שׁוֹקֵל, לִשְׁקוֹל	weigh

שמות עצם
Nouns

אֶבֶן (נ.), אֲבָנִים	stone
אַגָּדָה (נ.)	legend / tale
אוּמָן (ז.), אוּמָנִית (נ.)	artist
בִּנְיָין (ז.)	building
הַתְחָלָה (נ.)	beginning
חוֹמָה (נ.)	wall (exp. city walls)
מַחֲלָה (נ.)	illness / disease
מַצָּב (ז.)	situation / status / condition
סוֹפֵר (ז.), סוֹפֶרֶת (נ.)	writer
פִּיל (ז.), פִּילָה (נ.)	elephant
תְּמוּנָה (נ.)	picture / painting
תְּנַאי (ז.), תְּנָאִים	condition

שמות תואר
Adjectives

נָקִי, נְקִיָּיה	clean
עָשִׁיר, עֲשִׁירָה	rich
קָדוֹשׁ, קְדוֹשָׁה	holy
רָחוֹק, רְחוֹקָה	far

מילים לועזיות
Foreign words

טוּרְקִי, טוּרְקִית ש״ת	Turkish
כּוֹלֶרָה (נ.) ש״ע	Cholera
מִילְיוֹן (ז.) ש״ע, ש״מ	million
סִימְפָּטִי, סִימְפָּטִית ש״ת	likable/nice
שׁוּלְטָן (ז.) ש״ע	Sultan

שונות
Miscellaneous

הָעִירָה ת״פ	to town
מִזְּמָן ת״פ	a long time ago
מִחוּץ ל... ת״פ	outside of
מִסָּבִיב ל... מ״ח	around
עוֹד פַּעַם ת״פ	one more time/again

ב. הנושאים הלשוניים **Grammatical topics**

צורות: בניין פָּעַל - גזרת ל״ה - זמן עבר Morphology:

פָּעַל conjugation - ל״ה verb type - past tense -

דוגמה: קניתי

שונות: מאה עד אלף (מספרים בזכר ובנקבה): Miscellaneous:

Masculine and feminine numbers **1000 - 100**

.1 משפטים שמניים בעבר (המשך)

Past tense nominal sentences.

א)

עכשיו יש פה בניין גבוה.	פעם היה פה בית ספר קטן.
עכשיו יש פה קניון גדול.	פעם הייתה פה גינה נחמדה.
עכשיו יש כאן עיר מודרנית.	פעם לא הייתה פה עיר.
עכשיו יש פה בתים גבוהים.	פעם היו פה בתים נמוכים.
עכשיו יש כאן חנות גדולה.	פעם הייתה כאן חנות קטנה.
עכשיו יש פה הרבה רחובות.	פעם היה פה רק רחוב אחד.
עכשיו אין כאן שקט.	פעם היה פה שקט.

מן המקורות

עִיר קְטַנָּה וַאֲנָשִׁים בָּהּ מְעָט (קהלת ט 14) (בה = בעיר)

ב) השלימו בעזרת המילים:

Complete the sentences with the words:

היה / הייתה / היו, או - לא היה / לא הייתה / לא היו

נחום גוטמן, מתוך: בין חולות וכחול שמים

פעם לא היה פה כביש גדול ו______ הרבה מכוניות. _____ פה מעט אנשים; _____ פה משפחות צעירות ו_____ הרבה ילדים קטנים. ______ פה בתים קטנים ו______ גינה ליד כל בית. ______ פה רחובות קטנים ושקטים ותמיד ______ ברחוב גם ילדים וגם זקנים. _____ פה קניונים גדולים ומודרניים ו_____ אפילו דיסקוטק אחד. ______ רק מסעדה קטנה אחת, ובמסעדה ______ אוכל פשוט ובריא. _____ הרבה אנשים בעיר הקטנה, ותמיד _____ שִׂמְחָה בלב.

2. **אמרו וכתבו בעבר.** Say and then write down the following sentences in the past tense.

דוגמה: יש שם מזג אוויר טוב. *היה שם מזג אוויר טוב.*

1) יש במסעדה הזאת אוכל מצוין.
2) במשרד הזה אין תנאים טובים.
3) יש שני בקבוקי יין על השולחן.
4) מתי יש טיול למצדה?
5) יש היום בחינה?
6) בגן יש הרבה צמחים.
7) אין עיתונים בקיוסק?
8) במוזאון ישראל יש תמונות יפות.
9) יש חומה עתיקה בעיר.
10) אין היום בשר בארוחת ערב.
11) ברחוב הזה אין טלפון ציבורי ואין שירותים ציבוריים.
12) השבוע אין לימודים.

3. א) **היהודים בספרד**

בספרד הייתה קְהִלָה יהודית גדולה מן המאה הראשונה ועד המאה החמש עשרה. במאות האלה היו בספרד מרכזים יהודיים חשובים. התְקוּפָה החשובה בהיסטוריה של יהודי ספרד הייתה מהמאה האחת עשרה עד המאה השתים עשרה.

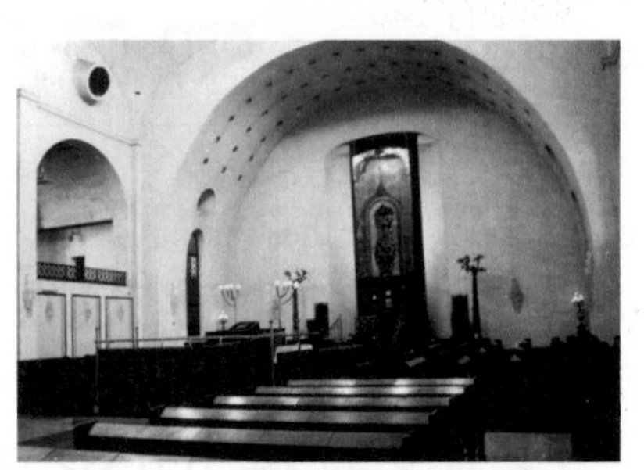

בית הכנסת הספרדי, ירושלים

לתקופה הזאת קוראים "תוֹר הזהב" (תור=זמן). בתקופה הזאת הייתה בספרד קהילה יהודית אוֹטוֹנוֹמִית. היהודים היו חוֹפְשִׁיִים לעבוד וללמוד בכל מקום, והיו קשרים מצוינים בֵּין היהודים ובין המוּסְלְמִים. בגְרָנָדָה, בבַּרְצֶלוֹנָה בטוֹלֶדוֹ ובערים אחרות היו בתי כנסת יפים וגדולים בשכונות היהודיות.

יהודים רבים היו רופאים, פילוסופים, סופרים ומְשׁוֹרְרִים חשובים, והם היו בְּנֵי בַּיִת בארמונות המלכים ובבתי המוסלמים העשירים.

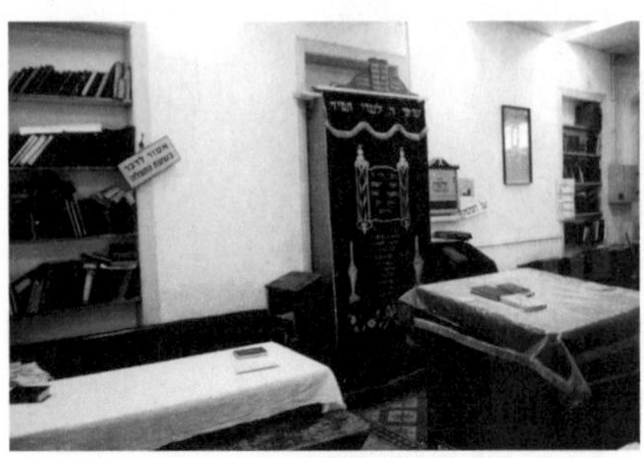

בית הכנסת הספרדי, ירושלים

במאה השתים עשרה כָּבְשׁוּ הנוֹצְרִים את ספרד. הם לא נתנו ליהודים חופש, והמצב של היהודים כבר לא היה טוב כמו בזמן המוסלמים. עד 1492 עָזְבוּ כמעט כל היהודים את ספרד. רק בסוף המאה ה-19 חזרו יהודים לשם ובנו שוב כמה קהילות קטנות.

ב) א. בחרו לפי הטקסט מה מתאים - **יש** או **אין**.
ב. בנו משפט בזמן עבר ואמרו אותו.

Choose **יש** or **אין** according to the text.
Create past tense sentences and say them.

דוגמה: המאה הראשונה - יש / אין יהודים בספרד.

במאה הראשונה היו יהודים בספרד.

1) המאה העשירית - יש / אין קשרים טובים בין היהודים והמוסלמים בספרד.
2) המאה האחת עשרה - יש / אין קהילה יהודית גדולה בספרד.
3) המאה השש עשרה - יש / אין יהודים רופאים ופילוסופים חשובים בספרד.
4) המאה העשרים - יש / אין יהודים בספרד.

4. **משפטים שמניים בעבר (המשך)**

Past tense nominal sentences (continued).

(לא) היה	**לי**	**כסף**
	לך	
	לך	
	לו	
(לא) הייתה	**לה**	**עבודה**
	לנו	
	לכם	
	לכן	
(לא) היו	**להם**	**חברים**
	להן	

דוגמאות: *היה לי כסף.*
לא הייתה להם עבודה.
היו לך חברים טובים.
לא היו לנו בעיות.

אפשר גם: לרינה היה דוד בארצות הברית.
הייתה ליוסי בחינה בהיסטוריה.

מן המקורות

לַיְּהוּדִים הָיְתָה אוֹרָה וְשִׂמְחָה וְשָׂשֹׂן וִיקָר׃ (אסתר ח 16). (אורה=אור)

א) למה הוא אהב אותה?

- למה הוא אהב אותה?
- כי היו לה עיניים יפות, והיה לה לב טוב.
היו לה רעיונות מיוחדים וסיפורים מעניינים.
היה לה תמיד זמן וגם הייתה לה סבלנות לשמוע אותו.
- ומה היה הסוף?
- סוף רגיל: חתונה וילדים ...

ב) אמרו / כתבו בעבר. Say and write in the past tense.

דוגמה: הייתה לכם עבודה קשה.

1) ________ לי טלפון חדש.
2) ________ לו סבתא נחמדה.
3) ________ לה חלום יפה.
4) ________ להן כלבה שחורה.
5) ________ לך מכנסיים כחולים.
6) ________ להם אידאולוגיה מיוחדת.
7) לא ________ לך גינה ליד הבית.
8) לא ________ לכן שיעור הבוקר.
9) ________ לנו תרגילים קשים.
10) לא ________ להם שכנים טובים.
11) לדני ________ שטיחים עתיקים בבית.
12) לרחל ________ יום הולדת שמח.

5. א) בַּמִשְׁטָרָה

שוֹטֵר: שלום.
רחל: שלום. אולי מצאתם מִזְוָודָה. שחורה, יפה, גדולה...
שוטר: רק רגע, גְבֶרֶת, בבקשה לשבת. מה שמך?
רחל: רחל לוויזון.
שוטר: הכְּתוֹבֶת?
רחל: דרך חברון 9.
שוטר: מספר הטלפון?
רחל: 3721589.
שוטר: אז מה קרה?

רחל: אני לא יודעת איפה המזוודה שלי.

שוטר: מה צבע המזוודה?

רחל: שחור. המזוודה הייתה שחורה וגדולה.

שוטר: מה היה לך במזוודה?

רחל: היו לי שם בגדים. הייתה לי שִׂמלה.
היו לי שני סוודרים גדולים.
היה לי מעיל חורף. היו לי גם כמה ספרים.
והיה לי שם גם זוג נעליים. זהו. אני חושבת שזהו.

שוטר: היה לך כסף במזוודה?

רחל: כן. היו לי שם שלוש מאות וחמישים שקלים.

שוטר: היו לך תְעוּדוֹת?

רחל: לא. לא היו לי תעודות במזוודה. אני לא זוכרת מה עוד היה לי שם.

שוטר: את יודעת איפה שַׂמְת את המזוודה, ומתי?

רחל: כן, בטח, בתחנה המרכזית בבאר שבע. אתמול בבוקר.

שוטר: מה היה התַאֲרִיך אתמול?

רחל: אחד ביולי. שמתי את המזוודה ליד תחנת האוטובוס לירושלים והלכתי
לשתות קפה, חזרתי, והמזוודה לא הייתה.

שוטר: טוב, רגע, אני חושב שאת לא צריכה לחפש. הינה המזוודה שלך.

רחל: אוי, תודה רבה, תודה, באמת תודה. אני שמחה כל כך. אין לי מילים.
אני לא מַאֲמִינָה. אוי תודה. איך זה יכול להיות? איזה יופי! נהדר.
איזה מזל! כָּל הַכָּבוֹד! תודה רבה!

שוטר: טוב. טוב. בסדר. שלום. להתראות.

ב) **כתבו את טופס המשטרה לפי השיחה בין רחל ובין השוטר.**

Write the police report according to the conversation between רחל and the policeman.

התאריך: ___________

השם: ______________________

הכתובת: ______________________

המקום: ______________________

הזמן: ______________________

שם השוטר ______________________

ג) **המחיזו שיחה דומה עם שוטר על משהו שאבד לכם.**

Dramatize a similar conversation with a policeman about something you lost.

6. אמרו / כתבו בעבר. Say and write the following sentences in the past tense.

דוגמה: יש לנו אוֹרחים לשבת. *היו לנו אורחים לשבת.*

1) אין לו שיעורי בית.
2) יש לי קשר חזק עם המשפחה.
3) אין להם מזל.
4) יש לכם תנאים טובים בעבודה.
5) אין לנו שום דבר.
6) אין לה שם מיוחד.
7) יש להם פרחים נהדרים בגינה.
8) אין לך תוכניות הערב?
9) יש להן רעיון מעניין.
10) לרותי ולרינה יש פגישה חשובה.
11) איזו מכונית יש לך?
12) כמה כסף יש לה?
13) למלכת אנגליה יש הרבה ארמונות גדולים.
14) אין לי מזוודה מספיק גדולה.

7. א) אמרו - מי זה היה? Say – who was this person?

1) לא היה אדם יותר חכם מהאיש הזה. הוא ידע לדבר עם חַיוֹת. היו לו אלף נשים. היו לו קשרים עם הרבה ארצות.
2) היו לו שנים עשר ילדים. היו לו שתי נשים. הוא היה דתי, והוא כתב מוזיקה נהדרת.
3) היה לו אַי קיו 180. הייתה לו תאוריה חשובה בפִיזִיקָה. הוא היה איש חכם ואדם פשוט.
4) היו לו ארמונות בקיסריה, במצדה, ביריחו ובמקומות אחרים בארץ ישראל. היו לו קשרים טובים עם הרומאים. היו לו צרות גדולות במשפחה.
5) לא הייתה להם אימא. הייתה להם פגישה לא נעימה עם אישה רעה. לאישה הרעה היה בית מתוק משוקולד. האחים גְרִים כתבו את הסיפור שלהם. לסיפור שלהם היה סוף טוב.

ב) כתבו שתי חידות נוספות ושאלו את חבריכם מי זה.
Write two more riddles and ask your friends who these people were.

אל יאללה, ביי!

העבירו קו בין ביטויי הסלנג, האיורים וההסבר של הביטויים.

Draw a line between the slang expressions, their matching illustrations, and the explanations of the expressions.

1) היו לו ציפורים בראש. — הוא לא היה חכם מי יודע מה, אבל הלך לו טוב.

2) היו לו פרפרים בבטן. — היו לו כל מיני רעיונות משוגעים.

3) היה לו יותר מזל משכל. — הוא פחד מאוד.

תִּהְיֶה בָּרִיא!
תִּהְיִי בְּרִיאָה!
תִּהְיוּ בְּרִיאִים!

.8 א) מה קרה לרונית?

רחל: רונית, מה שלומך?
רונית: לא טוב.
רחל: מה קרה?
רונית: כּוֹאֵב לי הראש, כואבת לי הבטן. כואבות לי הידיים וכואב לי הגב. כואב לי כל הגוף. אני מרגישה כל כך רע!
רחל: את צריכה ללכת לרופא.
רונית: כן. אני הולכת עכשיו.
רחל: תִּהְיִי בריאה!

מן המקורות

רְפוּאָה שְׁלֵמָה! (מתוך תפילת עמידה)

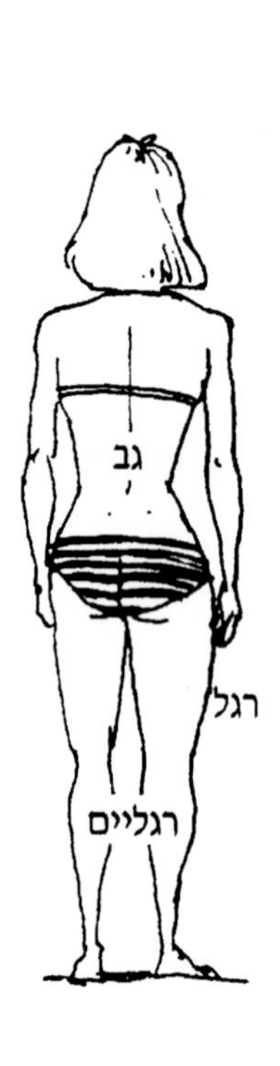

		הראש
כואב	לי	הגוף
	לך	הגב
	לך	- - - -
	לו	הבטן
כואבת	לה	העין
	לנו	הרגל
	לכם	- - - -
	לכן	הידיים
כואבות	להם	הרגליים
	להן	השיניים
		- - - -

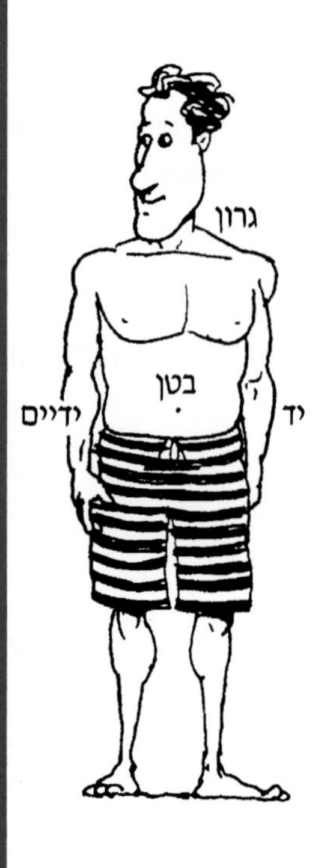

ב) סמנו בטבלה - מה כואב לרונית?

Underline in the table above. מה כואב לרונית?

ג) כתבו - מה היה לה?

Write - מה היה לה?

דוגמה: היה לה כאב ראש.

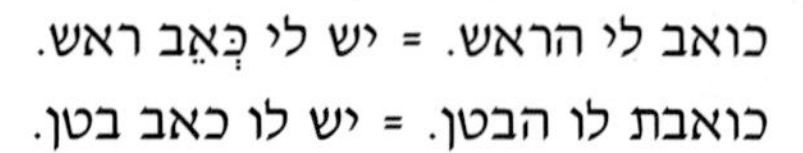

כואב לי הראש. = יש לי כְּאֵב ראש.

כואבת לו הבטן. = יש לו כאב בטן.

כואבות לה השיניים. = יש לה כאב שיניים.

הצורה **כואבים** לא נכללת בטבלה, כי יש מעט שמות איברים בזכר-רבים.

Due to the scarcity of names of body organs in the plural masculine form, they were not included in this table.

ד) רונית חולה

ד"ר צמח: שלום.

רונית: בוקר טוב.

ד"ר צמח: מה שלומך?

רונית: לא טוב, דוקטור. אני מרגישה לא טוב כל השבוע. היו לי כאבים בכל הגוף.

ד"ר צמח: היה לך חום?

רונית: כן, אבל לא חום גבוה.

ד"ר צמח: לקחת אָקָמוֹל?

רונית: כן, פעם ביום.

ד"ר צמח: טוב, זה לא נורא. את לא צריכה לִשְׁכַּב במיטה, אבל את צריכה לנוח, לשתות מיץ תפוזים, לאכול מרק חם ולחשוב שאת רוצה להיות בריאה.

רונית: מתי אני יכולה לחזור לעבודה?

ד"ר צמח: בְּעוֹד שלושה ימים.

רונית: תודה. שלום.

ד"ר צמח: שלום, שלום. תהיי בריאה!

מה רונית עושה?

— אז מה אמר לך הרופא?

— לנוח ולשתות מיץ תפוזים.

— את זה גם סבתא שלי אומרת.

ה) **המחיזו שיחה בין רופא ובין חולה. לחולה יש כאב ראש והוא לא יכול ללמוד ולעבוד.**

Dramatize a dialogue between a doctor and a patient. The patient has a headache and can't study or work.

מן המקורות

אֵל נָא רְפָא נָא לָהּ: (במדבר י"ב, 13) (נא = בבקשה)

9. א) הרמב"ם - רבנו משה בן מימון

הרמב"ם 1204-1135

הרמב"ם נולד בספרד וחי הרבה שנים במצרים. הוא היה רופא גדול ופילוסוף חשוב. הוא כתב ספרים בפילוסופיה יהודית, ספרים על התורה ועל המשנה. הוא כתב גם ספרי רְפוּאָה חשובים. הספרים המפורסמים שלו הם: "מוֹרֵה נְבוּכִים", "הַיָּד הַחֲזָקָה", ו"סֵפֶר הַמָּאוֹר". הוא כתב את הספרים שלו בערבית. רק את "הַיָּד הַחֲזָקָה" הוא כתב בעברית. עד היום לומדים את הרמב"ם ועל הרמב"ם באוניברסיטאות בארץ ובעולם.

לרמב"ם הייתה תאוריה על הקשר בֵּין הפילוסופיה היוונית והדָּת היהודית. הוא חשב שהרעיונות של אריסטו קרובים לדת היהודית. הוא אמר שהדרך להיות אדם טוב ולעשות טוב היא ללמוד, להבין, לדעת ולְהַאֲמִין. רק אדם חכם ומאמין יכול להיות אדם טוב.

הרמב"ם היה רופא גוף ונֶפֶש. הוא אמר שיש קשר בין כאבי הגוף ובעיות הנפש. הוא חשב שכל אדם צריך למצוא את דרך האמצע בחיים שלו. דרך האמצע היא לא הרבה ולא מעט, לא מהר ולא לאט. אנשים יכולים למצוא את דרך האמצע שלהם בחיי היומיום; באוכל, בעבודה, בחיי המשפחה וגם בקשרים עם אנשים אחרים, בדת ובהֲלָכָה.

"מִמֹּשֶׁה עד מֹשֶׁה לֹא קם כְּמֹשֶׁה".

(כְּ... = כמו)

המשפט "ממשה עד משה לא קם כמשה" אומר:

The meaning of the sentence "ממשה עד משה לא קם כמשה" is:

א) הרמב"ם היה גדול יותר ממשה רַבֵּנוּ.

ב) הרמב"ם ומשה רבנו היו אנשים גדולים מאוד.

ג) לא היה אדם גדול כמו משה רבנו.

ב) הרמב"ם מצא קשרים בין כוחות מנוגדים בחיים.

מצאו את הניגוד של המילים האלה בטקסט וכתבו מה אומר הרמב"ם על הקשר ביניהם.

(הרמב"ם Maimonides) found connections between opposing forces in life. Find the opposites of these words in the text, and write what הרמב"ם says about those connections.

נפש אריסטו לדעת וללמוד חיי יומיום

ג) **שוחחו על דרך האמצע שלכם בנושאים שונים: כסף, בריאות, פוליטיקה, רגשות ורעיונות.**

Discuss your "middle way" in different matters: money, health, politics, emotions, and ideas.

אל יאללה, היי!

סדרו את הביטויים בשתי קבוצות - 1) מחולה לבריא 2) מבריא לחולה.

Arrange the following expressions into two groups - 1) from ill to healthy. 2) from healthy to ill.

- כבר פחות כואב לי.
- לא יכול להיות יותר רע.
- לאט לאט אני יוצא מזה.
- אני חושב שאני הולך להיות חולה.
- הכול כואב לי.
- אני מרגיש לא טוב.
- אני לא יודע מה יש לי.
- אני נורא חולה.
- אני בריא סוף סוף.

1) אני נורא חולה .... אני בריא סוף סוף.

....

2) אני בריא סוף סוף .... אני נורא חולה.

א. אוצר המילים Vocabulary

פעלים Verbs

כּוֹאֵב, לִכְאוֹב (ל...)	hurt
כּוֹבֵשׁ, לִכְבּוֹשׁ	conquer / capture
מַאֲמִין, לְהַאֲמִין	believe
עוֹזֵב, לַעֲזוֹב	leave
שׁוֹכֵב, לִשְׁכַּב	lie down

שמות תואר Adjectives

חוֹפְשִׁי, חוֹפְשִׁית	free

מילות יחס Prepositions

בֵּין	between

שמות עצם Nouns

גְבֶרֶת (נ.)	lady / Mrs.
דָת (נ.)	religion
הֲלָכָה (נ.)	rule / the Jewish law
חוֹם (ז. ר. 0)	heat / fever
כְּאֵב (ז.)	pain
כְּתוֹבֶת (נ.)	address
מִזְוָודָה (נ.)	suitcase
מִשְׁטָרָה (נ. ר. 0)	police
מְשׁוֹרֵר (ז.), מְשׁוֹרֶרֶת (נ.)	poet
נֶפֶשׁ (נ.)	soul / mind
קְהִילָה (נ.)	community
רְפוּאָה (נ. ר. 0)	medicine
שׁוֹטֵר (ז.), שׁוֹטֶרֶת (נ.)	policeman, policewoman
שִׂמְחָה (נ.), שְׂמָחוֹת	happiness / festivity
תַּאֲרִיךְ (ז.)	date
תְעוּדָה (נ.)	certificate / document
תְקוּפָה (נ.)	period / era

מילים לועזיות Foreign words

אַי-קְיוּ	I.Q.
אָקָמוֹל (ז.)	Acamol (pain killer brand)
מוּסְלְמִי (ז.), מוּסְלְמִית (נ.)	Muslim
אוֹטוֹנוֹמִי, אוֹטוֹנוֹמִית ש״ת	autonomous
פִיזִיקָה (נ. ר. 0)	physics

שונות
Miscellaneous

frequenter (member of the family)	בֵּן בַּיִת (ז.)
in a... (indicating time)	בְּעוֹד מ״ח
this evening	הָעֶרֶב ת״פ
Bravo!	כָּל הַכָּבוֹד! ב.
a little / few	מְעַט
close to / near	קָרוֹב ל... ת״פ
"get well" (m.)	תִּהְיֶה בָּרִיא!
"get well" (f.)	תִּהְיִי בְּרִיאָה!
"get well" (m.pl.)	תִּהְיוּ בְּרִיאִים!
"get well" (f.pl.)	תִּהְיוּ בְּרִיאוֹת!

ב. הנושאים הלשוניים — Grammatical topics

Syntax: Past tense nominal sentences (cont.) — תחביר: משפטים שמניים בעבר (המשך)

א. עבר של יש / אין - — יש / אין in the past tense - example:

דוגמה: פעם היה פה בית ספר.

ב. עבר של יש לי / אין לי - — יש לי / אין לי in the past tense - example:

דוגמה: היה לי ספר.

פסק זמן ה

1. **בחרו מתוך הרשימה את הקטגוריה המתאימה לכל קבוצה.**

Choose the appropriate category for each group, from the list below.

הקטגוריות: שפות / עצים / מדינות / חגים / כסף / ערים / זמן / חיות / מדעים / ~~בגדים~~ / ירקות / תבלינים / רהיטים / בני משפחה / מִספרים

דוגמה: מכנסיים, שמלה, מעיל ⟵ **בגדים**

1) אנגליה, בלגיה, אקוודור
2) פיזיקה, ביולוגיה, מתמטיקה
3) בזיליקום, מלח, אורגנו
4) שולחן, כיסא, מיטה
5) אפס, מיליון, אלפיים
6) סבתא, דוד, אחות
7) גזר, בצל, חסה
8) אמהרית, צרפתית, ערבית
9) תמר, זית, תאנה
10) פורים, יום כיפור, ראש השנה
11) קוף, פיל, אריה
12) ניו יורק, חיפה, מוסקווה
13) דולר, אגורה, שקל
14) שנה , שעה, דקה

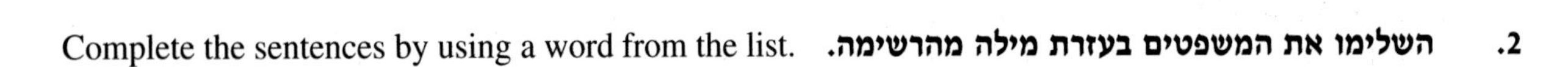

2. **השלימו את המשפטים בעזרת מילה מהרשימה.** Complete the sentences by using a word from the list.

דוגמה: שער בחומה **ל**עיר כמו דלת **ל-בית.** — תחנה / ~~בית~~ / שכן / תמונה

1) מכנסיים **ל**רגליים כמו כובע **ל**_______. — פה / עיניים / ראש / גוף
2) זוכר **ל**_______ כמו הולך **ל**חוזר. — שומר / שוכח / שואל / שומע
3) תשובה **ל**שאלה כמו _______ **ל**בעיה. — שביתה / פתרון / כאב / קשה
4) רופא **ל**_______ כמו פסיכולוג **ל**שומע. — שוקל / בודק / עוזב / עונה

5) ______ **ל**מכונית כמו מורה **ל**כיתה.
6) מעיל **ל**חורף כמו חולצה קצרה **ל**______
7) שמח **ל**עצוב כמו חכם **ל**______
8) ראש עיר **ל**עיר כמו ראש ממשלה **ל**______

במאי / נהג / סופר / עיתונאי
שמלה / קיץ / התחלה / בגד ים
חזק / רעב / מאושר / טיפש
נשיא / מדינה / כוח / תוכנית

3. א) **הכסף (לא) עונה על הכול**

נָטָלִי נולדה בתל אביב לפני עשרים ושלוש שנים ויש לה הכול.
ההורים של נטלי קונים תמיד דברים יפים, נוחים, טעימים ויקרים. בבית של נטלי יש מיטות מיוחדות מצרפת, כמו של לוּאִי הארבע עשרה, כיסאות פוסט-מודרניים כמו בבתי עשירים באיטליה או בשוויץ וצלחות מאנגליה או מאמריקה. את הלחם קונים תמיד בחנויות מיוחדות ללחמים, והגבינה היא או איטלקית או צרפתית. ההורים של נטלי קונים תמיד דברים עם שם מפורסם. הם חושבים שכסף הוא דבר חשוב מאוד בחיים, ו"הכסף עונה על הכול".

בגיל 20, אחרי הצבא, עזבה נטלי את הבית. היא לא הלכה ללמוד באוניברסיטה וגם לא נסעה לחו"ל. היא הלכה לגור עם קבוצה של אנשים מיוחדים עם שם מיוחד - הָאֲנַרְכִיסְטִים הישראלים.
האנרכיסטים האלה חושבים, שאין להם מקום בבית של ההורים.
הם אומרים: ההורים שלנו חושבים שאנחנו צריכים ללמוד - לא חשוב מה - לבנות קריירה ולהצליח. לחברה המודרנית יש אידאל אחד, והוא - כסף.
אנשים קונים ומוכרים, קונים ומוכרים ולא חושבים מה הם צריכים באמת. אנחנו לא מחפשים קריירה. אנחנו לא רוצים לקנות שום דבר.
אנחנו רוצים לבנות עולם בלי קניונים ובלי חנויות. אנחנו רוצים לחיות חיים פשוטים ולעזור לאנשים אחרים. אנחנו מאמינים שאנחנו צריכים לשמור על העולם - על החיות, על הצמחים ועל האנשים.

חשבו באיזו קבוצה אתם - יאפים כמו ההורים של נטלי, אנרכיסטים, או לא זה ולא זה - באמצע.

ב) **קראו את המשפטים, סמנו ✓ ליד המשפטים שמתאימים לכם וסמנו בעיגול את מספר הנקודות שקיבלתם בכל משפט.**

Read the sentences, put a check mark by the sentences that fit you the most, and circle the points you got for each sentence.

ג) **חברו את מספר הנקודות שקיבלתם בכל המשפטים, ותדעו לאיזו קבוצה אתם שייכים - האנרכיסטים, אנשי דרך האמצע או יאפים, כמו ההורים של נטלי.**

Add the number of points you got for all the sentences and find out what group you belong to - the anarchists, the middle of the road people or the yuppies, like נטלי's parents.

1) אתם הולכים למסעדה פעם בשבוע. (3 נקודות)
אתם הולכים למסעדה פעם בשנה. (2 נקודות)
אתם לא הולכים למסעדות. (1 נקודות)

2) אתם קונים תמיד בגדים יקרים וטובים. (3 נקודות)
אתם אוהבים לקנות בגדים, אבל קונים מעט. (2 נקודות)
אתם קונים רק בגדים ישנים מיד שנייה. (1 נקודות)

3) אתם קונים הכול בלי לבדוק כמה זה עולה. (3 נקודות)
לפעמים אתם בודקים בחנויות שונות כמה זה עולה. (2 נקודות)
אתם לא בודקים כמה זה עולה, כי אתם לא קונים. (1 נקודות)

4) האידאל שלכם - לעשות כסף. (3 נקודות)
האידאל שלכם - לעשות חיים. (2 נקודות)
האידאל שלכם - לעזור לאחרים. (1 נקודות)

5) אתם מאמינים, שהבגדים עושים את האדם. (3 נקודות)
אתם מאמינים, שהמזל עושה את האדם. (2 נקודות)
אתם מאמינים, שהאדם עושה את העולם. (1 נקודות)

באיזו קבוצה אתם?

קיבלתם 1-5 נקודות - אתם בקבוצת האנרכיסטים.

קיבלתם 5-10 נקודות - אתם במקום טוב באמצע.

קיבלתם 10-15 נקודות - אתם יאפים.

4. מה נשמע?

לפניכם חצאי שיחות. השלימו אותן.

Complete the conversations.

1) - גילה, מה נשמע?
- ______
- מה את אומרת? יש לך חום?
- ______
- תהיי בריאה!

2) - גילה, מה נשמע?
- ______
- כן, אני יודעת שאת לומדת כל היום. איך הייתה הבחינה?
- ______
- כל הכבוד.

3) - גילה, מה נשמע?
- ______
- אני מרגיש מצוין. את שומעת, יש לי כרטיס לקונצרט.
- ______
- הקונצרט ביום חמישי. הכול באך. את יכולה לבוא?
- ______

- חבל.

4) - גילה, מה נשמע?
- ______
- איזה ספר?
- ______
- לא, לא קראתי אותו. את יכולה לתת לי אותו לסוף השבוע?
- ______
- תודה רבה.

5. א) **למה?**

אבא ובן הלכו יחד במדבר. הם הלכו והלכו.

פתאום שאל הבן: אבא, למה שתיים ועוד שתיים הם ארבע?

ענה האב: אני לא יודע.

הם הלכו עוד קצת, והבן שאל: אבא, למה לכל האנשים יש רק ראש אחד?

ענה האב: אני באמת לא יודע.

הלכו והלכו והבן שאל שוב: למה יש לילה?

ענה האב: אני מצטער, בְּנִי, גם על השאלה הזאת אני לא יודע לענות.

בני = הבן שלי

אמר הבן: אבא, יש לי עוד הרבה שאלות. אני יכול לשאול? אתה לא כועס?

ענה האב: לא, בני, אני לא כועס. אתה רוצה לדעת, אז אתה צריך לשאול.

? מה אתם חושבים על הסיפור?

ב) **השלימו את המילים החסרות.** Complete the missing words.

השאלות הגדולות של הילדים הקטנים

ילדים בני שלוש או ארבע אוהבים לשאול - למה?
למשל: _________ יש לזברה שני צבעים? למה
אנחנו צריכים לאכול? וגם שאלות פילוסופיות, כמו:
למה אנחנו לא רואים את אלוהים? למה אני בן
ולא _________? או: למה אני בת ולא בן?
הפסיכולוגים אומרים: ה_________ שואלים כי
הם רוצים ללמוד; הם רוצים לדעת מה יש ומה אין,
מה _________ ומה לא נכון. הם רוצים להבין
את הכול.

הפסיכולוג הרוסי, קוֹרְנֵאי צִ'יוּקוֹבְסְקִי כתב: ההורים צריכים לענות לילדים על כל ה______.
ילדים לומדים מכל תשובה וגם מהדרך של ה_________.
לא תמיד צריכים ההורים לספר לילדים את כל האמת, אבל הם _________ להסביר להם ולהגיד להם לשאול עוד ועוד שאלות.
רק כך לומדים הילדים לא לפחוד ולשאול. ילד מפסיק לשאול, כי הוא פוחד, ואז הוא גם _________ לחשוב.

? כתבו עוד שאלות גדולות של ילדים קטנים.

/ **חיה שנהב**

שׁוֹאֶלֶת שְׁאֵלוֹת פְּשׁוּטוֹת מְאוֹד
שְׁאֵלוֹת שֶׁל הַתְחָלָה:
עַל הוֹרִים, עַל אֱלוֹהִים
וְעַל אַהֲבָה.
לֹא, הִיא אוֹמֶרֶת, לֹא,
אֲנִי עוֹד לֹא מְבִינָה.

1) מה אתם חושבים, מה שם השיר?
2) למה חיה שנהב בחרה את השם הזה לשיר? שם השיר: שאלות

6\. א) **חבל ש...**
מזל ש...
טוב ש...

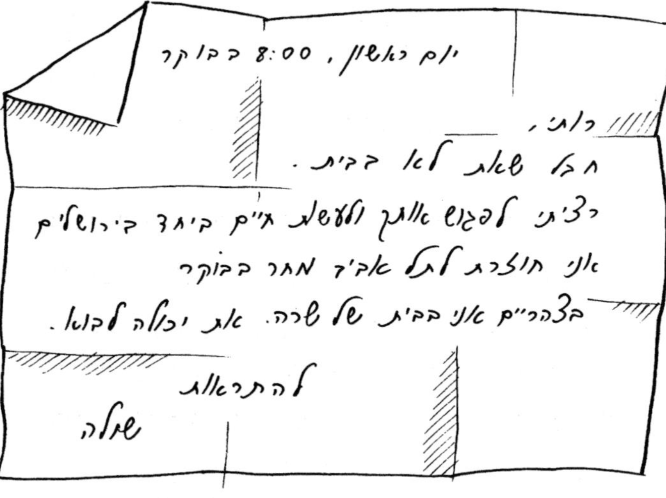

יום ראשון, 8:00 בבוקר

רותי,
חבל שאת לא בבית.
רציתי לפגוש אותך ולעשות [illegible] ביחד בירושלים
אני חוזרת לתל אביב מחר בבוקר
בצהריים אני בבית של שרה. את יכולה לבוא.

להתראות
שולה

יום ראשון 13:00 בצהריים

שולה,
מזל שבאת. בערב יש מסיבה אצל תמי.
אבל איפה את עכשיו? בטח הלכת עם שרה
לקניון החדש.
טוב שאתן מטיילות ולא יושבות בבית ביום כל כך יפה
אני באה בתשע בערב לקחת אתכן למסיבה

להתראות
רותי.

ב) **באתם לבית של חבר ללמוד איתו, אבל הוא לא בבית. כתבו לו פתק.**
You arrive at a friend's house in order to study with him, but he is not at home.
Write him a note.

השתמשו ב- חבל ש..., מזל ש..., טוב ש... Use:

אֵיזֶה מַזָּל / חגית בנזימן

אֵיזֶה מַזָּל שֶׁסַּבָּא פָּגַשׁ בְּסַבְתָּא
וְחָשַׁב שֶׁהִיא נֶחְמָדָה.
אֵיזֶה מַזָּל שֶׁהֵם הִתְחַתְּנוּ
וְאִימָא נוֹלְדָה.
אֵיזֶה מַזָּל שֶׁהַהוֹרִים שֶׁל אַבָּא
נִפְגְּשׁוּ זוֹ עִם זֶה
אֵיזֶה מַזָּל שֶׁנּוֹלַד
דַּוְקָא הָאַבָּא הַזֶּה.
אֵיזֶה מַזָּל שֶׁאִימָא וְאַבָּא
נִפְגְּשׁוּ גַּם הֵם.
אֵיזֶה מַזָּל שֶׁנּוֹלַדְתִּי
וַאֲנִי הַבֵּן שֶׁלָּהֶם.

1) מה אתם חושבים, זה שיר שמח או עצוב? למה?

2) כתבו שיר אחר. **איזה מזל ש...** או: **כמה חבל ש...** Write another poem.

שיעור 25

1. **בניין פִּיעֵל - גזרת השלמים - זמן עבר** — פִּיעֵל conjugation - strong verb - past tense

	הפועל **לְדַבֵּר** בזמן עבר			לְ□ַ□ֵ□		
	ז.	ז./נ.	נ.	ז.	ז./נ.	נ.
י.	(אתה) **דִּיבַּרְתָּ** הוא **דִּיבֵּר**	(אני) **דִּיבַּרְתִּי**	(את) **דִּיבַּרְתְּ** היא **דִּיבְּרָה**	□ִי□ַ□ְתָּ □ִי□ֵ□	□ִי□ַ□ְתִּי	□ִי□ַ□ְתְּ □ִי□ְ□ָה
ר.	(אתם) **דִּיבַּרְתֶּם**	(אנחנו) **דִּיבַּרְנוּ** הם / הן **דִּיבְּרוּ**	(אתן) **דִּיבַּרְתֶּן**	□ִי□ַ□ְתֶּם	□ִי□ַ□ְנוּ □ִי□ְ□וּ	□ִי□ַ□ְתֶּן

וגם: בִּיקֵר, בִּיקֵשׁ, חִיפֵּשׂ, טִיֵּיל, לִימֵּד, סִיפֵּר, קִיבֵּל, שִׁילֵּם, טִלְפֵּן

(1

דוגמות:

- אבא **מְסַפֵּר** לנו סיפור כל ערב. אתמול הוא **סִיפֵּר** את "סינדרלה".
- השנה **אֲנַחְנוּ** מטיילים באירופה. לפני שנה **טִיַּילְנוּ** באפריקה.
- הן **מְבַקְּרוֹת** במוזאון פעם בשבוע. השבוע הן **בִּיקְּרוּ** במוזאון פעמיים.
- אימא שלי **מְלַמֶּדֶת** אותי הרבה דברים. בגיל חמש היא **לִימְּדָה** אותי לקרוא ולכתוב.
- הרופאים **מְחַפְּשִׂים** היום תְּרוּפָה לאיידס. בשנות החמישים **חִיפְּשׂוּ** תרופה למחלת הפּוֹלְיוֹ.
- **בִּיקַּשְׁתָּ** ולא **קִיבַּלְתָּ?** אתה בטוח שאמרת "בבקשה"?
- בֶּן דוד שלי מתחתן היום, ואני לא יכול לבוא לחתונה, לכן **טִלְפַּנְתִּי** להגיד לו מזל טוב.

אז למה הישראלים אומרים: טִלְפַנְתִּי, יְטַלְפֵן ולא: טלפנתי לטלפן?

2. א) **כתבו את הפעלים בטבלה בזמן עבר.**

Write the verbs in the table in the past tense.

אני	אתה	את	הוא	היא	אנחנו	אתם	אתן	הם / הן
ביקשתי	______	______	______	______	______	______	______	______
______	טיילת	______	______	______	______	______	______	______
______	______	חיפשת	______	______	______	______	______	______
______	______	______	שילם	______	______	______	______	______
______	______	______	______	לימדה	______	______	______	______
______	______	______	______	______	ביקרנו	______	______	______
______	______	______	______	______	______	טלפנתם	______	______
______	______	______	______	______	______	______	סיפרתן	______
______	______	______	______	______	______	______	______	קיבלו

ב) **מצאו במילון את משמעות הפועל לְסַדֵּר, וכתבו את הנטייה שלו בעבר.**

Look up the meaning of the verb לסדר in the dictionary, and write down its past tense conjugation.

ג) **שבצו את הפועל בזמן עבר וקראו את המשפטים.**

Complete the sentences with past tense verbs and read them.

דוגמה: - בבקשה לא לדבר כל כך הרבה בטלפון.

- אבל לא ***דיברתי*** הרבה; רק עם אברהם, ועם יצחק, ועם יעקב ועם...

1) - דני, אתה לא צריך לשלם; רותי כבר שילמה______.

2) היום גדי ורינה רוצים לטייל בירושלים. הם לא טיילו______ שם הרבה זמן.

3) - ילדים, מתי אתם הולכים לבקר את דודה רחל?

- כבר ביקרנו______ אותה לפני חודש.

4) רן רוצה לספר היום על הטיול ליפן. אתמול אסתר סיפרה על הטיול להודו.

5) פרופסור לוי רוצה ללמד פה. לפני שנה הוא לימד______ בסין.

6) - משה, איפה אתה? אני מחפש אותך כל היום! גם אתמול חיפשתי אותך.

7) האחות שלי אוהבת לקבל מתנות. איזה מזל שביום ההולדת שלה, לפני שבוע, היא קיבלה______ הרבה מתנות.

8) הם רוצים לטלפן להורים בחוץ לארץ.

אתמול הם טלפנו______ שלוש פעמים.

מן המקורות

קוֹל דּוֹדִי הִנֵּה־זֶה בָּא מְדַלֵּג עַל־הֶהָרִים מְקַפֵּץ עַל־הַגְּבָעוֹת: (שיר השירים ב 8)

"מדלג" - אתמול הוא ____ .

"מקפץ" - אתמול הוא ____ .

.3 א) **מה עושה ישראלי בלונדון**

הוא מטייל ברחובות ומבקר במוזאונים. הוא מחפש את המסעדה הסינית המפורסמת (כי גם מוישלֶה היה שם). הוא פוגש ברחוב חבר מישראל, והם מספרים אחד לשני לאן הם הולכים, איפה הם אוכלים וכמה הם משלמים בכל מקום. בערב הוא הולך לתאטרון ושוב מטייל ברחובות. כל יום הוא מטלפן הביתה, לישראל, לדעת מה נשמע בבית.

ב) **אמרו את הקטע בעבר.** Say the passage in the past tense.

הוא טייל...

ג) **כתבו קטע דומה: מה עושה ישראלית בניו יורק?** Write a similar passage in feminine.

.4 **חיפוש במילון**

א. כתבו את הערך המילוני של הפעלים המודגשים וחפשו אותם במילון.

Look up the highlighted verbs in the dictionary and copy their definitions.

ב. קראו את השאלות וענו עליהן. היעזרו ברשימת האנשים המפורסמים:

Read the questions and answer them. Use the list of famous people.

לודוויג ואן בטהובן / דויד המלך / מיכלאנג'לו / ליאונרדו דה וינצ'י / רוברטו בניני

בטהובן

המונה ליזה
ליאונרדו דה וינצ'י

דויד - מיכלאנג'לו

1) מי **צייר** את ה"מונה ליזה" (הוא חי באיטליה במאה ה-15)?

2) מי **חיבר** את הסימפוניה התשיעית (הוא חי במאה ה-19)?

3) מי **פיסל** את דויד ואת משה (הוא חי באיטליה במאה ה-15)

4) מי **שיחק** בסרט "החיים יפים" וגם **ביים** אותו?

5) מי **ניגן** לשאול המלך (לפי הסיפור בתנ"ך)?

מן המקורות

מצאו במילון את משמעות הפעלים בבניין פִּיעֵל. האם יש הבדל ביניהם ובין הפעלים באותו שורש בבניין קל?

Look up the dictionary definitions of the verbs in the פִּיעֵל conjugation. Can you find a difference between them and the verbs of the same root in the basic stem (פָּעַל conjugation)?

לִצְחוֹק	**לָ֥מָּה זֶּה֩ צָחֲקָ֨ה שָׂרָ֜ה**	(בראשית יח 13)
לְצַחֵק	**וַתֵּ֨רֶא שָׂרָ֜ה אֶֽת־בֶּן־הָגָ֧ר הַמִּצְרִ֛ית אֲשֶׁר־יָלְדָ֥ה לְאַבְרָהָ֖ם מְצַחֵֽק׃**	(בראשית כא 9)
לִשְׁבּוֹר	**וַֽיִּגְּשׁ֖וּ לִשְׁבֹּ֥ר הַדָּֽלֶת׃**	(בראשית יט 9)
לְשַׁבֵּר	**עַל־הַלֻּחֹ֥ת הָרִאשֹׁנִ֖ים אֲשֶׁ֥ר שִׁבַּֽרְתָּ׃**	(שמות לד 1)
לִשְׁלוֹחַ	**וְאֶת־בִּנְיָמִין֙ אֲחִ֣י יוֹסֵ֔ף לֹא־שָׁלַ֥ח יַעֲקֹ֖ב**	(בראשית מב 4)
לְשַׁלֵּחַ	**וְשִׁלַּ֥ח אֶת־בְּנֵֽי־יִשְׂרָאֵ֖ל מֵאַרְצֽוֹ׃**	(שמות ז 2)
לִרְקוֹד	**הֶ֭הָרִים רָקְד֣וּ כְאֵילִ֑ים גְּ֝בָע֗וֹת כִּבְנֵי־צֹֽאן׃**	(תהילים קיד 4)
לְרַקֵּד / לְשַׂחֵק	**וַתֵּ֗רֶא אֶת־הַמֶּ֤לֶךְ דָּוִיד֙ מְרַקֵּ֣ד וּמְשַׂחֵ֔ק וַתִּ֥בֶז ל֖וֹ בְּלִבָּֽהּ׃**	(דברי הימים א טו 29)
לִשְׂחוֹק	**עֵ֤ת לִבְכּוֹת֙ וְעֵ֣ת לִשְׂח֔וֹק**	(קהלת ג 4)

5. א) הר כַּרְכּוֹם - הר סיני?

פרופסור ענתי

איפה דיבר אלוהים עם משה? איפה קיבלו בני ישראל את התורה? איפה שָׁבַר משה את לוחות הַבְּרִית? או במילים אחרות - איפה הר סיני?

הוִויכּוּחַ על מקום הר סיני הוא בן יותר מאלף וחמש מאות שנה. שנים רבות טיילו אנשים במדבר סיני וחיפשו את ההר הזה. הם חיפשו אותו במדבר סיני, כי התּוֹרָה מספרת על הר

בשם "סיני".
חוקרים בארץ ובעולם חשבו בעָבָר וחושבים גם היום שהר סַנְטָה קָתרִינָה, או אחד ההרים הקרובים לו הוא הר סיני.
אלפי מַאֲמִינִים מכל העולם באים לסַנְטָה קָתרִינָה כל שנה, עולים להר, רואים את הנוף היפה ובטוחים שזה הר קָדוֹש, אבל הגאולוג, פרופ׳ עמנואל ענתי לא חושב כך.

הר כרכום, 2000

הוא חושב שהמקום לא מתאים לסיפור בתורה. לפי הסיפור התנ"כי, הר סיני הוא בין ארץ מִדְיָן לארץ מצריים. בתנ"ך מספרים שהיו אחת עשרה תחנות בדרך ממצריים להר סיני. שנים עשר השְׁבָטִים עברו בתחנות האלה ואחר כך באו להר וקיבלו את התורה.
פרופ׳ ענתי חושב שהר כרכום בנגב הוא בְּדִיּוּק בין ארץ מדין לארץ מצריים. בדרך להר כרכום יש אחד עשר מקומות עם מים, ובהר יש שנים עשר עַמּוּדֵי סֶלַע, כמו המספר של שנים עשר השבטים. בהר כרכום מצא פרופ׳ ענתי ארבעים אלף ציורי סלע וגם אֲבָנִים לאלף מִקְדָּשִׁים מתקופות עתיקות.

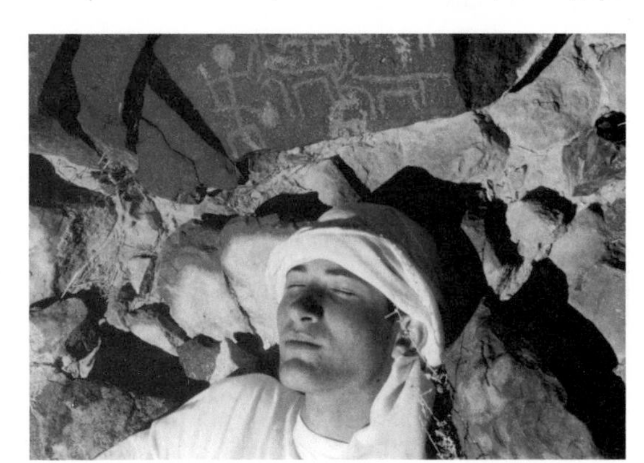
מטייל בהר כרכום

הוויכוח בין גאולוגים וגאוגרפים ובין פרופ׳ ענתי הוא על התאריכים ההיסטוריים של המקדשים ושל ציורי הסלע על ההר, ועל השאלה - מתי עברו בני ישראל במדבר. חוקרים רבים לא מסכימים עם פרופ׳ ענתי. הם אומרים שהאבנים והציורים על הסלעים בהר כרכום הם לא מהתְּקוּפָה של משה ובני ישראל.

ב) ענו לפי הטקסט. Answer according to the text.

1) מה הם המספרים האלה בטקסט?
1500, 40000, 1000, 11, 12 .

2) **כתבו 4-5 פתיחות למשפט הזה לפי הטקסט:**
פרופסור ענתי אומר: .... לָכֵן הר כרכום הוא הר סיני.

3) אנשים טיילו להר כרכום, ואחרי הטיול סיפרו על המקום לחברים שלהם.
מה הם סיפרו?

4) מה אתם חושבים: מה פרופ׳ ענתי והחוקרים האחרים יכולים עוד למצוא על ההר?

ג) מכתב לעיתון

שלום רב!

אוגוסט 2000

לפני שבוע הייתי בקונגרס גאולוגים בחו"ל. בקונגרס שמעתי על התאוריה המעניינת של פרופ' ענתי. הוא חושב שהר כרכום הוא הר סיני, כי לפי התנ"ך הר סיני הוא בין ארץ מצרים ובין ארץ מדין, אבל יש בעיה: אנחנו לא יודעים איפה בדיוק הייתה ארץ מִדין. פרופ' ענתי אומר שהוא מצא על הר כרכום מקדשים בני אלפי שנים, אבל איך הוא יודע שהם באמת עתיקים כל כך? אני חושב שזאת טעות גדולה.

פרופ' אברהם כהן

ד) המחיזו שיחה בין פרופ' ענתי ובין גאולוג המתנגד לו.

Dramatize a dialogue between professor ענתי and a geologist who objects to his views.

.6

הֲכִי

אני הכי גבוהה!

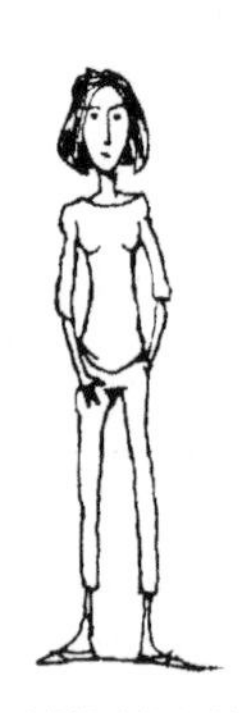

מה פתאום! אני הכי גבוהה!

שטויות! אני הכי גבוה!

א) חפשו בספר השיאים של גינס והשלימו את המשפטים.

Complete the sentences by looking up the facts in the Guinness Book of World Records.

1) ההר הכי גבוה בעולם הוא _______.

2) המקום הכי נמוך בעולם הוא _______.

3) העיר הכי עתיקה בעולם היא _______.

4) המדינה הכי קטנה בעולם היא _______.

5) הספר הכי פופולרי בעולם הוא _______.

תשובות - ים המלח / התנ"ך / יריחו / הוותיקן / האוורסט

ב) אמרו זה לזה עוד 5 משפטים להשלמה:

Say five more sentences to be completed by one of your classmates.

דוגמה: האוכל הכי טוב בעולם הוא...

המקום הכי יפה בעולם הוא...

7. א) קראו את הקטע והשלימו את המילים החסרות. Read the text and coplete the missing words.

יְרִיחוֹ

יריחו היא עיר מפורסמת, כי היא העיר הכי נמוכה בעולם. הארכאולוגים מצאו שביריחו היו תוֹשָׁבִים כבר באלף התשיעי לפני הספירה, ולכן היא אולי ה ____ הראשונה בעולם.
לפי הסיפור התנ״כי בספר יהושע הייתה מסביב לעיר _______ של אבנים.
ביריחו יש ______ מיוחד: בקיץ חם שם מאוד אבל בחורף נעים, לכן תמיד באו ליריחו הרבה תיירים ב_______ . אנשים עשירים_______ שם בתי חורף יפים וארמונות חורף בתקופות שונות בהיסטוריה.
אלכסנדר ינאי ממשפחת החשמונאים (130 - 76 לפני הספירה) בנה ביריחו ______ ארמונות חורף גדולים.
הורדוס (73 - 4 לפני הספירה), מלך יהודה בזמן הרומאים, בנה שם ארמון שלישי. בארמונות ______ הרבה חדרים גדולים, וליד הארמונות היו בְּרֵיכוֹת גדולות וגנים של עצי תמר.

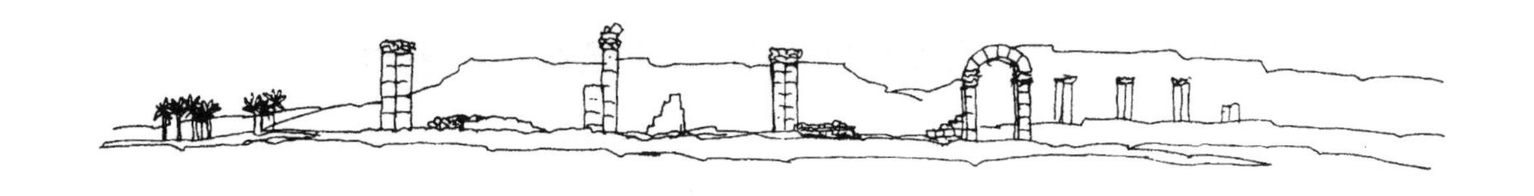

ב) אמרו - נכון או לא נכון **לפי הטקסט על יריחו.**

Say נכון - or לא נכון according to the text about Jericho.

1) ביריחו היו תושבים מהאלף השנים עשר לפני הספירה.
2) באלף התשיעי לפני הספירה הייתה חומה ביריחו.
3) ביריחו יש תמיד מזג אוויר נעים בחורף.
4) ביריחו אין תיירים בחורף.
5) ביריחו היו בתים של אנשים עשירים.
6) ארמון החורף של הורדוס היה ביריחו.
7) ביריחו לא היו מים, ולכן לא היו שם גנים.
8) בארמונות החורף של הורדוס היו בריכות מים.

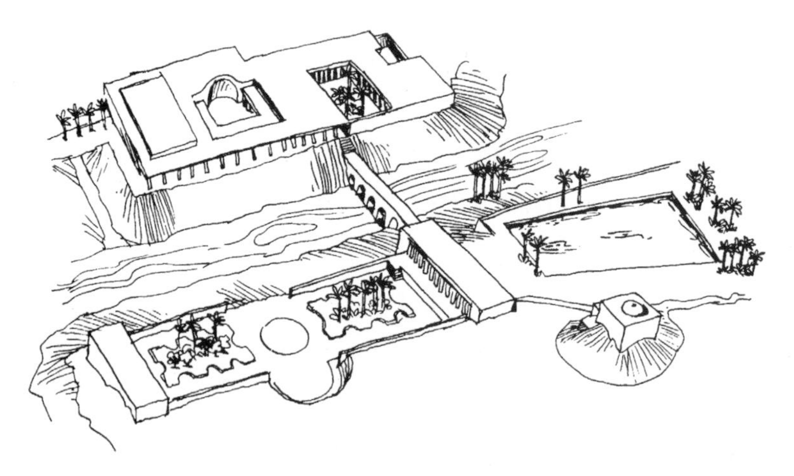

בריכה בארמון הורדוס ביריחו

אל יאללה, ביי!

שירי עם, שירי רחוב

סמנו את הפעלים בשירים ומצאו אותם במילון.

Underline the verbs in the songs, and look them up in the dictionary.

א. יוֹנָתָן הַקָּטָן

יוֹנָתָן הַקָּטָן
רָץ בַּבּוֹקֶר אֶל הַגַּן.
הוּא טִיפֵּס עַל הָעֵץ
אֶפְרוֹחִים חִיפֵּשׂ.
אוֹי וַאֲבוֹי לוֹ לַשּׁוֹבָב,
חוֹר גָּדוֹל בְּמִכְנָסָיו.
הוּא טִיפֵּס עַל הָעֵץ
אֶפְרוֹחִים חִיפֵּשׂ.

ב. שְׁנַיִים סִינִים

שְׁנַיִים סִינִים עִם כִּינּוֹר גָּדוֹל
יָשְׁבוּ לְיַד הַכְּבִישׁ וּפִטְפְּטוּ בְּקוֹל גָּדוֹל.
בָּא שׁוֹטֵר תָּפַס אוֹתָם וְזֶה הַכּוֹל
שְׁנַיִים סִינִים עִם כִּינּוֹר גָּדוֹל.

ג. מֵאֲחוֹרֵי הָהָר

מֵאֲחוֹרֵי הָהָר
אַחַת שְׁתַּיִים שָׁלוֹשׁ
שָׁם יָשְׁבוּ שְׁלוֹשָׁה גַּמָּדִים
אַחַת שְׁתַּיִים שָׁלוֹשׁ
לֹא אָכְלוּ וְלֹא שָׁתוּ
אַחַת שְׁתַּיִים שָׁלוֹשׁ
רַק יָשְׁבוּ וּפִטְפְּטוּ
אַחַת שְׁתַּיִים שָׁלוֹשׁ.

ד. אֲנִי מְנַגֵּן

אֲנִי מְנַגֵּן.
מָה אַתָּה מְנַגֵּן?
אֲנִי מְנַגֵּן
מְנַגֵּן בְּאָקוֹרְדְיוֹן,
קוֹרְדִי, קוֹרְדִי, קוֹרְדְיוֹן
אֲנִי מְנַגֵּן ...

Summary of Topics האוצר הלשוני

א. אוצר המילים Vocabulary

פעלים
Verbs

מְטַלְפֵּן, לְטַלְפֵּן	call / phone
מְלַמֵּד, לְלַמֵּד	teach
שׁוֹבֵר, לִשְׁבּוֹר	break

שמות תואר
Adjectives

זָקֵן, זְקֵנָה	old (animate)
סִינִי, סִינִית	Chinese
שׁוֹנֶה, שׁוֹנָה	different

מילים לועזיות
Foreign words

אֵיידְס (ז. ר. 0)	A.I.D.S.
גֵאוֹלוֹג (ז.), גֵאוֹלוֹגִית (נ.)	geologist
פּוֹלְיוֹ (ז. ר. 0)	Polio

שמות עצם
Nouns

בֶּן דוֹד (ז.), בַּת דוֹד (נ.)	cousin
בְּרֵיכָה (נ.)	pool
וִיכּוּחַ (ז.)	argument
מִקְדָּשׁ (ז.)	temple
סֶלַע (ז.), סְלָעִים	rock
עָבָר (ז. ר. 0)	(the) past
עַמּוּד (ז.)	pillar / pole
שֵׁבֶט (ז.), שְׁבָטִים	tribe
תּוֹשָׁב (ז.), תּוֹשֶׁבֶת (נ.)	inhabitant / resident
תְּרוּפָה (נ.)	medicine / medication

שונות
Miscellaneous

בְּדִיוּק ת״פ	exactly
הֲכִי	the most (exp. the most beautiful)
לוּחוֹת הַבְּרִית (ז. ר.)	The Tablets of the Covenant
שְׁטוּיוֹת (נ. ר.)	nonsense

ב. הנושאים הלשוניים

Grammatical topics

צורות: בניין פִּיעֵל - גזרת השלמים - זמן עבר

Morphology: פִּיעֵל conjugation - strong verb - past tense

דוגמה: דיברתי, דיברת...

שונות: ערך ההפלגה - הכי - Superlative

Miscellaneous:

דוגמה: הוא הכי גבוה בכיתה.

ג. הערות לשוניות

Grammatical notes

1) הפועל לטלפן הוא דוגמה לפועל בעל שורש מרובע (ארבע אותיות בשורש) בבניין פיעל.
נטייתו בעבר היא: טִלְפַּנְתִּי, טִלְפַּנְתָּ, טִלְפַּנְתְּ, טִלְפֵּן, טִלְפְּנָה, טִלְפַּנּוּ, טִלְפַּנְתֶּם, טִלְפַּנְתֶּן, טִלְפְּנוּ.

The verb לטלפן is an example of a quadriliteral-root verb (when the root has four letters) in the פיעל conjugation. The past tense conjugation of this verb is as shown above.

שיעור 26

1. **צירופים סתמיים עם שם פועל** Impersonal phrases combined with infinitive forms

(אי) אפשר + שם פועל

אפשר לקבל
קפה שחור, בבקשה?

א) נוּדְנִיק באוטובוס

— סליחה, אפשר לשבת כאן?
— כן.
— אפשר לפתוח חלון?
— כן.
— אפשר לקרוא את העיתון שלך?
— כן.
— אפשר לְעַשֵׁן סיגריה?
— כן.
— אפשר לאכול?
— כן.
— אפשר לישון?
— אֲדוֹנִי, אתה יכול לשבת כאן, אתה יכול לפתוח חלון, אתה יכול לקרוא את העיתון שלי, אתה יכול לעשן סיגריה, אתה יכול לאכול, ואתה יכול גם לישון פה, אבל אני לא נִשְׁאָר פה. אני עובר למקום אחר.

מה הנודניק עושה? *הוא יושב ליד מישהו...*

ב) **שתי נשים יושבות ומחכות בתור. אחת מהן היא נודניקית. המחיזו את השיחה ביניהן.**
Role play: Two women are sitting and waiting in line. One of them is a real nag...
Dramatize the dialogue between them.

ג) מה אפשר / אי אפשר לעשות בירושלים?

אמרו משפטים מהטבלה. Read sentences from the table.

	לפגוש אנשים מכל העולם.
	ללכת לעיר העתיקה.
אפשר	לעשות סקי.
אי אפשר	לבקר במוזאון ישראל.
	להתפלל ליד הכותל.
	לראות את הים התיכון.

העיר העתיקה בירושלים

דוגמה: *בירושלים אפשר לפגוש אנשים מכל העולם.*

2. א) **אמרו - אפשר או אי אפשר** - Complete the sentences by saying

באינטרנט ובדואר האלקטרוני

דוגמה: *אפשר* לשלוח מכתבים לכל העולם.

1) _______ לקבל תשובה על המכתב אחרי עשר דקות.
2) _______ לראות תמונות וסרטים.
3) _______ להרגיש את החום של האוויר.
4) _______ לקנות ולשלם חשבונות.
5) _______ לתת יד ולרקוד.
6) _______ לאכול ולשתות.
7) _______ ללמוד וללמד כל דבר.
8) _______ ללכת ברגל בטבע.
9) _______ לעשות מסיבה שמחה.
10) _______ לעשן סיגריה.

ב) **כתבו מה אפשר או אי אפשר לעשות בעיר, שאתם גרים בה, או במקום אחר.**

Write about what is possible and what is impossible to do in the city you live in, or in some other place.

ג) **אמרו / כתבו מה אי אפשר לעשות כשיש הפסקת חשמל.**

Say / Write down what is impossible to do during an a electricity blackout.

שַׁבָּת בַּבּוֹקֶר / תרצה אתר

שַׁבָּת בַּבּוֹקֶר! יוֹם יָפֶה,
אִימָא שׁוֹתָה הָמוֹן קָפֶה,
אַבָּא קוֹרֵא הָמוֹן עִיתוֹן
וְלִי יִקְנוּ הָמוֹן בָּלוֹן.

אֶפְשָׁר לָלֶכֶת לַיַּרְקוֹן, לָשׁוּט שָׁם בְּסִירָה,
אוֹ לְטַיֵּיל עַד סוֹף הָרְחוֹב וְלָשׁוּב בַּחֲזָרָה,
אֶפְשָׁר לִקְטוֹף פְּרָחִים, כָּאֵלֶּה שֶׁלֹּא אָסוּר,
וְאֶפְשָׁר לָלֶכֶת
עַד הַגַּן
וְלִרְאוֹת שֶׁהוּא
סָגוּר.

3. א) **עץ התמר**

עץ התמר גָּדֵל במזג אוויר חם, לכן מוצאים אותו במִזְרָח הַתִּיכוֹן: במצריים, בְּעֲרָבָה, ליד אילת, ליד בית שאן, ליד הכינרת, ביריחו ובעוד הרבה מקומות. מהפירות של התמר עושים יין ודבש, ומהעץ בונים בתים ומְחַמְּמִים אותם. יש ציורים של עץ התמר על מַטְבְּעוֹת עתיקים בני אלף ואלפיים שנה.

ב) **ענו לפי הקטע.** Answer the questions according to the passage.

1) איפה אפשר למצוא עצי תמר?
2) מה אפשר לעשות מפירות התמר?
3) מה אפשר לעשות מהעץ של התמר?
4) איפה אפשר למצוא ציורים של התמר?

מן המקורות

צַדִּיק כַּתָּמָר יִפְרָח
(תהילים צב 13)

4. קראו ושבצו את המילים חיים או סרט וידאו.

Read the text and complete the sentences using the words חיים or סרט וידאו .

החיים הם לא סרט וידאו

לפעמים אני שואל: למה החיים שלנו הם לא כמו סרט וידאו? בסרט וידאו לא צריך לחיות את הרגעים המשעממים או הקשים. אפשר לרוץ מהר קָדִימָה ולבחור רק את הרגעים היפים. אבל ב________ יש הרבה רגעים משעממים, ואי אפשר לעבור לזמן אחר. צריך לחיות כל רגע ורגע. ב________ יש לפעמים רגעים נהדרים, אבל הם תמיד עוברים מהר. ב________ אפשר לשמור את הרגעים היפים, ללכת אָחוֹרָה ולחיות אותם שוב. לפעמים אנחנו רוצים לעמוד, להפסיק, לנוח רגע ולחשוב, אבל ב________ אי אפשר לעצור. ב________ אפשר לעצור, לחזור לרגעים היפים ואז להמשיך.

ב________ אפשר לעבור ממקום למקום, ממשפחה למשפחה ומתוכנית לתוכנית ברגע אחד. ב________ צריך להיות במקום אחד, בזמן אחד, ואי אפשר לעבור צ׳יק צ׳יק מפה לשם, או משם לפה. ב________ לפעמים עצוב וכואב, ואין מה לעשות. ב________ אפשר תמיד לבחור סרט אחר, שמח יותר ולשכוח את הצרות.

1) כתבו לפי הטקסט:

מה אפשר לעשות בסרט וידאו, ומה אי אפשר לעשות בחיים?

Write according to the text:

אפשר בסרט וידאו	אי אפשר בחיים

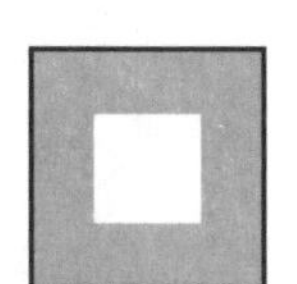

2) מה אתם חושבים - מה אפשר לעשות בחיים, ואי אפשר לעשות בסרט וידאו?

What do you think -

5. צירופים סתמיים עם שם פועל (המשך)

Impersonal phrases combined with infinitive forms (cont.)

אסור / מותר + שם פועל

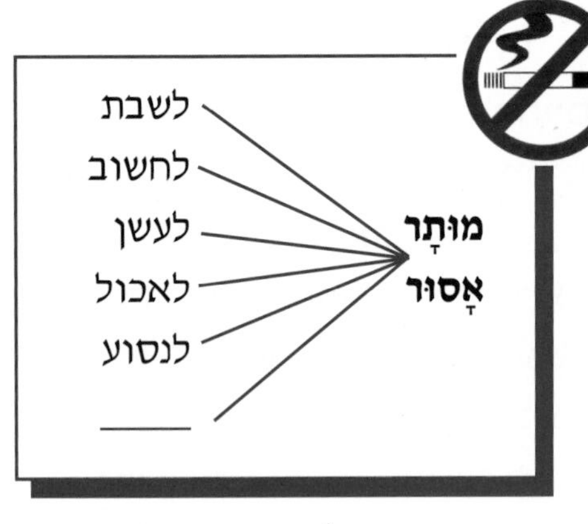

וגם: צריך, קל, קשה, נעים, טוב,
חשוב, ... + שם פועל

(1

(2

(3

(4

(5

(6

(7

הרמב"ם אמר: "בבוקר צריך לאכול כמו מֶלֶך, בצהריים כמו בֶּן-מֶלֶך ובערב כמו איש עָנִי."

אמרו - מה אסור, מה מותר, מה צריך, מה טוב, מה קשה ומה נעים לעשות בשיעור עברית. Say -

הַצָּרִיךְ הַזֶּה / יהונתן גפן

צָרִיךְ לָקוּם מֵהַמִּיטָּה,
צָרִיךְ לִגְמוֹר אֶת הַחֲבִיתָּה.
צָרִיךְ לְצַחְצֵחַ שִׁינַּיִים.

צָרִיךְ לְהִתְרַחֵץ,
צָרִיךְ לְהִתְאַמֵּץ,
צָרִיךְ לְהָכִין שִׁיעוּרִים.

צָרִיךְ וְצָרִיךְ,
וּמֵרוֹב שֶׁהִצְטָרַכְתִּי -
כְּבָר שָׁכַחְתִּי
מָה אֲנִי רוֹצֶה.

צָרִיךְ לְהִסְתַּפֵּר,
צָרִיךְ לְהִיזָּהֵר,
צָרִיךְ לָנוּחַ בַּצָּהֳרַיִים.

צָרִיךְ לִלְעוֹס לְאַט,
צָרִיךְ לִהְיוֹת נֶחְמָד,
וּלְהַגִּיד לְאָן אַתָּה יוֹצֵא.

צָרִיךְ לְסַדֵּר אֶת הַחֶדֶר,
צָרִיךְ לַעֲטוֹף אֶת הַסֵּפֶר,
צָרִיךְ לִשְׁמוֹעַ בְּקוֹל הַהוֹרִים.

.6 ב) העבירו קו בין התמרור ובין ההוראה המתאימה.

Draw a line between the street sign and the matching instruction.

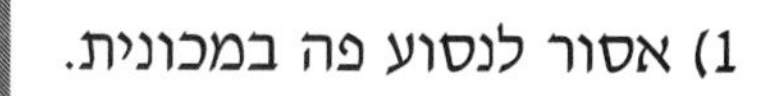

1) אסור לנסוע פה במכונית.

6) צריך לתת למכוניות משמאל לנסוע.

2) צריך לעצור.

7) אפשר לנסוע רק עד סוף הרחוב.

3) מותר לפנות רק שמאלה.

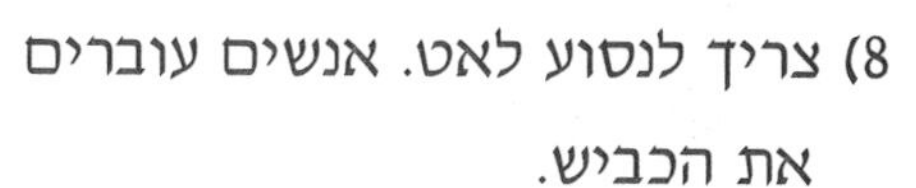

8) צריך לנסוע לאט. אנשים עוברים את הכביש.

4) אסור לנסוע יותר מ-50 קילומטר בשעה.

9) אפשר לנסוע גם ישר וגם ימינה.

5) צריך לנסוע לאט - עובדים בכביש.

10) אסור לפנות שמאלה.

ב) **שוחחו ביניכם מהם החוקים בעיר האידאלית או בבית הספר האידאלי וכתבו תקנון.**

Discuss the laws of an ideal city or school and write a code for them.

7. משפטי מושא (המשך)

Object clauses (continued)

אני רוצָה לדעת אם זה נכון.

א) **קבוצת תיירים מחו"ל יצאה לטיול לכינרת. לפני הטיול היו לתיירים הרבה שאלות:**

סוזן שאלה אִם מותר להיכנס למים ולהתרחץ.

ג'ים שאל אם אפשר לשתות את המים בכינרת.

מרינה שאלה אם צריך ללבוש שם סוודר בערב.

מישל שאל אם מותר או אסור לישון על החוף.

דבי שאלה אם אפשר לשחות בכינרת.

ססה שאל אם צריך לקחת בגד ים.

ב) **שאלו זה את זה שאלות דומות על טיול למקום אחר בארץ או בחו"ל.**

Ask each other similar questions about a trip to a different place in Israel or abroad.

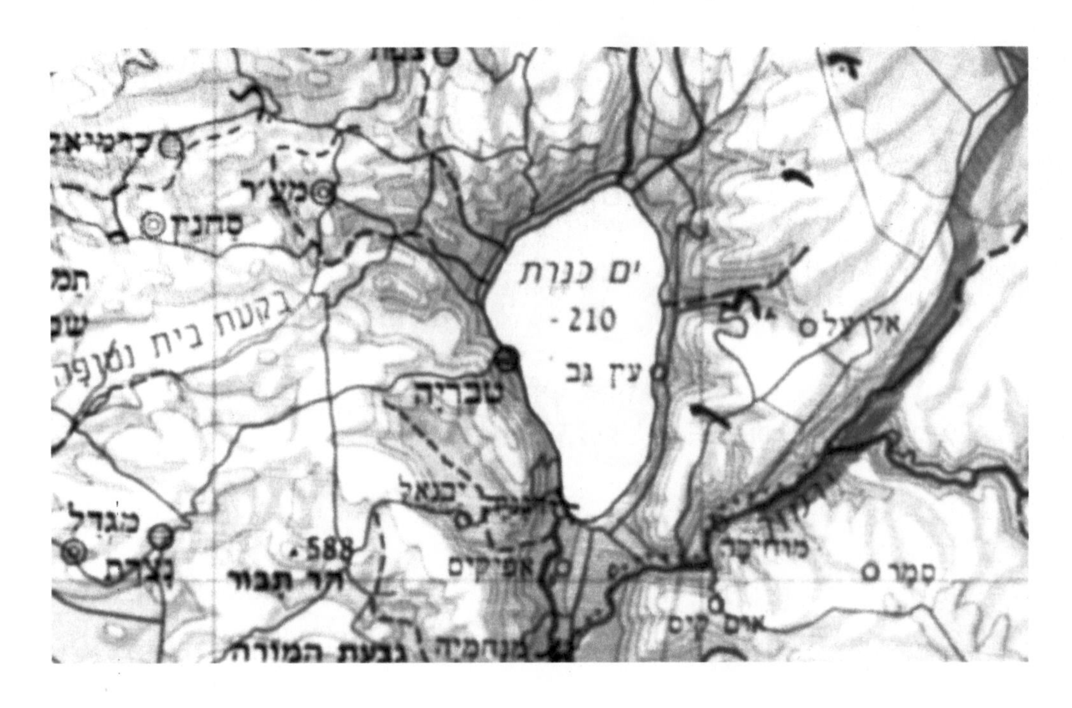

.8 א) צריך לשמור על הכינרת

חוף הכינרת

הכינרת היא אחד מְאַתְרֵי התַיָּרוּת הגדולים והחשובים בישראל. תיירים, ישראלים ולא ישראלים, אוהבים את הכינרת. הם באים לִשְׂחוֹת במים השקטים והמתוקים של הכינרת, לטייל בחופים היפים שלה ובמקומות ההיסטוריים והמעניינים שם.
ליד הכינרת נִפְגָּשׁוֹת שלוש הדתות: היַהֲדוּת, הנַצְרוּת והאִיסְלָאם; בטבריה יש בתי כנסת ומִסְגָּדִים עתיקים. לא רחוק משם יש כְּנֵסִיּוֹת נוצריות ועוד אתרים קדושים לנצרות.

ליד הכינרת קמו הקיבוצים הראשונים בארץ - דְּגַנְיָה וקבוצת כינרת. בשנים האחרונות בנו הרבה בניינים גבוהים ליד הכינרת - מלונות, חנויות ובתי דירות רבים. אנשי הַחֶבְרָה לַהֲגַנַּת הטבע חושבים, שצריך לשמור על הנוף היפה ועל החופים המיוחדים של הכינרת. בטבריה, למשל, כבר אי אפשר לראות היום את החוף הטִבְעִי של הכינרת, כי יש כל כך הרבה בתי קפה, מסעדות ומלונות.
אנשי החברה להגנת הטבע אומרים, שצריך לבנות את המלונות על ההרים, למעלה, רחוק מהחוף. הם חושבים, שצריך לבנות טַיֶּלֶת גדולה ויפה מסביב לכינרת. הם רוצים לשמור על האתרים ההיסטוריים - החומה של טבריה, בתי הכנסת העתיקים, המסגדים, הכנסיות וגם על הבתים הישנים בקיבוצים.
אנשי התיירות לא מסכימים איתם. הם אומרים, שצריך לחשוב על העתיד של המקום ולא על ההיסטוריה. הם חושבים, שאי אפשר לסגור את העיר. הם חושבים, שצריך "למכור" את הכינרת לתיירים ולבנות הרבה מלונות, בתי קפה, קניונים ומסעדות, כי תיירים אוהבים את החיים הטובים, הנוחים והמתוקים.

טבריה 2000

ב) אמרו משפטים מהטבלה המתאימים לכתוב בקטע.

Say sentences from the table that fit the passage above.

אנשי החברה להגנת הטבע אומרים ש...		לבנות בניינים גבוהים על חוף הכינרת.
	אסור	לשמור על האתרים המיוחדים מסביב לכינרת.
	צריך	לבנות מסביב לכינרת רק טיילת גדולה ויפה.
אנשי התיירות אומרים ש...		לבנות את המלונות רחוק מהכינרת.

ג) המחיזו ויכוח בין אנשי החברה להגנת הטבע ובין אנשי התיירות.

Dramatize an argument between members of the Society for the Protection of Nature and the people from the tourist industry.

ד) כתבו קטע על בעיה דומה במקום אחר, במדינה אחרת.

Write a passage about a similar problem in a different place, in a different country.

.9 א)

משחק המלכה - דַּמְקָה

פעם, באחד מימי חג החנוכה, בא רַבִּי נחמן, הבן של הרבי מרוזין, לישיבה. הוא מצא את התלמידים יושבים ומשחקים במשחק המלכה - דמקה. התלמידים ראו את הרב ולא ידעו מה לעשות. הם חשבו שאולי הרבי כועס.

הרב ישב ליד התלמידים ואמר להם: אני רואה שאתם מכירים את המשחק, אבל אני שואל אתכם אם אתם גם מבינים אותו? התלמידים לא ענו. הרב חשב רגע ואמר: אלה הם החוקים של המשחק: אסור ללכת לשני מקומות בפעם אחת. מותר ללכת רק קדימה. אסור לפנות אחורה. בסוף המשחק, אתם כבר לְמַעְלָה, ואז אפשר ללכת לכל מקום.

המשחק הוא כמו החיים בעולם הזה ובעולם הבא. איך?

The game is like life and like the afterlife. How?

הדלקת נרות חנוכה - מוריץ אופנהיים

ב) כתבו מה הוא "משחק החיים" של כל אחד מהאנשים האלה:

Write down what is "the game of life" of each of these people.

ג) כתבו מה הוא "משחק החיים" שלכם.

Write what is your "game of life".

ד"ר למוסר / יונה וולך (מתוך: תת הכרה נפתחת כמו מניפה)

הוֹלֵךְ לַצַּרְכַנְיָה
הוֹלֵךְ לַבֵּית-מֶרְקַחַת
חוֹשֵׁב מַה לִגְנוֹב
מַה כְּדַאי לָקַחַת
ד״ר לְמוּסָר
ד״ר לְפִילוֹסוֹפְיָה

יוֹדֵעַ מַה רַע
מַה אָסוּר
מַה מוּתָּר
ד״ר לְמוּסָר
ד״ר לְפִילוֹסוֹפְיָה

הוֹלֵךְ לָעִירִיָּה
הוֹלֵךְ לַבֵּית-קוֹלְנוֹעַ
מוֹשִׁיט אֶת הַיָּד
מַה שֶׁיּוֹתֵר גָבוֹהַּ
מוֹצִיא רִשָּׁיוֹן בְּתֵאוֹרְיָה
תָמִיד לוֹמֵד
ד״ר לְמוּסָר
ד״ר לְפִילוֹסוֹפְיָה

הוֹלֵךְ לַצַּרְכַנְיָה
הוֹלֵךְ לַבֵּית-מֶרְקַחַת
לֹא מְשַׁקֵּר
לֹא שׁוֹדֵד
לֹא רוֹצֵחַ

הוֹלֵךְ לַצַּרְכַנְיָה
לֹא גוֹנֵב
לֹא מְגַדֵּף
נוֹתֵן כָּתֵף
לֹא מְחָרֵף
לֹא פּוֹרֵץ
ד״ר לְמוּסָר
ד״ר לְפִילוֹסוֹפְיָה

מה הוא מוּסָר לפי יונה וולך? ומה הוא מוּסָר לפי הדוקטור?

What is "ethics" according to Yona Wallach? What is "ethics" according to the Doctor?

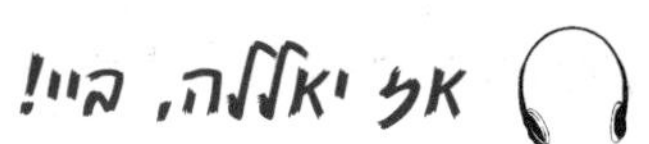

א)

ג) **1) מה אתם חושבים על המשפט הזה?**

2) כתבו עוד משפטים דומים:

חשוב / טוב / נעים... אבל...

1) What do you think about this sentence?
2) Write similar sentences, using these words:

חשוב / טוב / נעים... אבל...

Summary of Topics

האוצר הלשוני

א. אוצר המילים Vocabulary

פעלים Verbs

גָּדֵל, לִגְדּוֹל	grow
מְחַמֵּם, לְחַמֵּם	warm
מְעַשֵּׁן, לְעַשֵּׁן	smoke
נִכְנָס, לְהִיכָּנֵס (ל...)	enter
נִפְגָּשׁ, לְהִיפָּגֵשׁ (עם)	meet
נִשְׁאָר, לְהִישָּׁאֵר (ב...)	stay / remain
עוֹצֵר, לַעֲצוֹר	stop
שׂוֹחֶה, לִשְׂחוֹת	swim

מילים לועזיות Foreign words

אִיסְלָאם (ז. ר. 0)	Islam
דַּמְקָה (נ.)	checkers

מילות יחס Prepositions

מול	opposite / in front / across from

שמות עצם Nouns

אֲתָר (ז.)	site
חוֹק (ז.)	law
טַיֶּילֶת (נ. ר. 0)	promenade
יָמִין (ז.)	right (side)
כְּנֵסִיָּיה (נ.)	church
מַטְבֵּעַ (ז.), מַטְבְּעוֹת	coin
מִסְגָּד (ז.)	mosque
נַצְרוּת (נ. ר. 0)	Christianity
צַד (ז.), צְדָדִים	side
שְׂמֹאל (ז.)	left
תַּיָּירוּת (נ. ר. 0)	tourism

שמות תואר Adjectives

טִבְעִי, טִבְעִית	natural
עָנִי, עֲנִיָּיה	poor

סלנג Slang

נוּדְנִיק (ז.), נוּדְנִיקִית (נ.)	A "nag" / a nagger pest / nudge

שונות
Miscellaneous

Sir	אֲדוֹנִי
backwards	אָחוֹרָה ת״פ
if	אִם
forbidden	אָסוּר
(im)possible	(אִי) אֶפְשָׁר
The Society for the Protection of Nature	הַחֶבְרָה לַהֲגַנַּת הַטֶּבַע (נ.)
The Mediterranean Sea	הַיָּם הַתִּיכוֹן (ז.)
The Middle East	הַמִּזְרָח הַתִּיכוֹן (ז.)
The afterlife	הָעוֹלָם הַבָּא (ז.)
The Arava (plain / wilderness)	הָעֲרָבָה (נ.)
upward	לְמַעְלָה ת״פ
allowed / you may	מוּתָּר
forward	קָדִימָה ת״פ

ב. הנושאים הלשוניים — Grammatical topics

תחביר: צירופים סתמיים עם שם פועל — Syntax:

Impersonal phrases with infinitive forms

אפשר / אי אפשר + שם פועל

דוגמה: אפשר לעשן.

אסור / מותר / (לא) צריך / קל / נעים / קשה / טוב / ... + שם פועל

אסור / מותר / (לא) צריך / קל / נעים / קשה / טוב / + infinitive forms

דוגמה: אסור לעשן.

משפטי מושא (המשך) — Object clauses (continued)

דוגמה: אני רוצה לדעת אם מותר לעשן.

1. צירופים סתמיים עם שם פועל (המשך) Impersonal phrases with infinitive forms (continued)

(לא) כדאי + שם פועל

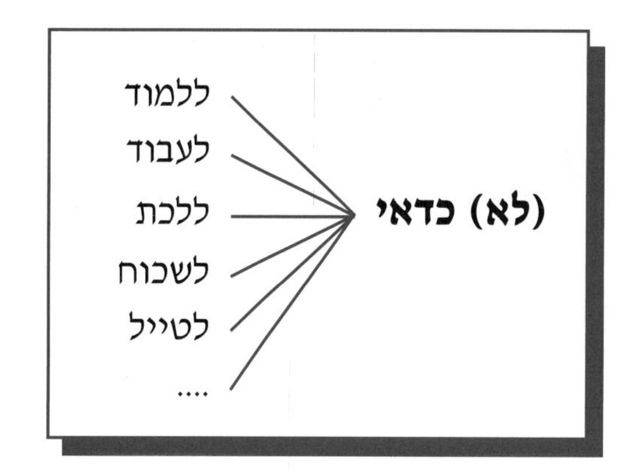

משה - מיכלאנג'לו

א) כדאי לדעת: משה חי 120 שנה!

ב) **כדאי לבוא?**

שמעון: אהלן ראובן, אתה בא אל רחל הערב?

ראובן: אני לא יודע. כדאי לבוא?

שמעון: בטח. אתה לא רוצה לפגוש את כל החֶבְרֶה?

ג) **קראו את המשפטים הבאים ואמרו מה כדאי או לא כדאי לעשות בפגישה הראשונה של בחור עם בחורה.**

Read the following sentences and say what you should (כדאי) or what you shouldn't (לא כדאי) do on a first date.

כדאי או לא כדאי בפגישה הראשונה?

1) ______ לספר לה על כל החברות שלך בעבר.
2) ______ לשאול אותה למה היא לא באה בזמן לפגישה.
3) ______ להגיד לה: אני רוצה להתחתן איתך מחר.
4) ______ לומר לה שחתונה "זה לא בראש שלך".
5) ______ לדבר איתה כל הדרך הביתה.
6) ______ לשתות הרבה יין ולא להפסיק לצחוק כל הערב.
7) ______ לדבר מעט ולְהַקְשִׁיב הרבה.
8) ______ לספר לה שאימא שלך היא האישה האידאלית.
9) ______ להזמין אותה למסעדה הכי יקרה בעיר.
10) ______ לספר לה שאתה הולך לפסיכולוג מגיל ארבע.
11) ______ לשאול אותה אם היא עשירה או ענייה.
12) ______ להיות איתה, ולא לחשוב מה כדאי ומה לא כדאי לומר.

2. **בניין הִפְעִיל - גזרת השלמים - זמן עבר** — הִפְעִיל conjugation - strong verb type - past tense

	הפועל **לְהַרְגִּישׁ** בזמן עבר	**לְהַ□ְ□ִי□**
	ז. ז./נ. נ.	ז. ז./נ. נ.
י.	(אני) **הִרְגַּשְׁתִּי** (אתה) **הִרְגַּשְׁתָּ** (את) **הִרְגַּשְׁתְּ** הוא **הִרְגִּישׁ** היא **הִרְגִּישָׁה**	**הִ□ְ□ַ□ְתִּי** **הִ□ְ□ַ□ְתָּ** **הִ□ְ□ַ□ְתְּ** **הִ□ְ□ִי□** **הִ□ְ□ִי□ָה**
ר.	(אנחנו) **הִרְגַּשְׁנוּ** (אתם) **הִרְגַּשְׁתֶּם** (אתן) **הִרְגַּשְׁתֶּן** הם / הן **הִרְגִּישׁוּ**	**הִ□ְ□ַ□ְנוּ** **הִ□ְ□ַ□ְתֶּם** **הִ□ְ□ַ□ְתֶּן** **הִ□ְ□ִי□וּ**

וגם: הִדְלִיק, הִזְמִין, הִמְשִׁיךְ, הִסְבִּיר, הִסְכִּים, הִפְסִיק, הִצְלִיחַ, הִקְשִׁיב, הִתְחִיל

אבל: הֶאֱמִין, הֶחְלִיט 1)

- אימא, כמה נרות הִדְלַקְתְּ?
- ארבעה נרות - נר לכל אחד מבני המשפחה.

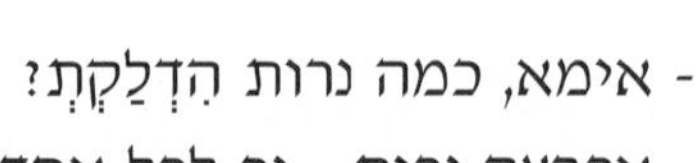

כל התלמידים הִצְלִיחוּ בבחינה, כי הם הִקְשִׁיבוּ בשיעורים.

3. א) שַׁפַּעַת

יש לך שפעת? זה לא נורא. הינה כמה רעיונות מה לעשות:
לא כדאי לקחת תרופות, כי השפעת היא לא מחלה קשה.
כדאי להפסיק לעבוד ולנוח כמה ימים. כדאי לשתות הרבה ולאכול אוכל קל ופשוט; הרבה ירקות עם וִיטָמִין C . לא כדאי לאכול גבינות ובשר.
לא כדאי להזמין חברים הביתה - כדאי להסביר לכולם שאתה לא מרגיש טוב, ושאתה צריך שקט.
כדאי להדליק את הרדיו ולהקשיב למוזיקה נעימה.

ב) קראו את המשפטים, הוסיפו - הייתי חולה ו... .
סמנו + ליד משפט מתאים לפי הקטע, ו - ליד משפט לא מתאים.

Read the sentences, add הייתי חולה ו... . Draw (+) by a sentence that fits the passage and (-) by a sentence that does not fit the passage.

דוגמה: הייתי חולה והמשכתי לעבוד.

1) הפסקתי לעבוד.
2) נחתי כמה ימים.
3) לקחתי תרופה כל שעה.
4) לא שתיתי שום דבר.
5) אכלתי אוכל קל ופשוט.
6) הפסקתי לאכול בשר.
7) הזמנתי את החברים הביתה ועשיתי מסיבה.
8) הסברתי לכולם שאני רוצה שקט.
9) החלטתי לחזור לעבודה מיד.

ג) קראו וחשבו על מי מדובר.

Read the following passage and think about what kind of person is described.

מי זה?

הוא מקשיב לכל שאלה, חושב, ורק אחר כך עונה. הוא מתחיל לדבר על הבעיות במילים פשוטות ומסביר אותן שוב בסבלנות. מישהו מדבר - הוא אף פעם לא מפסיק אותו. הוא מאמין לכולם. הוא לא מחליט מה אחרים צריכים לעשות. הוא מזמין את כולם הביתה ותמיד עוזר לכל אחד.

ד) **אמרו / כתבו על האיש ב-ג) או על אישה דומה לו, בזמן עבר.**

Talk / write about the man in (ג or about a similar woman, in the past tense.

הוא הקשיב...

היא הקשיבה...

ה) **אמרו / כתבו את המשפטים בעבר.**

Say / write the following sentences in the past tense.

דוגמה: אנחנו לא מפסיקים לעבוד, לכן אנחנו עייפים כל כך.

לא הפסקנו לעבוד, לכן היינו עייפים כל כך.

1) היא מקשיבה כל שעה לחדשות, כי היא רוצה לדעת מה קורה.
2) למה את לא מזמינה את כל החברה למסיבה?
3) הן מסבירות לתלמידים את כל המילים החדשות.
4) אתה מדליק את הרדיו בבוקר ומקשיב למוזיקה כל היום, נכון?
5) חנן לא מרגיש טוב לכן הוא לא בא לשיעור.
6) דניאל ורותי, מתי אתם מסבירים לנו את התוכנית של הטיול?
7) כל יום אני מתחיל לעבוד ב-8:00 בבוקר וגומר ב-16:00 אחרי הצהריים.
8) אני לא מאמינה לכל הסיפורים שלו.
9) אנחנו מרגישים שצריך לדבר על הבעיות, ולכן אנחנו מזמינים את כולם לפגישה.
10) אני חושבת שהם מסכימים לבוא.
11) המורה הזה מצליח ללמד מתמטיקה כל אחד.
12) המורה הזאת לא מצליחה ללמד אותנו שום דבר.
13) היא לא מחליטה מה לעשות, כי היא מאמינה שהכול מהשמים.

4. חיפוש במילון

א) **כתבו את הערך המילוני של הפעלים המודגשים וחפשו אותם במילון.**

Look up the dictionary definitions of the highlighted verbs and copy them down.

ב) **קראו את משפטי הביקורת וסמנו + ליד ביקורת חיובית, ו - ליד ביקורת שלילית.**

Read the remarks above and draw (+) by a positive remark and (-) by a negative remark.

בספריית סרטי הוידאו

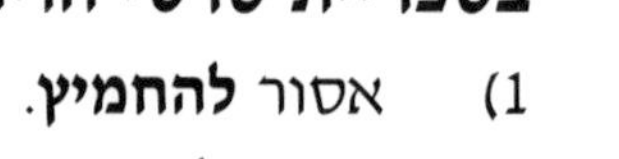

1) אסור **להחמיץ**.
2) אפשר **להשאיר** בחנות.

3) צריך **להאזין** ולא רק לשמוע.
4) כדאי **להקליט** לכל החיים.
5) לא כדאי **להטריד** חברים ולהזמין אותם לראות.
6) אני לא **ממליץ**.

אל יאללה, ביי!

סמנו (+) ליד ביקורת חיובית, ו (–) ליד ביקורת שלילית.

Draw (+) by a positive remark, and (–) by a negative remark.

- חבל על הזמן!
- שיגעון של סרט! אי אפשר להאמין.
- זה מה-זה סרט!
- סת......ם!
- סרט מדליק!
- לא שווה כלום!
- מגניב!

5. כתבו את הפעלים בטבלה בזמן עבר.

Write the verbs in the table in the past tense.

אני	אתה	את	הוא	היא	אנחנו	אתם	אתן	הם / הן
הקשבתי								
	הצלחת							
		הזמנת						
			הפסיק					
				התחילה				
					הסברנו			
						הדלקתם		
							החלטתן	
								האמינו

6. מחשבים בשנות האלפיים

בני: ניר, לא היית אתמול בעבודה?

ניר: הייתי, אבל לא הרגשתי טוב,
והחלטתי ללכת מוּקדם הביתה.

בני: חבל, בערב משה הסביר לנו על המחשבים
בשנות האלפיים, והוא ביקש גם אותנו
לספר מה אנחנו עושים במחשב.

ניר: נו, וסיפרת?

בני: לא, אני רק הקשבתי, אבל רחל סיפרה לנו על הציורים החדשים שלה במחשב.
אתה צריך לראות מה היא מצליחה לעשות במחשב?! לא להאמין!

ניר: מתי גמרתם?

בני: לא גמרנו. אנחנו ממשיכים היום בערב. יגאל, הבּוֹס הזמין את חנן מתל אביב.
כדאי מאוד לשמוע אותו.

ניר: אני לא מבין. איך אתם יכולים כל ערב לעבוד עד הלילה? אין לכם בית? אין
לכם משפחה?

בני: יש, אבל צריך להכיר את המחשבים בשנות האלפיים, לא?

ניר: כן. צריך.

? על כמה אנשים מדברים בשיחה, ומה עשה כל אחד מהם?
How many people are mentioned in the conversation and what did each of them do?

7. א) שבצו את הפעלים בצורה הנכונה.

Use the following sentences to complete the sentences correctly.

הפעלים: להסביר / להדליק / להזמין / להפסיק / להקשיב /

ערב ראשון של חנוכה

אימא ______ אורחים לערב ראשון של חנוכה. אבא ______ נר ראשון, ואנחנו שרנו
שירי חנוכה. רותי, האחות הגדולה שלי, ______ לנו את המִנְהָגִים של חנוכה, ולמה
על הסביבון יש ארבע מילים: נֵס גדול היה פה.
אורי, האח הקטן שלי, לא ______ .
הוא לא ______ לשחק בסְבִיבוֹן כל הערב.

8. א) מֶחְקָר על דת ומָסוֹרֶת בישראל - א

סוֹצְיוֹלוֹגִים ממְכוֹן **גוטמן** בירושלים חקרו בְּמֶשֶׁךְ שלוש שנים את היַחַס של הישראלים לדת ולמסורת. הם פגשו עשרות ישראלים ושאלו אותם שאלות רבות על דת ועל מסורת.

החוקרים מצאו כמה דברים מעניינים על היחס של הישראלים לדת:

14 אֲחוּזִים מִן הישראלים אמרו שהם דתיים, והדת חשובה להם.

ל-24% מן הישראלים הדת חשובה, אבל לא חשובה מאוד.

21% מן הישראלים הסבירו שאין להם קשר לדת.

גם מן השאלות על מנהגים ועל מסורת עלו דברים מעניינים:

ל-67% מן הישראלים השבת היא יום מיוחד.

הם אמרו שהם מדליקים נרות כל ערב שבת, עושים קידוש ויושבים יחד לאכול ארוחת שבת מיוחדת.

ל-50% מן הישראלים יש מטבח כשר בבית, אבל רק 67% מן הישראלים האלה אוכלים תמיד רק אוכל כשר.

78% מן הישראלים עושים סֵדֶר פֶּסַח ו-82% מן הישראלים צָמִים ביום כִּיפּוּר והולכים לבית הכנסת לתפילה.

החוקרים שאלו גם כמה שאלות על האֱמוּנָה הדתית:

50% מן הישראלים מאמינים שמשה קיבל את התורה בסיני ו-60% מהישראלים חושבים שיש אלוהים.

50% מן הישראלים חושבים שמדינת ישראל צריכה להיות גם מדינה דֶמוֹקְרָטִית וגם מדינה יהודית.

41% מן הישראלים חושבים שמדינת ישראל צריכה להיות מדינה חִילוֹנִית ואת המסורת הם רוצים להמשיך לשמור רק בתוך המשפחה.

במחקר הזה מצאו שהישראלים קרובים למסורת היהודית, והם חושבים שהמסורת חשובה למשפחה ולחברה. הרבה ישראלים חילוניים רוצים להמשיך את המסורת בדרכים שונות. הם חושבים שיש עוד דרך באמצע, בין הדרך הדתית ובין הדרך החילונית.

ב) **אמרו** נכון או לא נכון **לפי הקטע.** Say נכון (true) or לא נכון (false) according to the text.

1) חצי מהישראלים הם דתיים.
2) רוֹב הישראלים צמים ביום כיפור.
3) יותר מחצי מהישראלים אוכלים אוכל כשר.
4) פָּחוֹת מחצי מהישראלים לא עושים סדר פסח.
5) יותר מחצי מהישראלים לא מאמינים באלוהים.
6) רוב הישראלים רוצים להיות דתיים.
7) לא לכל הישראלים יש מטבח כשר.
8) רוב הישראלים רוצים לעזוב את הדת ולשכוח את המסורת.

ג) מחקר על דת ומסורת בישראל - ב

עיתונאי ירושלמי פנה לכמה אנשים ושאל אותם מה הם חושבים על המחקר:
מרדכי גרליץ, איש דתי מעיתון "המוֹדִיעַ", אמר שלאט לאט יותר ויותר ישראלים עוזבים את העולם החילוני, כי הם מבינים סוף-סוף מה היא הדת ולמה היא חשובה. הוא חושב שבמחקר הזה רואים שהישראלים מחפשים את הקשר ליהדות ורוצים להיות דתיים, אבל פוחדים לומר את האמת ולפעמים קורים דברים מצחיקים. למשל, אדם צם ביום כיפור ומספר לחברים שלו שהוא עושה דיאטה.
חנה זמר עבדה בעיתון "דָבָר", עיתון סוֹצְיָאלִיסְטִי-חילוני, וכתבה הרבה על החברה והפוליטיקה בישראל. היא לא מסכימה עם הרעיונות של מרדכי גרליץ. היא חושבת שהמסורת חשובה, ושרוב הישראלים הם מסורתיים ולא דתיים.
היא אומרת שטקסים דתיים, כמו בר-מצווה או חתונה, הם חֵלֶק מחיי החברה בישראל. היא חושבת שהישראלים צריכים מנהגים וסמלים, והם יכולים לקבל אותם מהמסורת.

ד) **צעירים ישראלים שאלו את חנה זמר ואת מרדכי גרליץ איך לחיות.**
המחיזו את השיחות ביניהם. השתמשו במילים: אפשר, אסור, כדאי, צריך.
Young Israelis asked חנה זמר and מרדכי גרליץ how to lead their lives. Dramatize the conversations between them. Use the words: אפשר, אסור, כדאי, צריך

אִתִּי, אִתָּךְ

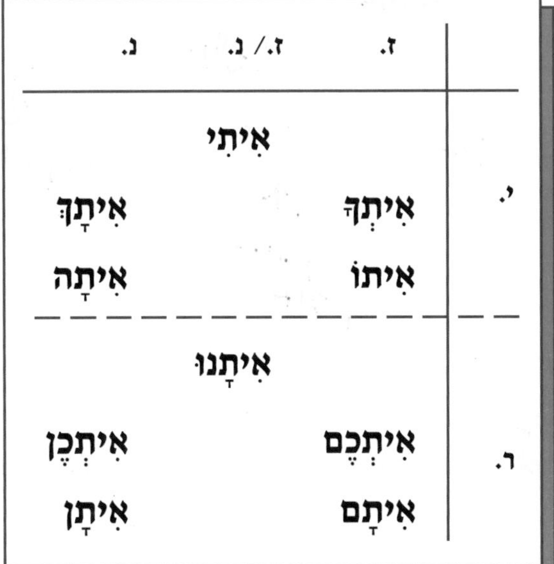

	ז.	ז./נ.	נ.
י.		אִתִּי	
	אִתְּךָ		אִתָּךְ
	אִתּוֹ		אִתָּהּ
ר.		אִתָּנוּ	
	אִתְּכֶם		אִתְּכֶן
	אִתָּם		אִתָּן

אני לא חבר שלה יותר. אני לא מדבר איתה.

אני יכולה לְהִיפָּגֵשׁ איתך רק בעוד חודש.

א) עם מי?

מיכל: אני רוצה ללכת לסרט.

דויד: עם מי?

מיכל: עם מישהו.

דויד: אולי את רוצה ללכת איתי?

מיכל: איתך? תמיד!

רקדתי איתו כל הערב.

ב) שבצו במשפטים - איתי, איתך, איתו ... Use - איתי, איתך, איתו to complete the sentences.

דוגמה: רינה, יש לך זמן? אני רוצה לדבר **איתך**.

1) אני נפגש עם יוסי פעם בשבוע. אני תמיד נפגש ________ בצהריים.
2) דויד למשה: אנחנו לומדים לבחינה ביחד. אתה רוצה ללמוד ________ ?
משה: כן, אבל אני עובד היום. אני יכול ללמוד ________ רק בערב.
3) יש לי אישה נהדרת. אני חי ________ כבר ארבעים שנה וכל יום הוא חג.
4) פרופסור כהן, אני צריך לדבר ________ , מתי אתה יכול להיפגש ________ ?
5) דוד ודודה שלי באו לישראל לפני שבוע, ואני טיילתי ________ בכל הארץ.
6) רחל ותמר עובדות יחד כבר עשר שנים. אני עובדת ________ רק שנה.
7) שולה ומירה, חנה באה לבקר אתכן. היא רוצה לשחק ________ .

ג) בחרו את בנטייה - אותי, אותך ... או עם בנטייה - איתי, איתך ...והשלימו את הפתקים.

Choose conjugations of the preposition את - אותי, אותך... or conjugations of the preposition עם - איתי, איתך... to complete the notes.

דוגמה:

דויד,
אני צריכה לדבר איתך על משהו חשוב.
מתי אני יכולה לראות אותך?
חנה

1)
מירה,
לא שכחתי ________ ! אני אוהב ________
ואני רוצה לטייל ________ ברשת הרי
הגליל. טוב?
שלך, דני.

2)
רותי,
אנחנו רוצים לשאול ________ אם את רוצה
לבוא ________ לקונצרט של הפילהרמונית?
אולי את יכולה לטלפן בערב?
אנחנו בבית...
אבא, אימא

3)
רחל ושרה,
כבר חצי שנה לא ראינו ________. איפה
אתן? מחר יש מסיבה ואנחנו רוצים
לרקוד ________ . אתן באות?
שאוליק ורפי

4)
משה,
אני מצטערת, אבל אני לא יכולה ללכת ________
לסרט היום. חבל, כי אני רוצה מאוד
לראות ________. שמעתי שזה סרט מצוין.

5)
יוסי ומיכל,
אני מחפשת ________ כבר שלושה ימים.
אני רוצה להזמין ________ לחתונה שלנו. הזמנתי
גם את יורם. הוא רוצה לנסוע ________
במכונית שלכם. זה בסדר?
תודה, חן

6)
רן,
תודה על הספר! קראתי ________ כל
הלילה והוא נהדר. אני רוצה
לדבר ________ על הספר הזה.
ושוב תודה, דפנה

Summary of Topics

האוצר הלשוני

א. אוצר המילים Vocabulary

פעלים Verbs

מַדְלִיק, לְהַדְלִיק	light
מַחְלִיט, לְהַחְלִיט (על)	decide
מַסְכִּים, לְהַסְכִּים (עם / ל...)	agree
מַקְשִׁיב, לְהַקְשִׁיב (ל...)	listen

שמות תואר Adjectives

חִילוֹנִי, חִילוֹנִית	secular

מילים לועזיות Foreign words

בּוֹס (ז.), בּוֹסִית (נ.)	boss
דֶמוֹקְרָטִי, דֶמוֹקְרָטִית ש״ת	democratic
וִיטָמִין (ז.)	vitamin
סוֹצְיָאלִיסְטִי, סוֹצְיָאלִיסְטִית ש״ת	socialist

סלנג Slang

חֶבְרֶה	"guys" (company of friends)

שמות עצם Nouns

אָחוּז (ז.)	percent
אֱמוּנָה (נ.)	belief
חֶבְרָה (נ.)	company / society
חֵלֶק (ז.), חֲלָקִים	part (m.), parts
יַחַס (ז. ר. ס)	attitude / relationship
מֶחְקָר (ז.)	research
מָכוֹן (ז.)	institute
סְבִיבוֹן (ז.)	dradle / top
נֵס (ז.), נִיסִים	miracle
קִידוּשׁ (ז. ר. ס)	Kiddush (sanctification)
שַׁפַּעַת (נ.)	flu

שונות Miscellaneous

בְּמֶשֶׁךְ מ״ח	during
חֲנוּכָּה (נ.) ש״ע	Chanukah
כְּדַאי	should / advisable
מוּקְדָם ת״פ	early
פָּחוֹת מ...	less than...
סֵדֶר פֶּסַח (ז.)	Passover dinner (Sedder)
סוֹף-סוֹף ב	finally
רוֹב (ז.) ש״ע	most

Grammatical topics — ב. הנושאים הלשוניים

Morphology: — צורות: בניין הִפְעִיל - גזרת השלמים - זמן עבר

הִפְעִיל conjugation "-strong verb" verb type - the past tense

Example: דוגמה: הרגשתי

The conjugation of the preposition **עִם** — נטיית מילת היחס **עִם**

Example: דוגמה: איתי, איתך ...

Syntax: — תחביר: צירופים סתמיים עם שם פועל (המשך)

(לא) כדאי + שם פועל

Impersonal phrases with infinitive forms (continued).

(לא) כדאי + infinitive forms

Example: דוגמה: כדאי להקשיב.

Grammatical notes — ג. הערות לשוניות

1) בפעלים להחליט, להאמין פֵּא הפועל היא גרונית (א / ח), ולכן הגייתם שונה:

The verbs להחליט, להאמין have a guttural פא הפועל (the first letter in the root) therefore they are pronounced differently: (א / ח),

לְהַחְלִיט - מַחְלִיט - הֶחְלִיט, לְהַאֲמִין - מַאֲמִין - הֶאֱמִין

שיעור 28

1. **בניין הִתְפַּעֵל - גזרת השלמים - זמן עבר** הִתְפַּעֵל conjugation - strong verb - past tense

	הפועל **לְהִתְלַבֵּשׁ** בזמן עבר			**לְהִתְ□ַ□ֵ□**		
	ז.	ז./נ.	נ.	ז.	ז./נ.	נ.
י.		(אני) **הִתְלַבַּשְׁתִּי**			**הִתְ□ַ□ַ□ְתִּי**	
	(אתה) **הִתְלַבַּשְׁתָּ**		(את) **הִתְלַבַּשְׁתְּ**	**הִתְ□ַ□ַ□ְתָּ**		**הִתְ□ַ□ַ□ְתְּ**
	הוא **הִתְלַבֵּשׁ**		היא **הִתְלַבְּשָׁה**	**הִתְ□ַ□ֵ□**		**הִתְ□ַ□ְ□ָה**
ר.		(אנחנו) **הִתְלַבַּשְׁנוּ**			**הִתְ□ַ□ַ□ְנוּ**	
	(אתם) **הִתְלַבַּשְׁתֶּם**		(אתן) **הִתְלַבַּשְׁתֶּן**	**הִתְ□ַ□ַ□ְתֶּם**		**הִתְ□ַ□ַ□ְתֶּן**
		הם / הן **הִתְלַבְּשׁוּ**			**הִתְ□ַ□ְ□וּ**	

וגם: הִתְאַהֵב, הִתְחַתֵּן, הִתְכַּתֵּב, הִתְנַדֵּב, הִתְפַּלֵּל, הִתְרַגֵּשׁ, הִתְרַחֵץ, הִסְתַּכֵּל,
הִצְטַעֵר, הִשְׁתַּמֵּשׁ, (1

סוף הוא אולי גם התחלה

הם הִתְכַּתְּבוּ באינטרנט יותר משנה, ואז, בוקר אחד הוא כתב לה: מחר אני בא לפגוש אותך. הוא הִסְתַּכֵּל לה בעיניים.
העיניים אמרו הכול. הוא הִתְאַהֵב מִיָּד.
היא הִתְרַגְּשָׁה מאוד, אבל גם קצת הִצְטַעֲרָה,
כי גם היא וגם הוא ידעו שזה סוף סיפור
האהבה באינטרנט.

2. א) אני מאמין! - שנת 2000

אנחנו קבוצה של אִידֵאָלִיסְטִים, אנחנו מאמינים בטבע ולא במודרניזציה.
אנחנו לא משתמשים בתרופות.
אנחנו לא מסתכלים בטלוויזיה.
אנחנו מתרחצים רק במי מעיינות.
אנחנו מתפללים ביחד - אנחנו מאמינים בקבוצה.
אנחנו לא מתכתבים באינטרנט.
אנחנו מתאהבים, אבל לא מתחתנים. אנחנו לא מאמינים בטקסים.
אנחנו מתנדבים לעבודות שונות בקהילה.
אנחנו מתרגשים מטיולים קטנים בטבע, ממוזיקה שקטה, מהעולם הפשוט.
אנחנו לא מצטערים שעזבנו את העולם המודרני.

ב) בשנת 2900 מצאו ארכיאולוגים את האני מאמין של קבוצת האידאליסטים.
כתבו מה סיפרו הארכיאולוגים על הקבוצה.

In the year 2900 archeologists found the idealist group's manifesto.
Write about what the archeologists said about the group.

דוגמה: הם לא השתמשו בתרופות.

ג) אתם הייתם חברים בקבוצה אחרת: אוהבי עיר ואוהבי מודרניזציה. מה היה האני מאמין שלכם?

You were members of a different group: city lovers and modernization lovers.
What was your manifesto?

3. כתבו את הפעלים בטבלה בזמן עבר. Write the verbs in the table in the past tense.

אני	אתה	את	הוא	היא	אנחנו	אתם	אתן	הם / הן
התאהבתי								
	התחתנת							
		התכתבת						
			התנדב					
				התפללה				
					התרגשנו			
						התרחצתם		
							הסתכלתן	
								הצטערו

4. חיפוש במילון

א. כתבו את הערך המילוני של הפעלים וחפשו את משמעותם במילון.

Write the dictionary definition of the following verbs and look up their dictionary definitions.

ב. העבירו קו בין הפעלים ובין ההסברים המתאימים למשמעות שלהם.

Match the verbs with their correct explanation on the left column.

פועל	ערך מילוני	הסבר
התנצלתם.	____________	עוזבים את העבודה.
התנגדנו.	____________	כעסו.
מתעצלים.	____________	ביקשתם סליחה.
הם התרגזו.	____________	לא רוצים לעבוד או ללמוד.
מתפטרים.	____________	לא הסכמנו.

5. שבצו את הפעלים המתאימים בצורה הנכונה בזמן עבר.

Use the following verbs in the past tense to complete these sentences.

הפעלים: להתאהב / להתכתב / להתפלל / להתחתן / להתרחץ / להצטער / להתנדב / להתרגש / להתלבש /

1) הבן שלי הלך אתמול בפעם הראשונה לבית הספר. גם הוא וגם אני ________ מאוד.

2) בגיל 20 רינה ______ והפסיקה ללמוד. אחרי שנה נולד לה ילד, ומאז היא בבית. אני חושבת, שאחר כך היא ________ שהיא הפסיקה ללמוד.

3) אתמול הלכתי לחתונה במלון הילטון. ________ יפה וקיבלתי הרבה מַחְמָאוֹת.

4) מרים ורותי _______ לעבוד בבית חולים לילדים. הן לא קיבלו כסף על העבודה שלהן, אבל קיבלו הרבה אהבה מהילדים בבית החולים.

5) בבתי הכנסת הראשונים לפני 2000 שנה נשים וגברים ________ ביחד.

6) רומיאו _____ ביוליה, ויוליה _____ ברומאו, אבל אתם יודעים מה קרה בסוף.

7) לפני חמש מאות שנה אנשים לא ________ בבית, כי לא היו מים בתוך בבתים.

8) הרבנים הגדולים ________ עם יהודים מכל העולם וענו על שאלות ברפואה, בהלכה ובחיי היומיום.

קראו את המשפטים ונחשו את משמעות הפעלים המודגשים לפי ההקשר ולפי מילים אחרות שאתם מכירים באותו שורש. אחר כך התאימו בין המשפטים ובין האיורים.

Read the sentences and guess the meaning of the highlighted verbs according to their connotation and according to other words you know from the same root. Then, match the sentences with the correct illustrations.

פיקניק על חוף הים

1) רחל **התחממה** ליד האש.

2) יוסי **התקלח** על החוף.

3) דני **התקשר** בפלאפון ודיבר כל הזמן עם כל העולם.

4) אבי ודניאלה **התקרבו** לים, אבל לא התרחצו.

5) רפי ושׂרָלֶה **התרחקו** מכולם והלכו לטייל בין הסלעים.

6) דינה **התקררה**, כי לא היה לה סוודר.

6. א) חנה סנש

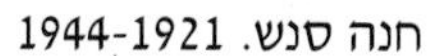

חנה סנש. 1921-1944

אחת הנשים המיוחדות והמפורסמות בארץ ישראל הייתה חנה סנש. היא נולדה ביולי 1921, בבודפשט למשפחה אָרִיסְטוֹקְרָטִית, והיו לה חיים טובים ונעימים בהונגריה. לכל בני המשפחה היה קשר חזק לתַרְבּוּת ההונגרית ולשפה ההונגרית. אבא של חנה היה סופר חשוב ומפורסם, וגם חנה כתבה מגיל צעיר מאוד סיפורים, שירים, מַחֲזוֹת ויומן.

בבית הספר התיכון התחילה חנה ללמוד על היהדות ולהרגיש קשר לארץ ישראל ולשפה העברית. היא רצתה להבין את הקשר הזה ולכן עלתה לארץ. זה היה בשנת 1939. חנה הייתה אז בת 18 - בת עשירים יפה, חכמה ואריסטוקרטית.

בארץ היא גרה בחדר קטן במושב נַהֲלָל ואחר כך בקיבוץ שְׂדוֹת יָם ליד קיסריה. חנה התלבשה כמו קיבוצניקית - במכנסיים ישנים ובחולצות פשוטות, עבדה בחקלאות בתנאים קשים, אבל היא הייתה מאושרת. היא האמינה בלב שָׁלֵם בדרך החיים החדשה שלה בארץ ישראל. היא התרגשה מהטבע, מהנוף, מהים ומהשמים והתאהבה באנשים בארץ ובשפה העברית.

ב-11.10.1940 היא כתבה ביומן:

עכשיו ערב יום כיפור, ואני מְנַסָּה לחשוב מה עשיתי לא נכון. לא חשבתי מספיק על אימא, ועזבתי אותה בהונגריה. לא האמנתי לג'ורא, שהוא באמת רוצה לעלות לישראל. גם לא הייתי מספיק אֲמִיתִית עם החברים והחברות בקיבוץ!

בשנה החדשה אני רוצה לחפש את הדרך איך להיות אדם טוב יותר, אבל אני לא בטוחה שאני יכולה להצליח.

היא למדה עברית באולפן והמשיכה לכתוב בהונגרית. אחרי שנה היא התחילה לכתוב בעברית.

ב-22.9.1941 היא כתבה ביומן את הדף הראשון בעברית:

אני רוצה לקרוא את התנ"ך בעברית. אני יודעת שזה קשה מאוד, אבל זאת השפה האמיתית והכי יפה. אני כותבת עכשיו בלי מילון ויש לי הרבה שְׁגִיאוֹת, אבל אני שמחה, כי אני יודעת עברית.

ב-1942 התחילו לשמוע בארץ על המלחמה באירופה. החדשות הקשות על המלחמה באירופה הִשְׁפִּיעוּ על חנה. והיא החליטה להתנדב לנסוע לאירופה ולְנַסּוֹת לעזור ליהודים שם. במרס 1944 יצאה חנה עם עוד מתנדבים ליוגוסלביה, ומשם עברה להונגריה. בבודפשט תָּפְסוּ אותה הנאצים ההונגרים ורצו לשמוע על החברים האחרים בקבוצה הארץ ישראלית. חנה לא סיפרה להם דבר, והם הרגו אותה בנובמבר 1944, ארבעה חודשים לפני סוף המלחמה.

מתוך המכתב האחרון לחברי קיבוץ שדות ים ב-13.3.1944:

חברים יקרים,

בים ובאֲוויר, במלחמה ובשלום. אנחנו הולכים כולם למקום אחד. לכל אחד יש תַּפְקִיד מיוחד בחיים.

אני זוכרת אתכם כל הזמן, וזה נותן לי הרבה כוח.

בברכת חברים חמה

חנה

חנה לא סיפרה לאף אחד, שהיא כותבת. אחרי המלחמה מצאו חברי קיבוץ שדות ים מזוודה ישנה, ושם היו כל השירים, הסיפורים, המחזות והיומן.

שיר אחד של חנה סנש מפורסם מאוד עד היום:

הֲלִיכָה לְקֵיסָרְיָה

אֵלִי, שֶׁלֹּא יִיגָּמֵר לְעוֹלָם

הַחוֹל וְהַיָּם,

רִשְׁרוּשׁ שֶׁל הַמַּיִם,

בְּרַק הַשָּׁמַיִם,

תְּפִילַּת הָאָדָם. 24.11.1942

הקבר של חנה סנש בהר הרצל בירושלים

(מתוך הספר: **חנה סנש.** קטעי היומן מעובדים לעברית קלה)

1) בדף הראשון של היומן של חנה יש הרבה שגיאות בעברית. מצאו את השגיאות.

2) מה אפשר ללמוד על חנה סנש מדף זה?

1) There are many Hebrew grammar / spelling mistakes in the first page of the diary חנה wrote. Find these mistakes.

2) What can be learned about חנה סנש from this page.

שיעור 28

עברית מן ההתחלה

ב) המחיזו שיחות בין חנה סנש ובין אנשים אחרים. היעזרו באינפורמציה שבטקסט. למשל:

1) חנה מספרת לאימא שלה, שהיא החליטה לעלות לארץ.

2) חנה וחבר קיבוץ שדות ים.

3) חנה וגיורא, האח - הוא בא לארץ, והיא יוצאת לאירופה.

Role play - create dialogues between חנה סנש and other people. Use the information in the text.

For example:
1) חנה tells her mother about her decision to go to Israel.
2) חנה and a member of the שדות ים kibbutz.
3) חנה and her brother - גיורא he came to Israel and she is leaving for Europe.

ג) כתבו שיחה אחת.

Write one of these dialogues.

ד) כתבו מכתב לחבר/ה וספרו לו על חנה סנש.

Write a letter to a friend and tell him / her about חנה סנש.

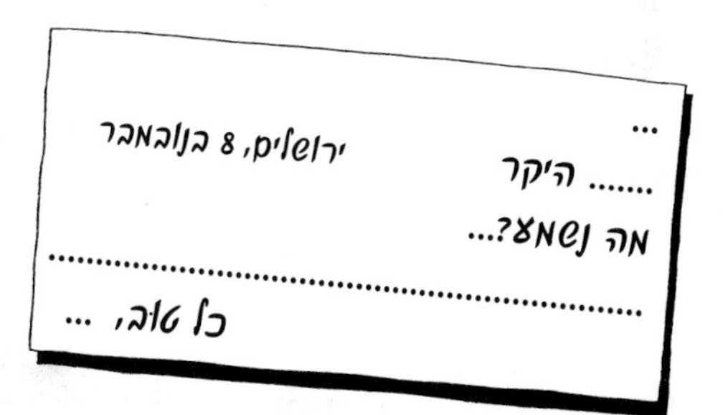

1

2

3

5

4

1. תחריט של חנה סנש, עם השיר "אשרי הגפרור" בכתב היד שלה, נמצא במוזאון בקיבוץ שדות ים
2. חנה בת 3, ואחיה גיורא, בן 4.
3. חנה בבודפשט, בת 14
4. ביום הראשון בארץ, 1939
5. לפני הנסיעה לאירופה, 1944

7. צירופים לא סתמיים עם שם פועל

אסור ל... / מותר ל... / כדאי ל... / ... + שם פועל

	לי	
	לך	**לשתות**
	לך	**לטייל**
	לו	**לעמוד**
אסור	**לה**	**להסתכל**
מותר	**לנו**	**לעבור**
כדאי	**לכם**	**להיכנס**
....	**לכן**	**לבקר**
	לכן	**.......**
	להם	
	להן	

א) קראו וחשבו - איפה זה? – Read and think

- לא כדאי לכם לנסוע שם בשבת.
- אסור לכן ללבוש שם מכנסיים קצרים.
- כדאי לנו לקנות שם טלית.

התשובה במאה שערים

ב) חשבו על מקום אחר, כתבו על המקום משפטים כמו ב-א) ושאלו זה את זה - איפה זה?
Think of a different place, write sentences similar to the ones in (א and ask each other about it?

8. וגם: קשה ל..., נעים ל..., טוב ל..., חשוב ל..., קל ל..., ... + שם פועל

א) אמרו משפטים מהטבלה.

Say sentences from the table.

(לא) כדאי		להאמין בניסים
	לי	להסביר את התרגילים
אסור	לך	להתרחץ במים קרים
	לך	להצליח בבחינות
(לא) קשה	לו	להתכתב באינטרנט
	לה	להסתכל בטלוויזיה
מותר	לנו	להבין כל דבר
	לכם	לשתות אלכהול
(לא) קל	לכן	לדבר שטויות
	להם	לשאול שאלות
(לא) חשוב	להן	להיפגש עם חברים
		להישאר בבית
(לא) נעים		להקשיב לרדיו
		להיות בתמונה

דוגמה: חשוב לי להיות בתמונה.

ב) קראו את המשפטים וסמנו ♣ ליד משפטים ששמעתם מההורים שלכם, או ♠ ליד משפטים שתגידו אתם לילדים שלכם.

Read the sentences and make ♣ mark by the sentences you heard your parents say, or make ♠ mark by the sentences you will say to your children.

1) אסור לך לחזור הביתה אחרי שמונה בערב.
2) אסור לך לדבר עם אנשים זָרים ברחוב.
3) כדאי לך לקרוא רק ספרי מדע.
4) מותר לך לקחת את המכונית רק פעם בשבוע.
5) כדאי לך לצאת איתנו לחופשה.
6) אסור לך לשתות מים אחרי פירות.
7) כדאי לך לישון בצהריים.
8) כדאי לך לקרוא כל הספרים בספרייה.
9) מותר לך לקחת את המכונית כל יום.
10) כדאי לך לצאת לחופשה עם החברים שלך.

9. השלימו את המילים החסרות וכתבו את סוף הסיפור.

Complete the sentences and the end of the story.

הזוג מצֵידָן

בַּר = בן

זוג מצידן בא אל רבי שִׁמְעוֹן בַּר יוֹחַאי. הם ________ לו, שהם לא רוצים לחיות יותר יחד, כי הם נשואים כבר עשר שנים, ו________ להם ילדים.

רבי שמעון בר יוחאי אמר להם: בחתונה שלכם עשיתם מסיבה גדולה, ________ ושתיתם. גם עכשיו אתם צריכים לעשות ________ גדולה.

חזרו הבעל והאישה הביתה ועשו מסיבה גדולה. ה________ שתה הרבה יין. הוא אמר לאישה שלו: את יכולה לקחת כל דבר טוב מהבית וללכת ל________ של אבא שלך.

אחרי שעה ראתה ה ________ שהבעל שלה שיכור. מה עשתה? לקחה אותו במיטה לבית אבא. באמצע הלילה קם הבעל ושאל: ________ אני? אמרה לו האישה: אתה בבית של ________ שלי.

שאל הבעל: למה? אמרה לו האישה: אתה אמרת לי ש________________________________.

אחרי שנה נולד להם בן.

(לפי שיר השירים רבה, א)

אל יאללה, הייי!

סמנו קו בין השיר, האיור והמשפט המתאר את הסיטואציה.

Draw a line between the song, the illustration and the sentence describing the situation.

1) הָבָה נָגִילָה ...

קמים, עומדים וחושבים על העם והמדינה.

2) אֱלִי, אֱלִי ...

שרים לילדים קטנים.

3) הֵבֵאנוּ שָׁלוֹם עֲלֵיכֶם ...

שרים עם ילדים קטנטנים, כשהם נותנים יד ורוקדים.

4) הַתִּקְוָה

יושבים ליד האש בלילה.

5) סִימָן טוֹב וּמַזָּל טוֹב...

חוזרים הביתה אחרי טיול.

6) עוּגָה, עוּגָה עוּגָה...

שרים ורוקדים לפני זוג בחתונה שלהם.

7) אוּדִי, חֲמוּדִי...

רוקדים הורה בשמחה, ו"חוזרים" לימי ארץ ישראל הישנה.

דוגמה: יושבים ליד האש בלילה ושרים: אלי, אלי...

סיכום לשוני
Grammatical summary

צירופים עם שם פועל

Phrases with infinitive forms

צירופים סתמיים Impersonal phrases	**צירופים לא סתמיים** Personal phrases
אסור כדאי מותר נעים קל קשה ...... } ללמוד	אסור לי כדאי לך / לך מותר לו / לה נעים לנו קל לכם / לכן קשה להם / להן ...... } ללמוד
אפשר צריך > ללמוד	אני את / אתה יכול / יכולה הוא / היא צריך / צריכה אנחנו אתם / אתן יכולים / יכולות הם / הן צריכים / צריכות } ללמוד

10. כתבו את המשפט הסתמי או את המשפט הלא סתמי. Write the impersonal or definite sentence.

דוגמאות: אתם צריכים לשתות הרבה מים. — *צריך לשתות הרבה מים.*

כדאי לנסוע להודו. — *(אנחנו) כדאי לנו לנסוע להודו.*

1) נעים לכם לשחות בים המלח?

2) אפשר להדליק את האור? (אני) ...

3) אתם לא יכולים לעבוד בלי הפסקה.

4) מותר לעצור בצד הכביש. (את) ...

5) קשה לי לדעת מה הוא רוצה.

6) נעים לקבל מחמאות. (הם) ...

7) אסור לך להסתכל על השמש.

8) כדאי להיפגש עם אנשים מעניינים. (היא) ...

9) אתה צריך להתרחץ כל יום.

10) לא קל ללמוד שפות. (הן) ...

11) חשוב לישון טוב בלילה.

12) אי אפשר להבין אותו. (אנחנו) ...

א. אוצר המילים Vocabulary

פעלים
Verbs

הוֹרֵג, לַהֲרוֹג	kill
מַבְטִיחַ, לְהַבְטִיחַ (ל...)	promise
מְנַסֶה, לְנַסוֹת	try
מִסְתַכֵּל, לְהִסְתַכֵּל (ב... / על)	look
מַשְׁפִּיעַ, לְהַשְׁפִּיעַ (על)	influence / effect
מִשְׁתַמֵשׁ, לְהִשְׁתַמֵשׁ (ב...)	use
מִתְאַהֵב, לְהִתְאַהֵב (ב...)	fall in love
מִתְנַדֵב, לְהִתְנַדֵב (ל...)	volunteer
תוֹפֵס, לִתְפּוֹס	capture / catch

שמות עצם
Nouns

אֲוִויר (ז. ר. 0)	air
אֵם (נ.), אִימָהוֹת	mother
בֵּית סֵפֶר תִיכוֹן (ז.)	highschool
מַחֲזֶה (ז.), מַחֲזוֹת	play
מַחְמָאָה (נ.)	compliment
שְׁגִיאָה (נ.)	mistake
תַפְקִיד (ז.)	role
תַרְבּוּת (נ.)	culture

שמות תואר
Adjectives

אֲמִיתִי, אֲמִיתִית	real
זָר, זָרָה	foreign / foreigner

שונות
Miscellaneous

בְּלֵב שָׁלֵם ב.	with all his/her heart
מִיָד ת״פ	immediately
נָאצִי, נָאצִית ש״ע, מ״ז	Nazi

מילים לועזיות
Foreign words

אִידֵאָלִיסְט (ז.), אִידֵאָלִיסְטִית (נ.) ש״ע	idealist
אָרִיסְטוֹקְרָט (ז.), אָרִיסְטוֹקְרָטִית (נ.) ש״ע	aristocratic

ב. הנושאים הלשוניים
Grammatical topics

צורות: בניין הִתְפַּעֵל - גזרת השלמים - זמן עבר

Morphology: הִתְפַּעֵל conjugation - strong verbs - past tense

דוגמה: התחתנתי, התחתנת

תחביר: צירופים לא סתמיים עם שם פועל

Syntax: Personal phrases with infinitive form

אסור ל... / מותר ל... / כדאי ל... / קשה ל... / נעים ל... / טוב ל... /
חשוב ל... / קל ל... / ... + שם פועל

דוגמה: אסור לו להיכנס.

סיכום לשוני: צירופים עם שם פועל

Grammatical summary: Phrases with infinitive forms

ג. הערות לשוניות
Grammatical notes

1) בבניין התפעל כאשר פא הפועל היא **ס, ש,** או **שׂ**, יש שיכול אותיות.

In the התפעל conjugation: a metathesis occurs when פא הפועל (the first letter of the root) is a **ס**, **ש**, or **שׂ** .

למשל: במקום: *התשמש - השתמש, במקום: *התסכל - הסתכל.

כאשר פא הפועל היא **צ** יש שיכול אותיות והאות **ת** הופכת ל- **ט**.

When פא הפועל is a **צ** a metathesis occurs and the letter **ת** changes into **ט**.

למשל: במקום: *התצער - הצטער.

כאשר פא הפועל היא **ז** יש שיכול אותיות והאות **ת** הופכת ל- **ד**.

When פא הפועל is a **ז** a metathesis occurs and the letter **ת** changes into a **ד**.

למשל: במקום: *התזקן - הזדקן.

פסק זמן I

1. א) העברית

אליעזר בן יהודה 1922-1858

היום, כמו בזמן התנ״ך, העברית היא שפה חיה, ואנשים בכל גיל ובכל מקום בישראל מדברים עברית, אבל לא תמיד זה היה כך.

5 תקופה ארוכה חיו היהודים במקומות שונים בעולם ולא דיברו עברית. העברית הייתה שפת הספר, וביומיום היא הייתה שפה מתה. בכל ארץ דיברו היהודים בשפה אחרת. למשל, בגרמניה דיברו 10 גרמנית, במרוקו דיברו ערבית וצרפתית, והיו גם שפות יהודיות מיוחדות, כמו יידיש באירופה ולָדִינוֹ בספרד.

רוב החוקרים חושבים שמהמאה השנייה לפני הספירה כבר לא דיברו עברית. המשיכו לקרוא את התנ״ך ואת המשנה בעברית, התפללו בעברית ואפילו התכתבו בעברית, אבל לא הרבה 15 יהודים דיברו עברית מחוץ לבית הכנסת.

בסוף המאה ה-19 בא מרוסיה לישראל יהודי ציוני בשם אליעזר בן יהודה. הוא חשב שכל היהודים צריכים לחזור לארץ ישראל ולדבר עברית. הוא אמר: ״הארץ והלשון - בלי שני הדברים האלה עם ישראל לא יכול להיות עם.״

אנשים דתיים מאוד לא רצו לדבר עברית. הם אמרו שאסור לדבר עברית יומיום, כי זאת שפה 20 קדושה. הם חשבו שבן יהודה משוגע ואסור לדבר איתו. אנשים אחרים רצו לדבר עברית, אבל הם אמרו שהם לא יכולים, כי אין להם מספיק מילים. גם הם חשבו שבן יהודה משוגע, ואי אפשר לדבר איתו. אליעזר בן יהודה לא הסכים - לא עם אלה ולא עם אלה.

לא רק בן יהודה היה ״משוגע״ לעברית. היו אז בארץ ישראל עוד ״משוגעים״ אידאליסטים - פרופסורים, מורים, סופרים, עיתונאים רופאים ואחרים - כולם היו ״חיילים״ בצבא העברית 25 וחיפשו מילים חדשות לחיי היומיום בעולם המודרני. הם אמרו: אנחנו צריכים לפתוח בתי ספר עבריים. בבית ספר עברי צריכים המורים לדבר תמיד רק עברית וללמד עברית בעברית.

בן יהודה היה גם עיתונאי. הוא כתב כמה עיתונים בעברית. בעיתונים האלה הוא השתמש במילים חדשות; בבוקר הוא חשב על מילה חדשה ובערב הוא כתב אותה בעיתון. כך למדו האנשים בארץ את המילים החדשות, הכירו אותן והתחילו להשתמש במילים האלה ברחוב 30 ובבית.

בן יהודה כתב מילון היסטורי גדול וחשוב. במילון הזה יש מילים מתקופת התנ״ך ועד המאה העשרים. במילון יש גם כל המילים החדשות של בן יהודה ושל החברים שלו. למשל: חייל, גלידה, מילון, שעון, עיתון.
אנשים רבים אומרים שהנֵס הגדול של הציונות הוא התְחִיָה של השפה העברית.

תְחִיָיה = למות ואחר כך לחזור לחיים

ב) כתבו למי או למה מתייחסות בקטע המילים המסומנות.

Write to whom or to what, the specified words relate.

דוגמה: ״לא תמיד זה היה כך״ (שורה 3). מה זה ״כך״?

לא תמיד דיברו עברית בכל מקום בישראל.

1) ״התפללו בעברית ואפילו התכתבו בעברית״ (שורה 14).
מי התפלל והתכתב בעברית?
2) ״הם חשבו שבן יהודה משוגע״ (שורה 21). מי חשב?
3) ״הוא לא הסכים לא עם אלה ולא עם אלה״ (שורה 22).
מי זה ״אלה״, ומי זה ״אלה״?
4) ״כך למדו האנשים בארץ את המילים החדשות״ (שורות 28-29). ״כך״ - איך?
5) ״הנס הגדול של הציונות״ (שורה 34). מה הוא הנס?

בן יהודה כתב:
כל חיי אני מצטער על שני דברים: לא נולדתי בארץ, ושפת האם שלי לא עברית.

חיי = החיים שלי

(אליעזר בן יהודה - החלום ושברו)

ספר ללימוד עברית / י. אפשטיין, ירושלים 1892

שְׁנֵי הַדְּבָרִים שֶׁבִּלְעֲדֵיהֶם
לֹא יִהְיוּ הַיְּהוּדִים לְעָם:
הָאָרֶץ וְהַלָּשׁוֹן

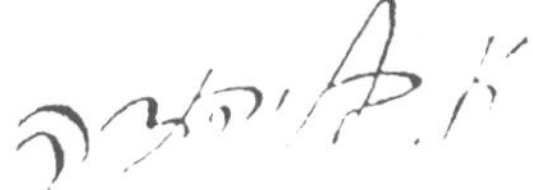

ג) **ספרו זה לזה מה אתם רואים בציורים. הסימן ✓ מציין מילים חדשות בעברית (במאה השנים האחרונות).**

Tell each other what you see in the pictures.
The sign ✓ indicates words in Hebrew (last 100 years).

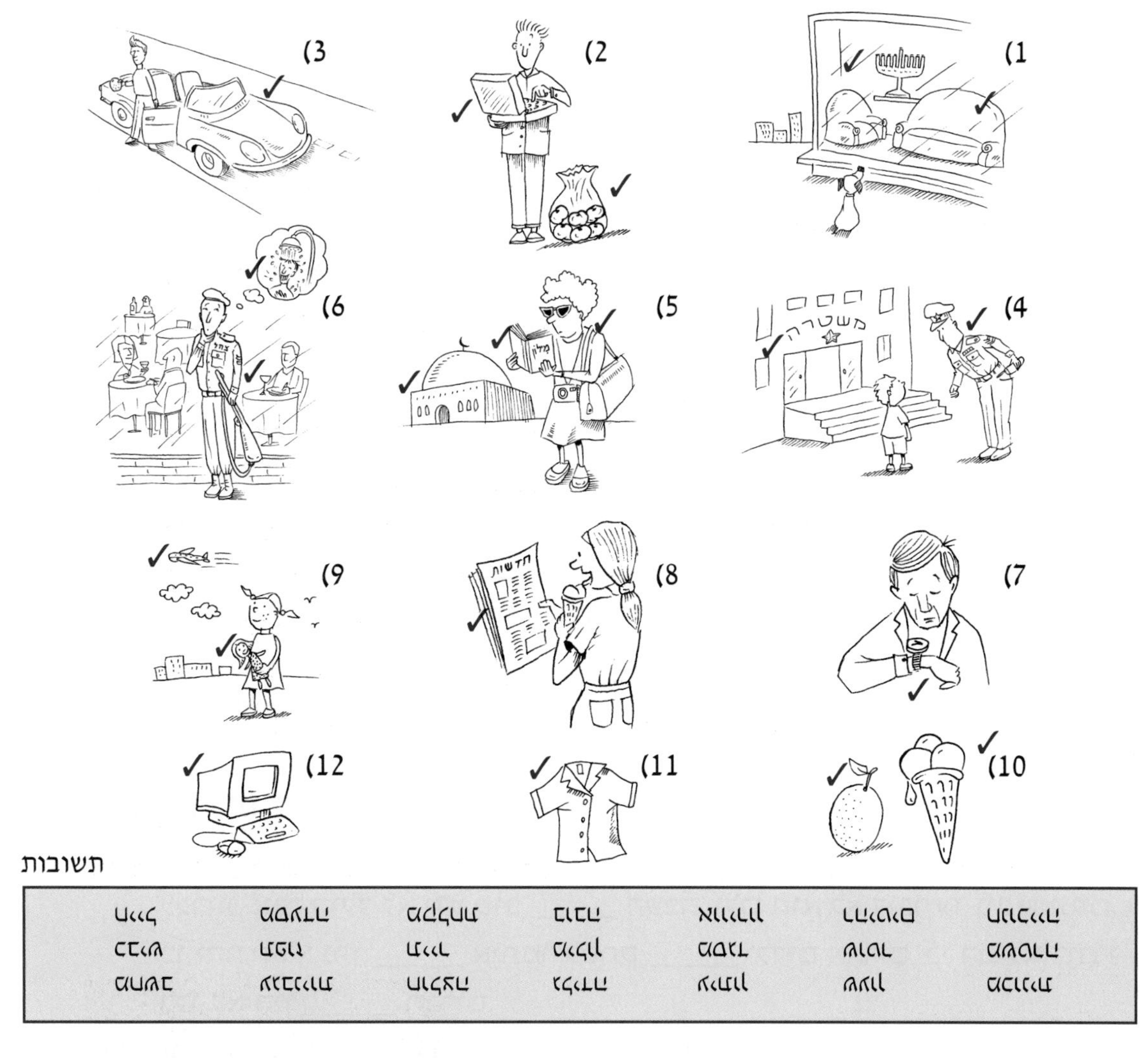

תשובות

מחשב	עגבניות	חולצה	גלידה	עיתון	שעון	מכונית
כביש	תפוז	תייר	מילון	מסגד	שוטר	משטרה
חייל	מסעדה	מקלחת	בובה	אווירון	רהיטים	חנוכייה

.2 **כתבו את הפעלים בסוגריים בצורה הנכונה.** Write the correct form of the parenthesized verbs.

מפה ומשם על החיים בארץ ישראל במאה ה-19

בשנת 1800 __ בארץ ישראל 250 אלף אנשים: ערבים מוסלמים,	(לחיות)
יהודים ונוצרים. היהודים ______ בארבע הערים הקדושות:	(לגור)
ירושלים, צפת, טבריה וחברון, וגם במקומות אחרים.	
היהודים בארץ ______ אז עניים, גם אנשי הכפר וגם אנשי העיר.	(להיות)
אנשי הכפר___ בחקלאות, ואנשי העיר ___ תורה או ___ תורה.	(לעבוד, ללמוד, ללמד)
המצב בארץ היה קשה מאוד, ולכן הרבנים ______ אנשים	(לשלוח)
לחוץ לארץ, לבקש מהיהודים בחו"ל __ להם כסף. גם היהודים	(לתת)

בארץ וגם היהודים בחוץ לארץ _____ שהם עושים משהו נכון וחשוב: (לחשוב)
הם _____ ללמוד וללמד תורה בארץ ישראל. (לעזור)
לאט לאט _____ לארץ עוד ועוד יהודים מארצות המזרח ומאירופה (לבוא)
ו _____ לעבוד במקומות שונים, כמו בבנקים ובבתי חולים. (להתחיל)
הם גם _____ חנויות או _____ בשווקים. (לפתוח, למכור)
שתי קבוצות גדולות של יהודים _____ אז בארץ: ספרדים ואשכנזים. (להיות)
הם לא _____ ביחד, הם לא _____ זה עם זה ואפילו _____ בגדים שונים. (להתפלל, להתחתן, ללבוש)

גם מנהגי החתונה היו שונים. בחתונה ספרדית _____ (לשיר)
ו _____, אבל הרבנים האשכנזים _____, שאפילו בחתונות אסור (לרקוד, לומר)
לשמוח, כי צריך _____ על ירושלים ועל בית המקדש. (לבכות)
ב-1882 _____ לארץ עוד יהודים ציונים ו _____ את המושבות (לעלות, לבנות)
הראשונות: ראש פינה, ראשון לציון, זכרון יעקב, פתח תקווה ועוד.
הם היו אידאליסטים ו _____ בתנאים קשים. (לחיות)
בתקופה הזאת בא הברון רוטשילד לבקר בארץ ישראל; הוא _____ (לראות)
את המצב הקשה של היהודים ו_____ לעזור להם. הוא _____ (להחליט, לתת)
להם כספים ו_____ להם מקומות עבודה חדשים. (למצוא)

3. **השלימו את מילות היחס בנפרד או בנטייה.** Insert the prepositions in their correct form.

שני סיפורים קטנים מארץ ישראל "הישנה והטובה"

א) הבן הראשון של אליעזר בן יהודה היה איתמר. בן יהודה דיבר _____ הבן שלו רק עברית, אבל הילד לא ידע טוב _____ השפה, ולכן הוא לא דיבר עד גיל שנתיים. אליעזר בן יהודה לא נתן _____ איתמר לשחק _____ ילדים אחרים, כי הם לא דיברו עברית. לכן לא היו _____ חברים.

יום אחד בא בן יהודה הביתה ואיתמר בכה. אליעזר שמח. חמדה, האישה _____, שאלה _____: "אליעזר, למה אתה שמח?"
אמר _____ אליעזר: "את לא שומעת? הילד בוכה _____ עברית."

ב) חיים נחמן ביאליק היה אחד החיילים בצבא העברית. הוא כתב הרבה שירים וסיפורים _____ עברית והיה חבר ב"משטרת" השפה העברית.

_____ אנשים ב"משטרה" הזאת, היו ויכוחים _____ אנשים ברחוב _____ השפה העברית. יום אחד הלך ביאליק _____ רחוב ושמע אנשים מדברים בצרפתית, ברוסית, בגרמנית ובעוד שפות. לקח ביאליק נר והדליק _____.

– למה אתה מדליק נר? שאלו ______ האנשים .
– אני מחפש משהו. אמר ביאליק.
– מה אתה מחפש?
– מילה עברית.

.7 א) **איך שפה משפיעה על ילדים?**

פרופסור א. ז. גיורא מאוניברסיטת חיפה חקר ילדים משלוש ארצות: מפינלנד, מארצות הברית ומישראל. הוא רצה לדעת איך השפה משפיעה על האינטליגנציה של הילדים ועל הַחֲשִׁיבָה שלהם, ואם ילדים מארצות שונות חושבים אחרת.

לחשוב - חשיבה

הוא בדק ילדים מגיל שמונה עשר חודשים; בגיל הזה מתחילים ללמוד את השפה. הוא רצה לדעת מתי ילדים מבינים את הקטגוריות של זכר ונקבה, ומתי הם חושבים בקטגוריות האלה.

בשפה העברית יש קטגוריות של זכר ונקבה בפעלים, בשמות עצם ובשמות תואר. פרופסור גיורא מצא שהילדים הישראלים מבינים קטגוריות אלה לפני הילדים באמריקה ובפינלנד. הם מבינים בגיל צעיר מאוד, בגיל עשרים ושניים חודשים, מה הוא זכר, ומה היא נקבה, והם משתמשים נכון בקטגוריות האלה. אחרי כמה חודשים גם הילדים האמריקנים וגם הילדים הפינים מבינים מה הוא זכר ומה היא נקבה, ואומרים, למשל: I am a boy או: I am a girl.

לפי המחקר הזה השפה משפיעה על החשיבה של ילדים צעירים, אבל רק לזמן קצר. אחרי כמה חודשים הילדים בפינלנד ובאמריקה חשבו ודיברו כמו הילדים בישראל.

במחקר אחר מצא פרופסור גיורא שקשה לילדים הישראלים לומר בדיוק מתי קרה משהו בעבר, וקשה להם גם לספר מה קרה לפני מה בעבר, כי בשפה העברית יש רק זמן עבר אחד.

מה אתם חושבים:
מה פרופסור גיורא שאל את הילדים?

ב) **ענו על השאלות.** Answer the questions.

1) מה קל ומה קשה לילדים מישראל, מפינלנד ומארצות הברית?
2) מה לומדים מהמחקר של פרופסור גיורא?

ג) **מה אתם חושבים: מה קל או קשה ללמוד בשפת האם שלכם?**

8. מילים יש מיש או מילים יש מאין

לָשׁוֹן = שפה

מאז התחילה העברית להיות שפה חיה, לפני מאה שנה בערך, מחפשים לה כל הזמן מילים חדשות. היום יש בישראל אקדמיה לַלָשׁוֹן העברית. באקדמיה עובדים פרופסורים לשפה העברית, חוקרים ואוהבי השפה העברית. הם מוצאים מילים חדשות לחיים החדשים בעולם המודרני.

איך בנו בעבר ואיך בונים היום את המילים האלה? אלה הן הדרכים החשובות:

1) לוקחים מילה מהתנ״ך, מהמשנה או מהעברית של יְמֵי הַבֵּינַיִים ונותנים לה ״חיים חדשים״; בעברית מודרנית היא אומרת משהו אחר.

יְמֵי הַבֵּינַיִים = 476 עד 1492 לספירה, התקופה בין הזמן העתיק והזמן המודרני

דוגמה:

בספר יחזקאל מוצאים את המילה חַשְׁמַל: ״ ... הַחַשְׁמַל מִתּוֹךְ הָאֵשׁ״ (יחזקאל א 4).
בתנ״ך המילה חשמל היא אור חזק, ובעברית מודרנית זאת המילה ל- electricity .

2) מילים רבות בעברית הן קומבינציה של שורש + משקל. ברוב השורשים יש שלוש אותיות. יש כמה שורשים עם ארבע אותיות. בונים את המילה לפי השורש ולפי המשקל.

שׁוֹרֶשׁ - root
מִשְׁקָל - phonetic pattern

דוגמאות:

- השורש כ.ת.ב. + מִ ◻ְ◻ָ◻ (שם עצם) = מִכְתָּב
  וגם: השורש ס.פ.ר. + מִ ◻ְ◻ָ◻ = מִסְפָּר.
- השורש ד.ל.ק + ◻ַ◻ֶ◻ֶת (מחלה) = דַּלֶּקֶת

בעברית מודרנית ממשיכים בדרך זאת: נותנים לשורש של מילה בעברית הקלסית משקל אחר ובונים מילה חדשה.

דוגמאות:

- השורש ח.ק.ר. + מֶ◻ְ◻ָ◻ = מֶחְקָר
- השורש א.ד.מ. + המשקל ◻ַ◻ֶ◻ֶת = אַדֶּמֶת (German measles, rubella=).

3) נותנים למילה צורן - בהתחלה, באמצע או בסוף, ובונים מילה חדשה.

צוּרָן - prefix, suffix, infix

דוגמות:
- שם מדינה + ☐ִית = שפה: צרפת - צרפתית, יפן - יפנית...
- שם עצם + ☐ִי = שם תואר: ישראלי, בשרי, חלבי...
- שם עצם + ☐ַאי = עבודה של אדם: עיתונאי, פוליטיקאי ...

4) לוקחים חלקים משתי מילים ובונים מילה חדשה.

דוגמה: כסף + אוטומט = כַּסְפּוֹמָט

5) לוקחים מילה משפה שמית, כמו ערבית או ארמית, או משפה אחרת, נותנים לה משקל עברי ובונים מילה חדשה.

דוגמות: לְטַלְפֵּן, לְהַפְנֵט, לְסַבְסֵד

(לפי: על חרושת המילים בוועד הלשון ובאקדמיה ללשון העברית, פרופ. משה בר אשר, לשוננו לעם תשנ"ו)

? חשבו על: א) עוד מילים חדשות לעברית.
ב) עוד דרכים לבנות מילים חדשות בעברית.

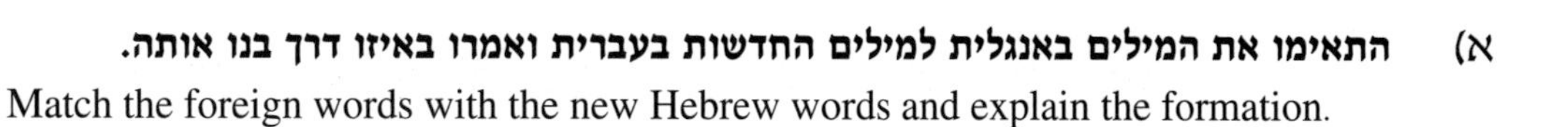

א) **התאימו את המילים באנגלית למילים החדשות בעברית ואמרו באיזו דרך בנו אותה.**

Match the foreign words with the new Hebrew words and explain the formation.

to fax	מִדְרָכָה (מקום להולכי-רגל ליד הכביש) + רְחוֹב = מִדְרְחוֹב
percent	לְפַקְסֵס = לשלוח פקס
jet-lag	רַעְיוֹן + ☐אי = רַעֲיוֹנַאי
copywriter	אָחוּז (בתנ"ך = חלק) כמו בפסוק "אֶחָד אָחוּז מִן הַחֲמִישִּׁים" (במדבר ל"א 30)
pedestrian mall	י.ע.פ. ("נוֹתֵן לַיָּעֵף כּוֹחַ", ישעיה מ 29) + ☐ַ☐ֶ☐ֶת = יַעֶפֶת

ב) מן העיתון

חברת החשמל מסבסדת: 20% פחות לטלוויזיות ישראליות

מחפשים

רעיונאי דתי לעיתון בצרפתית.

בקונגרס בינלאומי דִסְקְסוּ והחליטו: יַעֶפֶת זאת לא מחלה.

מצא מיליון דולר ליד כספומט במדרחוב.

ג) 1. מַרְכּוֹל

— אני צריך לקנות חלב. אני הולך לַמַרְכּוֹל.

— לאן אתה הולך?

— למרכול. לפי האקדמיה צריך להגיד מַרְכּוֹל ולא סופרמרקט.

— אבל בשכונה שלנו אין מַרְכּוֹל, יש רק סופרמרקט.

2. לְדַסְקֵס

— ומה עם לדסקס? לפי האקדמיה מותר כבר להגיד "לדסקס"?

— לא. עוד לא. באקדמיה מדברים, וברחוב מדסקסים.

חוֹלֵם בִּסְפָרַדִּית / אהוד מנור

אֲנִי קָם בְּעִבְרִית בַּבּוֹקֶר
וְשׁוֹתֶה בְּעִבְרִית קָפֶה
מְשַׁלֵּם בְּעִבְרִית בְּיוֹקֶר
עַל כָּל דָּבָר שֶׁאֲנִי קוֹנֶה.

אֲנִי חוֹשֵׁב וַאֲנִי כּוֹתֵב
בְּעִבְרִית בְּלִי קוֹשִׁי
וְאוֹהֵב לֶאֱהוֹב אוֹתָךְ
בְּעִבְרִית בִּלְעָדִית.

בִּשְׂפָתוֹ שֶׁל דָּוִיד הַמֶּלֶךְ
אֲנִי חַי וּמַשְׁמִיעַ קוֹל
וְקוֹרֵא סִיפּוּרִים לַיֶּלֶד
כֵּן, תָּמִיד מִיָּמִין לִשְׂמֹאל.

זֹאת שָׂפָה נֶהְדֶּרֶת
לֹא תִהְיֶה לִי אַחֶרֶת
אַךְ בַּלַּיְלָה בַּלַּיְלָה
אֲנִי חוֹלֵם עוֹד בִּסְפָרַדִּית.

בְּעִבְרִית יֵשׁ מִילִים בְּשֶׁפַע
לְהַגִּיד אֶת הַכּוֹל כִּמְעַט
יֵשׁ בָּהּ תֶּקַע וְיֵשׁ בָּהּ שֶׁקַע
אַךְ אֵין מִילָה בְּעִבְרִית לְטַאקְט.

אֱמוּנִים בְּעִבְרִית שׁוֹמֵר לָךְ
וְסוֹגֵר בְּעִבְרִית תְּרִיסִים
לַיְלָה טוֹב בְּעִבְרִית אוֹמֵר לָךְ
וְגַם סוֹפֵר בְּעִבְרִית כְּבָשִׂים.

מִתְרַגֵּשׁ בְּעִבְרִית מִפֶּרַח
וְנוֹשֵׂא בְּעִבְרִית תְּפִילָה
מִתְרַגֵּז בְּעִבְרִית בֶּן רֶגַע
וּמַרְבִּיץ בְּעִבְרִית קְלָלָה.

הָעִבְרִית מִשְׁתַּנָּה בְּלִי הֶרֶף
זֶה הִתְחִיל בְּלוּחוֹת הַבְּרִית
אֲנִי חַי בְּשָׂפָה דוֹהֶרֶת
וְאָמוּת כַּנִּרְאֶה בְּעִבְרִית.

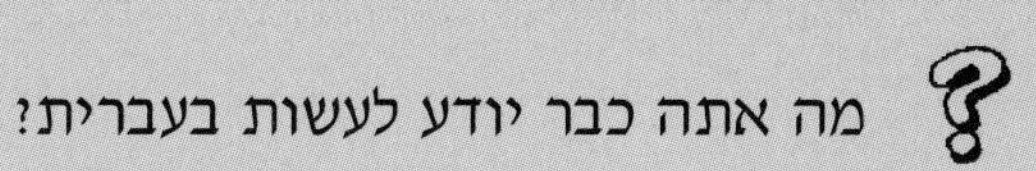

מה אתה כבר יודע לעשות בעברית?

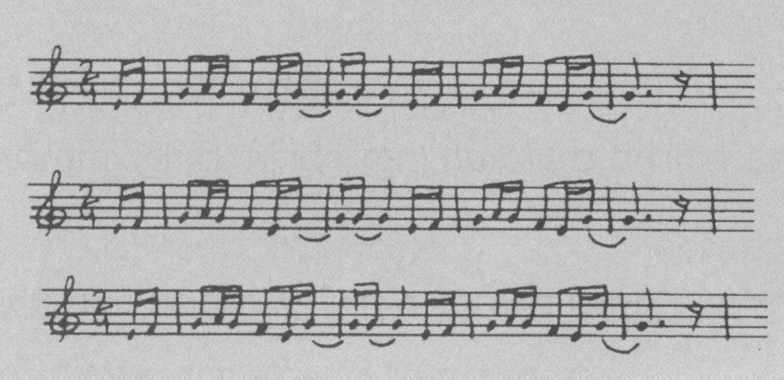

מילון

קיצורים		ABBREVIATIONS
ב.	בִּיטוּי	IDIOM / EXPRESSION / PHRASE
ז.	זָכָר	MASCULINE
י.	יְחִידָה	UNIT
כ״ג	כִּינּוּי גּוּף	PERSONAL PRONOUN
כ״ר	כִּינּוּי רֶמֶז	DEMONSTRATIVE PRONOUN
מ״ז	מִילָה זָרָה	FOREIGN WORD
מ״ח	מִילִית חִיבּוּר	COORDINATOR / CONJUNCTION
מ״י	מִילִית יַחַס	PREPOSITION
מ״ק	מִילַּת קְרִיאָה	INTERJECTION
מ״ש	מִילַּת שְׁאֵלָה	QUESTION WORD
נ.	נְקֵבָה	FEMININE
ס.	סְלֶנְג	SLANG
פ.	פּוֹעַל	VERB
פ״ז	פֶּסֶק זְמַן	TIME OUT
ש	שִׁיעוּר	LESSON
ש״מ	שֵׁם מִסְפָּר	NUMBER / NUMERAL
ש״ע	שֵׁם עֶצֶם	NOUN
ש״ת	שֵׁם תּוֹאַר	ADJECTIVE
ת״פ	תּוֹאַר פּוֹעַל	ADVERB
0	לֹא קַיָּים	DOES NOT EXIST

הערות

1. המילים מתורגמות לפי משמעותן בהקשר הנתון בלבד.
2. כל הפעלים מופיעים בצורת ההווה ולידם שם הפועל.
3. צורת ריבוי שם העצם מופיעה כאשר חלים בה שינויים פונטיים, או כאשר נוספת לה סיומת מיוחדת.
4. שמות התואר מופיעים רק בצורת היחיד - זכר ונקבה.
5. בסוף המילון יש רשימת שמות מקומות (ערים, ארצות וכו׳) המופיעים מיחידה 1 ועד יחידה 7 ובפסק זמן א.
6. הכתיב הוא לפי כללי הכתיב המלא חסר הניקוד שקבעה האקדמיה ללשון העברית, אף על פי שהמילים מנוקדות בניקוד מלא, לבד מדגשים שאינם נהגים.

1. The words are translated into their meaning only in the given context.
2. All the verbs appear in the present tense form with the infinitive form.
3. The plural form of a noun is given when it carries a phonetic change or when it has a special suffix.
4. Adjectives are given only in the two singular forms — masculine and feminine.
5. At the end of the dictionary there is a list of names of places (towns, countries etc.) appearing in units 1 through 7, “time out” א.
6. The spelling is according to the rules of the full spelling without vocalization determined by the Hebrew Language Academy.

FATHER	5 י	אַבָּא (ז.), אָבוֹת ש״ע
AVOCADO	6 י	אָבוֹקָדוֹ (ז.) ש״ע, מ״ז
SPRING	16 ש	אָבִיב (ז.) ש״ע
BUT	6 י	אֲבָל מ״ח
STONE / ROCK	23 ש	אֶבֶן (נ.), אֲבָנִים ש״ע
LEGEND / TALE	23 ש	אַגָּדָה (נ.) ש״ע
EGOIST	14 ש	אֶגוֹאִיסְטִי, אֶגוֹאִיסְטִית ש״ת
AGORA (1/100 OF A SHEKEL)	11 ש	אֲגוֹרָה (נ.) ש״ע
RED	14 ש	אָדוֹם, אֲדוּמָּה ש״ת
SIR / MY LORD	26 ש	אֲדוֹנִי
MAN	6 ש	אָדָם (ז. ר. 0) ש״ע
EARTH / GROUND / LAND	16 ש	אֲדָמָה (נ. ר. 0) ש״ע
LOVE	2 ש	אַהֲבָה (נ.) ש״ע
HI!	4 ש	אַהֲלָן! מ״ק, ס. מ״ז
OR	3 י	אוֹ מ״ח
AUGUST	7 ש	אוֹגוּסְט מ״ז
LOVE	6 י	אוֹהֵב, לֶאֱהוֹב פ.
TENT	3 ש	אוֹהֶל (ז.), אוֹהָלִים ש״ע
EAR	15 ש	אוֹזֶן (נ.), אוֹזְנַיִים ש״ע
AIR	28 ש	אֲוִויר (ז. ר. 0) ש״ע
BUS	1 ש	אוֹטוֹבּוּס (ז.) ש״ע, מ״ז

AUTONOMOUS	ש 24	אוֹטוֹנוֹמִי, אוֹטוֹנוֹמִית ש״ת, מ״ז
EAT	ש 3	אוֹכֵל, לֶאֱכוֹל פ.
FOOD	ש 6	אוֹכֶל (ז. ר. 0) ש״ע
ARTIST	ש 23	אוֹמָן (ז.), אוֹמָנִית (נ.) ש״ע
SAY	ש 1	אוֹמֵר, לוֹמַר (ל...) פ.
UNIVERSITY	י 6	אוּנִיבֶרְסִיטָה (נ.), אוּנִיבֶרְסִיטָאוֹת ש״ע, מ״ז
UNIVERSAL	ש 15	אוּנִיבֶרְסָלִי, אוּנִיבֶרְסָלִית ש״ת, מ״ז
O.K.	י 4	אוֹ קֵיי מ״ק, מ״ז
MAYBE	י 4	אוּלַי מ״ח
ULPAN	י 5	אוּלְפָּן (ז.) ש״ע
OPTIMISTIC	ש 22	אוֹפְּטִימִי, אוֹפְּטִימִית ש״ת, מ״ז
OPTIMISM	ש 7	אוֹפְּטִימִיוּת (נ. ר. 0) ש״ע, מ״ז
OPERA	ש 9	אוֹפֶּרָה (נ.) ש״ע, מ״ז
TREASURE	ש 17	אוֹצָר (ז.), אוֹצָרוֹת ש״ע
OCTOBER	ש 7	אוֹקְטוֹבֶּר מ״ז
LIGHT	ש 17	אוֹר (ז.), אוֹרוֹת ש״ע
OREGANO	ש 21	אוֹרֶגָנוֹ (ז.) ש״ע, מ״ז
ORGANIC	ש 6	אוֹרְגָנִי, אוֹרְגָנִית ש״ת
GUEST	ש 18	אוֹרֵחַ (ז.), אוֹרַחַת (נ.) ש״ע
LETTER (EXP. A.B.C)	ש 14	אוֹת (נ.), אוֹתִיּוֹת ש״ע
THEN	י 7 ש 1	אָז ת״פ
BROTHER, SISTER	ש 18	אָח (ז.), אָחוֹת (נ.), אֲחָיוֹת ש״ע
ONE	ש 3	אֶחָד (ז.) ש״מ
ELEVEN	ש 11	אַחַד עָשָׂר (ז.) ש״מ
PERCENT	ש 27	אָחוּז (ז.) ש״ע
BACKWARDS	ש 26	אָחוֹרָה ת״פ
WONDERFUL	ש 8	אַחְלָה מ״ק, ס, מ״ז
DIFFERENT / OTHER	ש 3	אַחֵר, אַחֶרֶת ש״ת
LATER / THEN / AFTERWARDS	ש 19	אַחַר כָּךְ ת״פ
LAST	ש 10	אַחֲרוֹן, אַחֲרוֹנָה ש״ת
AFTER	ש 10	אַחֲרֵי מ״י

אַחַת (נ.) מ״ש	י 7	ONE
אַחַת עֶשְׂרֵה (נ.) ש״מ	י 7	ELEVEN
אִידֵאוֹלוֹגְיָה (נ.) ש״ע, מ״ז	ש 6	IDEOLOGY
אִידֵאָלִי, אִידֵאָלִית ש״ת, מ״ז	פ״ז 2	IDEAL
אִידֵאָלִיסְט (ז.), אִידֵאָלִיסְטִית (נ.) ש״ע, מ״ז	ש 28	IDEALIST
אֵיידְס (ז. ר. 0) ש״ע, מ״ז	ש 25	A.I.D.S
אי״ה = אִם יִרְצֶה הַשֵּׁם ב.	ש 14	GOD WILLING
אֵיזֶה? (ז.) מ״ש	ש 2	WHICH? / WHAT?
אֵיזֶה מַזָּל! ב.	י 7	HOW LUCKY! / WHAT LUCK!
אֵיזוֹ? (נ.) מ״ש	ש 2	WHICH? / WHAT?
אֵילוּ? (ז. / נ. ר) מ״ש	ש 2	WHICH? / WHAT?
אֵיךְ? מ״ש	ש 1	HOW?
אִמָּא (נ.), אִמָּהוֹת ש״ע	י 1	MOTHER
אִי-מֵייל (ז.) ש״ע, מ״ז	ש 5	E-MAIL
אֵין	י 5	THERE ISN'T / AREN'T
אֵין בְּעַד מָה! ב.	ש 19	YOU'RE WELCOME (AFTER "THANK YOU!")
אֵין דָּבָר! ב.	ש 1	NEVER MIND
אִינְטֶלִיגֶנְטִי, אִינְטֶלִיגֶנְטִית ש״ת, מ״ז	ש 12	INTELLIGENT
אִינְטֶלֶקְטוּאָל (ז.), אִינְטֶלֶקְטוּאָלִית (נ.) ש״ע + ש״ת, מ״ז	ש 10	INTELLECTUAL
אִינְטֶרְנֶט (ז.) ש״ע, מ״ז	י 6	INTERNET
אִינְפוֹרְמַצְיָה (נ.) ש״ע, מ״ז	ש 17	INFORMATION
אִיסְלָאם (ז. ר. 0) ש״ע, מ״ז	ש 26	ISLAM
אֵיפֹה? מ״ש	י 6	WHERE?
אַי-קְיוּ (ז. ר. 0) ש״ע, מ״ז	ש 24	I.Q.
אֵירוֹבִּיקָה (נ.) ש״ע, מ״ז	ש 18	AEROBICS
אִישׁ (ז.), אֲנָשִׁים ש״ע	י 2	MAN / PERSON
אִשָּׁה (נ.), נָשִׁים	י 2	WIFE / WOMAN
אִישִׁי, אִישִׁית ש״ת	ש 28	PERSONAL
אַכְסַנְיָה (נ.) ש״ע	ש 3	INN / HOSTEL
אֶלֶגַנְטִי, אֶלֶגַנְטִית ש״ת, מ״ז	ש 8	ELEGANT
אֵלֶּה (ז. נ. ר.) כ״ר	י 3	THESE

אֱלוֹהִים (ז. ר.) ש״ע	ש 11	GOD
אֶלֶף (ז.), אֲלָפִים ש״מ	ש 3	THOUSAND
אַלְפַּיִים ש״מ	ש 3	TWO THOUSAND
אָלֶף בֵּית (ז. ר. 0) ש״ע	ש 5	ALPHABET
אֶלֶקְטרוֹנִי, אֶלֶקְטרוֹנִית ש״ת, מ״ז	ש 11	ELECTRONIC
אֶלֶקְטְרוֹנִיקָה (נ. ר. 0) ש״ע, מ״ז	י 4	ELECTRONICS
אִם	ש 26	IF
אֵם (נ.), אִימָהוֹת ש״ע	ש 28	MOTHER
אַמְהָרִית (נ. ר. 0) ש״ע, מ״ז	ש 13	AMHARIC (LANGUAGE)
אֱמוּנָה (נ.) ש״ע	ש 27	FAITH / BELIEF
אֲמִיתִּי, אֲמִיתִּית ש״ת	ש 28	REAL
אַמְפִיתֵאַטְרוֹן (ז.) ש״ע, מ״ז	ש 2	AMPHITHEATER
אֱמֶת (נ.) ש״ע	ש 15	TRUTH
אַנְגְלִית (נ. ר. 0) ש״ע, מ״ז	י 3	ENGLISH (LANGUAGE)
אֲנַחְנוּ (ז. נ. ר.)	י 4	WE
אַנְטִישֵׁמִיוּת (נ. ר. 0) ש״ע, מ״ז	ש 20	ANTI-SEMITISM
אֲנִי (ז., נ.) כ״ג	י 1	I
אֶנֶרְגְיָה (נ.) ש״ע, מ״ז	פ״ז 2	ENERGY
אַנְתרוֹפּוֹסוֹפִי, אַנְתְרוֹפּוֹסוֹפִית ש״ת, מ״ז	ש 6	ANTHROPOSOPHIC
אָסוּר	ש 26	FORBIDDEN
אַף (ז.) ש״ע	ש 15	NOSE
אַף אֶחָד	ש 22	NOBODY
אֲפִילוּ מ״ח	ש 16	EVEN (EXP. EVEN SHE SAID)
אֶפֶס (ז.), אֲפָסִים ש״ע	ש 1	ZERO
אַפְּרִיל מ״ז	ש 7	APRIL
(אִי) אֶפְשָׁר	ש 26	(IM) POSSIBLE
אֲקָדֶמַאי, אֲקָדֶמָאִית ש״ת, מ״ז	ש 16	ACADEMIC
אַקְוַורְיוּם (ז.) ש״ע, מ״ז	ש 19	AQUARIUM / FISH BOWL
אֶקוֹלוֹגִי, אֶקוֹלוֹגִית ש״ת, מ״ז	ש 16	ECOLOGICAL
אָקָמוֹל (ז.) ש״ע, מ״ז	ש 24	ACAMOL (PAIN KILLER BRAND)
אַרְבַּע (נ.) ש״מ	י 7	FOUR

FOURTEEN	ש 9	אַרְבַּע עֶשְׂרֵה (נ.) ש״מ
FOUR	ש 3	אַרְבָּעָה (ז.) ש״מ
FOURTEEN	ש 9	אַרְבָּעָה עָשָׂר (ז.) ש״מ
FORTY	ש 6	אַרְבָּעִים (ז. נ.) ש״מ
MEAL	ש 6	אֲרוּחָה (נ.) ש״ע
LONG	ש 15	אָרוֹךְ, אֲרוּכָּה ש״ת
LION	ש 19	אַרְיֵה (ז.), אֲרָיוֹת ש״ע
ARISTOCRAT	ש 28	אָרִיסְטוֹקְרָט (ז.), אָרִיסְטוֹקְרָטִית (נ.) ש״ת, מ״ז
ARCHEOLOGIST	ש 1	אַרְכֵאוֹלוֹג (ז.), אַרְכֵאוֹלוֹגִית (נ.) ש״ע, מ״ז
PALACE	ש 2	אַרְמוֹן (ז.), אַרְמוֹנוֹת ש״ע
LAND / COUNTRY	י 4	אֶרֶץ (נ.), אֲרָצוֹת ש״ע
FIRE	ש 16	אֵשׁ (נ. ר. 0) ש״ע
GRAPEFRUIT	י 5	אֶשְׁכּוֹלִית (נ.), אֶשְׁכּוֹלִיּוֹת ש״ע
ASHKENAZI (JEW OF EUROPEAN DESCENT)	ש 7	אַשְׁכְּנַזִּי, אַשְׁכְּנַזִּיָּה ש״ת
YOU	י 1	אַתְּ (נ.) כ״ג
WORD SIGNIFYING A DIRECT OBJECT	ש 4	אֶת מ״י
YOU	י 1	אַתָּה (ז.) כ״ג
YOU	י 3	אַתֶּם (ז. ר.) כ״ג
YESTERDAY	ש 13	אֶתְמוֹל ת״פ
YOU	י 3	אַתֶּן (נ. ר.) כ״ג
SITE	ש 26	אֲתָר (ז.) ש״ע
IN / AT	י 5	בְּ... מ״י
COME	י 6	בָּא, לָבוֹא פ.
IN THE MIDDLE OF	ש 8	בְּאֶמְצַע ת״פ
TRULY / REALLY	ש 3	בֶּאֱמֶת ת״פ, מ״ק
PLEASE / WELCOME	י 6	בְּבַקָּשָׁה
GARMENT, CLOTHES	ש 5	בֶּגֶד (ז.), בְּגָדִים ש״ע
SWIMSUIT	ש 22	בֶּגֶד יָם (ז.), בִּגְדֵי יָם ש״ע
BEDOUIN	ש 3	בֶּדְוִי, בֶּדְוִית ש״ע, ש״ת, מ״ז
EXACTLY	ש 25	בְּדִיּוּק ת״פ

GOOD LUCK!	ש 9	בְּהַצְלָחָה! ת״פ, ב.
CHECK / EXAMINE	ש 19	בּוֹדֵק, לִבְדּוֹק פ.
CHOOSE	ש 16	בּוֹחֵר, לִבְחוֹר (ב...) פ.
BOUTIQUE	ש 22	בּוּטִיק (ז.) ש״ע, מ״ז
BOTANICAL	ש 19	בּוֹטָנִי, בּוֹטָנִית ש״ת, מ״ז
BOTANY	ש 19	בּוֹטָנִיקָה (נ. ר. 0) ש״ע, מ״ז
STAMP	ש 11	בּוּל (ז.) ש״ע
BUILD	ש 7	בּוֹנֶה, לִבְנוֹת פ.
BOSS	ש 27	בּוֹס (ז.), בּוֹסִית (נ.) ש״ע, מ״ז
MORNING	ש 1	בּוֹקֶר (ז.), בְּקָרִים ש״ע
GOOD MORNING!	י 6	בּוֹקֶר טוֹב! ב.
BUREKAS (FOOD)	ש 8	בּוּרֶקַס (ז.) ש״ע, מ״ז
BASIL	ש 21	בָּזִילִיקוּם (ז.ר. 0) ש״ע, מ״ז
YOUNG MAN	ש 2	בָּחוּר (ז.), בַּחוּרָה (נ.) ש״ע
TEST / EXAM	ש 7	בְּחִינָה (נ.) ש״ע
SURE / SAFE	ש 18	בָּטוּחַ, בְּטוּחָה ש״ת
SURE!	ש 1	בֶּטַח! ת״פ, מ״ק
STOMACH / TUMMY	ש 15	בֶּטֶן (נ.) ש״ע
BETWEEN	ש 24	בֵּין מ״י
EGG	ש 21	בֵּיצָה (נ.), בֵּיצִים ש״ע
HOUSE / HOME	י 5	בַּיִת (ז.), בָּתִּים ש״ע
THE TEMPLE	ש 17	בֵּית הַמִּקְדָּשׁ (ז.) ש״ע
HOSPITAL	ש 11	בֵּית חוֹלִים (ז.), בָּתֵּי חוֹלִים ש״ע
CHILDREN'S HOME (IN THE KIBBUTZ)	ש 6	בֵּית יְלָדִים (ז.), בָּתֵּי יְלָדִים ש״ע
SYNAGOGUE	ש 3	בֵּית כְּנֶסֶת (ז.), בָּתֵּי כְּנֶסֶת ש״ע
HOTEL	י 6	בֵּית מָלוֹן (ז.), בָּתֵּי מָלוֹן ש״ע
SCHOOL	ש 6	בֵּית סֵפֶר (ז.), בָּתֵּי סֵפֶר ש״ע
HIGHCHOOL	ש 28	בֵּית סֵפֶר תִּיכוֹן (ז.) ש״ע
CAFÉ	ש 8	בֵּית קָפֶה (ז.), בָּתֵּי קָפֶה ש״ע
WITH PLEASURE!	ש 8	בְּכֵיף מ״ק, ס., מ״ז
BLOND	ש 16	בְּלוֹנְדִינִי, בְּלוֹנְדִינִית ש״ת, מ״ז

BALLET	2 ש	בָּלֶט (ז.) ש״ע, מ״ז
WITHOUT	6 ש	בְּלִי מ״י
DIRECTOR	18 ש	בַּמַאי (ז.), בַּמָאִית (נ.) ש״ע
DURING	27 ש	בְּמֶשֶׁךְ מ״ח
BOY / SON	14 ש	בֵּן (ז.), בָּנִים ש״ע
FREQUENTER (MEMBER OF A FAMILY)	24 ש	בֶּן בַּיִת (ז.) ש״ע
COUSIN	25 ש	בֶּן דוֹד (ז.), בַּת דוֹד (נ.) ש״ע
HOW OLD?	9 ש	בֶּן כַּמָה? בַּת כַּמָה?
FAMILY MEMBER	14 ש	בֶּן מִשְׁפָּחָה (ז.)
THE PEOPLE OF ISRAEL	21 ש	בְּנֵי יִשְׂרָאֵל (ז. ר.)
BUILDING	23 ש	בִּנְיָין (ז.) ש״ע
BANANA	5 י	בַּנָנָה (נ.) ש״ע, מ״ז
BANK	6 י	בַּנְק (ז.) ש״ע, מ״ז
ALRIGHT / O.K.	5 י	בְּסֵדֶר ת״פ
WITH GOD'S HELP	14 ש	בע״ה = בְּעֶזְרַת הַשֵּׁם ב.
IN A... (EXP. IN A MOMENT, MONTH)	8 ש	בְּעוֹד מ״ח
PROBLEM	7 ש	בְּעָיָה (נ.) ש״ע
HUSBAND	5 ש	בַּעַל (ז.), בְּעָלִים ש״ע
ABOUT, APPROXIMATELY / AROUND	15 ש	בְּעֶרֶךְ ת״פ
ONION	19 ש	בָּצָל (ז.), בְּצָלִים ש״ע
BOTTLE	11 ש	בַּקְבּוּק (ז.) ש״ע
ABOUT / IN CONNECTION WITH	2 ש	בְּקֶשֶׁר ל... ב.
ON FOOT	17 ש	בָּרֶגֶל ת״פ
THANK HEAVENS (LIT. GOD BE BLESSED)	6 י	בָּרוּךְ הַשֵּׁם ב.
WELCOME	6 י	בְּרוּכִים הַבָּאִים (ז. נ.) ב.
		בָּרוּךְ הַבָּא (ז.), בְּרוּכָה הַבָּאָה (נ.)
		בְּרוּכוֹת הַבָּאוֹת (נ. ר.)
HEALTHY	9 ש	בָּרִיא, בְּרִיאָה ש״ת
POOL / SWIMMING POOL	25 ש	בְּרֵיכָה (נ.) ש״ע
BLESSING	14 ש	בְּרָכָה (נ.) ש״ע
MEAT	18 ש	בָּשָׂר (ז.) ש״ע

OF MEAT (EXP. MEAT MEAL)	ש 3	בְּשָׂרִי, בְּשָׂרִית ש״ת
GIRL / DAUGHTER	ש 14	בַּת (נ.), בָּנוֹת ש״ע
INSIDE / IN	ש 15	בְּתוֹךְ מ״י

GEOLOGIST	ש 25	גֵאוֹלוֹג (ז.), גֵאוֹלוֹגִית (נ.)
BACK	ש 15	גַב (ז.) ש״ע
HIGH / TALL	ש 16	גָבוֹהַּ, גְבוֹהָה ש״ת
CHEESE	ש 9	גְבִינָה (נ.) ש״ע
MAN	ש 3	גֶבֶר (ז.), גְבָרִים ש״ע
LADY / MRS.	ש 24	גְבֶרֶת (נ.) ש״ע
BIG	ש 2	גָדוֹל, גְדוֹלָה ש״ת
GROW	ש 26	גָדֵל, לִגְדוֹל פ.
JOGGING	ש 10	ג׳וֹגִינְג (ז. ר. 0) ש״ע, מ״ז
FINISH	ש 18	גוֹמֵר, לִגְמוֹר פ.
JUNGLE	ש 13	ג׳וּנְגֶל (ז.) ש״ע, מ״ז
BODY	ש 15	גוּף (ז.) ש״ע
GAS	ש 11	גָז (ז.) ש״ע, מ״ז
CARROT	ש 19	גֶזֶר (ז.), גְזָרִים ש״ע
GUITAR	ש 19	גִיטָרָה (נ.) ש״ע, מ״ז
AGE	ש 12	גִיל (ז.) ש״ע
GARDEN	ש 2	גִינָה (נ.) ש״ע
JEANS	ש 5	ג׳ִינְס (ז.) ש״ע, מ״ז
GIRAFFE	ש 19	ג׳ִירָפָה (נ.) ש״ע, מ״ז
POSTCARD	ש 8	גְלוּיָה (נ.) ש״ע
ICE CREAM	י 2	גְלִידָה (נ.) ש״ע
ALSO	י 2	גַם מ״ח
(SOMETHING) AND ALSO (SOMETHING ELSE) / BOTH	ש 1	גַם וְגַם ב.
GARDEN / PARK	ש 10	גַן (ז.) ש״ע
ZOO	ש 19	גַן חַיוֹת, גַנֵי חיוֹת (ז.) ש״ע
GARDEN OF EDEN / HEAVEN	ש 21	גַן עֵדֶן (ז.) ש״ע

GARDENER	ש 9	גַּנָּן (ז.) ש״ע
ARCHIVES	ש 5	גְּנִיזָה (נ.) ש״ע
GE'EZ (LANGUAGE)	ש 13	גֶּעֶז (נ. ר. 0) ש״ע, מ״ז
LIVE	י 3	גָּר, לָגוּר פ.
GERMAN (LANGUAGE)	י 3	גֶּרְמָנִית (נ. ר. 0) ש״ע מ״ז
GRAPHIC ARTIST	ש 20	גְּרָפִיקַאי (ז.), גְּרָפִיקָאִית (נ.) ש״ע, מ״ז
RAIN	ש 12	גֶּשֶׁם (ז.), גְּשָׁמִים ש״ע
THING	ש 14	דָּבָר (ז.), דְּבָרִים ש״ע
HONEY	ש 14	דְּבַשׁ (ז. ר. 0) ש״ע
FISH	ש 13	דָּג (ז.) ש״ע
FLAG	י 2	דֶּגֶל (ז.), דְּגָלִים ש״ע
MAIL / POST	ש11	דּוֹאַר (ז. ר. 0) ש״ע
AIR MAIL	ש 11	דּוֹאַר אֲוִיר (ז. ר. 0) ב.
UNCLE, AUNT	ש 4	דּוֹד (ז.), דּוֹדָה (נ.) ש״ע
DOLLAR	ש 21	דּוֹלָר (ז.) ש״ע, מ״ז
DOCUMENTARY	ש 7	דּוֹקוּמֶנְטָרִי, דּוֹקוּמֶנְטָרִית ש״ת, מ״ז
DOCTOR	ש 1	דּוֹקְטוֹר (ז./ נ.) ש״ע, מ״ז
ENOUGH / STOP IT!	ש 7	דַּי ת״פ
DIET	ש 6	דִּיאֶטָה (נ.) ש״ע, מ״ז
DUTY-FREE	ש 4	דְּיוּטִי פְרִי (ז. ר. 0) ש״ע, מ״ז
DILEMMA	ש 16	דִּילֶמָּה (נ.) ש״ע, מ״ז
DISCOTHEQUE	פ״ז 1	דִּיסְקוֹטֶק (ז.) ש״ע, מ״ז
APARTMENT	ש 2	דִּירָה (נ.) ש״ע
DOOR	ש 13	דֶּלֶת (נ.) דְּלָתוֹת ש״ע
DEMOCRATIC	ש 27	דֶּמוֹקְרָטִי, דֶּמוֹקְרָטִית ש״ת, מ״ז
CHECKERS	ש 26	דַּמְקָה (נ.) ש״ע, מ״ז
DECEMBER	ש 7	דֶּצֶמְבֶּר מ״ז
MINUTE	ש 3	דַּקָּה (נ.) ש״ע
REGARDS (EXP. SEND REGARDS TO)	י 6	דְּרִישַׁת שָׁלוֹם ב.
REGARDS (ACRONYM)	ש 13	דָּ״שׁ ב.

דֶּרֶךְ (נ.), דְּרָכִים ש״ע	ש 8	WAY
בְּדֶרֶךְ כְּלָל ת״פ	ש 14	USUALLY
דָּת (נ.) ש״ע	ש 24	RELIGION
דָּתִי, דָּתִיָּה ש״ת	ש 12	RELIGIOUS
הַ...	י 2	THE
הַבַּיְתָה ת״פ	ש 8	HOMEWARD
הוּא (ז.) כ״ג	י 4	HE
הוֹלֵךְ, לָלֶכֶת פ.	י 6	WALK / GO
הוֹלֵךְ ל... ס., ב.	ש 14	SUCCEED WITH (EXP. HE MADE IT)
הוּמוֹר (ז. ר. 0) ש״ע, מ״ז	ש 7	HUMOR
הוֹרֵג, לַהֲרוֹג פ.	ש 28	KILL
(הוֹרֶה) הוֹרִים (ז. ר) ש״ע	ש 6	(PARENT) PARENTS
הַיי! מ״ק, מ״ז	י 1	HI!
הִיא (נ.) כ״ג	י 1	SHE
הִנֵּה	י 2	THERE IS (EXP. THERE IS RUTH)
הִיסְטוֹרְיָה (נ. ר. 0) ש״ע, מ״ז	ש 1	HISTORY
הִיסְטוֹרְיוֹן (ז.), הִיסְטוֹרְיוֹנִית (נ.) ש״ע, מ״ז	ש 17	HISTORIAN
הִיפּוֹפּוֹטָם (ז.) ש״ע, מ״ז	ש 19	HIPPOPOTAMUS
הֲכִי	ש 25	THE MOST (EXP. THE MOST BEAUTIFUL)
הָלוֹ מ״ק, מ״ז	ש 1	HELLO
הֲלָכָה (נ.) ש״ע	ש 24	RULE / THE JEWISH LAW
הֵם (ז. ר.) כ״ג	י 3	THEY
הֵם	ש 6	EQUALS / ARE
הָמוֹן (ז.) ש״ת	ש 19	A LOT / MANY
הֵן (נ. ר.) כ״ג	י 3	THEY
הַפְסָקָה (נ.) ש״ע	ש 6	RECESS / A BREAK
הַר (ז.) ש״ע	י 2	MOUNTAIN
הַרְבֵּה ש״ת, ת״פ	י 5	MUCH / A LOT / MANY
הַתְחָלָה (נ.) ש״ע	ש 23	BEGINNING

וְ...	י 3	AND
וָואלָה מ״ק, ס., מ״ז	ש8	REALLY!? / THAT IS RIGHT
וִידֶאוֹ (ז.) ש״ע, מ״ז	י 3	VIDEO
וִיזָה (נ.) ש״ע, מ״ז	ש 21	VISA
וִיטָמִין (ז.) ש״ע, מ״ז	ש 27	VITAMIN
וִיכּוּחַ (ז.) ש״ע	ש 25	ARGUMENT

זְאֵב (ז.), זְאֵבָה (נ.) ש״ע	ש 15	WOLF
זֹאת (נ.) כ״ר	י 3	THIS
זֶבְּרָה (נ.) ש״ע, מ״ז	ש 19	ZEBRA
זֶה (ז.) כ״ר	י 3	THIS
זֶה לָזֶה ב.	ש 16	TO EACH OTHER
זֶהוּ	ש 4	THAT'S IT
זָהָב (ז.) ש״ע	ש 17	GOLD
זְהִירוּת! ש״ע, מ״ק	ש 21	BE CAREFUL!
זוֹאוֹלוֹגְיָה (נ. ר. 0) ש״ע, מ״ז	י 3	ZOOLOGY
זוּג (ז.), זוּגוֹת ש״ע	ש 14	COUPLE
זוֹכֵר, לִזְכּוֹר פ.	ש 20	REMEMBER
זוֹל, זוֹלָה ש״ת	ש 3	NOT EXPENSIVE / CHEAP
זָז, לָזוּז פ.	ש 13	MOVE
זַיִת (ז.), זֵיתִים ש״ע	ש 9	OLIVE
זָכָר (ז.) ש״ע	ש 14	MASCULINE (GRAMMATICAL GENDER)
זְמַן (ז.) ש״ע	ש 5	TIME / TENSE
זָקֵן, זְקֵנָה ש״ת	ש 25	OLD (ANIMATE)
זָר, זָרָה ש״ת	ש 28	FOREIGN / FOREIGNER

חָאקִי (ז.) ש״ת, מ״ז	ש 22	KHAKI
חֲבִילָה (נ.) ש״ע	ש 11	PARCEL / PACKAGE
חֲבָל! מ״ק	ש 22	IT'S A PITY / IT'S A SHAME

עברית	שיעור	English
חָבֵר (ז.), חֲבֵרָה (נ.) ש״ע	פ״ז 1	FRIEND / BOY/GIRL FRIEND
חֶבְרָה (נ.) ש״ע	ש 27	COMPANY / SOCIETY
הַחֶבְרָה לַהֲגַנַּת הַטֶּבַע	ש 26	THE SOCIETY FOR THE PRESERVATION OF NATURE
חֶבְרֶה ס.	ש 27	GUYS (COMPANY OF FRIENDS)
חַג (ז.) ש״ע	ש 12	HOLIDAY / FEAST
חֶדֶר (ז.), חֲדָרִים ש״ע	ש 2	ROOM
חָדָשׁ, חֲדָשָׁה ש״ת	ש 2	NEW
חֲדָשׁוֹת (נ. ר) ש״ע	י 7	NEWS
חוֹדֶשׁ (ז.) ש״ע	ש 10	MONTH
חוֹזֵר, לַחֲזוֹר פ.	ש 6	RETURN
חו״ל (ז. ר. 0) = חוּץ לָאָרֶץ ש״ע	ש 8	ABROAD (ACRONYM)
חוֹלֶה, לַחְלוֹת פ.	ש 23	BE SICK
חוֹלֶה (ז.), חוֹלָה (נ.) ש״ת, ש״ע	ש 8	SICK
חוֹלֵם, לַחְלוֹם פ.	ש 23	DREAM
חוּלְצָה (נ.) ש״ע	ש 18	SHIRT
חוֹם (ז. ר. 0) ש״ע	ש 24	HEAT / FEVER
חוּם, חוּמָה ש״ת	ש 16	BROWN
חוֹמָה (נ.) ש״ע	ש 23	WALL (EXP. CITY WALLS)
חוּמוּס (ז.) ש״ע, מ״ז	ש 3	CHICK-PEAS / HUMUS
חוֹף (ז.) ש״ע	ש 17	BEACH / SHORE
חוֹפֶשׁ (ז. ר. 0) ש״ע	ש 14	FREEDOM / VACATION
חוּפְשָׁה (נ.) ש״ע	ש 22	VACATION
חוֹפְשִׁי, חוֹפְשִׁית ש״ת	ש 24	FREE
חוֹק (ז.) ש״ע	ש 26	LAW
חוֹקֵר, לַחְקוֹר פ.	ש 17	RESEARCH
חוֹקֵר (ז.), חוֹקֶרֶת (נ.) ש״ע	ש 19	SCHOLAR / RESEARCHER
חוֹר (ז.) ש״ע	ש 13	HOLE
חוֹרֶף (ז.) ש״ע	ש 8	WINTER
חוֹשֵׁב, לַחְשׁוֹב פ.	ש 5	THINK
חוֹשֶׁךְ (ז. ר. 0) ש״ע	ש 17	DARKNESS
חָזָק, חֲזָקָה ש״ת	ש 22	STRONG

חַי, לִחְיוֹת פ.	ש 18	LIVE
חַיָּה (נ.) ש״ע	ש 19	ANIMAL
חַיִּים (ז. ר) ש״ע	פ 1	LIFE
חִילוֹנִי, חִילוֹנִית ש״ת	ש 27	SECULAR
חִינָה (נ.) ש״ע, מ״ז	ש 14	HENNA (EXP. HENNA PARTY)
חָכָם, חֲכָמָה ש״ת, ש״ע	ש 21, ש 23	SMART / WISE
חָלָב (ז. ר. 0) ש״ע	י 6	MILK
חֲלָבִי, חֲלָבִית ש״ת	ש 3	DAIRY
חַלָּה (נ.) ש״ע	י 3	CHALLAH BREAD
חֲלוֹם (ז.), חֲלוֹמוֹת ש״ע	ש 13	DREAM
חַלּוֹן (ז.), חַלּוֹנוֹת ש״ע	ש 8	WINDOW
חֵלֶק (ז.), חֲלָקִים ש״ע	ש 27	PART
חַם, חַמָּה ש״ת	ש 8	HOT
חֲמִישָּׁה (ז.) ש״מ	ש 3	FIVE
חֲמִישָּׁה עָשָׂר (ז.) ש״מ	ש 11	FIFTEEN
חֲמִישִׁי, חֲמִישִׁית ש״ת	ש 13	FIFTH
חֲמִישִּׁים (ז. ו נ.) ש״מ	ש 3	FIFTY
חָמֵשׁ (נ.) ש״מ	י 7	FIVE
חֲמֵשׁ עֶשְׂרֵה (נ.) ש״מ	ש 9	FIFTEEN
חֲנוּכָּה (נ.) ש״ע	ש 27	CHANUKAH (JEWISH FEAST)
חֲנוּכִּיָּה (נ.) ש״ע	ש 2	CHANUKAH LAMP
חֲנוּת (נ.), חֲנוּיוֹת ש״ע	ש 1	SHOP
חַסָּה (נ.) ש״ע	ש 21	LETTUCE
חֲצָאִית (נ.) ש״ע	ש 22	SKIRT
חָצָב (ז.) ש״ע	ש 16	SQUILL (FLOWER)
חֵצִי (ז.), חֲצָאִים ש״ע	י 7	HALF
חַקְלָאוּת (נ. ר. 0) ש״ע	ש 6	AGRICULTURE
חֶשְׁבּוֹן (ז.), חֶשְׁבּוֹנוֹת ש״ע	ש 8	ARITHMETIC / BILL / CHECK
חָשׁוּב, חֲשׁוּבָה ש״ת	ש 10	IMPORTANT
חַשְׁמַל (ז. ר. 0) ש״ע	ש 22	ELECTRICITY
חֲתוּנָּה (נ.) ש״ע	ש 12	WEDDING

GOOD LOOKING (ANIMATE)	ש 16	חֲתִיךְ, חֲתִיכָה ש״ת, ס.
GROOM	ש 12	חָתָן (ז.) ש״ע
TAI CHI (MARTIAL ART)	ש 4	טַאי צִ׳י (ז. ר. 0) ש״ע, מ״ז
NATURE	ש 6	טֶבַע (ז. ר.0) ש״ע
NATURAL	ש 26	טִבְעִי, טִבְעִית ש״ת
RING	ש 14	טַבַּעַת (נ.) ש״ע
WELL / GOOD	י 6	טוֹב ת״פ
GOOD	ש 2	טוֹב, טוֹבָה ש״ת
TON	ש 20	טוֹן (ז.), טוֹנוֹת ש״ע, מ״ז
TUNA	ש 9	טוּנָה (נ.) ש״ע, מ״ז
TURKISH	ש 23	טוּרְקִי, טוּרְקִית ש״ת
TAHINI (ORIENTAL FOOD)	ש 4	טְחִינָה (נ.) ש״ע, מ״ז
HIKE / WALK	ש 6	טִיּוּל (ז.) ש״ע
PROMENADE	ש 26	טַיֶּלֶת (נ. ר. 0) ש״ע
STUPID / DUMB	ש 22	טִיפֵּשׁ, טִיפְּשָׁה ש״ת
T-SHIRT	ש 5	טִי-שֶׁרְט (נ.) ש״ע, מ״ז
TELEVISION	י 3	טֶלֶוִיזְיָה (נ.) ש״ע, מ״ז
TALLITH (PRAYER SHAWL)	ש 12	טַלִּית (נ.), טַלִּיתוֹת ש״ע
TELECARD (PHONE CARD)	ש 11	טֶלֶכַּרְט (ז.) ש״ע, מ״ז
TELEPHONE	פ 1	טֶלֶפוֹן (ז.) ש״ע, מ״ז
CELL-PHONE	ש 11	טֶלֶפוֹן סֶלוּלָרִי
TELEPHONE (GAME)	ש 14	טֶלֶפוֹן שָׁבוּר
TEMPERATURE	ש 16	טֶמְפֶּרָטוּרָה (נ.) ש״ע, מ״ז
FLY	ש 13	טָס, לָטוּס פ.
MISTAKE	ש 21	טָעוּת (נ.) ש״ע
TASTY / DELICIOUS	ש 13	טָעִים, טְעִימָה ש״ת
CEREMONY	ש 14	טֶקֶס (ז.), טְקָסִים ש״ע
TAXI	ש 16	טַקְסִי (ז.) ש״ע, מ״ז
TRAGIC	ש 7	טְרָאגִי, טְרָאגִית ש״ת, מ״ז
TROPICAL	ש 19	טְרוֹפִּי, טְרוֹפִּית ש״ת, מ״ז

טָרִי, טְרִיָּה ש״ת	ש 22	FRESH
טְרֶמְפּ (ז.) ש״ע, מ״ז	ש 8	HITCHHIKE

יָד (נ.), יָדַיִים ש״ע	ש 12	HAND
יָדִיד (ז.), יְדִידָה (נ.) ש״ע	ש 18	FRIEND
יַהֲדוּת (נ. ר. 0) ש״ע	ש 13	JUDAISM
יְהוּדִי (ז.), יְהוּדִיָּה (נ.) ש״ת, ש״ע	ש 5	JEW, JEWISH
יוֹגָה (נ. ר. 0) ש״ע, מ״ז	פ״ז 1	YOGA
יוֹגוּרְט (ז.) ש״ע, מ״ז	ש 18	YOGURT
יוֹדֵעַ, לָדַעַת פ.	י 7	KNOW
יְוָונִי, יְוָונִית ש״ת	ש 10	GREEK
יוּלִי מ״ז	ש 7	JULY
יוֹם (ז.), יָמִים ש״ע	ש 3	DAY
הַיּוֹם ת״פ	ש 4	TODAY
יוֹם הוּלֶדֶת (ז.) ש״ע	ש 11	BIRTHDAY
יוֹם רִאשׁוֹן	ש 4	SUNDAY
יוֹם שֵׁנִי	ש 4	MONDAY
יוֹם שְׁלִישִׁי	ש 4	TUESDAY
יוֹם רְבִיעִי	ש 4	WEDNESDAY
יוֹם חֲמִישִׁי	ש 4	THURSDAY
יוֹם שִׁישִּׁי	ש 4	FRIDAY
יוֹם כִּיפּוּר (ז.) ש״ע	ש 13	YOM KIPPUR - DAY OF ATONEMENT
יוֹמְיוֹם ש״ע, ת״פ	ש 7	DAILY LIFE / DAILY
יוֹמָן (ז.) ש״ע	ש 15	DIARY / LOG BOOK
יוּנִי מ״ז	ש 7	JUNE
יוֹפִי! מ״ק	י 6	GREAT! / GOOD!
יוֹצֵא, לָצֵאת פ.	ש 19	GO OUT / EXIT
יוֹרֵד, לָרֶדֶת פ.	ש 8	DESCEND / GO DOWN
יוֹשֵׁב, לָשֶׁבֶת פ.	ש 3	SIT
יוֹתֵר (מ...)	ש 13	MORE (THAN)

TOGETHER	ש 6	יַחַד / בְּיַחַד ת״פ
SINGULAR (GRAMMAR)	ש 14	יָחִיד (ז.), יְחִידָה (נ.) ש״ע
ATTITUDE / RELATIONSHIP	ש 27	יַחַס (ז. ר. 0) ש״ע
YIDDISH (JEWISH DIALECT)	י 3	יִידִישׁ (נ.) ש״ע
"YIDDISHE MAMA" (JEWISH MOTHER)	ש 22	״יִידִישֶׁע מַאמֶע״ מ״ז
WINE	י 1	יַיִן (ז.), יֵינוֹת ש״ע
IS ABLE / CAN	ש 21	יָכוֹל
BOY / CHILD	י 2	יֶלֶד (ז.), יְלָדִים, ש״ע
GIRL	י 2	יַלְדָּה (נ.), יְלָדוֹת
SEA	י 1	יָם (ז.) ש״ע
THE MEDITERRANEAN SEA	ש 26	הַיָּם הַתִּיכוֹן (ז.)
RIGHT (SIDE)	ש 26	יָמִין (ז.) ש״ע
TO THE RIGHT	ש 1	יָמִינָה ת״פ
JANUARY	ש 7	יָנוּאָר מ״ז
BEAUTIFUL / PRETTY	ש 2	יָפֶה, יָפָה ש״ת
JAPANESE (LANGUAGE)	י 5	יַפָּנִית (נ. ר. 0) ש״ע, מ״ז
DEAR / EXPENSIVE	ש 11	יָקָר, יְקָרָה ש״ת
GREEN	ש 16	יָרוֹק, יְרוּקָּה ש״ת
VEGETABLE	ש 9	יֶרֶק (ז.), יְרָקוֹת ש״ע
THERE IS / THERE ARE	י 5	יֵשׁ
YEH! (YES!)	י 5	יֶשׁ! מ״ק, ס.
YESHIVA (TALMUDIC COLLEGE)	ש12	יְשִׁיבָה (נ.) ש״ע
SLEEP	ש 18	יָשֵׁן, לִישׁוֹן פ.
OLD (INANIMATE)	ש 2	יָשָׁן, יְשָׁנָה ש״ת
STRAIGHT	ש 1	יָשָׁר ת״פ
ISRAELI	ש 3	יִשְׂרְאֵלִי, יִשְׂרְאֵלִית ש״ת, ש״ע
"ISRAELINESS"	ש 22	יִשְׂרְאֵלִיּוּת (נ. ר. 0) ש״ע
PAIN	ש 24	כְּאֵב (ז.) ש״ע
HERE	ש 18	כָּאן ת״פ
KEFFIYEH (ORIENTAL SHAWL)	ש 7	כָּאפִיָּיה (נ.) ש״ע, מ״ז

ROAD	ש 13	כְּבִישׁ (ז.) ש״ע
ALREADY	ש 8	כְּבָר ת״פ
WORTHWHILE / ADVISABLE	ש 27	כְּדַאי
HURT	ש 24	כּוֹאֵב, לִכְאוֹב (ל...) פ.
HAT	ש 7	כּוֹבַע (ז.) ש״ע
"TEMBEL" = DUMMY'S HAT	ש 7	כּוֹבַע טֶמְבֶּל (ז.), כּוֹבְעֵי טֶמְבֶּל
CAPTURE / CONQUER	ש 24	כּוֹבֵשׁ, לִכְבּוֹשׁ פ.
POWER / FORCE / STRENGTH	ש 20	כּוֹחַ (ז.), כּוֹחוֹת ש״ע
CHOLERA	ש 23	כּוֹלֶרָה (נ.) ש״ע, מ״ז
BE ANGRY	ש 17	כּוֹעֵס, לִכְעוֹס (עַל) פ.
WRITE	י 6	כּוֹתֵב, לִכְתּוֹב פ.
THE WAILING WALL	ש 4	(כּוֹתֶל) הַכּוֹתֶל הַמַּעֲרָבִי ש״ע
BLUE	ש 8	כָּחוֹל, כְּחוּלָּה ש״ת
BECAUSE	ש 6	כִּי מ״ח
CHEMICALS	ש 6	כִימִיקָלִים (ז. ר) ש״ע, מ״ז
CHAIR	ש 3	כִּסֵּא (ז.), כִּסְאוֹת ש״ע
FUN	ש 13	כֵּיף ס., מ״ז
CLASS / CLASSROOM	י 5	כִּיתָּה (נ.) ש״ע
THIS IS HOW... / SO	ש 10	כָּךְ ת״פ
SO SO	ש 10	כָּכָה כָּכָה ת״פ, ס.
EACH / ALL / EVERY	ש 3	כָּל-
EVERYTHING	י 5	הַכּוֹל
BRAVO!	ש 24	כָּל הַכָּבוֹד! ב.
THE WHOLE WORLD	י 5	כָּל הָעוֹלָם ב.
EVERYBODY	פ״ז 1	כּוּלָּם (ז. ר.)
SO / SUCH / SO MUCH	ש 12	כָּל כָּךְ ב.
DOG	ש 11	כֶּלֶב (ז.), כַּלְבָּה (נ.) ש״ע
BRIDE	ש 12	כַּלָּה (נ.) ש״ע
NOTHING	ש 21	כְּלוּם
DISH / INSTRUMENT	ש 18	כְּלִי (ז.), כֵּלִים ש״ע
HOW MANY? / HOW MUCH?	ש 1	כַּמָּה? מ״ש

A FEW	ש 10	כַּמָּה
LIKE / AS	ש 2	כְּמוֹ
ALMOST	ש 16	כִּמְעַט ת"פ
YES	י 5	כֵּן
CHURCH	ש 26	כְּנֵסִיָּה (נ.) ש"ע
THE KNESSET	י 6	הַכְּנֶסֶת ש"ע
SILVER / MONEY	ש 4	כֶּסֶף (ז.), כְּסָפִים ש"ע
ATM MACHINE	ש 3	כַּסְפּוֹמָט (ז.) ש"ע
VILLAGE	ש 13	כְּפָר (ז.) ש"ע
TICKET / CARD	ש 7	כַּרְטִיס (ז.) ש"ע
KOSHER (JEWISH FOOD RESTRICTIONS)	ש 8	כָּשֵׁר, כְּשֵׁרָה ש"ת
MARRIAGE CONTRACT	ש 14	כְּתוּבָּה (נ.) ש"ע
ADDRESS	ש 24	כְּתוֹבֶת (נ.) ש"ע

TO	י 4	לְ... מ"י
NO	י 3	לֹא
NEVER MIND (LIT. NOT IMPORTANT)	ש 9	לֹא חָשׁוּב
SLOWLY	ש 5	לְאַט ת"פ
WHERE TO?	י 4	לְאָן? מ"ש
HEART	ש 15	לֵב (ז.), לְבָבוֹת ש"ע
WITH ALL HIS / HER HEART	ש 28	בְּלֵב שָׁלֵם ב.
WHITE	ש 16	לָבָן, לְבָנָה ש"ת
BLESS YOU	ש 8	לִבְרִיאוּת! ב.
THE 33RD DAY OF THE OMER (JEWISH HOLIDAY COUNT)	ש 14	ל"ג בָּעוֹמֶר
LEGAL	ש 16	לֵגָלִי, לֵגָלִית ש"ת, מ"ז
TO SAY / TO TELL	ש 20	לְהַגִּיד פ.
TO BE	ש 7	לִהְיוֹת פ.
SEE YOU / AU REVOIR	י 3	לְהִתְרָאוֹת מ"ק
BYE	י 7	לְהִתְ' ס.

לוֹבֵשׁ, לִלְבּוֹשׁ פ.	ש 5	WEAR
לוּחוֹת הַבְּרִית (ז. ר.) ש״ע	ש 25	THE TABLETS OF THE COVENANT
לוֹמֵד, לִלְמוֹד פ.	י 3	LEARN
לוֹקֵחַ, לָקַחַת (מ...) פ.	ש 15	TAKE
לֶחֶם (ז.) ש״ע	י 3	BREAD
לַחְמָנִיָּה (נ.) ש״ע	ש 1	BREAD ROLL
לְיַד מ״י	י 5	NEAR / BY
לַיְלָה (ז.), לֵילוֹת ש״ע	ש 1	NIGHT
לִימוּדִים (ז. ר.) ש״ע	ש 18	STUDIES
לִימוֹן (ז.) ש״ע	י 3	LEMON
לָכֵן מ״ח	ש 22	THEREFORE
לָמָּה? מ״ש	ש 6	WHY?
לְמַעְלָה ת״פ	ש 26	UPWARD
לְמָשָׁל	ש 2	FOR EXAMPLE
לַסְפִירָה	ש 17	A.D. (OF A DATE)
לְפִי מ״י	ש 6	ACCORDING TO
לִפְנֵי מ״י	ש 12	BEFORE
לִפְעָמִים ת״פ	ש 2	SOMETIMES

מִ... / מֵ... מ״י	י 2	FROM
מֵאָה (ז. ו נ.) מֵאוֹת ש״מ	ש 3	ONE HUNDRED
מֵאָה (נ.) מֵאוֹת ש״ע	ש 5	CENTURY
מְאוֹד ת״פ	י 6	VERY
מְאוּחָר, מְאוּחֶרֶת ש״ת, ת״פ	ש 13	LATE
מְאוּשָּׁר, מְאוּשֶּׁרֶת ש״ת	ש 22	HAPPY
מֵאָז ת״פ	ש 13	SINCE / SINCE THEN
מַאי מ״ז	ש 7	MAY
מֵאַיִן? מ״ש	י 2	WHERE FROM?
מַאֲמִין, לְהַאֲמִין פ.	ש 24	BELIEVE
מַאֲמִין (ז.), מַאֲמִינָה (נ.) ש״ע	ש 25	BELIEVER

מָאתַיִים (ז. ו נ.) ש״מ	ש 13	TWO HUNDRED
מַבְטִיחַ, לְהַבְטִיחַ (ל..) פ.	ש 28	PROMISE
מֵבִין, לְהָבִין (ש 10) פ.	ש 1	UNDERSTAND
מְבַקֵּר, לְבַקֵּר פ.	ש 13	VISIT
מְבַקֵּשׁ, לְבַקֵּשׁ פ.	ש 12	ASK / REQUEST
מְבָרֵךְ, לְבָרֵךְ (על) פ.	ש 14	BLESS
מִבְרָק (ז.) ש״ע	ש 11	TELEGRAM
מְגִילָּה (נ.) ש״ע	ש 17	SCROLL
מַגִּיעַ, לְהַגִּיעַ פ.	ש 21	ARRIVE
מְדַבֵּר, לְדַבֵּר פ.	י 5	TALK
מִדְבָּר (ז.), מִדְבָּרִיּוֹת ש״ע	ש 8	DESERT
מֶדִיטַצְיָה (נ.) ש״ע, מ״ז	פ״ז 1	MEDITATION
מְדִינָה (נ.) ש״ע	ש 20	STATE / COUNTRY
מַדְלִיק, לְהַדְלִיק פ.	ש 27	LIGHT
מַדָּע (ז.) ש״ע	ש 21	SCIENCE
מַדְרִיךְ (ז.), מַדְרִיכָה (נ.)	ש 7	GUIDE
מָה? מ״ש	י 1	WHAT?
מַה הַשָּׁעָה?	י 7	WHAT TIME IS IT?
מַה נִּשְׁמַע?	י 4	WHAT'S UP?
מַה נִּשְׁ...? ס.		WHAT'S UP?
מַה פִּתְאוֹם?!	ש 8	NO WAY!
מַה קָּרָה?	ש 10	WHAT HAPPENED?
מַה שְּׁלוֹמֵךְ? (נ.)	י 6	HOW ARE YOU?
מַה שְּׁלוֹמְךָ? (ז.)	י 6	HOW ARE YOU?
מַה שְּׁמֵךְ? (נ.)	ש 5	WHAT IS YOUR NAME?
מַה שִּׁמְךָ? (ז.)	ש 5	WHAT IS YOUR NAME?
מַהֵר ת״פ	ש 5	QUICKLY / FAST
מוֹדִיעִין (ז.) ש״ע	ש 1	INFORMATION / TELEPHONE DIRECTORY
מוֹדֶל (ז.) ש״ע, מ״ז	ש 22	MODEL
מוֹדָעָה (נ.) ש״ע	ש 12	NOTICE / AD
מוֹדֶרְנִי, מוֹדֶרְנִית ש״ת, מ״ז	ש 2	MODERN

מוֹדֶרְנִיזַצְיָה (נ.) ש״ע, מ״ז	ש 6	MODERNIZATION
מוּזֵאוֹן (ז.) ש״ע, מ״ז	י 5	MUSEUM
מוּזִיקָה (נ.) ש״ע, מ״ז	י 6	MUSIC
מוּזִיקָלִי (ז.), מוּזִיקָלִית (נ.) ש״ת, מ״ז	ש 5	MUSICAL
מוֹכֵר (ז.), מוֹכֶרֶת (נ.) ש״ע	ש 4	SALES PERSON / CLERK
מוּל מ״י	ש 26	OPPOSITE / IN FRONT / ACROSS FROM
מוּסְלְמִי (ז.), מוּסְלְמִית (נ.) ש״ע, ש״ת	ש 24	MUSLIM
מוֹצֵא, לִמְצוֹא פ.	ש 17	FIND, DISCOVER
מוּקְדָם ת״פ	ש 27	EARLY
מוֹקָה (ז. ר. 0) ש״ע, מ״ז	ש 16	MOCHA
מוֹרֶה (ז.), מוֹרָה (נ.) ש״ע	י 3	TEACHER
מוֹרִיד, לְהוֹרִיד פ.	ש 22	TAKE OFF / DECREASE
מוֹשָׁב (ז.) ש״ע	ש 22	SETTLEMENT
מוּתָר	ש 26	ALLOWED / YOU MAY
מֶזֶג אֲוִיר (ז. ר. 0) ש״ע	ש 11	WEATHER
מִזְוָודָה (נ.) ש״ע	ש 24	SUITCASE
מְזוּזָה (נ.) ש״ע	ש 12	MEZUZAH (RELIGIOUS JEWISH DOORPOST)
מַזָּל (ז.), מַזָּלוֹת ש״ע	ש 14	LUCK / SIGN OF THE ZODIAC
מַזָּל טוֹב! ב.	י 6	CONGRATULATIONS!
מַזְמִין, לְהַזְמִין פ.	ש 10	INVITE
מִזְּמַן ת״פ	ש 23	A LONG TIME AGO
הַמִּזְרָח הַתִּיכוֹן (ז.)	ש 26	THE MIDDLE EAST
מַחְבֶּרֶת (נ.) ש״ע	ש 2	NOTEBOOK
מִחוּץ ל... ת״פ	ש 23	OUTSIDE OF / OUT OF
מַחֲזֶה (ז.), מַחֲזוֹת ש״ע	ש 28	PLAY (THEATRE)
מַחֲלָה (נ.) ש״ע	ש 23	ILLNESS / DISEASE
מַחְלִיט, לְהַחְלִיט (על) פ.	ש 27	DECIDE
מַחְמָאָה (נ.) ש״ע	ש 28	COMPLIMENT
מְחַמֵּם, לְחַמֵּם פ.	ש 26	WARM
מַחֲנֶה (ז.), מַחֲנוֹת ש״ע	ש 13	CAMP
מְחַפֵּשׂ, לְחַפֵּשׂ פ.	ש 4	LOOK FOR / SEARCH

מֶחְקָר (ז.) ש״ע	ש 27	RESEARCH
מָחָר ת״פ	ש 4	TOMORROW
מַחְשֵׁב (ז.) ש״ע	י 6	COMPUTER
מִטְבָּח (ז.) ש״ע	ש2	KITCHEN
מַטְבֵּעַ (ז.), מַטְבְּעוֹת ש״ע	ש 26	COIN
מָטוֹס (ז.) ש״ע	ש 13	AIRPLANE
מְטַיֵּיל, לְטַיֵּיל פ.	ש 3	GO FOR A WALK / TRAVEL
מְטַלְפֵּן, לְטַלְפֵּן פ., מ״ז	ש 25	PHONE / CALL
מִי? מ״ש	י 1	WHO?
מִיָּד ת״פ	ש 28	IMMEDIATELY
מְיוּחָד, מְיוּחֶדֶת ש״ת	ש 2	SPECIAL
מָיוֹנֶז (ז. ר. 0) ש״ע, מ״ז	י 3	MAYONNAISE
מִיטָּה (נ.) ש״ע	ש 3	BED
מִילָּה (נ.), מִילִים ש״ע	ש 3	WORD
מִילוֹן (ז.) ש״ע	ש 9	DICTIONARY
מִילְיוֹן (ז. ו נ.) ש״ע, ש״מ, מ״ז	ש 23	MILLION
מַיִם (ז. ר.) ש״ע	י 1	WATER
מִינֶרָל (ז.) ש״ע, מ״ז	ש 8	MINERAL
מִיץ (ז.) ש״ע	י 4	JUICE
מִיקְרוֹ-גַל (ז.) ש״ע	ש 6	MICROWAVE
מִישֶׁהוּ (ז.) ש״ע	ש 5	SOMEBODY
מָכוֹן (ז.) ש״ע	ש 27	INSTITUTE
מְכוֹנָה (נ.) ש״ע	ש 6	MACHINE
מְכוֹנִית (נ.) ש״ע	ש 14	CAR
מַכִּיר, לְהַכִּיר פ.	ש 4, ש 21	KNOW / BE FAMILIAR WITH / RECOGNIZE
מִכְנָסַיִים (ז. ר. 0) ש״ע	ש 22	PANTS
מִכְתָּב (ז.) ש״ע	י 6	LETTER
מָלוֹן (ז.), מְלוֹנוֹת ש״ע	י 6	HOTEL
מֶלַח (ז. ר. 0) ש״ע	י 3	SALT
מִלְחָמָה (נ.) ש״ע	ש 7	WAR
מֶלֶךְ (ז.), מַלְכָּה (נ.) ש״ע	ש 13	KING, QUEEN

TEACH	ש 25	מְלַמֵּד, לְלַמֵּד פ.
CUCUMBER	ש 18	מְלָפְפוֹן (ז.) ש״ע
WAITER	ש 8	מֶלְצַר (ז.), מֶלְצָרִית (נ.) ש״ע
CONTINUE	ש 12	מַמְשִׁיךְ, לְהַמְשִׁיךְ פ.
GOVERNMENT	ש 20	מֶמְשָׁלָה (נ.) ש״ע
CUSTOM	ש 14	מִנְהָג (ז.) ש״ע
LAMP / MENNORA (JEWISH LAMP)	ש 21	מְנוֹרָה (נ.) ש״ע
MINT	י 3	מֶנְטָה (נ. ר. 0) ש״ע, מ״ז
TRY	ש 28	מְנַסֶּה, לְנַסּוֹת פ.
CLEAN	ש 18	מְנַקֶּה, לְנַקּוֹת פ.
AROUND	ש 23	מִסָּבִיב ל... מ״ח
EXPLAIN	ש 10	מַסְבִּיר, לְהַסְבִּיר פ.
MOSQUE	ש 26	מִסְגָּד (ז.) ש״ע
PUT IN ORDER / TIDY / ORGANIZE	ש 18	מְסַדֵּר, לְסַדֵּר פ.
TRADITION	ש 13	מָסוֹרֶת (נ.) ש״ע
PARTY	ש 9	מְסִיבָּה (נ.) ש״ע
AGREE (WITH / TO)	ש 27	מַסְכִּים, לְהַסְכִּים (עם / ל...) פ.
RESTAURANT	י 4	מִסְעָדָה (נ.) ש״ע
ENOUGH	ש 7	מַסְפִּיק ת״פ
TELL	ש 10	מְסַפֵּר, לְסַפֵּר (ל...) פ.
NUMBER	ש 1	מִסְפָּר (ז.) ש״ע
WATCH / LOOK	ש 28	מִסְתַּכֵּל, לְהִסְתַּכֵּל (ב... / על) פ.
A LITTLE / FEW	ש 24	מְעַט
ENVELOPE	ש 11	מַעֲטָפָה (נ.) ש״ע
(WATER) SPRING	ש 8	מַעְיָן (ז.), מַעְיָינוֹת ש״ע
INTERESTING	ש 6	מְעַנְיֵין, מְעַנְיֶינֶת ש״ת
COAT	ש 22	מְעִיל (ז.) ש״ע
CAVE	ש 17	מְעָרָה (נ.) ש״ע
SMOKE	ש 26	מְעַשֵּׁן, לְעַשֵּׁן פ.
FAMOUS	ש 18	מְפוּרְסָם, מְפוּרְסֶמֶת ש״ת
STOP	ש 10	מַפְסִיק, לְהַפְסִיק פ.

English		Hebrew
FAX	11 ש	מְפַקְסֵס, לְפַקְסֵס פ., מ״ז
SITUATION / STATUS / CONDITION	23 ש	מַצָּב (ז.) ש״ע
GREAT / WONDERFUL	4 י	מְצוּיָּן ת״פ
EXCELLENT / WONDERFUL	2 ש	מְצוּיָּן, מְצוּיֶּנֶת ש״ת
FUNNY	14 ש	מַצְחִיק, מַצְחִיקָה ש״ת
SORRY	1 ש	מִצְטַעֵר, לְהִצְטַעֵר פ.
DRAW	15 ש	מְצַיֵּיר, לְצַיֵּיר פ.
SUCCEED (IN)	10 ש	מַצְלִיחַ, לְהַצְלִיחַ (ב...) פ.
RECEIVE	9 ש	מְקַבֵּל, לְקַבֵּל פ.
BLESS / SANCTIFY	14 ש	מְקַדֵּשׁ, לְקַדֵּשׁ (על) פ.
TEMPLE	25 ש	מִקְדָּשׁ (ז.) ש״ע
MIQWE (RITUAL BATHING PLACE)	12 ש	מִקְוֶה (נ.), מִקְוָואוֹת ש״ע
PLACE	3 ש	מָקוֹם (ז.), מְקוֹמוֹת ש״ע
STICK / CANE	13 ש	מַקֵּל (ז.), מַקְלוֹת ש״ע
SHOWER	2 ש	מִקְלַחַת (נ.) ש״ע
LISTEN	27 ש	מַקְשִׁיב, לְהַקְשִׁיב (ל...) פ.
FEEL	10 ש	מַרְגִּישׁ, לְהַרְגִּישׁ פ.
MARGARINE	2 י	מַרְגָּרִינָה (נ.) ש״ע, מ״ז
SAGE (PLANT)	21 ש	מַרְוָוה (נ.) ש״ע
CENTER	13 ש	מֶרְכָּז (ז.) ש״ע
CENTRAL	21 ש	מֶרְכָּזִי, מֶרְכָּזִית ש״ת
GOSSIP (ABOUT)	18 ש	מְרַכֵּל, לְרַכֵּל (עַל) פ.
MARCH	7 ש	מַרְס מ״ז
SOUP	18 ש	מָרָק (ז.) ש״ע
MARATHON	13 ש	מָרָתוֹן (ז.) ש״ע, מ״ז
SOMETHING	3 ש	מַשֶּׁהוּ
REALLY GOOD / SOMETHING SPECIAL	פ״ז 1	מַשֶּׁהוּ-מַשֶּׁהוּ ש״ת, ס.
CRAZY	7 ש	מְשׁוּגָּע, מְשׁוּגַּעַת ש״ת
POET	24 ש	מְשׁוֹרֵר (ז.), מְשׁוֹרֶרֶת ש״ע (נ.)
PLAY	6 ש	מְשַׂחֵק, לְשַׂחֵק פ.
GAME	14 ש	מִשְׂחָק (ז.) ש״ע

POLICE	ש 24	מִשְׁטָרָה (נ. ר. 0) ש״ע
PAY	ש 9	מְשַׁלֵּם, לְשַׁלֵּם (ל...) פ.
MISHNA (POST BIBLICAL TEXTS)	פ״ז 1	מִשְׁנָה (נ.) ש״ע
BORING	ש 8	מְשַׁעֲמֵם, מְשַׁעֲמֶמֶת ש״ת
FAMILY	י 5	מִשְׁפָּחָה (נ.) ש״ע
INFLUENCE / EFFECT	ש 28	מַשְׁפִּיעַ, לְהַשְׁפִּיעַ (עַל) פ.
OFFICE	ש 11	מִשְׂרָד (ז.) ש״ע
USE	ש 28	מִשְׁתַּמֵּשׁ, לְהִשְׁתַּמֵּשׁ (ב...) פ.
DIE	ש 23	מֵת, לָמוּת פ.
FALL IN LOVE (WITH)	ש 28	מִתְאַהֵב, לְהִתְאַהֵב (ב...) פ.
FIT (TO) / BE APPROPRIATE	ש 16	מַתְאִים, לְהַתְאִים (ל...) פ.
SWEET	ש 9	מָתוֹק, מְתוּקָה ש״ת
START (WITH) / BEGIN	ש 10	מַתְחִיל, לְהַתְחִיל (ב...) פ.
MARRY (WITH)	ש 12	מִתְחַתֵּן, לְהִתְחַתֵּן (עִם) פ.
WHEN?	ש 1	מָתַי? מ״ש
CORRESPOND	ש 12	מִתְכַּתֵּב, לְהִתְכַּתֵּב (עִם) פ.
WEAR / DRESS	ש 12	מִתְלַבֵּשׁ, לְהִתְלַבֵּשׁ פ.
MATHEMATICS	י 4	מָתֵמָטִיקָה (נ. ר. 0) ש״ע, מ״ז
VOLUNTEER	ש 28	מִתְנַדֵּב, לְהִתְנַדֵּב (ל...) פ.
VOLUNTEER	ש 6	מִתְנַדֵּב (ז.), מִתְנַדֶּבֶת (נ.) ש״ע
GIFT / PRESENT	י 1	מַתָּנָה (נ.) ש״ע
PRAY (TO/FOR)	ש 12	מִתְפַּלֵּל, לְהִתְפַּלֵּל (ל...) פ.
GET EXCITED	ש 12	מִתְרַגֵּשׁ, לְהִתְרַגֵּשׁ (מ...) פ.
WASH ONESELF / BATH	ש 12	מִתְרַחֵץ, לְהִתְרַחֵץ פ.

NAZI	ש 28	נָאצִי (ז.), נָאצִית (נ.) ש״ע, מ״ז
PROPHET	ש 21	נָבִיא (ז.), נְבִיאָה (נ.) ש״ע
DRIVER	ש 21	נָהָג (ז.), נַהֶגֶת (נ.) ש״ע
WONDERFUL	ש 10	נֶהְדָּר, נֶהְדֶּרֶת ש״ת
NOVEMBER	ש 7	נוֹבֶמְבֶּר מ״ז

נוּדְנִיק (נ.), נוּדְנִיקִית (נ.) ש"ע, ש"ת, ס., מ"ז	ש 26	NAGGER / PEST / NUDJE
נוֹחַ, נוֹחָה ש"ת	ש 22	COMFORTABLE
נוֹלַד, לְהִיוָּולֵד פ.	ש 17	BE BORN
נוֹסְטַלְגְיָה (נ. ר. 0) ש"ע, מ"ז	ש 22	NOSTALGIA
נוֹסֵעַ, לִנְסוֹעַ פ.	ש 1	RIDE / GO
נוֹעֵל, לִנְעוֹל פ.	ש 14	LOCK
נוֹף (ז.) ש"ע	ש 8	VIEW / LANDSCAPE
נוֹפֵל, לִיפּוֹל פ.	ש 14	FALL
נוֹצְרִי (ז.), נוֹצְרִיָּה (נ.) ש"ת, ש"ע	ש 17	CHRISTIAN
נוֹרָא ת"פ, ס.	ש 12	TERRIBLE / TERRIBLY
נוֹרְמָלִי, נוֹרְמָלִית ש"ת, מ"ז	פ"ז 2	NORMAL
נוֹתֵן, לָתֵת (ל...) פ.	ש 14	GIVE (TO)
תֵּן לִי! (ז.) תְּנִי לִי! (נ.)	ש 11	GIVE ME! / ALLOW ME
תְּנוּ ל... (ז. ו נ. ר.)	ש 14	GIVE!
נָח, לָנוּחַ פ.	ש 13	REST
נְחוֹשֶׁת (נ. ר. 0) ש"ע	ש 17	COPPER
נֶחְמָד, נֶחְמָדָה ש"ת	ש 2	NICE
נֶכֶד (ז.), נֶכְדָּה (נ.) ש"ע	ש 18	GRANDCHILD, GRANDDAUGHTER
נָכוֹן ת"פ	ש 1	CORRECT(LY)
נָכוֹן, נְכוֹנָה ש"ת	ש 4	RIGHT
נִכְנַס, לְהִיכָּנֵס (ל...) פ.	ש 26	ENTER
נָמוּךְ, נְמוּכָה ש"ת	ש 16	SHORT / LOW
נֵס (ז.) ש"ע		MIRACLE
נָעִים, נְעִימָה ש"ת	ש 6	PLEASANT
נָעִים מְאוֹד	י 4	PLEASURE TO MEET YOU
נַעַל (נ.), נַעֲלַיִים ש"ע	ש 14	SHOE
נִפְגַּשׁ, לְהִיפָּגֵשׁ (עם) פ.	ש 25	MEET
נֶפֶשׁ, נְפָשׁוֹת (נ.) ש"ע	ש 24	SOUL / MIND
נַצְרוּת (נ. ר. 0) ש"ע	ש 26	CHRISTIANITY
נְקֵבָה (נ.) ש"ע	ש 14	FEMININE (GRAMMAR)
נָקִי, נְקִיָּה ש"ת	ש 23	CLEAN

CANDLE	ש 16	נֵר (ז.), נֵרוֹת ש״ע
STAY / REMAIN	ש 26	נִשְׁאַר, לְהִישָּׁאֵר (ב...) פ.
MARRIED	ש 18	נָשׂוּי, נְשׂוּאָה ש״ת
PRESIDENT	ש 20	נָשִׂיא (ז.), נְשִׂיאָה (נ.) ש״ע

GRANDFATHER, GRANDMOTHER	ש 18	סַבָּא (ז.) סָבְתָא (נ.) ש״ע
SOAP	ש 20	סַבּוֹן (ז.) ש״ע, מ״ז
DREIDL / TOP (A TOY)	ש 27	סְבִיבוֹן (ז.) ש״ע
PATIENCE	ש 19	סַבְלָנוּת (נ. ר. 0) ש״ע
PURPLE	ש 16	סָגוֹל, סְגוּלָּה ש״ת
CLOSE / SHUT	ש 20	סוֹגֵר, לִסְגּוֹר פ.
SEDER-PASSOVER DINNER	ש 27	סֵדֶר פֶּסַח (ז.) ש״ע
SWEATER	ש 22	סְוֶודֶר (ז.) ש״ע, מ״ז
SUGAR	י 5	סוּכָּר (ז.) ש״ע, מ״ז
SONATA	י 7	סוֹנָטָה (נ.) ש״ע, מ״ז
END	ש 16	סוֹף (ז.) ש״ע
WEEKEND	ש 9	סוֹף שָׁבוּעַ (ז.) ש״ע
FINALLY	ש 27	סוֹף סוֹף ב.
WRITER	ש 23	סוֹפֵר (ז.), סוֹפֶרֶת (נ.) ש״ע
SUPERMARKET	י 5	סוּפֶּרמַרְקֶט (ז.) ש״ע, מ״ז
SOCIALIST	ש 27	סוֹצְיָאלִיסְטִי, סוֹצְיָאלִיסְטִית ש״ת, מ״ז
SOCIOLOGIST	ש 20	סוֹצְיוֹלוֹג (ז.), סוֹצְיוֹלוֹגִית (נ.) ש״ע, מ״ז
STUDENT	י 4	סְטוּדֶנְט (ז.), סְטוּדֶנְטִית (נ.) ש״ע, מ״ז
CIGARETTE	ש 4	סִיגַרְיָה (נ.) ש״ע, מ״ז
SYMMETRICAL	ש 15	סִימֶטְרִי, סִימֶטְרִית ש״ת, מ״ז
SYMMETRY	ש 15	סִימֶטְרִיָּה (נ.) ש״ע, מ״ז
SIGN	ש 13	סִימָן (ז.) ש״ע
SEMESTER	פ״ז 2	סִימֶסְטֶר (ז.) ש״ע, מ״ז
SYMPHONY	ש 1	סִימְפוֹנְיָה (נ.) ש״ע, מ״ז
LIKABLE / NICE	ש 23	סִימְפָּטִי, סִימְפָּטִית ש״ת, מ״ז

English		עברית
CHINESE	ש 25	סִינִי, סִינִית ש״ת
CHINESE (LANGUAGE)	י 7	סִינִית (נ. ר. 0)
CINEMATHEQUE	ש 7	סִינֶמָטֶק (ז.) ש״ע, מ״ז
STORY	ש 7	סִיפּוּר (ז.) ש״ע
LIVING ROOM / SALON	ש 2	סָלוֹן (ז.) ש״ע, מ״ז
SALAD	י 4	סָלָט (ז.) ש״ע, מ״ז
EXCUSE ME / FORGIVE ME / SORRY	י 4	סְלִיחָה מ״ק
SLANG	ש 7	סְלֶנְג (ז. ר. 0) ש״ע, מ״ז
ROCK / BOULDER	ש 25	סֶלַע (ז.), סְלָעִים ש״ע
CELERY	ש 9	סֶלֶרִי (ז. ר. 0) ש״ע, מ״ז
SYMBOL	ש 15	סֵמֶל (ז.) ש״ע
SANDWICH	י 7	סֶנְדְוִויץ' (ז.) ש״ע, מ״ז
SANDAL	ש 7	סַנְדָל (ז.) ש״ע
SPORTS	ש 13	סְפּוֹרְט (ז. ר. 0) ש״ע, מ״ז
ATHLETE	ש 18	סְפּוֹרְטַאי (ז.) סְפּוֹרְטָאִית (נ.) ש״ע, מ״ז
SEPTEMBER	ש 7	סֶפְּטֶמְבֶּר מ״ז
BOOK	י 6	סֵפֶר (ז.), סְפָרִים
SPANISH / SEPHARDI	ש 7	סְפָרַדִּי, סְפָרַדִּיָּה ש״ת, ש״ע
SPANISH (LANGUAGE)	י 6	סְפָרַדִּית (נ. ר. 0) ש״ע
LIBRARY	ש 1	סִפְרִיָּה (נ.) ש״ע
MOVIE	י 4	סֶרֶט (ז.), סְרָטִים ש״ע
COLCHICUM (FLOWER)	ש 16	סִתְוָונִית (נ.) ש״ע
AUTUMN	ש 16	סְתָיו (ז.) ש״ע
WORK	ש 1	עֲבוֹדָה (נ.) ש״ע
(THE) PAST	ש 25	עָבָר (ז. ר. 0) ש״ע
HEBREW	ש 9	עִבְרִי, עִבְרִיָּה ש״ת
TOMATO	ש 9	עַגְבָנִיָּה (נ.) ש״ע
UNTIL / TILL / TO	ש 7	עַד מ״ח
WORK	ש 1	עוֹבֵד, לַעֲבוֹד פ.
PASS / MOVE	ש 11	עוֹבֵר, לַעֲבוֹר פ.

עוּגָה (נ.) ש"ע	י 4	CAKE
עוֹד מ"ח	ש 3	MORE
עוֹד מְעַט ת"פ	ש 19	SOON / IN A LITTLE WHILE
עוֹד פַּעַם ת"פ	ש 23	AGAIN / ONE MORE TIME
עוֹזֵב, לַעֲזוֹב פ.	ש 24	LEAVE
עוֹזֵר, לַעֲזוֹר (ל...) פ.	ש 17	HELP
עוֹלֶה, לַעֲלוֹת פ. (כמה זה עולה?)	ש 3	COST
עוֹלֶה, לַעֲלוֹת פ.	ש 7	RISE / GO UP
עוֹלֶה (לָאָרֶץ) פ.	ש 7	IMMIGRATE (TO ISRAEL)
עוֹלֶה חָדָשׁ ש"ע	ש 7	NEW IMMIGRANT IN ISRAEL
עוֹלָם (ז.), עוֹלָמוֹת ש"ע	י 5	WORLD
הָעוֹלָם הַבָּא	ש 26	THE AFTERLIFE
עוֹמֵד, לַעֲמוֹד פ.	ש 14	STAND
עוֹנֶה, לַעֲנוֹת (ל...) פ.	ש 15	ANSWER
עוֹנָה (נ.) ש"ע	ש 16	SEASON
עוֹצֵר, לַעֲצוֹר פ.	ש 26	STOP
עוֹשֶׂה, לַעֲשׂוֹת פ.	י 4	DO / MAKE
עוֹשֶׂה ל... עֵינַיִים	ש 14	OGLE (SOMEONE)
עוֹשֶׂה חַיִּים	י 4	HAVE FUN
עֵז (נ.), עִיזִּים ש"ע	ש 21	GOAT
עִיגּוּל (ז.) ש"ע	ש 15	CIRCLE
עָיֵיף, עֲיֵיפָה ש"ת	ש 17	TIRED
עַיִן (נ.), עֵינַיִים ש"ע	ש 15	EYE
עִיר (נ.), עָרִים ש"ע	י 4	CITY / TOWN
הָעִירָה ת"פ	ש 23	TO TOWN
עִיתּוֹן (ז.) ש"ע	ש 4	NEWSPAPER
עִיתּוֹנַאי (ז.), עִיתּוֹנָאִית (נ.) ש"ע	ש 10	NEWSPAPER REPORTER
עַכְשָׁיו ת"פ	י 6	NOW
עַל מ"י	י 5	ON / ABOUT
עַל שֵׁם	ש 2	NAMED AFTER
עַל לֹא דָבָר ב.	ש 21	YOU'RE WELCOME!

עִם מ״י	י 4	WITH
עַמּוּד (ז.) ש״ע	ש 25	PILLAR /POLE
עָנִי, עֲנִיָּיה ש״ת	ש 26	POOR
עֵץ (ז.) ש״ע	ש 2	TREE
עֵץ הַדַּעַת (ז.) ש״ע	ש 21	THE TREE OF KNOWLEDGE
עָצוּב, עֲצוּבָה ש״ת	ש 11	SAD
עֶרֶב (ז.), עֲרָבִים ש״ע	ש 1	EVENING
הָעֶרֶב	ש 24	THIS EVENING
עֶרֶב טוֹב! ב.	י 6	GOOD EVENING!
עֶרֶב שַׁבָּת (ז.) עַרְבֵי שַׁבָּת ש״ע	ש 6	SABBATH EVE (FRIDAY NIGHT)
(הָ)עֲרָבָה (נ.) ש״ע	ש 26	THE ARAVA (PLAIN / WILDERNESS)
עֲרָבִי, עַרְבִיָּיה ש״ע, ש״ת	ש 7	ARAB
עֲרָבִית (נ. ר. 0) ש״ע	י 6	ARABIC (LANGUANE)
עָשִׁיר, עֲשִׁירָה ש״ת	ש 23	RICH
עֲשִׂירִי, עֲשִׂירִית ש״ת	ש 13	TENTH
עֶשֶׂר (נ.) ש״מ	י 7	TEN
עֲשָׂרָה (ז.) ש״מ	ש 3	TEN
עֶשְׂרִים (ז. ו נ.)	ש 9	TWENTY
עָתִיד (ז. ר. 0) ש״ע	ש 10	FUTURE
עַתִּיק, עַתִּיקָה ש״ת	ש 2	ANCIENT / ANTIQUE

פַּארְק (ז.) ש״ע, מ״ז	ש 13	PARK
פֶבְּרוּאָר מ״ז	ש 7	FEBRUARY
פְּגִישָׁה (נ.) ש״ע	ש 17	MEETING
פֹּה ת״פ	י 5	HERE
פֶּה (ז.) ש״ע	ש 15	MOUTH
פּוֹגֵשׁ, לִפְגּוֹשׁ פ.	ש 4	MEET
פּוֹחֵד, לְפַחֵד (מ...) פ.	ש 15	BE AFRAID / FEAR
פּוֹלְיוֹ (ז. ר. 0) ש״ע, מ״ז	ש 25	POLIO
פּוֹלִיטִיקַאי (ז.), פּוֹלִיטִיקָאִית (נ.) ש״ע, מ״ז	ש 20	POLITICIAN

פּוֹלִיטִיקָה (נ. ר. 0) ש״ע, מ״ז	י 5	POLITICS
פּוֹלָנִית (נ. ר. 0) ש״ע, מ״ז	י 5	POLISH (LANGUAGE)
פּוֹנֶה, לִפְנוֹת פ.	ש 21	TURN
פּוֹסְט מוֹדֶרְנִי, פּוֹסְט מוֹדֶרְנִית ש״ת, מ״ז	ש 10	POST-MODERN
פּוֹעַל (ז.), פְּעָלִים ש״ע	ש 11	VERB
פּוֹפּוּלָרִי, פּוֹפּוּלָרִית ש״ת, מ״ז	ש 10	POPULAR
פּוֹרְטוּגֶזִית (נ. ר. 0) ש״ע, מ״ז	י 5	PORTUGUESE (LANGUAGE)
פּוּרִים (ז. ר.) ש״ע	ש 18	PURIM (JEWISH FEAST)
פּוֹתֵחַ, לִפְתּוֹחַ פ.	ש 19	OPEN
פָּחוֹת	ש 6	MINUS / LESS
פָּחוֹת מ...	ש 27	LESS THAN...
פֶּטְרוֹזִילְיָה (נ.) ש״ע, מ״ז	ש 21	PARSLEY
פִּיזִיקָה (נ. ר. 0) ש״ע, מ״ז	ש 24	PHYSICS
פִּיל (ז.), פִּילָה (נ.) ש״ע	ש 23	ELEPHANT
פִּילוֹלוֹג (ז.), פִּילוֹלוֹגִית (נ.) ש״ע, מ״ז	ש 17	PHILOLOGIST
פִּילוֹסוֹף (ז.), פִּילוֹסוֹפִית (נ.) ש״ע, מ״ז	ש 10	PHILOSOPHER
פִּילוֹסוֹפְיָה (נ.) ש״ע, מ״ז	פ״ז 1	PHILOSOPHY
פִּיצָה (נ.) ש״ע, מ״ז	ש 8	PIZZA
פִּיקְנִיק (ז.) ש״ע, מ״ז	פ״ז 1	PICNIC
פִּיתָה (נ.) ש״ע	ש 3	PITAH (KIND OF BREAD)
פֶּלֶאפוֹן (ז.) ש״ע	ש 11	CELL PHONE
פָלָאפֶל (ז.) ש״ע, מ״ז	י 6	FALAFEL (FOOD)
פִּלְפֵּל (ז.) ש״ע	ש 19	PEPPER
פַנְטַזְיָה (נ.) ש״ע, מ״ז	ש 17	FANTASY
פַּנְקִיסְט (ז.), פַּנְקִיסְטִית (נ.) ש״ע, מ״ז	ש 16	(A) PUNK
פָּסוּק (ז.), פְּסוּקִים ש״ע	ש 21	VERSE
פַּסְטָה פֶּסְטוֹ (נ.) ש״ע, מ״ז	ש 8	PESTO PASTA
פֶסְטִיבָל (ז.) ש״ע, מ״ז	ש 7	FESTIVAL
פְּסִיכוֹלוֹג (ז.), פְּסִיכוֹלוֹגִית (נ.) ש״ע, מ״ז	ש 12	PSYCHOLOGIST
פֶּסִימִי, פֶּסִימִית ת״ש, מ״ז	ש 22	PESSIMIST
פַּסְפּוֹרְט (ז.) ש״ע, מ״ז	ש 4	PASSPORT

ONE TIME	ש 12	פַּעַם (ז.), פְּעָמִים ש״ע
ONCE	ש 20	פַּעַם ת״פ
CLERK	ש 11	פָּקִיד (ז.), פְּקִידָה (נ.) ש״ע
FAX	ש 11	פַקְס (ז.) ש״ע, מ״ז
PROFESSOR	י 6	פְּרוֹפֶסוֹר (ז./ נ.) ש״ע, מ״ז
FLOWER	ש 9	פֶּרַח (ז.), פְּרָחִים ש״ע
FRUIT	ש 9	פְּרִי (ז.), פֵּרוֹת ש״ע
AD / COMMERCIAL	ש 20	פִּרְסוֹמֶת (נ.) ש״ע
SIMPLE	ש 11	פָּשׁוּט, פְּשׁוּטָה ש״ת
SUDDENLY	ש 8	פִּתְאוֹם ת״פ
NOTE	ש 22	פֶּתֶק (ז.), פְּתָקִים ש״ע
SOLUTION	ש 22	פִּתְרוֹן (ז.), פִּתְרוֹנוֹת ש״ע
ARMY	ש 7	צָבָא (ז.), צְבָאוֹת ש״ע
COLOR	ש 16	צֶבַע (ז.), צְבָעִים ש״ת
SIDE	ש 26	צַד (ז.), צְדָדִים ש״ע
YELLOW	ש 16	צָהוֹב, צְהוּבָּה ש״ת
NOON	ש 1	צָהֳרַיִים (ז. ר)
NECK	ש 15	צַוָּואר (ז.) ש״ע
LAUGH	ש 18	צוֹחֵק, לִצְחוֹק (על) פ.
PARACHUTE / DROP DRASTICALLY	ש 28	צוֹנֵחַ, לִצְנוֹחַ פ.
PUBLIC	ש 1	צִיבּוּרִי, צִיבּוּרִית ש״ת
ZIONIST	ש 7	צִיּוֹנִי, צִיּוֹנִית ש״ת, ש״ע
PAINTING / DRAWING	ש 2	צִיּוּר (ז.) ש״ע
FRENCH FRIES	י 7	צִ׳יפְּס (ז.) ש״ע, מ״ז
CZECH (LANGUAGE)	י 7	צֶ׳כִית (נ. ר. 0) ש״ע, מ״ז
CELLO	י 7	צֶ׳לוֹ (ז.) ש״ע, מ״ז
PLATE	ש 18	צַלַּחַת (נ.) ש״ע
FAST	ש 13	צָם, לָצוּם פ.
HARPSICHORD	י 7	צֶ׳מְבָּלוֹ (ז.) ש״ע, מ״ז
PLANT	ש 19	צֶמַח (ז.), צְמָחִים ש״ע

צַנְחָן (ז.), צַנְחָנִית (נ.) ש״ע	ש 28	PARATROOPER
צָעִיר, צְעִירָה ש״ת	ש 12	YOUNG
צֶ׳יק (ז.) ש״ע, מ״ז	ש 9	CHECK
צָרָה (נ.) ש״ע	ש 15	TROUBLE / MISFORTUNE
צָרִיךְ	ש 19	NEED / HAVE TO
צָרְפָתִית (נ. ר. 0) ש״ע	י 6	FRENCH (LANGUAGE)
קְבוּצָה (נ.) ש״ע	ש 19	GROUP
קָדוֹשׁ, קְדוֹשָׁה ש״ת	ש 23	HOLY
קָדִימָה ת״פ	ש 26	FORWARD
קְהִילָה (נ.) ש״ע	ש 24	COMMUNITY
קַו (ז.) ש״ע	ש 15	LINE
קוֹדֶם ת״פ	ש 19	FIRST / BEFORE
קוֹמוּנָה (נ.) ש״ע, מ״ז	ש 17	COMMUNE
קוֹמוּנִיזְם (ז. ר. 0) ש״ע, מ״ז	ש 16	COMMUNISM
קוֹמוּנִיקַצְיָה (נ. ר. 0) ש״ע, מ״ז	י 4	COMMUNICATION
קוֹנְגְרֶס (ז.) ש״ע, מ״ז	ש 13	CONGRESS
קוֹנֶה, לִקְנוֹת פ.	ש 1	BUY
קוֹנֶה (ז.), קוֹנָה (נ.) ש״ע	ש 20	BUYER / CUSTOMER
קוֹנְסֶרְבָטִיבִי, קוֹנְסֶרְבָטִיבִית ש״ת, מ״ז	ש 14	CONSERVATIVE (JEW)
קוֹנְפְלִיקְט (ז.) ש״ע, מ״ז	ש 7	CONFLICT
קוֹנְצֶרְט (ז.) ש״ע, מ״ז	י 4	CONCERT
קוֹנְצֶ׳רְטוֹ (ז.) ש״ע, מ״ז	י 7	CONCERTO
קוֹף (ז.) ש״ע	ש 19	MONKEY
קוֹקָה קוֹלָה (נ. ר. 0) ש״ע, מ״ז	י 4	COCA COLA
קוֹקְטֵיל (ז.) ש״ע, מ״ז	ש 14	COCKTAIL
קוֹרֵא, לִקְרוֹא פ.	י 6	READ
קוּרְס (ז.) ש״ע, מ״ז	ש 5	COURSE
קָטָן, קְטַנָּה ש״ת	ש 2	SMALL
קֶטְשׁוֹפּ (ז. ר. 0) ש״ע, מ״ז	י 7	CATSUP / KETCHUP
קִיבּוּץ (ז.) ש״ע	פ״ז 1	KIBBUTZ (COLLECTIVE SETTLEMENT)

KIDDUSH (SANCTIFICATION)	ש 27	קִידוּשׁ (ז. ר. 0) ש״ע
KIOSK	י 4	קְיוֹסְק (ז.) ש״ע, מ״ז
KILO	ש 19	קִילוֹ (ז. ר. 0) ש״ע, מ״ז
KILOMETER	ש 6	קִילוֹמֶטֶר (ז.) ש״ע, מ״ז
EMPEROR, EMPRESS	ש 2	קֵיסָר (ז.), קֵיסָרִית (נ.) ש״ע, מ״ז
SUMMER	ש 10	קַיִץ (ז.), קֵיצִים ש״ע
EASY / LIGHT	ש 6	קַל, קַלָּה ש״ת
CLASSIC / CLASSICAL	ש 2	קְלָסִי, קְלָסִית ש״ת, מ״ז
GET UP / BE FOUNDED	ש 6	קָם, לָקוּם פ.
FLOUR	ש 19	קֶמַח (ז. ר. 0) ש״ע
SHOPPING MALL	ש 9	קַנְיוֹן (ז.) ש״ע
COFFEE	י 6	קָפֶה (ז. ר. 0) ש״ע, מ״ז
CAFETERIA	פ״ז 1	קָפֶטֶרְיָה (נ.) ש״ע, מ״ז
SHORT	ש 11	קָצָר, קְצָרָה ש״ת
A LITTLE	י 4	קְצָת
COLD	ש 8	קַר, קָרָה ש״ת
CLOSE / NEAR	ש 13	קָרוֹב, קְרוֹבָה ש״ת
CLOSE TO / NEAR	ש 24	קָרוֹב ל... ת״פ
CAREER	ש 5	קַרְיֶירָה (נ.) ש״ע, מ״ז
CAREER ORIENTED	ש 5	קַרְיֶירִיסְט (ז.), קַרְיֶירִיסְטִית (נ.) ש״ת, מ״ז
CARICATURE	ש 22	קָרִיקָטוּרָה (נ.) ש״ע, מ״ז
COOL	ש 16	קָרִיר, קְרִירָה ש״ת
DIFFICULT / HARD	ש 5	קָשֶׁה ת״פ
HARD	ש 8	קָשֶׁה, קָשָׁה ש״ת
CONNECTION / TIE	ש 19	קֶשֶׁר (ז.), קְשָׁרִים ש״ע
ACTUAL / REAL	פ״ז 2	רֵאָלִי, רֵאָלִית ש״ת, מ״ז
HEAD	ש15	רֹאשׁ (ז.) ש״ע
PRIME MINISTER	ש 20	רֹאשׁ מֶמְשָׁלָה (ז./ נ.) ש״ע
MAYOR	ש 20	רֹאשׁ עִיר (ז./ נ.) ש״ע
FIRST	ש 13	רִאשׁוֹן, רִאשׁוֹנָה ש״ת

RABBI (TITLE OF JEWISH RELIGIOUS LEADER)	ש 5	רַב (ז.), רַבָּנִים ש"ע
RABBI	ש 18	רַבִּי (ז.) ש"ת
MANY / MUCH	ש 12	רַב, רַבָּה ש"ת
PLURAL (GRAMMAR)	ש 14	רַבִּים (ז. ר.) ש"ע
FOURTH	ש 13	רְבִיעִי, רְבִיעִית ש"ת
QUARTER	י 7	רֶבַע (ז.), רְבָעִים ש"ע
REGULAR / USUAL	ש 18	רָגִיל, רְגִילָה ש"ת
LEG / FOOT	ש 15	רֶגֶל (נ.), רַגְלַיִים ש"ע
MOMENT	י 4	רֶגַע (ז.), רְגָעִים ש"ע
RADIO	י 3	רַדְיוֹ (ז. ר. 0) ש"ע, מ"ז
PIECE OF FURNITURE	ש 3	רָהִיט (ז.) ש"ע
LOOK / SEE	ש 4	רוֹאֶה, לִרְאוֹת פ.
MOST	ש 27	רוֹב ש"ע
SINGLE MAN / WOMAN	ש 16	רַוָּוק (ז.), רַוָּוקָה (נ.) ש"ת, ש"ע
WASH	ש 12	רוֹחֵץ, לִרְחוֹץ פ.
ROMANIAN (LANGUAGE)	י 3	רוֹמָנִית (נ. ר. 0) ש"ע, מ"ז
RUSSIAN (LANGUAGE)	י 4	רוּסִית (נ. ר. 0) ש"ע, מ"ז
DOCTOR	ש 16	רוֹפֵא (ז.), רוֹפְאָה (נ.) ש"ע
WANT	י 4	רוֹצֶה, לִרְצוֹת פ.
ROCK MUSIC	ש 1	רוֹק (ז. ר. 0) ש"ע, מ"ז
DANCE	ש 6	רוֹקֵד, לִרְקוֹד פ.
THIN / SKINNY	ש 16	רָזֶה, רָזָה ש"ת
STREET	ש 1	רְחוֹב (ז.), רְחוֹבוֹת ש"ע
FAR	ש 23	רָחוֹק, רְחוֹקָה ש"ת
BAD / MEAN	ש 17	רַע, רָעָה ש"ת
HUNGRY	ש 20	רָעֵב, רְעֵבָה ש"ת
IDEA	ש 21	רַעֲיוֹן (ז.), רַעֲיוֹנוֹת ש"ע
MEDICINE	ש 24	רְפוּאָה (נ. ר. 0) ש"ע
REFORM JEWISH	פ"ז 2	רֶפוֹרְמִי, רֶפוֹרְמִית ש"ת, מ"ז
RUN	ש 5	רָץ, לָרוּץ פ.
ONLY / JUST	י 4	רַק

THAT	ש 20	שֶ... מ״ק
QUESTION	ש 6	שְׁאֵלָה (נ.) ש״ע
WEEK	ש 4	שָׁבוּעַ (ז.), שָׁבוּעוֹת ש״ע
THIS WEEK	ש 20	הַשָּׁבוּעַ ת״פ
TRIBE	ש 25	שֵׁבֶט (ז.), שְׁבָטִים ש״ע
SEVENTH	ש 13	שְׁבִיעִי, שְׁבִיעִית ש״ת
STRIKE	ש 20	שְׁבִיתָה (נ.) ש״ע
SEVEN	י 7	שֶׁבַע (נ.) ש״מ
SEVENTEEN	ש 9	שְׁבַע עֶשְׂרֵה (נ.) ש״מ
SEVEN	ש 3	שִׁבְעָה (ז.) ש״מ
SEVENTEEN	ש 11	שִׁבְעָה עָשָׂר (ז.) ש״מ
SEVENTY	ש6	שִׁבְעִים (ז. ו נ.) ש״מ
SABBATH / SATURDAY	פ 1	שַׁבָּת (נ.) ש״ע
MISTAKE	ש 28	שְׁגִיאָה (נ.)
ASK	ש 5	שׁוֹאֵל, לִשְׁאוֹל פ.
AGAIN	ש 13	שׁוּב ת״פ
BREAK	ש 25	שׁוֹבֵר, לִשְׁבּוֹר פ.
SWIM	ש 26	שׂוֹחֶה, לִשְׂחוֹת פ.
POLICEMAN, POLICEWOMAN	ש 24	שׁוֹטֵר (ז.), שׁוֹטֶרֶת (נ.) ש״ע
LIE DOWN	ש 24	שׁוֹכֵב, לִשְׁכַּב פ.
FORGET	ש 20	שׁוֹכֵחַ, לִשְׁכּוֹחַ פ.
SEND	ש 11	שׁוֹלֵחַ, לִשְׁלוֹחַ (ל...) פ.
DESK / TABLE	ש 2	שׁוּלְחָן (ז.), שׁוּלְחָנוֹת ש״ע
SULTAN	ש 23	שׁוּלְטָן (ז.) ש״ע, מ״ז
NOTHING	ש 7	שׁוּם דָּבָר
HEAR	ש 1	שׁוֹמֵעַ, לִשְׁמוֹעַ פ.
OBSERVE (THE SABBATH) / KEEP	ש 13	שׁוֹמֵר, לִשְׁמוֹר (על) פ.
DIFFERENT	ש 25	שׁוֹנֶה, שׁוֹנָה ש״ת
MARKET	ש 9	שׁוּק (ז.), שְׁוָוקִים ש״ע
COCOA	ש 7	שׁוֹקוֹ (ז. ר. 0) ש״ע, מ״ז
CHOCOLATE	י 4	שׁוֹקוֹלָד (ז.) ש״ע, מ״ז

שׁוֹקֵל, לִשְׁקוֹל פ.	ש 23	WEIGH
שׁוֹתֶה, לִשְׁתוֹת פ.	י 4	DRINK
שָׁחוֹר, שְׁחוֹרָה ש״ת	ש 12	BLACK
שְׁטוּת (נ. י.), שְׁטוּיוֹת (ז. ר.) ש״ע	ש 25	NONSENSE
שָׁטִיחַ (ז.), שְׁטִיחִים ש״ע	ש 3	CARPET
שִׂיחָה (נ.) ש״ע	ש 11	CONVERSATION
שִׁימְפַּנְזָה (נ.) ש״ע, מ״ז	ש 19	CHIMPANZEE
שִׁיעוּר (ז.) ש״ע	י 6	LESSON / CLASS
שִׁיעוּרֵי בַּיִת (ז. ר.) ש״ע	ש 11	HOMEWORK
שִׁיר (ז.) ש״ע	י 2	SONG / POEM
שִׁיר הַשִּׁירִים	ש 21	SONG OF SONGS (BIBLE)
שֵׁירוּתִים (ז. ר.) ש״ע	ש 1	LAVATORY / TOILET
שִׁישָּׁה (ז.) ש״מ	ש 3	SIX
שִׁישָּׁה עָשָׂר (ז.) ש״מ	ש 11	SIXTEEN
שִׁישִּׁי, שִׁישִּׁית ש״ת	ש 13	SIXTH
שִׁישִּׁים (ז. ו נ.)	ש 6	SIXTY
שְׁכוּנָה (נ.) ש״ע	ש 13	NEIGHBORHOOD
שָׁכֵן (ז.), שְׁכֵנָה (נ.) ש״ע	ש 19	NEIGHBOR
שֶׁל מ״י	י 2	OF / BELONGING TO
שָׁלוֹם	י 3	HELLO / GOODBYE / PEACE
שָׁלוֹשׁ (נ.) ש״מ	י 7	THREE
שְׁלוֹשׁ עֶשְׂרֵה (נ .) ש״מ	ש 9	THIRTEEN
שְׁלוֹשָׁה ש״מ	ש 3	THREE
שְׁלוֹשָׁה עָשָׂר (ז.) ש״מ	ש 11	THIRTEEN
שְׁלוֹשִׁים (ז. ו נ.) ש״מ	ש 6	THIRTY
שְׁלִישִׁי, שְׁלִישִׁית ש״ת	ש 13	THIRD
שָׁם ת״פ	י 2	THERE
שֵׁם (ז.), שֵׁמוֹת ש״ע	ש 5	NAME
שְׁמִי	ש 5	MY NAME
שֵׁם עֶצֶם (ז.) ש״ע	ש 14	NOUN
שֵׁם תּוֹאַר (ז.) ש״ע	ש 14	ADJECTIVE

שָׂם, לָשׂים פ.	ש 9	PUT
שָׂם ל... רֶגֶל פ., ס.	ש 15	TRIP (SOMEONE) UP
שָׂם לֵב פ.	ש 15	NOTICE / PAY ATTENTION
שְׂמֹאל (ז.) ש״ע	ש 26	LEFT
שְׂמֹאלָה ת״פ	ש 1	TO THE LEFT
שְׁמוֹנֶה (נ.) ש״מ	י 7	EIGHT
שְׁמוֹנָה (ז.) ש״מ	ש 3	EIGHT
שְׁמוֹנָה עָשָׂר (ז.) ש״מ	ש 11	EIGHTEEN
שְׁמוֹנֶה עֶשְׂרֵה (נ.) ש״מ	ש 9	EIGHTEEN
שְׁמוֹנִים (ז. ו נ.) ש״מ	ש 6	EIGHTY
שָׂמֵחַ, שְׂמֵחָה ש״ת	ש 11	HAPPY
שִׂמְחָה (נ.), שְׂמָחוֹת ש״ע	ש 24	HAPPINESS / FESTIVITY
שֵׁמִי, שֵׁמִית ש״ת	ש 13	SEMITIC
שָׁמַיִם (ז. ר.) ש״ע	ש 7	SKY
שְׁמִינִי, שְׁמִינִית ש״ת	ש 13	EIGHTH
שִׂמְלָה (נ.), שְׂמָלוֹת ש״ע	ש 22	DRESS
שָׁמֵן, שְׁמֵנָה ש״ת	ש 16	FAT
שֶׁמֶן (ז.), שְׁמָנִים ש״ע	ש 19	OIL
שַׁמְפּוֹ (ז. ר. 0) ש״ע, מ״ז	ש 20	SHAMPOO
שַׁמְפַּנְיָה (נ.) ש״ע, מ״ז	ש 14	CHAMPAGNE
שֶׁמֶשׁ (נ.) ש״ע	י 2	SUN
שֵׁן (נ.), שִׁינַּיִם ש״ע	ש 15	TOOTH
שָׁנָה (נ.), שָׁנִים ש״ע	ש 7	YEAR
הַשָּׁנָה ת״פ	ש 16	THIS YEAR
שְׁנוֹת הַחֲמִישִׁים / שְׁנוֹת הַשִּׁישִּׁים	ש 7	THE FIFTIES / THE SIXTIES
שֵׁנִי, שְׁנִיָּיה ש״ת	ש 13	SECOND
שְׁנֵי (ז.) ש״מ	ש 3	TWO (IN CONSTRUCT)
שְׁנַיִם (ז.) ש״מ	ש 3	TWO
שְׁנֵים עָשָׂר (ז.) ש״מ	ש 11	TWELVE
שְׁנָתַיִים ש״ע	ש 15	TWO YEARS
שָׁעָה (נ.) ש״ע	י 7	HOUR

שָׁעוֹן (ז.), שְׁעוֹנִים ש"ע	י 7	CLOCK / WATCH
שְׁעָתַיִם ש"ע	ש 18	TWO HOURS
שַׁעַר (ז.), שְׁעָרִים ש"ע	ש 19	GATE
שֵׂעָר (ז. י.), שְׂעָרוֹת (נ. ר.) ש"ע	ש 15	HAIR
שָׂפָה (נ.) ש"ע	ש 8	LANGUAGE
שַׁפַּעַת (נ.) ש"ע	ש 27	FLU
שֶׁקֶט (ז. ר. 0) ש"ע	י 7	QUIET / SILENCE
בְּשֶׁקֶט ת"פ	ש 5	QUIETLY
שָׁקֵט, שְׁקֵטָה ש"ת	ש 8	QUIET / SILENCE
שֶׁקֶל (ז.), שְׁקָלִים ש"ע	ש 3	SHEKEL (ISRAELI CURRENCY)
שָׁר, לָשִׁיר פ.	י 3	SING
שַׁרְשֶׁרֶת (נ.) ש"ע	ש 15	CHAIN
שֵׁשׁ (נ.) ש"מ	י 7	SIX
שֵׁשׁ עֶשְׂרֵה (נ.) ש"מ	ש 9	SIXTEEN
שְׁתַּיִם (נ.) ש"מ	י 7	TWO
שְׁתֵּי (נ.) ש"מ	ש 1	TWO
שְׁתֵּים עֶשְׂרֵה (נ.) ש"מ	י 7	TWELVE

תֵּאוֹלוֹג (ז.), תֵּאוֹלוֹגִית (נ.) ש"ע, ש"ת, מ"ז	ש 17	THEOLOGIAN
תֵּאוֹרְיָה (נ.) ש"ע, מ"ז	ש 14	THEORY
תֵּאַטְרוֹן (ז.) ש"ע, מ"ז	י 5	THEATER
תְּאֵנָה (נ.) ש"ע	ש 21	FIG
תַּאֲרִיךְ (ז.) ש"ע	ש 24	DATE
תַּבְלִין (ז.) ש"ע	ש 6	HERB / SPICE
תַּגִּיד! תַּגִּידִי! תַּגִּידוּ! לְהַגִּיד פ.	ש 8	TELL!
תֵּה (ז. ר. 0) ש"ע, מ"ז	י 2	TEA
תּוֹדָה מ"ק	י 3	THANK YOU
תּוֹדָה רַבָּה	ש 3	THANK YOU VERY MUCH
תּוֹכְנִית (נ.), תּוֹכְנִיּוֹת ש"ע	ש 19	PROGRAM / PLAN
תּוֹפֵס, לִתְפּוֹס פ.	ש 28	CATCH

תּוֹרָה (נ.) ש״ע	פ״ז 1	PENTATEUCH (TORAH)
תּוֹשָׁב, תּוֹשֶׁבֶת (נ.) ש״ע	ש 25	INHABITANT / RESIDENT
תַּחֲנָה (נ.) ש״ע	ש 21	STATION
תֵּיבַת דּוֹאַר (נ.) ש״ע	ש 11	MAILBOX
תַּיָּר (ז.), תַּיֶּרֶת (נ.) ש״ע	ש 8	TOURIST
תַּיָּרוּת (נ. ר. 0) ש״ע	ש 26	TOURISM
תִּיק (ז.) ש״ע	ש 4	BAG / FILE
תִּיקּוּן (ז.) ש״ע	ש 21	CORRECTION
תַּלְמוּד (ז.) ש״ע	פ״ז1	TALMUD (POST MISHNA TEXTS)
תַּלְמִיד (ז.), תַּלְמִידָה (נ.) ש״ע	י 2	STUDENT
תְּמוּנָה (נ.) ש״ע	ש 23	PICTURE / PAINTING
תָּמִיד תה״פ	ש 8	ALWAYS
תָּמָר (ז.), תְּמָרִים ש״ע	ש 21	DATE (FRUIT / TREE)
תְּנַאי (ז.), תְּנָאִים ש״ע	ש 23	CONDITION / TERM
תַּנַ״ךְ (ז.) - תּוֹרָה, נְבִיאִים, כְּתוּבִים ש״ע	פ 1	BIBLE, PENTATEUCH, PROPHETS, WRITINGS
תַּנָ״כִי, תַּנָ״כִית ש״ת	ש 22	BIBLICAL
תְּעוּדָה (נ.) ש״ע	ש 24	CERTIFICATE / DOCUMENT
תַּפּוּז (ז.) ש״ע	י 5	ORANGE (FRUIT / TREE)
תַּפּוּחַ (ז.) ש״ע	ש 21	APPLE (FRUIT / TREE)
תַּפּוּחַ אֲדָמָה (ז.), תַּפּוּחֵי אֲדָמָה ש״ע	ש 18	POTATO
תַּפּוּחַ עֵץ (ז.), תַּפּוּחֵי עֵץ ש״ע	ש 11	APPLE (FRUIT / TREE)
תְּפִילָּה (נ.) ש״ע	ש 12	PRAYER
תַּפְקִיד (ז.) ש״ע	ש 28	ROLE
תְּקוּפָה (נ.) ש״ע	ש 24	PERIOD / ERA
תַּרְבּוּת (נ.) ש״ע	ש 28	CULTURE
תַּרְגִּיל (ז.) ש״ע	ש 8	EXERCISE
תְּרוּפָה (נ.) ש״ע	ש 25	MEDICINE / MEDICATION
תַּרְנְגוֹל (ז.), תַּרְנְגוֹלֶת (נ.) ש״ע	ש 21	CHICKEN / HEN
תְּשׁוּבָה (נ.) ש״ע	ש 11	ANSWER
תְּשִׁיעִי, תְּשִׁיעִית ש״ת	ש 13	NINTH
תֵּשַׁע (נ.) ש״מ	י 7	NINE

תְּשַׁע עֶשְׂרֵה (נ.) ש״מ	ש 9	NINETEEN
תִּשְׁעָה (נ.) ש״מ	ש 3	NINE
תִּשְׁעָה עָשָׂר (ז.) ש״מ	ש 11	NINTEEN
תִּשְׁעִים (ז. ו נ.) ש״מ	ש 3	NINETY

יחידה 1 - יחידה 7, פסק זמן 1

שמות מקומות		Names of places
אָדִיס אַבֶּבָּה	י 6	Addis Ababa
אוֹסְטְרַלְיָה	י 7	Australia
אֵירוֹפָּה	י 7	Europe
אִירְלַנְד	י 2	Ireland
אַלְגִ׳ירְיָה	י 7	Algeria
אֲמֵרִיקָה	י 7	America
אַנְגְלִיָה	י 2	England
אַנְטְאַרְטִיקָה	פ״ז 1	Antarctica
אַסְיָה	י 7	Asia
אַפְרִיקָה	י 7	Africa
אַרְצוֹת הַבְּרִית	י 5	the United States
אַשְׁדוֹד	פ״ז 1	Ashdod
אַשְׁקְלוֹן	פ״ז 1	Ashkelon
אֶתְיוֹפְּיָה	י 6	Ethiopia
בְּאֵר שֶׁבַע	פ״ז 1	Beer Sheba
בּוּאֶנוֹס אַיְירֶס	י 5	Buenos Aires
בּוֹסְטוֹן	י 5	Boston
בֵּיגִ׳ינְג	י 7	Beijing
בֶּלְגְיָה	י 5	Belgium
בְּרָזִיל	י 5	Brazil
בְּרִיסֶל	י 5	Brussels
בַּת יָם	י 5	Bat Yam
גֶרְמַנְיָה	י 2	Germany

Dimona	י 3	דִימוֹנָה
Disneyland	י 4	דִיסְנִילֶנְד
Denmark	י 2	דֶנְיָה
Denmark	י 5	דֶנְמַרְק
the Golan	י 3	הַגוֹלָן
The Galilee	פ״ז 1	הַגָלִיל
India	פ״ז 1	הוֹדוּ
Honolulu	פ״ז 1	הוֹנוֹלוּלוּ
Mount Scopus	י 6	הַר הַצוֹפִים
Warsaw	י 5	וַרְשָׁה
Zanzibar	פ״ז 1	זַנְזִיבָר
Haifa	י 6	חֵיפָה
Tokyo	י 4	טוֹקְיו
Toronto	י 3	טוֹרוֹנְטוֹ
Tibet	פ״ז 1	טִיבֶּט
the Dead Sea	י 3	יַם הַמֶלַח
Jaffa	י 6	יָפוֹ
Japan	י 5	יַפָּן
Jordan	י 2	יַרְדֵן
Jerusalem	י 4	יְרוּשָׁלַיִם
Jericho	י 3	יְרִיחוֹ
Israel	י 2	יִשְׂרָאֵל
London	י 3	לוֹנְדוֹן
Los Angeles	י 7	לוֹס אַנְגֶ׳לֶס
Lima	י 5	לִימָה
Lisbon	י 5	לִיסְבּוֹן
Manchuria	י 7	מַנְצ׳וּרְיָה
Manchester	י 7	מַנְצֶ׳סְטֶר
Mexico	י 4	מֶקְסִיקוֹ
Egypt	י 4	מִצְרַיִם
Nethania	י 2	נְתַנְיָה

China	י 4	סִין
Sinai	י 4	סִינַי
San Francisco	י 6	סַן פְרַנְסִיסְקוֹ
Spain	י 6	סְפָרַד
Iraq	י 4	עִירָק
Poland	י 5	פּוֹלִין
Portugal	י 5	פּוֹרְטוּגָל
Peru	י 5	פֶּרוּ
Chad	י 7	צַ׳ד
Czech Republic	י 7	צֶ׳כְיָה
Chile	י 7	צִ׳ילֶה
Safed	פ״ז 1	צְפַת
France	י 6	צָרְפַת
Copenhagen	י 5	קוֹפֶּנְהָגֶן
Kenya	י 4	קֶנְיָה
Russia	י 6	רוּסְיָה
Rio	י 7	רִיוֹ דֶה זָ׳נֶרוֹ
Yemen	י 2	תֵּימָן
Tel Aviv	י 6	תֵּל-אָבִיב

The Hebrew University Students' Printing and Publishing House
P.O.B 41, Jerusalem Israel
Printed in Israel

Illustration: Noam Nadav, Yuval Robichek
Design, Paging, Printing: Academon

NEW

HEBREW FROM SCRATCH

PART I

Shlomit Chayat
Sara Israeli
Hilla Kobliner

Academon
The Hebrew University Students'
Printing and Publishing House

Jerusalem, 2007